Meinem lieben Freund
Michael
mit den besten Wünschen
zum Weihnachtsfest 1967

Kätchen

DIE BÜCHER DER NEUNZEHN

Pegasus lächelt

Heitere und
heiter-melancholische
Geschichten deutscher Sprache
aus drei Jahrhunderten
Herausgegeben von
Hans Adolf Neunzig
Erschienen bei
Christian Wegner in Hamburg
1966

139. Band der Reihe
›Die Bücher der Neunzehn‹
Einmalige Sonderausgabe: Juli 1966
Alle Rechte dieser Ausgabe vorbehalten
Christian Wegner Verlag Hamburg
Printed in Germany

Inhalt

An Stelle einer Einleitung

Heinrich von Kleist

Die Hunde und der Vogel

Zwei ehrliche Hühnerhunde, die, in der Schule des Hungers zu Schlauköpfen gemacht, alles griffen, was sich auf der Erde blicken ließ, stießen auf einen Vogel. Der Vogel, verlegen, weil er sich nicht in seinem Element befand, wich hüpfend bald hier, bald dorthin aus, und seine Gegner triumphierten schon; doch bald darauf, zu hitzig gedrängt, regte er die Flügel und schwang sich in die Luft: da standen sie, wie Austern, die Helden der Triften, und klemmten den Schwanz ein, und gafften ihm nach.

Witz, wenn du dich in die Luft erhebst: wie stehen die Weisen und blicken dir nach!

GOTTHOLD EPHRAIM LESSING

Die Erscheinung

In der einsamsten Tiefe jenes Waldes, wo ich schon manches
redende Tier belauscht, lag ich an einem sanften Wasserfalle
und war bemüht, einem meiner Märchen den leichten poetischen Schmuck zu geben, in welchen am liebsten zu erscheinen,
La Fontaine die Fabel fast verwöhnt hat. Ich sann, ich wählte,
ich verwarf, die Stirne glühte – – Umsonst, es kam nichts auf
das Blatt. Voll Unwill sprang ich auf; aber sieh! – auf einmal
stand sie selbst, die fabelnde Muse, vor mir.
Und sie sprach lächelnd: Schüler, wozu diese undankbare Mühe? Die Wahrheit braucht die Anmut der Fabel; aber wozu
braucht die Fabel die Anmut der Harmonie? Du willst das
Gewürze würzen. Gnug, wenn die Erfindung des Dichters ist;
der Vortrag sei des ungekünstelten Geschichtschreibers, so
wie der Sinn des Weltweisen. Ich wollte antworten, aber die
Muse verschwand. »Sie verschwand?« höre ich einen Leser
fragen. »Wenn du uns doch nur wahrscheinlicher täuschen
wolltest! Die seichten Schlüsse, auf die dein Unvermögen dich
führte, der Muse in den Mund zu legen! Zwar ein gewöhn-
licher Betrug – «
Vortrefflich, mein Leser! Mir ist keine Muse erschienen. Ich
erzählte eine bloße Fabel, aus der du selbst die Lehre gezogen.
Ich bin nicht der erste und werde nicht der letzte sein, der seine Grillen zu Orakelsprüchen einer göttlichen Erscheinung
macht.

Die junge Schwalbe

Was macht ihr da? fragte eine Schwalbe die geschäftigen Ameisen. Wir sammeln Vorrat auf den Winter, war die geschwinde
Antwort.

Das ist klug, sagte die Schwalbe; das will ich auch tun. Und
sogleich fing sie an, eine Menge toter Spinnen und Fliegen in
ihr Nest zu tragen.

Aber wozu soll das? fragte endlich die Mutter. »Wozu? Vorrat auf den bösen Winter, liebe Mutter; sammle doch auch!
Die Ameisen haben mich diese Vorsicht gelehrt.«

O laß den irdischen Ameisen diese kleine Klugheit, versetzte
die Alte; was sich für sie schickt, schickt sich nicht für bessere
Schwalben. Uns hat die gütige Natur ein holderes Schicksal
bestimmt. Wenn der reiche Sommer sich endet, ziehen wir
von hinnen; auf dieser Reise entschlafen wir allgemach, und
da empfangen uns warme Sümpfe, wo wir ohne Bedürfnisse
rasten, bis uns ein neuer Frühling zu einem neuen Leben er-
wecket.

Die Maus

Eine philosophische Maus pries die gütige Natur, daß sie die
Mäuse zu einem so vorzüglichen Gegenstande ihrer Erhaltung
gemacht habe.

Denn eine Hälfte von uns, sprach sie, erhielt von ihr Flügel,
daß, wenn wir hier unten auch alle von den Katzen ausgerot-
tet würden, sie doch mit leichter Mühe aus den Fledermäusen
unser ausgerottetes Geschlecht wieder herstellen könnte.

Die gute Maus wußte nicht, daß es auch geflügelte Katzen
gibt. Und so beruhet unser Stolz meistens auf unsrer Unwissenheit!

Diana und Endymion

In jener dichterischen Zeit,
Mit deren Wundern uns der Amme Freundlichkeit
Durch manches Märchen einst in süßen Schlummer wiegte;
Als sorgenfreie Müßigkeit
Sich ohne Pflichten, ohne Streit,
Mit dem, was die Natur freiwillig gab, begnügte,
Kein Mädchen spann, kein Jüngling pflügte,
Und manches tunlich war, was Seneca verbeut;
Eh noch der Stände Unterscheid
Aus Brüdern Nebenbuhler machte,
Und gleisnerische Heiligkeit
Das höchste Gut der Sterblichkeit,
Den frohen Sinn, um seine Unschuld brachte;
Und kurz, in jener goldnen Zeit,
Als Mutter Isis noch, von keinem Joch entweiht,
Gesetze gab, wodurch sie glücklich machte,
Die Welt noch kindisch war, und alles scherzt' und lachte:
In dieser Zeit lebt' einst auf Latmos Höhn
Ein junger Hirt, wie Ganymedes schön,
Schön wie Narciß, doch nicht so spröde,
Wie Ganymed, allein nicht halb so blöde.

Sobald man weiß, Endymion
War schön und jung, so denkt ein jedes schon,
Daß ihn die Mädchen gerne sahen;
Zum mindsten liefen sie nicht oft vor ihm davon,

Das läßt sich ohne Scheu bejahen.
Die Chronik sagt noch mehr, als ich
Den Musen selbst geglaubet hätte:
Sie buhlten, spricht sie, in die Wette
Um seine Gunst; sie stellten sich
Ihm, wo er ging, in Steg' und Wege,
Sie warfen ihm oft Blumen zu
Und flohn dann hinter ein Gehege,
Belauschten seine Mittagsruh
Und guckten, ob er sich nicht rege.
Man sagt, daß er im Bad sogar
Nicht immer ohne Zeugen war;
Allein, wer kann so was beweisen?
Genug, der Tag begann die Stirne kaum zu weisen,
So wurde schon von mancher schönen Hand
Der Blumenflur ihr schönster Schmuck entwandt;
So putzte schon, dem Schäfer zu gefallen,
Im Hain, am Bache, sich der Nymphen ganze Schar;
Die badet sich, *die* flicht ihr blondes Haar,
Die läßt es frei um weiße Schultern wallen.

Herabgebückt auf flüssige Kristallen
Belächelt sich die schöne Damalis.
Wie vieles macht des Sieges sie gewiß!
Ein Mund, der Küssen winkt, ein Lilienhals und Nacken,
Der Augen feuchter Glanz, die Grübchen in den Backen,
Ein runder Arm, und o! der Thron der Lust,
Die blendende, kaum aufgeblühte Brust!
Mit einem Wort, nichts zeigt sich ihren Blicken,
Das nicht verdient, selbst Götter zu berücken:
Sie siehts und denkt, ob Leda ihrem Schwan
Mehr Reizungen gewiesen haben kann?
Und zittert doch und wünscht: O fände mich
Endymion nur halb so schön als ich!

Die Schönheit wird mit Wunder angeblickt,
Doch nur *Gefälligkeit* entzückt.
War Juno nicht, war nicht Minerva schön,
Als Zeus den Paris ausersehn,
Den Streit der Schönheit zu entscheiden?
Man weiß, sie ließen sich, um bösen Schein zu meiden,
Dem Richter ohne Röcke sehn.
Sehr lange ließ der Hirt von einem Reiz zum andern
Die ungewissen Blicke wandern,
Und zehnmal rief ein neuer Blick
Den schon gefaßten Schluß zurück.
Untadelig ist alles, was sie zeigen;
Beisammen sind sie gleich, *allein*
Scheint jede reizender zu sein:
Was wird zuletzt des Schäfers Urteil neigen?
Der Juno Majestät? der Pallas Würde? – Nein!
Die flößen nichts als Ehrfurcht ein;
Ein stärkrer Reiz wird hier den Ausschlag geben müssen:
Sie, die so zaubrisch *lächeln* kann,
Cythere lacht ihn an – er fällt zu ihren Füßen,
Und beut der Lächelnden den goldnen Apfel an.

Gefälligkeit raubt unserm Schäfer oft
Die Gunst, worauf umsonst die stolze Schönheit hofft.
Die blasse Schar der halb verwelkten Wangen
Erwirbt durch zärtliches Bemühn,
Durch Blicke, die an seinen Blicken hangen,
Und süßen Scherz manch kleines Recht an ihn.
Wie eifern sie, ihm liebzukosen!
Die schmückt sein Lamm, die kränzt ihm Hut und Stab;
Der Lenz ward arm an Blüt und Rosen,
Sie pflückten ganze Haine ab;
Sie wachten, daß ihn nichts in seinem Schlummer störte,
Sie pflanzten Lauben hin, wo er zu weiden pflag;

Und weil er gerne singen hörte,
So sangen sie den ganzen Tag.

Des Tages Lust schließt bis zum Sternenglanz
Manch muntres Spiel, und mancher bunte Tanz;
Und trennt zuletzt die Nacht den frohen Reihn,
So schläft er sanft auf Rosenbetten ein.
Die Nymphen zwingt der keuschen Göttin Schein,
Sich allgemach hinweg zu stehlen;
Sie zögern zwar, doch muß es endlich sein.
Sie geben ihm die Hand, die angenehmen Seelen,
Und wünschen ihm wohl zehnmal gute Nacht;
Doch weil der Schlaf sich oft erwarten macht,
Bleibt Eine stets zurück, ihm Märchen zu erzählen.

An *Böses* wurde nie von keinem Teil gedacht.
Der Schäfer war vergnügt, das Nymphenvolk nicht minder;
In Unschuld lebten sie beisammen wie die Kinder,
Zu manchem Spiel, wobei man selten weint,
Den ganzen Tag, oft auch bei Nacht, vereint;
Und träumten (zum Beweis, daß alles Unschuld war)
Nichts weniger als von Gefahr.

Der Nymphen schöne Königin
Erfuhr – man weiß nicht wie – vielleicht von einem Faun,
Der sie beschlich – vielleicht auch, im Vertraun,
Von einer alten Schäferin
(Der, weil sie selbst nicht mehr gefiel,
Der Jugend eitles Tun mißfiel
Kurz, sie erfuhr das ganze Schäferspiel.

Man kennt den strengen Sinn
Der schönen Jägerin,
Die in der Götter Schar
Die größte Spröde war.

Kein Sterblicher, kein Gott vermochte sie zu rühren.
Was sonst die Sprödesten vergnügt,
Sogar der Stolz, selbst unbesiegt
Die Herzen im Triumph zu führen,
War ihrem größern Stolz zu klein.
Sie zürnte schon nur angesehn zu sein.
Bloß, weil er sie vom Wirbel bis zur Nase
Im Bad erblickt, ward – Akton einst – ein Hase.*
Dies Beispiel flößte selbst dem Satyr Ehrfurcht ein.
Ihr schien ein *Blick* sie schon zu dreiste *anzufühlen;*
Kein Zephyr wagt' es, sie zu kühlen,
Und keine Blume schmückt' ihr Haar,
Die einst, wie Hyacinth, ein schöner Knabe war;
Von Liebe nur im Schlaf zu sprechen,
Hieß bei Dianen schon ein strafbares Verbrechen:
Kurz, Männerhaß und Sprödigkeit
Trieb selbst Minerva nicht so weit.

Man ratet leicht, in welche Wut
Der Nymphen Fall sie setzen mußte!
Es tobt' ihr jungfräuliches Blut,
Daß sie sich kaum zu fassen wußte.
So zornig sahn die guten Kinder sie
In einem andern Falle nie.
Kallisto ließ sich doch von einem Gott besiegen;
Das milderte die Schnödigkeit der Tat:
Doch einem Hirten unterliegen,
Wahrhaftig! dies war Hochverrat.

Ein fliegender Befehl zitiert aus allen Hainen
Das Nymphenvolk persönlich zu erscheinen.
Sie schleichen allgemach herbei,
Und keine läuft, daß sie die erste sei.

* Anspielung auf eine Stelle in Fieldings Tom Jones.

Die Göttin steht an ihren Spieß gelehnt,
Und sieht, mit einem Blick, der ihren Kummer höhnt,
Im ganzen Kreise nichts als feuerrote Wangen,
Und Augen, die zur Erde niederhangen.

»Hofft (spricht sie) nicht, durch Leugnen zu entgehn,
Man wird euch bald die Zunge lösen können;
Und werdet ihr nicht gütlich eingestehn,
So soll euch mir der Gott zu Delphi nennen.
Durch Zaudern wird die Schuld nicht gut gemacht:
Nur hurtig! jede von euch allen,
Die sich verging, lass' ihren Schleier fallen!«

Sie sprichts, und – ach! wer hätte das gedacht?
Die Göttin sprichts, und – *alle* Schleier fallen.

Man stelle sich den Lärmen vor,
Den die beschämte Göttin machte,
Indes der lose Cypripor
Auf einer Wolke saß und laut herunter lachte.
»Wie?« rief sie voller Wut empor,
(Und selbst die Wut verschönert ihre Wangen)
»Du, Wildfang, hast dies Unheil angestellt,
Und kommst noch gar damit zu prangen?
Zwar rühmst du dich, daß alle Welt
Für ihren Sieger dich erkenne;
Daß Vater Zeus sogar, so oft es dir gefällt,
Von unerlaubten Flammen brenne.
Und bald als Drache, bald als Stier,
Bald als ein böckischer Satyr,
Und bald mit Stab und Schäfertasche
Der Nymphen Einfalt überrasche.
Doch trotze nicht zu viel auf deine Macht!
Die Siege, die dir noch gelungen,
Hat man dir leicht genug gemacht;

Wer selbst die Waffen streckt, wird ohne Ruhm bezwungen.
Auf *mich*, auf mich, die deine Macht verlacht,
Auf *meine* Brust laß deine Pfeile zielen!
Ich fordre dich vor tausend Zeugen auf!
Sie werden sich vor halbem Lauf
In meinen feuchten Strahlen kühlen,
Und stumpf und matt um meinen Busen spielen.
Du lachst? – So laß doch sehn, wie viel dein Bogen kann,
Versuchs an mir, und sieg – und lache dann!
Doch ständ es dir, versichert, besser an,
Du kämst, statt Köcher, Pfeil und Bogen,
Mit einem – Vogelrohr geflogen.
Latonens Kindern nur gebührt
Der edle Schmuck, der deinen Rücken ziert.
Bald hätt ich Lust, dich wehrlos heimzuschicken,
Und, weil der Flug dich nur zu Schelmerei verführt,
Dir deine Schwingen auszupflücken.
Doch flieh nur wie du bist; laß meinen Hain in Ruh,
Auf ewig flieh aus meinen Blicken,
Und flattre deinem Paphos zu!
Dort tummle dich auf Rosenbetten
Mit deinen Grazien, und spiele Blindekuh
Mit Zephyrn und mit Amoretten!«

Diana sprichts. Mit lächelndem Gesicht
antwortet ihr der kleine Amor – nicht;
Gelassen langt er nur, als wie von ungefähr,
Den schärfsten Pfeil aus seinem Köcher her;
Doch steckt er ihn, als hätt er sich bedacht,
Gleich wieder ein, sieht Phöben an und lacht.
»Wie reizend schminkt der Eifer deine Wangen!
(Ruft er, und tut zugleich als wollt er sie umfangen)
Ich wollte dir wie Amors Wunde sticht,
Ein wenig zu versuchen geben;

Allein, bei meiner Mutter Leben!
Es braucht hier meiner Pfeile nicht.
An Spröden, die mir Hohn gesprochen,
Hat mich noch allezeit ihr eignes Herz gerochen.
Drum, Schwesterchen, (doch unter dir und mir)
Was nützt der Lärm? er könnte dich gereuen.
Weit sichrer wärs, die kleine Ungebühr
Den guten Nymphen zu verzeihen.«

Die Nymphen lächelten, und Amor flog davon.
Die Göttin zürnt, und rächt an *ihnen*
Des losen Spötters Hohn.
»Unwürdige – mir mehr zu dienen,
(Spricht sie mit ernstem Angesicht)
Zur Strafe der vergessnen Pflicht
Hat euch mein Mond zum letztenmal geschienen.
So bald sein Wagen nur den Horizont besteigt,
Sei euch verwehrt, im Hain herumzustreichen,
Bis sich des Tages Herold zeigt!
Entflieht mit schnellem Fuß, die einen in die Eichen,
Die übrigen zu ihren Urnen hin;
Dort liegt und schlaft, so lang ich Luna bin!«
Sie sprichts, und geht die Drachen anzuspannen,
Die ihren Silberwagen ziehn,
Und die bestraften Nymphen fliehn
Mehr traurig als bekehrt von dannen.

Der Tag zerfließet nun
Im allgemeinen Schatten,
Und alle Wesen ruhn,
Die sich ermüdet hatten.
Es schlummert Tal und Hain,
Die Weste selbst ermatten
Von ihren Buhlerein,
Und schlafen unter Küssen

Im Schoße von Narcissen
Und Rosen gähnend ein.
Der junge Satyr nur
Verfolgt der Dryas Spur;
Er reckt sein langes Ohr
Bei jedem leisen Zischen
Aus dem Gesträuch hervor,
Ein Nymphchen zu erwischen,
Das in den finstern Büschen
Vielleicht den Weg verlor.
Er sucht im ganzen Hain
Mit wohl zerzausten Füßen;
Umsonst! der Göttin Dräun
Zwang sie, sich einzuschließen;
Die armen Mädchen müssen
Für kürzre Nächte büßen,
Und schlafen jetzt allein.
Dem Faun sinkt Ohr und Mut;
Er kehrt mit kühlerm Blut
Beim ersten Morgenblick
Zu seinem Schlauch zurück:
Er denkt: mich zu erhenken,
Da müßt ich albern sein;
Ich will die Liebespein
In süßem Most ertränken!

Indessen schwebt der Göttin Wagen schon
Nah über jenem Ort, wo in des Geißblatts Schatten
Die Nymphen dir, Endymion,
Vielleicht auch sich, so sanft gebettet hatten.
Wie reizend lag er da! – Nicht schöner lag Adon
An seiner Göttin Brust, die seinen Schlaf bewachte,
Mit liebestrunknem Blick auf ihren Liebling lachte,
Und still entzückt auf neue Freuden dachte;
Nicht schöner lag, durch doppelte Gewalt

Der Feerei und Schönheit überwunden,
Der wollustatmende Rinald
Von seiner Zauberin umwunden,
Als hier, vom Schlaf gebunden,
Endymion. – Gesteht, daß die Gefahr
Nicht allzu klein für eine Spröde war!
Das Sicherste war hier – die Augen zuzumachen.

Sie tat es nicht, und warf, jedoch nur obenhin
Und blinzend, einen Blick auf ihn.
Sie stutzt und hemmt den Flug der schnellen Drachen,
Schaut wieder hin, errötet, bebt zurück,
Und suchet mit verschämtem Blick,
Ob sie vielleicht belauschet werde:
Doch da sie ganz allein sich sieht,
Lenkt sie mit ruhigerm Gemüt
Den Silberwagen sanft zur Erde;
Bückt sich, auf ihren Arm gestützt,
Mit halbem Leib heraus, und überläßt sich itzt
Dem Anschaun ganz, womit nach Platons Lehren
Sich in der andern Welt die reinen Geister nähren.

Ein leicht beschattendes Gewand
Erlaubt den ungewohnten Blicken
Nur allzu viel – sie zu berücken.
Man sagt sogar, sie zog mit leiser Hand
Auch dieses weg: – doch wer hat zugesehen?
Was sagt man nicht? – Und wär es auch geschehen,
So zog sie doch beim ersten Blick
Gewiß die Hand so schnell zurück
Als jenes Kind, das einst im Grase spielte,
Nach Blumen griff, und eine Schlange fühlte.

Indessen klopft vermischt mit banger Lust
Ein süßer Schmerz in ihrer heißen Brust;

Ein zitterndes, wollüstiges Verlangen
Bewölkt ihr schwimmend Aug und brennt auf ihren Wangen.
Wo, Göttin, bleibt dein Stolz, die harte Sprödigkeit?
Dein Busen schmilzt wie Schnee in raschen Flammen!
Kannst du die Nymphen noch verdammen?
Was ihre Schuld verdient, ists Tadel oder – Neid?

Die Neugier hat, wie Zoroaster lehrt,
Von Anbeginn der Weiber Herz betört.
Man denkt, ein Blick, von ferne, von der Seiten,
Ein bloßer Blick hat wenig zu bedeuten.
O! glaubet mir, ihr habt schon viel getan:
Der erste Blick zieht stets den andern an;
Das Auge wird (so sagt ein *weiser Mann*)
Nicht satt vom Sehn, und Lunens Beispiel kann
Uns hier, wie wahr er sagte, lehren.

Der Gegenstand, der Ort, die Zeit
Wird die Entschuldigung der Göttin machen müssen.
Selbst ihre Unerfahrenheit
Vermindert ihre Strafbarkeit.
So neu sie war, wie kann sie wissen
(Wie manche wissens nicht!), daß man
Vom *Sehn* sich auch berauschen kann?
Sie schaut, und da sie so, wie aus sich selbst gerissen,
So unersättlich schaut, kommt sie ein Lüstern an
Den schönen Schläfer gar – zu küssen.

Zu küssen? – Ja: doch, man verstehe mich,
So züchtig, so unkörperlich,
So sanft wie junge Zephyrn küssen:
Mit dem Gedanken nur
Von einem solchen Kuß,
Wovon Ovidius
Die ungetreue Spur

Nach mehr als einer Stunde
(Laut seiner eignen Hand)
Auf seines Mädchens Munde
Und weißen Schultern fand.

Es kostet ihr, den Wunsch sich zu gestehen.
Sie lauscht und schaut sich um. Doch allgemeine Ruh
Herrscht weit umher im Tal und auf den Höhen.
Kein Blättchen rauscht. Itzt schleicht sie leis' hinzu,
Bleibt unentschlossen vor ihm stehen,
Entschließt sich, bückt sich sanft auf seine Wangen hin,
Die, Rosen gleich, in süßer Röte glühn,
Und spitzt die Lippen schon, und itzt – itzt wärs geschehen,
Als eine neue Furcht (wie leicht
Wird eine Spröde scheu!) sie schnell zurücke scheucht.

»Sie möcht es noch so leise machen,
So könnte doch der Schläfer dran erwachen.
Was folgte drauf? Sie müßte weiter gehn,
Ihm ihre Neigung eingestehn,
Um seine Gegenliebe flehn,
Und sich vielleicht – wer könnte das ertragen?
Vielleicht sich abgewiesen sehn –
Welch ein Gedanke! Kann Diana so viel wagen?
Bei einer Venus, ja, da möchte so was gehn!
Die gibt oft ungestraft den Göttern was zu spaßen,
Und kann sich eh im Netz ertappen lassen
Als ich, die nun einmal die Spröde machen muß,
Bei einem armen trocknen Kuß.
Und wie? Er sollte mich zu seinen Füßen sehn?
Dianens Ehre sollt in seiner Willkür stehn?
Wie? wenn er dann den Ehrfurchtsvollen machte,
(Man kennt der Schäfer Schelmerei)
An einer Nymphe Busen lachte?
Und meiner Schwachheit ohne Scheu

Wie würde die der Rache sich erfreun,
Und meine Schmach von Hain zu Hain
Den Schwestern in die Ohren raunen!
Die eine spräch sder andern nach,
Bald wüßtens auch die Satyrn und die Faunen,
Und sängens laut beim nächtlichen Gelach.
In kurzem eilte die Geschichte,
Vermehrt, verschönt, gleich einem Stadtgerüchte,
Bis zu der obern Götter Sitz,
Dem Momus, der beim Saft der Nektarreben
Die Götter lachen macht, und Junons scharfem Witz
Beim Teetisch neuen Soff zu geben.«

Die Göttin bebt, erblaßt und glüht
Vor so gefährlichen Gedanken;
Und wenn sie dort die Neigung zieht,
So macht sie hier die Klugheit wanken.
Man sagt, bei Spröden überzieh
Die Liebe doch die Vorsicht nie.
Ein Kuß mag freilich sehr behagen,
Doch ists am Ende nur ein Kuß;
Und Freuden, wenn man zittern muß,
Sind doch (was auch Ovide sagen)
Für Schönen nicht gemacht, die gerne – sicher gehn.
Schon fängt sie an, nach ihrem Drachenwagen
Unschlüssig sich herum zu drehn;
Schon weicht ihr scheuer Fuß – doch bleibt er wieder stehn;
Sie kann den Trost sich nicht versagen,
Nur Einmal noch (was ist dabei zu wagen?)
Den schönen Schläfer anzusehn.

»Noch einmal?« ruft ein Loyolist:
»Und heißt denn das nicht alles wagen?«
Vielleicht; doch ist es, wie ihr wißt,
Genug, die Göttin los zu sagen,

Daß sie es nicht *gemeint*. Die Frist
War allzu kurz euch Rats zu fragen;
Und überdies, vergönnet mir zu sagen,
Daß Pater Eskobar auf ihrer Seite ist.

Vorsichtig oder unvorsichtig,
Uns gilt es gleich; genug, so viel ist richtig,
Sie bückte sich noch einmal hin, und sah
(Doch mit dem Vorsatz ihn auf ewig dann zu fliehen)
Den holden Schläfer an. – Betrogne Cynthia!
Schon kann sie ihm den Blick nicht mehr entziehen,
Und bald vergißt sie auch zu fliehen.
Ein fremdes Feuer schleicht durch ihren ganzen Leib,
Ihr feuchtes Aug erlischt, die runden Knie erbeben,
Sie kennt sich selbst nicht mehr, und fühlt in ihrem Leben
Sich itzt zum ersten Mal – ein Weib.
Erst ließ sich ihr Gelust mit Einem Kusse büßen,
Itzt wünscht sie schon – sich *satt* an ihm zu küssen;
Nur macht sie stets die alte Sorge scheu.
Diana muß sich sicher wissen,
Und wird ein wenig Feerei
Zu brauchen sich entschließen müssen.

Es wallt durch ihre Kunst
Ein zauberischer Dunst,
Von Schlummerkräften schwer,
Um ihren Liebling her.
Er dehnt sich, streckt ein Bein,
Und schläft *bezaubert* ein.
Sie legt sich neben ihn
Aufs Rosenlager hin
(Es hatte, wie wir wissen,
Für eine Freundin Raum),
Und unter ihren Küssen

Den Schlaf ihm zu versüßen,
Wird jeder Kuß – ein *Traum*.

Ein Traumgesicht von jener Art,
Die oft, trotz Skapulier und Bart,
Sankt Franzens fette Seraphinen
In schwüler Sommernacht bedienen;
Ein Traum, wovor, selbst in der Fastenzeit,
Sich keine junge Nonne scheut;
Der (wie das fromme Ding in seiner Einfalt denket)
Sie bis ins Paradies entzückt,
Mit einem Strom von Lust sie tränket,
Und schuldlos fühlen läßt was nie ihr Aug erblickt.

Ob Luna selbst dabei was abgezielet;
Ob ihr das schelmische Gesicht,
Cupido, einen Streich gespielet –
Entscheidet die Geschichte nicht.
Genug, wir kennen *die* und *den*,
Die gerne nie erwachen wollten,
Wenn sie Äonen lang so schön
Wie unser Schäfer träumen sollten.

Was Jupiter als Ledas Schwan
Und als Europens Stier getan,
Wie er Alkmenen hintergangen,
Und wie der hinkende Vulkan
Sein Weibchen einst im Garn gefangen;

Wie stille Nymphen oft im Hain
Dem Faun zum Raube werden müssen;
Wie sie sich sträuben, bitten, dräun,
Ermüden, immer schwächer schrein,
Und endlich selbst den Räuber küssen;

Des Weingotts Zug, und wie um ihn
Die taumelnden Bacchanten schwärmen,
Wie sie von trunkner Freude glühn,
Und mit den Klapperblechen lärmen;
Sie wiehern laut ihr Evoe!
Es hallt zurück vom Rhodope;
Der Satyr hebt mit rasender Gebärde
Die nackte Mänas in die Höh,
Und stampft in wildem Tanz die Erde.

Ein sanfter Anblick folgt dem rohen Bacchanal.
Ein stilles, schattenvolles Tal
Führt ihn der Höhle zu, wo sich die Nymphen baden;
Diana selbst errötet nicht,
(Man merke, nur im Traumgesicht,
Und von geschäftigen Najaden
Fast ganz verdeckt) von ihm gesehn zu sein.
Welch reizendes Gewühl! Es scheint vom Widerschein
So mancher weißen Brust, die sich im Wasser bildet,
So manches goldnen Haars, die Flut hier übergüldet,
Dort Schnee im Sonnenglanz zu sein.
Sein trunknes Auge schlingt mit gierig offnen Blicken
So viele Reizungen hinein,
Er schwimmt in lüsternem Entzücken
Und wird vor Wunder fast zum Stein.

Man glaubt, daß Cynthia hierbei
Nicht ungerührt geblieben sei.
So süß auch Küsse sind, wenn wir Tibulle hören,
So haßt doch die Natur ein ewig Einerlei.
Beim Nektartisch und beim Konzert der Sphären
Sind Götter selbst nicht stets von langer Weile frei.
Zum mindsten sagts Homer. Wie wird denn, satt von Küssen,
Diana sich zu helfen wissen?
Sie tat (so sagt ein Faun, der sie beschlichen hat),

Was Platons Penia im Göttergarten tat.
Was tat denn *die*? wird hier ein Neuling fragen?
Sie legte – Ja doch! nur gemach!
Schlagt euern Plato selber nach;
Es läßt sich nur auf Griechisch sagen.

GEORG CHRISTOPH LICHTENBERG

Gnädigstes Sendschreiben der Erde an den Mond

Unsern freundlichen Gruß zuvor,
sonst lieber getreuer usw.

Es wird Euch hoffentlich nicht befremden, daß Wir dieses mal Unserer Gewohnheit, in Unserer Uns angestammten, lieben Muttersprache, nämlich dem Hebräischen, mit Euch zu konferieren, entsagen und deutsch schreiben. Wir haben dieses für dienlich erachtet, teils, weil die Sache, die Wir Euch zu kommunizieren haben, nicht sowohl kosmisch und universal, als vielmehr literarisch und partikular ist; teils auch, weil sie besonders Unsere vielgeliebten Deutschen angeht, über deren Angelegenheiten, seit ihrer Verfeinerung, es sich sowenig hebräisch denken und schreiben läßt, als über Unsere und Eure Marschroute um die Sonne in der Sprache meiner unerzogenen Yameos, die nicht auf drei zählen können.

Es kann oder sollte wenigstens Euch, als Unserm Nachbarn und Vasallen, nicht unvergessen sein, wasmaßen Wir seit Unserer Thronbesteigung und glorreichen Regierung Euch beständig mit Gnadenbezeigungen überhäuft haben, wogegen Eure Uns zwar pünktlich geleistete, aber immer an sich unbeträchtlichen Dienste keineswegs gerechnet werden mögen. Kraft des Euch zugeflossenen Dekrets sub dato den ersten Jänner anno 1. A.C.N. haben wir Euch zu Unserm Reichsgroßlaternenträger und ersten Leibtrabanten allergnädigst bestellt, und Ihr habt, was das letztere anbetrifft, Euch so verhalten, daß Wir gnädigst eingestehen, Wir würden Uns höchsten Orts einer gnädigen Lüge schuldig machen, wenn Wir sagten, Ihr seid darin untreu verfahren, maßen Uns Ihr auch nicht ein einziges mal den Rücken gewandt. In betreff aber des Reichsgroßlaternenträgeramts sei es Euch huldreichst unverhohlen, daß Ihr dasselbe gleich anfangs in meinen besten Staaten ziemlich ökonomisch (um Uns jetzt aller minder huldreichen Ausdrückungen zu entheben) verwaltet und Euer Licht oft verlöschen lassen, wenn es am nötigsten war, und dadurch nicht selten Anlaß zu allerlei Konfusionen und allemal ein böses Exempel gegeben habt. In Eurem Archiv wird sich noch ein deshalb an Euch in dem ersten Jahre Unserer Regierung ergangenes gnädigstes Monitorium befinden, worin Wir Euch ein solches in gnädigst derben Ausdrücken verwiesen. Als Ihr aber augenscheinlich den Starrkopf und gewissermaßen den Mann nach der Uhr zu machen anfingt, so haben Wir huldreichst, nach reiflicher Überlegung und in Rücksicht auf Euren anderweitigen Diensteifer nachgegeben und in Unseren Hauptstädten Gassenlaternen anzulegen geruht. Allein hiermit ist dem Übel, der großen Kosten ungeachtet, noch gar nicht gesteuert. Denn leider folgen eben diese Gassenlaternen jetzt nur zu oft Eurem leidigen Beispiele und haben Neulicht, wenn sie entweder volles haben oder doch im letzten Viertel sein sollten. Und was Wunder? Wenn das große Reichsnachtlicht es so macht, was soll man von den Reichsnachtlichterchen sagen? Sollen wir sie etwa beständig jahraus, jahrein brennen lassen? da kostet Uns die Finsternis mehr als das Licht? Oder soll ich studierte Lampenwärter halten, die dieselben nach den Epakten* und photometrischen Grundsätzen anstecken? Oder den Astronomen, die nunmehr um die profitable Astrologie gekommen sind, etwa dafür den profitabeln Gassenlaternenpacht übertragen? Was? –

Weiter. Wir suchten Euch durch Güte zu gewinnen und übertrugen Euch die Aufsicht über Unsern großen Salzwasservorrat und dessen täglich etlichemal nötige Rüttel- und Schütte-

---

* Epakte ist eine astronomische Zahl, die die Zahl der Tage nach dem letzten Neumond angibt.

lung und über das noch in Unserm höchsten Wind- und Wetterkollegio Sitz und Stimme. Ja, Ihr erhieltet bereits vor ziemlicher Zeit eine Ehre, worüber Euch selbst alle Sonnenheere beneiden könnten, nämlich mit Zuziehung der Sonne die Zeit des Osterfestes zu bestimmen. Ob wir nun gleich fürs erste Euch in dem Besitze derselben zu lassen gedenken, so können Wir doch gnädigst nicht ganz in Abrede sein, daß Uns jener Schritt, wegen der sonderbaren Art, womit Ihr Euch dabei betragen habt, in etwas nachgerade zu gereuen anfängt. Sagt, wart Ihr, Starrkopf, nicht Ursache, daß meine gescheitesten Kinder, ich meine die Christen, einander fast auf eine recht unchristliche Weise sich in die Haare geraten wären? Und hätten meine lieben Protestanten, die noch lange dazu recht hatten, nicht nachgegeben, so hätten in den gemischten Städten die doppelten Ostern und Pfingsten natürlich auch doppelte und dritte Feiertagsandachten auf den Wirtshäusern und Krügen nach sich gezogen. Hieraus wären natürlich doppelte gelehrte Dispute zwischen Fleischer-, Schuh-, Müller- und anderen Knechten entstanden, woraus denn notwendig ein reziprokes Satirisieren, Prügeln und Moreslehren gefolgt sein würde, erst mit dem Stuhlbeine und der Faust, dann mit der Flinte und dem Zeigefinger. Ja, man hätte, wie es gewöhnlich geht, die Sache endlich wohl gar aufs große Spiel gesetzt, und um zu sehen, wer recht hätte, mit Vierundzwanzigpfündern nach Regimentern gekegelt, und so hätten leicht hunderttausend meiner Kinder in die Grube fahren können, um was auszumachen? – – die Zeit, wann ihr Erlöser aus derselben auferstanden ist. Seht, solche Sachen macht Ihr. Allein dem Himmel sei tausendfältiger Dank, dieses hat nun nichts mehr zu bedeuten. Aber glaubt ja nicht, daß damit Euer Osterunfug ganz gehoben ist; Ihr reguliert die Messen der Kaufleute, und weil die Gelehrten unter den Kaufleuten stehen, so zerfallen daher die semestria academica öfters in zwei unbrüderliche Hälften, daß man glauben sollte, ein Kaufmann hätte sie zwischen sich und einem Gelehrten geteilt. Sie verhalten sich nämlich fast wie fünf zu sieben und sind also wirklich in dem Falle der beiden algebraischen Schäferinnen, deren eine noch ein Schaf von der andern verlangte, um noch einmal so viel zu haben als sie, da es doch vernünftiger gewesen wäre, sie hätte jener eines gegeben, so hätten sie beide gleichviel gehabt. Durch diese ungerechte Teilung geschieht es dann, daß zum Exempel die Pandekten, die ohnehin schon doppelte Zeit fressen, endlich, wenn es mit ihnen zu Ende geht, gleichsam als fräße der Tod aus ihnen, dreifache, ja vierfache Portion verlangen und den gutherzigen mathematicis und philosophicis, quasi πᾶν διχόμεναι, alles vor dem Mund wegnehmen. Daher es dann kommt, daß selbst das Studium des Rechts (von der Ausübung wollen Wir gar nicht einmal reden) schon mit Unrechttun anhebt; diese digesta in allen andern Dingen indigestionem nach sich ziehen, ihr subtiles Babel über das ganze Leben verbreiten; das Sprichwort daher wohl recht hat: summum jus summa injuria.

Dessenungeachtet ließen Wir mit unseren Gnadenbezeigungen nicht nach und erhoben Euch von einer Ehrenstelle zur andern. Erst neuerlich haben Wir Euch, wie Ihr wißt, zum Wegweiser für die Schiffe bestellt, und da Ihr Euch in der neuen Charge ziemlich gut betrugt, Euer fürwahr nicht sehr reizendes Warzengesicht von Unserm nunmehro verstorbenen ersten Hofmaler, Tobias Mayer, malen und nachher in Kupfer stechen lassen, welches Bild Euch gleicht wie ein Tropfen Wasser dem andern. Ja, lange vor dem Quinquennio physiognomico haben Wir, so oft Ihr Euren Schatten auf Uns warft, Eure Silhouette auffangen und zeichnen lassen, welches in der Tat viel ist, da Wir nicht glauben, daß Ihr der Unsrigen, ob Wir Euch gleich öfter dazu sitzen, eine solche Ehre habt angedeihen lassen.

Ferner haben Wir Euch einige Ehrenbezeigungen, worüber in Uns, wenn Wir wären wie andere, ein höchster Neid hätte entstehen mögen, gern gegönnt, nämlich daß Euch einige Unserer unerzogenen Kinder göttliche Ehre erweisen und Euch anbeten wie die Sonne, während als Wir, ihrer aller Mutter, Unsern gnädigen Rücken als Knieschemel hergeben. Wir tun dieses den guten Kleinen zuliebe und hoffen, sie werden es ohnehin lassen, wenn sie älter werden und an Verstand zunehmen. Man hat sogar nach Eurer Gassenlaterne Jahre geordnet, welches Wir Euch um so weniger mißgönnen, als es von Leuten geschieht, die Euch heutzutage wenig Ehre mehr bringen. Auch hat man Euer Wappen zum Zeichen des zweitedelsten Metalls, Wir meinen des Silbers, genommen, während als man das Unsrige zur Bezeichnung des unedlen Antimonii gebraucht.

So klein aber auch diese Umstände an sich scheinen mögen und müssen, so haben sie doch vermutlich nicht wenig dazu beigetragen, Euren stolzen Sinn noch mehr zu heben und Euch glauben zu machen, Ihr seid selbst eine Sonne, in allen Stükken ihren beständigen Affen zu spielen und Euch Dinge in den Kopf zu setzen, die für Euch viel zu hoch sind, und die Wir daher, ohne uns vor allen Planeten lächerlich zu machen, unmöglich ungeahndet lassen können.

Dahin rechnen Wir einmal, daß Ihr Euch mit unerhörter Verwogenheit, ja frevelhafter Frechheit, habt beigehen lassen, Euch in Unsere und namentlich die deutsche Literatur zu mischen und gleichsam als ein zweiter Phöbus, Dichter zu begeistern, Oden zu singen, Trauerspiele fertigen zu lassen, Romane zu inspirieren und damit der Sonne nicht wenige der edelsten Seelen abwendig zu machen. Für das zweite werdet Ihr nicht leugnen können, daß Ihr, um hierin sicherer zu gehen, bei meinen guten Deutschen recht hinterlistigerweise Euch einen Mannesnamen erschlichen und Euch gegen den Gebrauch aller Völker nunmehr öffentlich Der von ihnen titulieren laßt, ja es sogar dahin gebracht habt, die Leute glauben zu machen, unter Euch beiden sei die Sonne die Frau, da es doch jedermänniglich bekannt, daß Ihr nichts seid als ein bloßes Weib. Schrieben Wir in einer anderen Sprache an Euch, so wollten Wir Euch dieses deutlich zeigen, da Wir aber einmal deutsch

schreiben, so wollten Wir fürwahr lieber Herr Jäsus und ge-
bena, stehena schreiben, als die Monde und der Sonn.

Drittens sagt, habt Ihr nicht, bloß weil sich die Sonne in
Frankreich einen Stil eingeführt, den man dort nach ihr
Phébus nennt, aus Nachäffung auch einen in Deutschland
zu erschleichen gesucht, den man Laune nennt? Ihr getraut
Euch zwar nicht, wie die Sonne, denselben schlechtweg nach
Euerm Namen Lune oder Luna zu nennen, aber daß das
Ganze Euer Werk ist, sieht man gleich aus dem Lunatischen
(so müßt Ihr sprechen, guter Freund), das darinnen herrscht.
Aber glaubt mir nur, Phébus ist Schwulst, und Lune ist
Dörrsucht. Da Wir Euch einen Einfluß auf die Lunigten, die
sogenannten Mondsüchtigen, allerdings verstattet haben,
dürft Ihr deswegen gleich Dichter und Philosophen aus ihnen
machen? In Unserm Kontrakte steht kein Wort von einer
gelehrten Bank im Tollhause.

Rechnet Ihr etwa darauf, daß Euch einige neuere deutsche
Dichter von der verliebten Bank bei nächtlicher Weile anbeten? Mein lieber Mond, laßt Euch durch dieses affektierte
Gewinsel dieser warmen Seelen nicht blenden, sie tun es nicht
aus Empfindung, sondern bloß, weil es die wärmeren Ausländer vor ihnen getan haben. Ihre Ausdrücke sind, wie der
meisten ihrer Brüder, von außerhalb eingeführt und kein ein-
heimisches Produkt; sobald ihnen dieses genommen wird, so
können sie sowenig Gedanken und Ausdrücke liefern als ihre
Äcker Pomeranzen oder Gewürz. Was unsere Deutschen von
Herzen sprechen, gleicht ihrem Rheinwein und Pumpernik-
kel, gesund und derb, aber nicht süß. Wäre ihnen solche Pro-
sopopöien natürlich, so würden sie mehr abändern. Die wahre
Empfindung findet immer ihren eigenen Weg, und trifft sie
je eine bereits gebahnte, so geschieht es selten ohne eine neue
Bezeichnung. Und daß sich irgend jemand bei Euch an seine
entfernte Geliebte erinnert, ist denn das so was Außerordentliches? Wir können Euch gnädigst versichern, daß man Uns
gesagt hat, jede alte Kirchspitze, wobei das Mädchen lebt,

oder von welcher man nur eine andere sehen kann, bei der es lebt, reflektiert ihr entferntes Bild weit herzlicher in die Seele als Euer kahles kaltes Allerweltsgesicht. Auch sind die Verliebten, die Euch auf diese Weise anbeten, gar nicht sonderlich beim eigentlichen Frauenzimmer geachtet; sie lesen das affektierte Gewinsel wohl, aber im Herzen unterscheiden sie sehr richtig, um Uns eines bergmännischen Ausdrucks zu bedienen, zwischen dem Amanten von der Feder und dem Amanten vom Leder. Ihr sucht, wie Diogenes, mit Eurer Laterne Weise und denkt sie gefunden zu haben. Aber glaubt Uns auf Unser Wort, was Euch so stille hält, sind bloß ein paar Lerchen und ein paar Hasen, die Ihr zum Gebrauch derjenigen blendet, die dieselben zu speisen belieben.

Ferner verrät es in Euch einen, Wir wollen nicht sagen verdrießlichen Grad von Ignoranz, aber doch von unbändigem Hochmute, daß Ihr Euch habt beigehen lassen, zu glauben, weil Ihr etwa Anlaß zu den zwölf himmlischen Zeichen gegeben und hier und da die zwölf Stücke einer Monatsschrift, ein paar Kopfsteuern und französische Stunden dirigiert, Ihr seid schlechtweg der Erfinder und Schutzpatron alles, was nach Dutzenden, kleinen Brüchen von Dutzenden oder multiplis derselben geht. Sagt mir um Himmels willen, was habt Ihr mit den zwölf Stämmen Israels zu tun, mit den zwölf Leuchtern in der Offenbarung Johannis, mit den zwölf Kaisern im ersten Säkulo, mit den zwölf Aposteln, mit den zwölf kleinen Propheten, mit den zwölf Arbeiten Herkulis, mit den zwölf Zollen im Fuß und mit dem beliebten Duodez und unsern zwölf Piecen im Taler und zwölf Pfennigen im guten Groschen? Was? Habt Ihr auf diese auch ein Recht? Fürwahr, niemand als eine solche eingebildete abhängige Duodezsonne, wie Ihr, kann sich solche Torheiten einfallen lassen.

— —
— —

Schließlich wollen wir Euch auch hiermit ernstlich, wiewohl freundlichst, ermahnt haben, fernerhin bei Eurem Leisten zu bleiben und Euch aller dankverdienerischen Geschäftigkeit in Geniesachen gänzlich zu enthalten und den Originalköpfen unter Eurem Kommando nicht allein den Gebrauch der Messer, wie bisher, sondern auch der Federn künftig schlechtweg zu versagen.

Wir sind Euch in Gnaden wohlgewogen.

Gegeben im Krebs, den 24. Dezember 1780.

Die Erde.

Das Bein

Im Herbst 1782 erhielt der Wundarzt *Louis Thevenet zu Calais* die schriftliche, doch ohne Namensunterschrift gelassene Einladung, sich folgenden Tages auf ein nahe an der Straße von Paris gelegenes Landhaus zu begeben und alles zu einer Amputation nötige Gerät mitzubringen. Thevenet war damals weit und breit als der geschickteste Mann in seiner Kunst bekannt; es war sogar nichts Ungewöhnliches, daß man ihn über den Kanal nach England holen ließ, um von seinen Einsichten Gebrauch zu machen. Er hatte lange bei der Armee gedient, war etwas barsch in seinem Wesen, und doch mußte man ihn wegen seiner natürlichen Gutmütigkeit lieben.

Thevenet wundert sich über das anonyme Billet. Zeit und Stunde und Ort waren mit der größten Genauigkeit angegeben, *wann* und *wo* man ihn erwarte, aber, wie gesagt, die Unterschrift fehlte.

»Will mich vermutlich einer unserer Gecken in die blaue Luft hinausschicken!« dachte er, und ging nicht.

Drei Tage nachher empfing er die gleiche Einladung, aber noch dringender, mit der Anzeige, es werde morgens um neun Uhr ein Wagen vor seinem Hause halten, um ihn abzuholen.

In der Tat, mit dem Glockenschlage neun Uhr des folgenden Morgens erschien ein zierlicher offener Wagen. Thevenet machte keine Umstände weiter und setzte sich hinein.

Vor dem Tore fragte er den Kutscher: »Zu wem führt Ihr mich?«

Dieser antwortete: »*Things unknown to me I am not concerned*«; was ungefähr so viel heißen soll als: Was ich nicht weiß, macht mich nicht heiß.

Also ein Engländer. – »Ihr seid ein Flegel!« erwiderte Thevenet.

Der Wagen hielt endlich vor dem bezeichneten Landhause still. »Zu wem soll ich? wer wohnt hier? wer ist hier krank?« fragte Thevenet den Kutscher, ehe er ausstieg. Dieser gab die vorige Antwort, und der Arzt dankte auf die gleiche Art.

An der Haustür empfing ihn ein schöner junger Mann von ungefähr achtundzwanzig Jahren, der ihn eine Treppe hinauf in ein großes Zimmer führte. Die Sprache verriet's, der junge Mann war ein Brite. Thevenet redete ihn also englisch an und bekam freundliche Antwort.

»Sie haben mich rufen lassen!« fragte der Wundarzt.

»Ich bin Ihnen sehr dankbar für Ihre Mühe, mich zu besuchen«, antwortete der Brite. »Wollen Sie sich niederlassen? Hier stehen Schokolade, Kaffee, Wein, falls Sie noch vor der Operation etwas genießen wollen.«

»Zeigen Sie mir erst den Kranken, Sir. Ich muß den Schaden untersuchen, ob eine Amputation nötig sei.«

»Sie ist nötig, Herr Thevenet. Setzen Sie sich nur. Ich habe alles Vertrauen zu Ihnen. Hören Sie mich an. Hier ist eine Börse mit hundert Guineen; ich bestimme sie Ihnen als Zahlung für die Operation, die Sie vornehmen sollen. Es bleibt nicht dabei, wenn Sie sie glücklich beendigen. – Widrigenfalls, oder wenn Sie sich weigern, meine Wünsche zu erfüllen, sehen Sie hier die geladene Pistole. – Sie sind in meiner Gewalt – ich schieße Sie, Gott verdamme mich, nieder.«

»Sir, vor Ihrer Pistole fürchte ich mich nicht. Aber was verlangen Sie? Nur heraus mit der Sprache, ohne Vorreden! Was soll ich hier?«

»Sie müssen mir das rechte Bein abschneiden.«

»Von Herzen gern, Sir, und wenn Sie wollen, den Kopf dazu. Allein, wenn mir recht ist, das Bein scheint sehr ge-

sund zu sein. Sie sprangen die Treppe vor mir hinauf wie
ein Seiltänzer. Was fehlt dem Bein?«

»Nichts. Ich wünsche, daß es mir fehle.«

»Sir, Sie sind ein Narr.«

»Das bekümmert Sie nicht, Herr Thevenet.«

»Was hat das schöne Bein gesündigt?«

»Nichts! Aber sind Sie entschlossen, mir es wegzunehmen?«

»Sir, ich kenne Sie nicht. Bringen Sie mir Zeugen Ihres sonst
heilen und gesunden Verstandes.«

»Wollen Sie meine Bitte erfüllen, Herr Thevenet?«

»Sir, sobald Sie mir einen haltbaren Grund für Ihre Ver-
stümmelung angeben.«

»Ich kann Ihnen die Wahrheit jetzt nicht sagen – vielleicht
nach einem Jahr. Aber ich wette, Herr, ich wette, Sie selbst
sollen nach Jahresfrist gestehen, daß meine Gründe die edelsten waren, von diesem Bein befreit zu sein.«

»Ich wette nicht, wenn Sie mir nicht Ihren Namen nennen,
Ihren Wohnort, Ihre Familie, Ihre Beschäftigungsart.«

»Das alles erfahren Sie künftig. Jetzt nichts. Ich bitte, halten
Sie mich für einen *Ehrenmann.*«

»Ein Ehrenmann droht seinem Arzte nicht mit Pistolen. Ich
habe Pflichten, selbst gegen Sie, als Unbekannten. Ich ver-
stümmle Sie nicht ohne Not. Haben Sie Lust, Meuchelmör-
der eines schuldlosen Hausvaters zu werden, so schießen
Sie.«

»Gut, Herr Thevenet«, sagte der Brite, und nahm die Pistole, »ich erschieße Sie nicht, aber zwingen will ich Sie dennoch,
mir das Bein abzunehmen. Was Sie nicht aus Gefälligkeit
für mich, nicht aus Liebe zur Belohnung oder aus Furcht vor
der Kugel tun, müssen Sie mir aus Erbarmen gewähren.«

»Und wie das, Sir?«

»Ich zerschmettere mir selbst mit einem Schuß das Bein, und
zwar auf der Stelle hier vor Ihren Augen.«

Der Brite setzte sich, nahm die Pistole und hielt die Mün-
dung hart über das Knie.

Herr Thevenet wollte zuspringen, um es abzuwehren.

»Rühren Sie sich nicht«, sagte der Brite, »oder ich drücke ab. – Nur Antwort auf eine einzige Frage: Wollen Sie meine Schmerzen unnützerweise vergrößern und verlängern?«

»Sir, Sie sind ein Narr. Ihr Wille geschehe. Ich nehme Ihnen das verdammte Bein ab.«

Alles ward zur Operation in Ordnung gebracht. Sobald der Schnitt beginnen sollte, zündete der Engländer seine Tabakspfeife an und schwor, sie solle ihm nicht ausgehen. Er hielt Wort. Das Bein lag am Boden. Der Brite rauchte fort.

Herr Thevenet verrichtete sein Geschäft als Meister. Der Kranke ward durch seine Kunst in ziemlich kurzer Frist wieder geheilt. Er belohnte seinen Arzt, den er mit jedem Tage höher schätzte; dankte mit Freudentränen für den Verlust des Beins und segelte nach England zurück mit dem Stelzfuß.

Ungefähr achtzehn Wochen nach der Abreise des Briten erhielt Meister Thevenet einen Brief aus England, ungefähr folgenden Inhalts:

»Sie erhalten beigeschlossen, als Beweis meiner innigsten Erkenntlichkeit, eine Anweisung von zweihundertundfünfzig Guineen auf Herrn *Panchaud*, Bankier in Paris. Sie haben mich zum glücklichsten aller Sterblichen auf Erden gemacht, indem Sie mich eines Gliedes beraubten, das das Hindernis meiner irdischen Glückseligkeit war.

Braver Mann! Mögen Sie jetzt die Ursache meiner närrischen Laune, wie Sie es nannten, erfahren. Sie behaupteten damals, es könne keinen vernünftigen Grund zu einer Selbstverstümmelung, wie der meinigen, geben. Ich schlug Ihnen eine Wette vor. Sie haben wohl daran getan, sie nicht anzunehmen.

Nach meiner zweiten Heimkunft aus Ostindien lernte ich *Emilie Harley* kennen, das vollkommenste Weib. Ich betete sie an. Ihr Vermögen, ihre Familienverbindungen leuchteten meinen Verwandten ein; mir nur ihre Schönheit, ihr himmlisches Gemüt. Ich mischte mich in die Schar ihrer Bewunderer. Ach, bester Thevenet, und ich ward glücklich genug, um der unglücklichste meiner Nebenbuhler zu werden; sie liebte mich, vor allen Männern *mich*! – verhehlte es nicht, und – verstieß mich eben deswegen. Umsonst bat ich um ihre Hand – umsonst baten ihre Eltern, ihre Freundinnen alle für mich. Sie blieb unbeweglich.

Lange konnte ich die Ursache ihrer Abneigung gegen eine Vermählung mit mir, den sie, wie sie selbst gestand, bis zur Schwärmerei liebte, nicht ergründen. Eine ihrer Schwestern verriet mir endlich das Geheimnis. Miß Harley war ein Wunder von Schönheit, hatte aber den Naturfehler – einbeinig zu sein, und fürchtete sich eben dieser Unvollkommenheit willen, meine Gemahlin zu werden. Sie zitterte, ich würde sie einst deswegen gering achten.

Sogleich war mein Entschluß gefaßt. Ich wollte ihr gleich werden. Dank Ihnen, bester Thevenet, und ich wurde es!

Ich kam mit meinem Stelzfuß nach London zurück. Mein erstes war, Miß Harley aufzusuchen. Man hatte ausgesprengt, und ich selbst hatte es voraus nach England geschrieben, ich habe durch einen Sturz vom Pferde das Bein gebrochen; es sei mir abgenommen worden. Ich wurde allgemein bedauert. Emilie fiel in Ohnmacht, als sie mich das erstemal sah. Sie war lange untröstlich; aber sie wurde nun meine Gemahlin.

Erst den Tag nach der Hochzeit vertraute ich ihr das Geheimnis, welches Opfer ich meinen Wünschen um ihren Besitz gebracht habe. Sie liebte mich um so zärtlicher. O, braver Thevenet, hätte ich noch zehn Beine zu verlieren, ich würde sie, ohne eine Miene zu verziehen, für Emilie dahingeben.

So lange ich lebe, bin ich Ihnen dankbar. Kommen Sie nach London; besuchen Sie uns; lernen Sie meine herrliche Gattin kennen, und dann sagen Sie noch einmal: ›*Ich sei ein Narr!*‹

Charles Temple.«

Herr Thevenet teilte die Anekdote und den Brief seinen Freunden mit und lachte jedesmal aus vollem Halse, so oft er sie erzählte. »Und er bleibt doch ein Narr!« rief er.

Folgendes war seine Antwort:

»Sir, ich danke Ihnen für Ihr kostbares Geschenk. So muß ich es wohl nennen, weil ich's nicht mehr Bezahlung meiner geringen Mühe heißen kann.

Ich wünsche Ihnen Glück zur Vermählung mit der liebenswürdigsten Britin. Es ist wahr, ein *Bein* ist viel für ein schönes, tugendhaftes und zärtliches Weib, doch nicht zu viel, wenn man am Ende nicht beim Tausch betrogen wird. Adam mußte den Besitz seiner Gemahlin mit einer Rippe im Leibe bezahlen; auch anderen Männern kostete wohl ihre Schöne eine Rippe, anderen sogar den Kopf.

Bei dem allem erlauben Sie mir, ganz bescheiden bei meiner alten Meinung zu bleiben. Freilich, für den Augenblick haben Sie recht. Sie wohnen jetzt im Paradiese des Ehefrühlings. Aber auch ich habe recht, nur mit dem Unterschiede, daß mein Recht sehr langsam reif wird, wie jede Wahrheit, die man sich lange weigert anzunehmen.

Sir, geben Sie acht! ich fürchte, nach zwei Jahren bereuen Sie, daß Sie sich das Bein über dem Knie abnehmen ließen. Sie werden finden, es hätte wohl unter dem Knie sein können. Nach drei Jahren werden Sie überzeugt sein, es wäre mit dem Verlust des Fußes genug gewesen. Nach vier Jahren werden Sie behaupten, schon die Aufopferung der großen Zehe, und nach fünf Jahren, die Amputation der kleinen Zehe sei zu viel. Nach sechs Jahren werden Sie mir eingestehen, es wäre am Beschneiden der Nägel genug gewesen.

Alles das sage ich unbeschadet der Verdienste Ihrer reizenden Gemahlin. Damen können Schönheiten und Tugenden unveränderter bewahren als die Männer ihre Urteile. In meiner Jugend hätte ich alle Tage für die Geliebte *das Leben*, in meinem Leben aber kein *Bein* hingegeben; jenes würde mich *nie*, dies *zeitlebens* gereut haben. Denn hätte ich's getan, ich würde noch heute sagen: Thevenet, du *warst ein Narr!* Womit ich die Ehre habe zu sein, Sir, Ihr gehorsamster Diener

G. Thevenet.«

Im Jahre 1793, während der revolutionären Schreckenszeit, flüchtete Herr Thevenet, den ein jüngerer Wundarzt in Verdacht der Aristokratie gebracht hatte, nach London, um sein Leben vor dem Messer der alles gleichmachenden Guillotine zu retten.

Aus Langerweile oder um Bekanntschaften anzuspinnen fragte er nach *Sir Charles Temple*.

Man wies ihm dessen Palast. Er ließ sich melden und ward angenommen. In einem Lehnsessel, beim schäumenden Porter, am Kamin, umringt von zwanzig Zeitungen, saß ein dikker Herr; er konnte kaum aufstehen, so schwerfällig war er.

»Ei, willkommen, Herr Thevenet!« rief der dicke Herr, der wirklich kein anderer als Sir Temple war: »Nehmen Sie es nicht übel, daß ich sitzen bleibe, aber der vermaledeite Stelzfuß hindert mich an allem. – Freund, Sie kommen vermutlich, um nachzusehen, ob *Ihr Recht reif geworden sei?*«

»Ich komme als Flüchtling und suche Schutz bei Ihnen.«

»Sie müssen bei mir wohnen; denn wahrhaftig, Sie sind ein weiser Mann. Sie müssen mich trösten. Wahrhaftig, Thevenet, heute wäre ich vielleicht Admiral der blauen Flagge, hätte mich nicht das gottlose Stelzbein für den Dienst meines Vaterlandes untauglich gemacht. Da lese ich nun Zeitungen und fluche mich braun und blau, daß ich nirgends dabei sein kann. Kommen Sie, trösten Sie mich!«

»Ihre Frau Gemahlin wird Sie besser zu trösten wissen als ich.«

»Nichts davon. Ihr Stelzfuß hinderte sie am Tanzen, darum ergab sie sich den Karten und der Klatschsucht. Es ist kein Auskommen mit ihr. Übrigens ein braves Weib.«

»Wie, so hätte ich doch damals recht gehabt?«

»O vollkommen, lieber Thevenet! aber schweigen wir davon. Ich habe einen dummen Streich gemacht. *Hätte ich mein Bein wieder, ich gäbe jetzt nicht den Abschnitzel eines Nagels davon!* Unter uns gesagt: Ich war ein Narr! – aber behalten Sie diese Wahrheit für sich.«

JOHANN PETER HEBEL

Der Wasserträger

In Paris holt man das Wasser nicht am Brunnen. Wie dort alles ins Große getrieben wird, so schöpft man auch das Wasser ohmweise in dem Strom, der hindurch fleußt, in der Seine, und hat eigene Wasserträger, arme Leute, die jahraus, jahrein das Wasser in die Häuser bringen und davon leben. Denn man müßte viel Brunnen graben für fünfmalhunderttausend Menschen in einer Stadt, ohne das unvernünftige Vieh. Auch hat das Erdreich dort kein ander trinkbares Wasser; solches ist auch eine Ursache, daß man keine Brunnen gräbt.

Zwei solche Wasserträger verdienten ihr Stücklein Brot und tranken am Sonntag ihr Schöpplein miteinander manches Jahr, auch legten sie immer etwas weniges von dem Verdienst zurück und setztens in die Lotterie.

Wer sein Geld in die Lotterie trägt, trägts in den Rhein. Fort ists. Aber bisweilen läßt das Glück unter viel Tausenden einen etwas Namhaftes gewinnen und trompetet dazu, damit die andern Toren wieder gelockt werden. Also ließ es auch unsere zwei Wasserträger auf einmal gewinnen, mehr als hunderttausend Livres. Einer von ihnen, als er seinen Anteil heimgetragen hatte, dachte nach: wie kann ich mein Geld sicher anlegen? Wieviel darf ich des Jahrs verzehren, daß ichs aushalte und von Jahr zu Jahr noch reicher werde, bis ichs nimmer zählen kann? Und wie ihn seine Überlegung ermahnte, so tat er, und ist jetzt ein steinreicher Mann, und ein guter Freund des Hausfreunds kennt ihn.

Der andere sagte: »Wohl will ich mirs auch werden lassen für mein Geld, aber meine Kunden geb ich nicht auf, dies ist unklug«, sondern er nahm auf ein Vierteljahr einen an, einen Adjunkt wie der Hausfreund, der so lang sein Geschäft verrichten mußte, als er reich war. Denn er sagte: »In einem Vierteljahr bin ich fertig.« Also kleidete er sich jetzt in die vornehmste Seide, alle Tage ein anderer Rock, eine andere Farbe, einer schöner als der andere, ließ sich alle Tage frisieren, sieben Locken übereinander, zwei Finger hoch mit Puder bedeckt, mietete auf ein Vierteljahr ein prächtiges Haus, ließ alle Tage einen Ochsen schlachten, sechs Kälber, zwei Schweine für sich und seine guten Freunde, die er zum Essen einladete, und für die Musikanten. Vom Keller bis in das Speisezimmer standen zwei Reihen Bediente und reichten sich die Flaschen, wie man die Feuereimer reicht bei einem Brand, in der einen Reihe die leeren Flaschen, in der andern die vollen. Den Boden von Paris betrat er nimmer, sondern wenn er in die Komödie fahren wollte oder ins Palais royal, so mußten ihn sechs Bedienten in die Kutsche hineintragen und wieder hinaus. Überall war er der gnädige Herr, der Herr Baron, der Herr Graf und der verständigste Mann in ganz Paris. Als er aber noch drei Wochen vor dem Ende des Vierteljahrs in den Geldkasten griff, um eine Handvoll Dublonen ungezählt und unbeschaut herauszunehmen, als er schon auf den Boden der Kiste griff, sagte er: »Gottlob, ich werde geschwinder fertig, als ich gemeint habe.« Also bereitete er sich und seinen Freunden einen lustigen Tag, wischte alsdann den Rest seines Reichtums in der Kiste zusammen, schenkte es seinem Adjunkt und gab ihm den Abschied. Denn am andern Tag ging er selber wieder an sein altes Geschäft, trägt jetzt Wasser in die Häuser wie vorher, wieder so lustig und zufrieden wie vorher. Ja, er bringt das Wasser selbst seinem ehemaligen Kameraden, nimmt ihm aus alter Freundschaft nichts dafür ab und lacht ihn aus.
Der Hausfreund denkt etwas dabei, aber er sagts nicht.

CLEMENS BRENTANO

Die mehreren Wehmüller
und ungarischen Nationalgesichter

Gegen Ende des Sommers, während der Pest in Kroatien,
hatte Herr Wehmüller, ein reisender Maler, von Wien aus
einen Freund besucht, der in dieser östreichischen Provinz
als Erzieher auf dem Schlosse eines Grafen Giulowitsch lebte. Die Zeit, welche ihm seine Geschäfte zu dem Besuche erlaubten, war vorüber. Er hatte von seiner jungen Frau, welche ihm nach Siebenbürgen vorausgereist war, einen Brief
aus Stuhlweißenburg erhalten, daß er sie nicht mehr länger
allein lassen möge; es erwarte ihn das Offizierskorps des
dort liegenden hochlöblichen ungarischen Grenadier- und
Husarenregiments sehnsüchtig, um, von seiner Meisterhand
gemalt, sich in dem Andenken mannigfaltiger schöner
Freundinnen zu erhalten, da ein naher Garnisonswechsel
manches engverknüpfte Liebes- und Freundschaftsband zu
zerreißen drohte. Dieser Brief brachte den Herrn Wehmüller
in große Unruhe, denn er war viermal so lange unterwegs
geblieben als gewöhnlich und dermaßen durch die Quaran-
täne zerstochen und durchräuchert worden, daß er die ohne
dies nicht allzu leserliche Hand seiner guten Frau, die mit oft
gewässerter Dinte geschrieben hatte, nur mit Mühe lesen
konnte. Er eilte in die Stube seines Freundes Lury und sagte
zu ihm: »Ich muß gleich auf der Stelle fort nach Stuhlweißenburg, denn die hochlöblichen Grenadier- und Husaren-
regimenter sind im Begriff, von dort abzuziehen; lesen Sie,
der Brief ist an fünf Wochen alt.« Der Freund verstand ihn

nicht, nahm aber den Brief und las. Wehmüller lief sogleich zur Stube hinaus und die Treppe hinab in die Hauskapelle, um zu sehen, ob er die neununddreißig Nationalgesichter, welche er in Öl gemalt und dort zum Trocknen aufgehängt hatte, schon ohne große Gefahr des Verwischens zusammenrollen könne. Ihre Trockenheit übertraf alle seine Erwartung, denn er malte mit Terpentinfirnis, welcher trocken wird, ehe man sich umsieht. Was übrigens diese neununddreißig Nationalgesichter betrifft, hatte es mit ihnen folgende Bewandtnis: Sie waren nichts mehr und nichts weniger als neununddreißig Porträts von Ungaren, welche Herr Wehmüller gemalt hatte, ehe er sie gesehen. Er pflegte solcher Nationalgesichter immer ein halb Hundert fertig bei sich zu führen. Kam er in einer Stadt an, wo er Gewinn durch seine Kunst erwartete, so pflegte er öffentlich ausschellen oder austrommeln zu lassen: der bekannte Künstler, Herr Wehmüller, sei mit einem reichassortierten Lager wohlgetroffener Nationalgesichter angelangt und lade diejenigen unter einem hochedlen Publikum, welche ihr Porträt wünschten, untertänigst ein, sich dasselbe, Stück vor Stück zu einem Dukaten in Gold, selbst auszusuchen; er fügte sodann noch, durch wenige Meisterstriche, einige persönliche Züge und Ehrennarben oder die Individualität des Schnurrbartes des Käufers unentgeltlich bei; für die Uniform aber, welche er immer ausgelassen hatte, mußte nach Maßgabe ihres Reichtums nachgezahlt werden. Er hatte diese Verfahrungsart auf seinen Kunstreisen als die befriedigendste für sich und die Käufer gefunden. Er malte die Leute nach Belieben im Winter mit aller Bequemlichkeit zu Haus und brachte sie in der schönen Jahreszeit zu Markte. So genoß er des großen Trostes, daß keiner über Unähnlichkeit oder langes Sitzen klagen konnte, weil sich jeder sein Bildnis fertig nach bestimmtem Preise, wie einen Weck auf dem Laden, selbst aussuchte. Wehmüller hatte seine Gattin vorausgeschickt, um seine Ankunft in Stuhlweißenburg vorzubereiten, während er seinen

Vorrat von Porträts bei seinem Freunde Lury zu der gehörigen Menge brachte; er mußte diesmal in vollem Glanze auftreten, weil er in einer Zeitung gelesen: ein Maler Froschauer aus Klagenfurt haben dieselbe Kunstreise vor. Dieser aber war bisher sein Antagonist und Nebenbuhler gewesen, wenn sie sich gleich nicht kannten, denn Froschauer war von der entgegengesetzten Schule; er hatte nämlich immer alle Uniformen voraus fertig und ließ sich für die Gesichter extra bezahlen.

Schon hatte Wehmüller die neununddreißig Nationalgesichter zusammengerollt in eine große, weite Blechbüchse gesteckt, in welcher auch seine Farben und Pinsel, ein paar Hemden, ein Paar gelbe Stiefelstulpen und eine Haarlocke seiner Frau Platz fanden; schon schnallte er sich diese Büchse mit zwei Riemen wie einen Tornister auf den Rücken, als sein Freund Lury hereintrat und ihm den Brief mit den Worten zurückgab: »Du kannst nicht reisen, soeben hat ein Bauer hier auf dem Hofe erzählt: daß er vor einigen Tagen einen Fußreisenden begleitet habe und daß dieser der letzte Mensch gewesen sei, der über die Grenze gekommen, denn auf seinem Rückwege hierher habe er, der Bote, schon alle Wege vom Pestkordon besetzt gefunden.« Wehmüller aber ließ sich nicht mehr zurückhalten, er schob seine Palette unter den Wachstuchüberzug auf seinen runden Hut, wie die Bäcker in den Zipfel ihrer gestrickten spitzen Mützen eine Semmel zu stecken pflegen, und begann seinen Reisestab zusammenzurichten, der ein wahres Wunder der Mechanik, wenn ich mich nicht irre, von der Erfindung des Mechanikus Eckler in Berlin, war; denn er enthielt erstens: sich selbst, nämlich einen Reisestock; zweitens: nochmals sich selbst, einen Malerstock; drittens: nochmals sich selbst, einen Meßstock; viertens: nochmals sich selbst, ein Richtscheid; fünftens: nochmals sich selbst, ein Blaserohr; sechstens: nochmals sich selbst, ein Tabakspfeifenrohr; siebentens: nochmals sich selbst, einen Angelstock; darin aber waren noch ein Stiefelknecht, ein Barometer, ein Thermometer, ein Perspektiv, ein Zeichenstuhl, ein chemisches Feuerzeug, ein Reißzeug, ein Bleistift und das Brauchbarste von allem, eine approbierte hölzerne Hühneraugenfeile, angebracht; das Ganze aber war so eingerichtet, daß man die Masse des Inhalts durch den Druck einer Feder aus diesem Stocke, wie aus einer Windbüchse, seinem Feind auf den Leib schießen konnte. Während Wehmüller diesen Stock zusammenrichtete, machte Lury ihm die lebhaftesten Vorstellungen wegen der Gefahr seiner Reise, aber er ließ sich nicht halten. »So rede wenigstens mit dem Bauer selbst«, sprach Lury; das war Wehmüller zufrieden und ging, ganz zum Abmarsche fertig, hinab. Kaum aber waren sie in die Schenke getreten, als der Bauer zu ihm trat und, ihm den Ärmel küssend, sagte: »Nu, gnädiger Herr, wie kommen wir schon wieder zusammen? Sie hatten ja eine solche Eile nach Stuhlweißenburg, daß ich glaubte, Euer Gnaden müßten bald dort sein.« Wehmüller verstand den Bauer nicht, der ihm versicherte, daß er ihn, mit derselben blechernen Büchse auf dem Rücken und demselben langen Stocke in der Hand, nach der ungarischen Grenze geführt habe, und zwar zu rechter Zeit, weil kurz nachher der Weg vom Pestkordon geschlossen worden sei, wobei der Mann ihm eine Menge einzelne Vorfälle der Reise erzählte, von welchen, wie vom Ganzen, Wehmüller nichts begriff. Da aber endlich der Bauer ein kleines Bild hervorzog mit den Worten: »Haben Euer Gnaden mir dieses Bildchen, das in Ihrer Büchse keinen Platz fand, nicht zu tragen gegeben, und haben es Euer Gnaden nicht in der Eile der Reise vergessen?« – ergriff Wehmüller das Bild mit Heftigkeit. Es war das Bild seiner Frau, ganz wie von ihm selbst gemalt, ja, der Name Wehmüller war unterzeichnet. Er wußte nicht, wo ihm der Kopf stand. Bald sah er den Bauer, bald Lury, bald das Bild an: »Wer gab dir das Bild?« fuhr er den Bauer an. »Euer Gnaden selbst«, sagte dieser; »Sie wollten nach Stuhlweißenburg zu Ihrer Liebsten, sagten Euer Gnaden, und das Botenlohn sind mir Euer Gnaden auch schuldig geblieben.«

»Das ist erlogen!« schrie Wehmüller. »Es ist die Wahrheit!«
sagte der Bauer. »Es ist nicht die Wahrheit!« sagte Lury,
»denn dieser Herr ist seit vier Wochen nicht hier wegge-
kommen und hat mit mir in einer Stube geschlafen.« Der
Bauer aber wollte von seiner Behauptung nicht abgehen und
drang auf die Bezahlung des Botenlohns oder auf die Rück-
gabe des Porträts, welches sein Pfand sei, und dem er, wenn er
nicht bezahle, einen Schimpf antun wolle. Wehmüller ward
außer sich. »Was?« schrie er, »ich soll für einen anderen das
Botenlohn zahlen oder das Porträt meiner Frau beschimp-
fen lassen? Das ist entsetzlich!« Lury machte endlich den
Schiedsrichter und sagte zu dem Bauer: »Habt Ihr diesen
Herrn über die Grenze gebracht?« – »Ja!« sagte der Bauer.
»Wie kommt er dann wieder hierher, und wie war er die
ganze Zeit hier?« erwiderte Lury. »Ihr müßt ihn daher
nicht recht tüchtig hinübergebracht haben und könnt für so
schlechte Arbeit kein Botenlohn begehren; bringt ihn heute
nochmals hinüber, aber dermaßen, daß auch kein Stümpf-
chen hier in Kroatien bleibt, und laßt Euch doppelt bezahlen.« Der Bauer sagte: »Ich bin es zufrieden, aber es ist doch
eine sehr heillose Sache; wer von den beiden ist nun der
Teufel, dieser gnädige Herr oder der andre? Es könnte
mich dieser, der viel widerspenstiger scheint, vielleicht gar
mit über die Grenze holen, auch ist der Weg jetzt gesperrt,
und der andre war der letzte; ich glaube doch, er muß der
Teufel gewesen sein, der bei der Pest zu tun hat.« – »Was«,
schrie Wehmüller, »der Teufel mit dem Porträt meiner
Frau! Ich werde verrückt; gesperrt oder nicht gesperrt, ich
muß fort, der scheußlichste Betrug muß entdeckt werden.
Ach, meine arme Frau, wie kann sie getäuscht werden!
Adie, Lury, ich brauche keinen Boten, ich will schon allein
finden.« Und somit lief er zum offnen Hoftore mit solcher
Schnelligkeit hinaus, daß ihn weder der nachlaufende Bau-
er noch das Geschrei Lurys einholen konnte.
Nach dieser Szene trat der Graf Giulowitsch, der Prinzipal

Lurys, aus dem Schlosse, um auf seinen Finkenherd zu fahren. Lury erzählte ihm die Geschichte, und der Graf, neugierig, mehr von der Sache zu hören, bestieg seinen Wurstwagen und fuhr dem Maler in vollem Trabe nach; das leichte Fuhrwerk, mit zwei raschen Pferden bespannt, flog über die Stoppelfelder, welche einen festeren Boden als die moorichte Landstraße darboten. Bald war der Maler eingeholt, der Graf bat ihn, aufzusitzen, mit dem Anerbieten, ihn einige Meilen bis an die Grenze seiner Güter zu bringen, wo er noch eine halbe Stunde nach dem letzten Grenzdorf habe. Wehmüller, der schon viel Grund und Boden an seinen Stiefeln hängen hatte, nahm den Vorschlag mit untertänigstem Dank an. Er mußte einige Züge alten Slibowitz aus des Grafen Jagdflasche tun und fand dadurch schon etwas mehr Mut, sich selbst auf der eignen Fährte zu seiner Frau nachzueilen. Der Graf fragte ihn: ob er denn niemand kenne, der ihm so ähnlich sei und so malen könnte wie er. Wehmüller sagte nein, und das Porträt ängstige ihn am meisten, denn dadurch zeige sich eine Beziehung des falschen Wehmüllers auf seine Frau, welche ihm besonders fatal werden könne. Der Graf sagte ihm, der falsche Wehmüller sei wohl nur eine Strafe Gottes für den echten Wehmüller, weil dieser alle Ungarn über einen Leisten male; so gäbe es jetzt auch mehrere Wehmüller über einen Leisten. Wehmüller meinte, alles sei ihm einerlei, aber seine Frau, seine Frau, wenn die sich nur nicht irre. Der Graf stellte ihm nochmals vor, er möge lieber mit ihm auf seinen Finkenherd und dann zurückfahren; er gefährde, wenn er auch höchst unwahrscheinlich den Pestkordon durchschleichen sollte, jenseits an der Pest zu sterben. Wehmüller aber meinte: »Ein zweiter Wehmüller, der zu meiner Frau reist, ist auch eine Pest, an der man sterben kann«, und er wolle so wenig als die Schneegänse, welche schreiend über ihnen hinstrichen, den Pestkordon respektieren; er habe keine Ruhe, bis er bei seiner Tonerl sei. So kamen sie bis auf die Grenze der Giulowitschschen Güter, und der Graf schenkte Wehmüllern noch eine Flasche Tokaier mit den Worten: »Wenn Sie diese ausstechen, lieber Wehmüller, werden Sie sich nicht wundern, daß man Sie doppelt gesehn, denn Sie selbst werden alles doppelt sehn; geben Sie uns sobald als möglich Bericht von Ihrem Abenteuer, und möge Ihre Gemahlin anders sehen, als der Bauer gesehen hat. Leben Sie wohl!«

Nun eilte Wehmüller, so schnell er konnte, nach dem nächsten Dorf, und kaum war er in die kleine, dumpfichte Schenke eingetreten, als die alte Wirtin, in Husarenuniform, ihm entgegenschrie: »Ha, ha! da sind der Herr wieder zurück, ich hab es gleich gesagt, daß Sie nicht durch den Kordon würden hinübergelassen werden.«

Wehmüller sagte, daß er hier niemals gewesen und daß er gleich jetzt erst versuchen wolle, durch den Kordon zu kommen. Da lachten Frau Tschermack und ihr Gesinde ihm ins Gesicht und behaupteten steif und fest: er sei vor einigen Tagen hier durchpassiert, von einem Giulowitscher Bauer begleitet, dem er das Botenlohn zu zahlen vergessen; er habe ja hier gefrühstückt und erzählt, daß er nach Stuhlweißenburg zu seiner Frau Tonerl wolle, um dort das hochlöbliche Offizierskorps zu malen. Wehmüller kam durch diese neue Bestätigung, daß er doppelt in der Welt herumreise, beinahe in Verzweiflung. Er sagte der Wirtin mit kurzen Worten seine ganze Lage; sie wußte nicht, was sie glauben sollte, und sah ihn sehr kurios an. Es war ihr nicht allzu heimlich bei ihm. Aber er wartete alle ihre Skrupel nicht ab und lief wie toll und blind zum Dorfe hinaus und dem Pestkordon zu.

Als er eine Viertelmeile auf der Landstraße gelaufen war, sah er auf dem Stoppelfeld eine Reihe von Rauchsäulen aufsteigen, und ein angenehmer Wacholdergeruch dampfte ihm entgegen. Er sah bald eine Reihe von Erdhütten und Soldaten, welche kochten und sangen; es war ein Hauptbivouac des Pestkordons. Als er sich der Schildwache näherte, rief sie ihm ein schreckliches »Halt!« entgegen und schlug zu-

gleich ihr Gewehr auf ihn an. Wehmüller stand wie angewurzelt. Die Schildwache rief den Unteroffizier, und nach
einigen Minuten sprengte ein Szekler-Husar gegen ihn heran und schrie aus der Ferne: »Wo willstu, *quid vis?* Wo
kommst her, *unde venis?* An welchen Ort willst du, *ad
quem locum vis?* Bist du nicht vorige Woche hier durchpassiert, *es tu non altera hebdomada hic perpassatus?*« Er fragte
ihn so auf deutsch und husarenlateinisch zugleich, weil er
nicht wußte, ob er ein Deutscher oder ein Ungar sei. Wehmüller mußte aus den letzten Worten des Husaren abermals hören, daß er hier schon durchgereist sei, welche Nachricht ihm eiskalt über den Rücken lief. Er schrie sich beinah
die Kehle aus, daß er grade von dem Grafen Giulowitsch
komme, daß er in seinem Leben nicht hier gewesen. Der Husar
aber lachte und sprach: »Du lügst, *mentiris!* Hast du nicht dem
Herrn Chirurg sein Bild gegeben, *non dedidisti Domino Chi-
rurgo suam imaginem!* – daß er durch die Finger gesehen und
dich passieren lassen, *ut vidit per digitos et te fecit passare!* Du
bist zurückgekehrt aus den Pestörtern, *es returnatus ex pestiferatis locis!*« Wehmüller sank auf die Knie nieder und bat,
man möge den Chirurgen doch herbeirufen.
Während diesem Gespräch waren mehrere Soldaten um
den Husaren herumgetreten, zuzuhören; endlich kam der
Chirurg auch, und nachdem er Wehmüllers Klagen ange-
hört, der sich die Lunge fast weggeschreien, befahl er ihm,
sich einem der Feuer von Wacholderholz zu nähern, so
daß es zwischen ihnen beiden sei, dann wolle er mit ihm
reden. Wehmüller tat dies und erzählte ihm die ganze Aussage über einen zweiten Wehmüller, der hier durchgereist
sei, und seine große Sorge, daß ihn dieser um all sein Glück
betrügen könne und bot dem Chirurgen alles an, was er besitze, er möge ihm nur durchhelfen. Der Chirurg holte nun
eine Rolle Wachsleinwand aus seiner Erdhütte, und Wehmüller erblickte auf derselben eines der ungarischen Nationalgesichter, grade wie er sie selbst zu malen pflegte, auch sein

Name stand drunter, und da der Chirurg sagte, ob er dies Bild nicht gemalt und ihm neulich geschenkt habe, weil er ihn passieren lassen, gestand Wehmüller: er würde nie dies Bild von den seinigen unterscheiden können, aber durchpassiert sei er hier nie und habe nie die Gelegenheit gehabt, den Herren Chirurgen zu sprechen. Da sagte der Chirurg: »Hatten Sie nicht heftiges Zahnweh? Habe ich Ihnen nicht noch einen Zahn ausgezogen für das Bild?« – »Nein, Herr Chirurg«, erwiderte Wehmüller, »ich habe alle meine Zähne frisch und gesund, wenn Sie zuschauen wollen.« Nun faßte der Feldscheer einigen Mut; Wehmüller sperrte das Maul auf, er sah nach und gestand ihm zu, daß er ganz ein andrer Mensch sei; denn jetzt, da er ihn weder aus der Ferne noch von Rauch getrübt ansehe, müsse er ihm gestehen, daß der andre Wehmüller viel glatter und auch etwas fetter sei, ja daß sie beide, wenn sie nebeneinander ständen, kaum verwechselt werden könnten; aber durchpassieren lassen könne er ihn jetzt doch nicht. Es habe zu viel Aufsehens bei der Wache gemacht, und er könne Verdruß haben; morgen früh werde aber der Kordonkommandant mit einer Patrouille bei der Visitation hieher kommen, und da ließe sich sehen, was er für ihn tun könne; er möge bis dahin nach der Schenke des Dorfs zurückkehren, er wolle ihn rufen lassen, wenn es Zeit sei; er solle auch das Bild mitnehmen und ihm den Schnauzbart etwas spitzer malen, damit es ganz ähnlich werde. Wehmüller bat, in seiner Erdhütte einen Brief an sein Tonerl schreiben zu dürfen und ihm den Brief hinüber zu besorgen. Der Chirurg war es zufrieden. Wehmüller schrieb seiner Frau, erzählte ihr sein Unglück, bat sie um Gottes willen, nicht den falschen Wehmüller mit ihm zu verwechseln und lieber sogleich ihm entgegenzureisen. Der Chirurg besorgte den Brief und gab Wehmüllern noch ein Attestat, daß seine Person eine ganz andre sei als die des ersten Wehmüllers, und nun kehrte unser Maler, durchgeräuchert wie ein Quarantänebrief, nach der Dorfschenke zurück.

Hier war die Gesellschaft vermehrt, die Erzählung von dem doppelten Wehmüller hatte sich im Dorfe und auf einem benachbarten Edelhof ausgebreitet, und es waren allerlei Leute bei der Wirtin zusammengekommen, um sich wegen der Geschichte zu befragen. Unter dieser Gesellschaft waren ein alter invalider Feuerwerker und ein Franzose die Hauptpersonen. Der Feuerwerker, ein Venetianer von Geburt, hieß Baciochi und war ein Allesinallem bei dem Edelmanne, der einen Büchsenschuß von dem Dorfe wohnte. Der Franzose war ein Monsieur Devillier, der, von einer alten reichen Ungarin gefesselt, in Ungarn sitzengeblieben war; seine Gönnerin starb und hinterließ ihm ein kleines Gütchen, auf welchem er lebte und sich bei seinen Nachbarn umher mit der Jagd und allerlei Liebeshändeln die Zeit vertrieb. Er hatte gerade eine Kammerjungfer auf dem Edelhofe besucht, der er Sprachunterricht gab, und diese hatte ihn mit dem Hofmeister des jungen Edelmanns auf seinem Rückwege in die Schenke begleitet, um ihrer Herrschaft von dem doppelten Wehmüller Bericht zu erstatten. Die Kammerjungfer hieß Nanny, und der Hofmeister war ein geborner Wiener mit Namen Lindpeindler, ein zartfühlender Dichter, der oft verkannt worden ist. Die berühmteste Person von allen war aber der Violinspieler Michaly, ein Zigeuner von etwa dreißig Jahren, von eigentümlicher Schönheit und Kühnheit, der wegen seinem großen Talent, alle möglichen Tänze ununterbrochen auf seiner Violine zu erfinden und zu variieren, bei allen großen Hochzeiten im Lande allein spielen mußte. Er war hieher gereist, um seine Schwester zu erwarten, die bis jetzt bei einer verstorbenen Großmutter gelebt und nun auf der Reise zu ihm durch den Pestkordon von ihm getrennt war.

Zu diesen Personen fügte sich noch ein alter kroatischer Edelmann, der einen einsamen Hof in der Nähe der türkischen Grenze besaß; er übernachtete hier, von einem Kreistage zurückkehrend. Ein Tiroler Teppichkrämer und sein

Reisegeselle, ein Savoyardenjunge, dem sein Murmeltier gestorben war, und der sich nach Hause bettelte, machten die Gesellschaft voll, außer der alten Wirtin, die Tabak rauchte und in ihrer Jugend als Amazone unter den Wurmserschen Husaren gedient hatte. Sie trug noch den Dolman* und die Mütze, die Haare in einen Zopf am Nacken und zwei kleine Zöpfe an den Schläfen geknüpft, und hatte hinter ihrem Spinnrad ein martialisches Ansehen. Diese bunte Versammlung saß in der Stube, welche zugleich die Küche und der Stall für zwei Büffelkühe war, um den lodernden, niedern Feuerherd und war im vollen Gespräch über den doppelten Wehmüller, als dieser in der Dämmerung an der verschlossenen Haustür pochte. Die Wirtin fragte zum Fenster hinaus, und als sie Wehmüller sah, rief sie: »Gott steh uns bei! Da ist noch ein dritter Wehmüller; ich mache die Tür nicht eher auf, bis sie alle drei zusammen kommen!« Ein lautes Gelächter und Geschrei des Verwunderns aus der Stube unterbrach des armen Malers Bitte um Einlaß. Er nahte sich dem Fenster und hörte eine lebhafte Beratschlagung über sich an. Der kroatische Edelmann behauptete, er könne sehr leicht ein Vampyr sein oder die Leiche des ersten an der Pest verstorbenen Wehmüllers, die hier den Leuten das Blut aussaugen wolle; der Feuerwerker meinte: er könne die Pest bringen, er habe wahrscheinlich den Kordon überschritten und sei wieder zurückgeschlichen; der Tiroler bewies: er würde niemand fressen; die Kammerjungfer verkroch sich hinter dem Franzosen, der, nebst dem Hofmeister, die Gastfreiheit und Menschlichkeit verteidigte. Devillier sagte: er könne nicht erwarten, daß eine so auserwählte Gesellschaft, in der er sich befände, jemals aus Furcht und Aberglauben die Rechte der Menschheit so sehr verletzen werde, einen Fremden wegen einer bloßen Grille auszusperren, er wolle mit dem Manne reden; der Zigeuner aber ergriff in dem allgemeinen, ziemlich lauten Wortwechsel seine Vio-

* Türkische, verschnürte Husarenjacke.

line und machte ein wunderbares Schariwari* dazu, und da die ungarischen Bauern nicht leicht eine Fiedel hören, ohne den Tanzkrampf in den Füßen zu fühlen, so versammelte sich bald Horia und Klotzka vor der Schenke – was so viel heißt als Hinz und Kunz bei uns zulande – die Mädchen wurden aus den Betten getrieben und vor die Schenke gezogen, und sie begannen zu jauchzen und zu tanzen.

Durch den Lärm ward der Vizegespan, des Orts Obrigkeit, herbeigelockt, und Wehmüller brachte ihm seine Klagen und das Attestat des Chirurgen vor, versprach ihm auch, sein Porträt unter den Nationalgesichtern sich aussuchen zu lassen, wenn er ihm ein ruhiges Nachtquartier verschaffe und seine Persönlichkeit in der Schenke attestiere. Der Vizegespan ließ sich nun die Schenke öffnen und las drinnen das Attestat des Herrn Chirurgen, das er allen Anwesenden zur Beruhigung mitteilte. Durch seine Autorität brachte er es dahin, daß Wehmüller endlich hereingelassen wurde, und er nahm, um der Sache mehr Ansehen zu geben, ein Protokoll über ihn auf, an dem nichts merkwürdig war, als daß es mit dem Worte »sondern« anfing. Indessen hatten die Bauern den musikalischen Zigeuner herausgezerrt und waren mit ihm unter die Linde des Dorfs gezogen, der Tiroler zog hinterdrein und joudelte aus der Fistel, der Savoyarde gurgelte sein *»Escoutta Gianetta«* und klapperte mit dem Deckel seines leeren Kastens den Takt dazu bis unter die Linde. Monsieur Devillier forderte die Kammerjungfer zu einem Tänzchen auf, und Herr Lindpeindler gab der schönen Herbstnacht und dem romantischen Eindruck nach. So war die Stube ziemlich leer geworden. Wehmüller holte seine Nationalgesichter aus der Blechbüchse, und der Vizegespan hatte bald sein Porträt gefunden, versprach auch dem Maler ins Ohr, daß er ihm morgen über den Kordon helfen wolle, wenn er ihm heute nacht noch eine Reihe Knöpfe mehr auf die Jacke male. Wehmüller dankte ihm herzlich

* Spottständchen.

und begann sogleich bei einer Kienfackel seine Arbeit. Der Feuerwerker und der kroatische Edelmann rückten zu dem Tisch, auf welchem Wehmüller seine Flasche Tokaier preisgab; die Herren drehten sich die Schnauzbärte, steckten sich die Pfeifen an und ließen es sich wohlschmecken. Der Vizegespan sprach von der Jagdzeit, die am St. Egiditag, da der Hirsch in die Brunst gehe, begonnen habe, und daß er morgen früh nach einem Vierzehnender ausgehen wolle, der ihm großen Schaden in seinem Weinberge getan; zugleich lud er Herrn Wehmüller ein, mitzugehen, wobei er ihm auf den Fuß trat. Wehmüller verstand, daß dies ein Wink sei, wie er ihm über den Kordon helfen wolle, und wenn ihm gleich nicht so zumute war, gern von Hirschgeweihen zu hören, nahm er doch das Anerbieten mit Dank an, nur bat er sich die Erlaubnis aus, nach der Rückkehr das Bild des Herrn Vizegespans in seinem Hause fertig malen zu dürfen. Der kroatische Edelmann und der Feuerwerker sprachen nun noch mancherlei von der Jagd und wie der Wein so vortrefflich stehe, darum sei das Volk auch so lustig; wenn der unbequeme Pestkordon nur erst aufgelöst sei; aller Verkehr sei durch ihn gestört, und der Kordon sei eigentlich ärger als die Pest selbst. »Es wird bald aus sein mit dem Kordon«, sagte der Kroate, »die Kälte ist der beste Doktor, und ich habe heute an den Eicheln gesehen, daß es einen strengen Winter geben wird; denn die Eicheln kamen heuer früh und viel, und es heißt von den Eicheln im September:

Haben sie Spinnen, so kömmt ein bös Jahr,
Haben sie Fliegen, kömmt Mittelzeit zwar,
Haben sie Maden, so wird das Jahr gut,
Ist nichts darin, so hält der Tod die Hut.
Sind die Eicheln früh und sehr viel,
So schau, was der Winter anrichten will:
Mit vielem Schnee kömmt er vor Weihnachten,
Darnach magst du große Kälte betrachten.
Sind die Eicheln schön innerlich,

Folgt ein schöner Sommer, glaub sicherlich;
Auch wird dieselbe Zeit wachsen schön Korn,
Also ist Müh und Arbeit nicht verlorn.
Werden sie innerlich naß befunden,
Tuts uns einen nassen Sommer bekunden;
Sind sie mager, wird der Sommer heiß,
Das sei dir gesagt mit allem Fleiß.

Diesen September waren sie aber so früh und häufig, daß es gewiß bald kalt und der Frost die Pest schon vertilgen wird.«

»Ganz recht«, sagte der Vizegespan, »wir werden einen frühen Winter und einen schönen Herbst haben, denn tritt der Hirsch an einem schönen Egiditag in Brunst, so tritt er auch an einem schönen Tag heraus, und wenn er früh eintritt, wie dieses Jahr, so naht der Winter auch früh.«

Über diesen Wetterbetrachtungen kamen sie auf kalte Winter zu sprechen, und der Kroate erzählte folgende Geschichte, die ihm vor einigen Jahren im kalten Winter in der Christnacht geschehen sein sollte, und er beschwor sie hoch und teuer. Aber eben, als er beginnen wollte, schallte ein großer Spektakel von der Linde her. Lindpeindler und die Kammerjungfer stürzten mit dem Geschrei in die Stube, auf dem Tanzplatz sei wieder ein Wehmüller erschienen. »Ach«, schrie die Kammerjungfer, »er hat mich wie ein Gespenst angepackt und ist mit mir so entsetzlich unter der Linde herumgetanzt, daß mir die Haube in den Zweigen blieb.« Auf diese Aussage sprangen alle vom Tisch auf und wollten hinausstürzen. Der Vizegespan aber gebot dem Maler, sitzenzubleiben, bis man wisse, ob er oder der andere es sei. Da näherte sich das Spektakel, und bald trat der Zigeuner, lustig fiedelnd, von den krähenden Bauern begleitet, mit dem neuen Wehmüller vor die Schenke. Da klärte sich denn bald der Scherz auf. Devillier hatte den grauen Reisekittel und den Hut Wehmüllers im Hinausgehen aufgesetzt und ein blechernes Ofenrohr, das in einem Winkel lag, um-

gehängt, die furchtsame Kammerjungfer zu erschrecken.
Nanny ward sehr ausgelacht, und der Vizegespan befahl nun
den Leuten, zu Bette zu gehen; da aber einige noch tanzen
wollten und grob wurden, rief er nach seinen Heiducken,
setzte selbst eine Bank vor die Türe, legte eigenhändig einen
frechen Burschen über und ließ ihm fünf aufzählen, auf
welche kleine Erfrischung die ganze Ballgesellschaft mit einem lauten »*Vivat noster Dominus Vicegespanus!*« jubelnd
nach Haus zog. Nun ordnete sich die übrige Gesellschaft in
der engen Stube, wie es gehen wollte, um Tisch und Herd,
auf Kübeln und Tonnen und den zur Nachtstreue von der
Wirtin angeschleppten Strohbündeln. Devillier ließ einige
Krüge Wein bringen, und der erschrockenen Kammerjungfer
wurde auf den Schreck wacker zugetrunken. Man bat dann
den Kroaten, seine versprochene Geschichte zu erzählen,
welcher, während Wehmüller in schweren Gedanken an sein
Tonerl Knöpfe malte, also begann:

DAS PICKENICK DES KATERS MORES
Erzählung des kroatischen Edelmanns

Mein Freihof liegt einsam, eine halbe Stunde von der türkischen Grenze, in einem sumpfichten Wald, wo alles im
herrlichsten und fatalsten Überfluß ist, zum Beispiel die
Nachtigallen, die einen immer vor Tag aus dem Schlafe
wecken, und im letzten Sommer pfiffen die Bestien so unverschämt nah und in solcher Menge vor meinem Fenster, daß
ich einmal im größten Zorne den Nachttopf nach ihnen
warf. Aber ich kriegte bald einen Hausgenossen, der ihnen
auf den Dienst paßte und mich von dem Ungeziefer befrei-
te. Heut sind es drei Jahre, als ich morgens auf meinen Finkenherd ging, mit einem Pallasch, einer guten Doppelbüchse
und einem Paar doppelten Pistolen versehen, denn ich hatte einen türkischen Wildpretdieb und Händler auf dem

Korn, der mir seit einiger Zeit großen Wildschaden angetan und mir, da ich ihn gewarnt hatte, trotzig hatte sagen lassen, er störe sich nicht an mir und wolle unter meinen Augen in meinem Wald jagen. Als ich nach dem Finkenherd kam, fand ich alle meine ausgestellten Dohnen und Schlingen ausgeleert und merkte, daß der Spitzbube mußte da gewesen sein. Erbittert stellte ich meinen Fang wieder auf, da strich ein großer schwarzer Kater aus dem Gesträuch murrend zu mir her und machte sich so zutulich, daß ich seinen Pelz mit Wohlgefallen ansah und ihn liebkoste mit der Hoffnung, ihn an mich zu gewöhnen und mir etwa aus seinen Winterhaaren eine Mütze zu machen. Ich habe immer so eine lebendige Wintergarderobe im Sommer in meinem Revier, ich brauche darum kein Geld zum Kürschner zu tragen, es kommen mir auch keine Motten in mein Pelzwerk. Vier Paar tüchtige lederne Hosen laufen immer als lebendige Böcke auf meinem Hofe, und mitten unter ihnen ein herrlicher Dudelsack, der sich jetzt als lebendiger Bock schon so musikalisch zeigt, daß die zu einzelnen Hosenbeinen bestimmten Kandidaten, sobald er meckernd unter sie tritt, zu tanzen und gegeneinander zu stutzen anfangen, als fühlten sie jetzt schon ihre Bestimmung: einst mit meinen Beinen nach diesem Dudelsack ungarisch zu tanzen. So habe ich auch einen neuen Reisekoffer als Wildsau in meinem Forste herumlaufen, ein prächtiger Wolfspelz hat mir im letzten Winter in der Gestalt von sechs tüchtigen Wölfen schon auf den Leib gewollt; die Bestien hatten mir ein tüchtiges Loch in die Kammertüre genagt, da fuhr ich einem nach dem andern durch ein Loch über der Türe mit einem Pinsel voll Ölfarbe über den Rücken und erwarte sie nächstens wieder, um ihnen das Fell über die Ohren zu ziehen.

Aus solchen Gesichtspunkten sah ich auch den schwarzen Kater an und gab ihm, teils weil er schwarz wie ein Mohr war, teils weil er gar vortreffliche Mores oder Sitten hatte, den Namen Mores. Der Kater folgte mir nach Hause und wußte sich so vortrefflich durch Mäusefangen und Verträglichkeit mit meinen Hunden auszuzeichnen, daß ich den Gedanken, ihn aus seinem Pelz zu vertreiben, bald aufgegeben hatte. Mores war mein steter Begleiter, und nachts schlief er auf einem ledernen Stuhl neben meinem Bette. Merkwürdig war es mir besonders an dem Tiere, daß es, als ich ihm scherzhaft bei Tage einigemal Wein aus meinem Glase zu trinken anbot, sich gewaltig dagegen sträubte, und ich es doch einst im Keller erwischte, wie es den Schwanz ins Spundloch hängte und dann mit dem größten Appetit ableckte. Auch zeichnete sich Mores vor allen Katzen durch seine Neigung, sich zu waschen, aus, da doch sonst sein Geschlecht eine Feindschaft gegen das Wasser hat. Alle diese Absonderlichkeiten hatten den Mores in meiner Nachbarschaft sehr berühmt gemacht, und ich ließ ihn ruhig bei mir aus und eingehen, er jagte auf seine eigne Hand und kostete mich nichts als Kaffee, den er über die Maßen gern soff. So hatte ich meinen Gesellen bis gegen Weihnachten immer als Schlafkameraden gehabt, als ich ihn die zwei letzten Tage und Nächte vor dem Christtag ausbleiben sah. Ich war schon an den Gedanken gewöhnt, daß ihn irgendein Wildschütze, vielleicht gar mein türkischer Grenznachbar, möge weggeschossen oder gefangen haben, und sendete deswegen einen Knecht hinüber zu dem Wildhändler, um etwas von dem Mores auszukundschaften. Aber der Knecht kam mit der Nachricht zurück, daß der Wildhändler von meinem Kater nichts wisse, daß er eben von einer Reise von Stambul zurückgekommen sei und seiner Frau eine Menge schöner Katzen mitgebracht habe; übrigens sei es ihm lieb, daß er von meinem trefflichen Kater gehört, und wolle er auf alle Weise suchen, ihn in seine Gewalt zu bringen, da ihm ein tüchtiger Bassa für sein Serail fehle. Diese Nachricht erhielt ich mit Verdruß am Weihnachtsabend und sehnte mich um so mehr nach meinem Mores, weil ich ihn dem türkischen Schelm nicht gönnte. Ich legte mich an diesem Abend früh zu Bette, weil ich in der Mitternacht eine Stunde Weges nach der Kirche in die Metten gehen wollte. Mein Knecht weckte mich zur gehörigen Zeit; ich legte meine Waffen an und hängte meine Doppelbüchse, mit dem gröbsten Schrote geladen, um. So machte ich mich auf den Weg, in der kältesten Winternacht, die ich je erlebt; ich war eingehüllt wie ein Pelznickel, die brennende Tabakspfeife fror mir einigemal ein, der Pelz um meinen Hals starrte von meinem gefrorenen Hauch wie ein Stachelschwein, der feste Schnee knarrte unter meinen Stiefeln, die Wölfe heulten rings um meinen Hof, und ich befahl meinen Knechten, Jagd auf sie zu machen.

So war ich bei sternheller Nacht auf das freie Feld hinausgekommen und sah schon in der Ferne eine Eiche, die auf einer kleinen Insel mitten in einem zugefrornen Teiche stand und etwa die Hälfte des Weges bezeichnete, den ich zum Kirchdorf hatte. Da hörte ich eine wunderbare Musik und glaubte anfangs, es sei etwa ein Zug Bauern, der mit einem Dudelsack sich den Weg zur Kirche verkürzte, und so schritt ich derber zu, um mich an diese Leute anzuschließen. Aber je näher ich kam, je toller ward die kuriose Musik, sie löste sich in ein Gewimmer auf, und, schon dem Baume nah, hörte ich, daß die Musik von demselben herunter schallte. Ich nahm mein Gewehr in die Hand, spannte den Hahn und schlich über den festen Teich auf die Eiche los; was sah ich, was hörte ich? Das Haar stand mir zu Berge; der ganze Baum saß voll schrecklich heulender Katzen, und in der Krone thronte mein Herr Mores mit krummem Buckel und blies ganz erbärmlich auf einem Dudelsack, wozu die Katzen unter gewaltigem Geschrei um ihn her durch die Zweige tanzten. Ich war anfangs vor Entsetzen wie versteinert, bald aber zwickte mich der Klang des Dudelsacks so sonderbar in den Beinen, daß ich selbst anfing zu tanzen und beinahe in eine von Fischern gehauene Eisöffnung fiel; da tönte aber die Mettenglocke durch die helle Nacht, ich kam zu Sinnen und schoß die volle Schrotladung meiner Doppelbüchse in den vermaledeiten Tanzchor hinein, und in demselben Augenblick fegte die ganze Tanzgesellschaft wie ein Hagelwetter von der Eiche herunter und wie ein Bienenschwarm über mich weg, so daß ich auf dem Eise ausglitt und platt niederstürzte. Als ich mich aufraffte, war das Feld leer, und ich wunderte mich, daß ich auch keine einzige von den Katzen getroffen unter dem Baume fand. Der ganze Handel hatte mich so erschreckt und so wunderlich gemacht, daß ich es aufgab, nach der Kirche zu gehen; ich eilte nach meinem Hofe zurück und schoß meine Pistolen mehrere Male ab, um meine Knechte herbeizurufen. Sie nahten mir bald auf dieses verabredete Zeichen; ich erzählte ihnen mein Abenteuer, und der eine, ein alter, erfahrener Kerl, sagte: »Sei'n Ihr Gnaden nur ruhig, wir werden die Katzen bald finden, die Ihr Gnaden geschossen haben.« Ich machte mir allerlei Gedanken und legte mich zu Hause, nachdem ich auf den Schreck einen warmen Wein getrunken hatte, zu Bett.

Als ich gegen Morgen ein Geräusch vernahm, erwachte ich aus dem unruhigen Schlaf, und sieh da: mein vermaledeiter Mores lag – mit versengtem Pelz – wie gewöhnlich neben mir auf dem Lederstuhl. Es lief mir ein grimmiger Zorn durch alle Glieder; »Passaveanelkiteremtete!« schrie ich, »vermaledeite Zauberkanaille! bist du wieder da?« und griff nach einer neuen Mistgabel, die neben meinem Bette stand; aber die Bestie stürzte mir an die Kehle und würgte mich; ich schrie Zetermordio. Meine Knechte eilten herbei mit gezogenen Säbeln und fegten nicht schlecht über meinen Mores her, der an allen Wänden hinauffuhr, endlich das Fenster zerstieß und dem Walde zustürzte, wo es vergebens war, das Untier zu verfolgen; doch waren wir gewiß, daß Herr Mores seinen Teil Säbelhiebe weghabe, um nie wieder auf dem Dudelsack zu blasen. Ich war schändlich zerkratzt, und der Hals und das Gesicht schwoll mir gräßlich an. Ich ließ nach einer slavonischen Viehmagd rufen, die bei mir diente, um mir einen Umschlag von ihr kochen zu lassen, aber sie war nirgends zu finden, und ich mußte nach dem Kirchdorf fahren, wo ein Feldscheer wohnte. Als wir an die Eiche kamen, wo das nächtliche Konzert gewesen war, sahen wir einen Menschen darauf sitzen, der uns erbärmlich um Hülfe anflehte. Ich erkannte bald Mladka, die slavonische Magd; sie hing halb erfroren mit den Röcken in den Baumästen verwickelt, und das Blut rann von ihr nieder in den Schnee; auch sahen wir blutige Spuren von da her, wo mich die Katzen über den Haufen geworfen, nach dem Walde zu. Ich wußte nun, wie es mit der Slavonierin beschaffen war, ließ sie schwebend, daß sie die Erde nicht berührte, auf den Wurstwagen tragen und festbinden und fuhr eilend mit der Hexe nach dem Dorfe. Als ich bei dem Chirurg ankam, wurde gleich der Vizegespan und der Pfarrer des Orts gerufen, alles zu Protokoll genommen, und die Magd Mladka ward ins Gefängnis geworfen; sie ist zu ihrem Glück an dem Schuß, den sie im Leibe hatte, gestorben, sonst wäre sie gewiß auf den Scheiterhaufen gekommen. Sie war ein wunderschönes Weibsbild, und ihr Skelett ist nach Pest ins Naturalienkabinett als ein Muster schönen Wachstums gekommen; sie hat sich auch herzlich bekehrt und ist unter vielen Tränen gestorben. Auf ihre Aussagen sollten verschiedene andere Weibspersonen in der Gegend gefangengenommen werden, aber man fand zwei tot in ihren Betten, die anderen waren entflohen.

Als ich wiederhergestellt war, mußte ich mit einer Kreiskommission über die türkische Grenze reisen; wir meldeten uns bei der Obrigkeit mir unserer Anzeige gegen den Wildhändler, aber da kamen wir schier in eine noch schlimmere Suppe; es wurde uns erklärt, daß der Wildhändler nebst seiner Frau und mehreren türkischen, serbischen und slavonischen Mägden und Sklavinnen von Schrotschüssen und Säbelhieben verwundet zu Hause angekommen, und daß der Wildhändler gestorben sei mit der Angabe: er sei, von einer Hochzeit kommend, auf der Grenze von mir überfallen und so zugerichtet worden. Während dies angezeigt wurde, versammelte sich eine Menge Volks, und die Frau des Wildhändlers mit mehreren Weibern und Mägden, verbunden und bepflastert, erhoben ein mörderliches Geschrei gegen uns. Der Richter sagte: er könne uns nicht schützen, wir möchten sehen, daß wir fortkämen; da eilten wir nach dem Hof, sprangen zu Pferde, nahmen den Kreiskommissär in die Mitte, ich setzte mich an die Spitze der sechs Szekler-Husaren, die uns begleitet hatten, und so sprengten wir, Säbel und Pistole in der Hand, früh genug zum Orte hinaus, um nicht mehr zu erleiden als einige Steinwürfe und blinde Schüsse, eine Menge türkischer Flüche mit eingerechnet. Die Türken verfolgten uns bis über die Grenze, wurden aber von den Szeklern, die sich im Walde setzten, so zugerichtet, daß wenigstens ein paar von ihnen dem Wildhändler in Mahomeds Paradies Nachricht von dem Erfolg werden gegeben haben. Als ich nach Haus kam, war das erste, daß ich meinen Dudelsack visitierte, den ich auch mit drei Schroten durchlöchert hinter meinem Bette liegen fand. Mores hatte also auf meinem eigenen Dudelsack geblasen und war von ihm gegen meinen Schuß gedeckt worden. Ich hatte mit der unseligen Geschichte noch viele Scherererei, ich wurde weitläufig zu Protokoll vernommen, es kam eine Kommission nach der andern auf meinen Hof und ließ sich tüchtig aufwarten; die Türken klagten wegen Grenzverletzung, und ich mußte es mir am Ende noch mehrere Stücke Wild und ein ziemliches Geld kosten lassen, daß die Gerichtsplackerei endlich einschlief, nachdem ich und meine Knechte vereidigt worden waren. Trotzdem wurde ich mehrmals vom Kreisphysikus untersucht: ob ich auch völlig bei Verstand sei, und dieser kam nicht eher zur völligen Gewißheit darüber, bis ich ihm ein Paar doppelte Pistolen und seiner Frau eine Verbrämung von schwarzem Fuchspelz und mehrere tüchtige Wildbraten zugeschickt hatte. So wurde die Sache endlich stille; um aber in etwas auf meine Kosten zu kommen, legte ich eine Schenke unter der Eiche auf der Insel in dem Teiche an, wo seither die Bauern und Grenznachbarn aus der Gegend sich sonntags im Sommer viel einstellen und den ledernen Stuhl, worauf Mores geschlafen, und an den ich ein Stück seines Schweifs, das ihm die Knechte in der Nacht abgehauen, genagelt habe, besehen; den Dudelsack habe ich flicken lassen, und mein Knecht, der den Wirt dort macht, pflegt oben in der Eiche, wo Mores gesessen, darauf den Gästen, die um den Baum tanzen, vorzuspielen. Ich habe schon ein schönes Geld da eingenommen, und wenn mich die Herrschaften einmal dort besuchen wollen, so sollen sie gewiß gut bedient werden.

Diese Erzählung, welche der Kroat mit dem ganzen Ausdruck der Wahrheit vorgebracht hatte, wirkte auf die verschiedenste Weise in der Gesellschaft. Der Vizegespan, der Tiroler und die Wirtin hatten keinen Zweifel, und der Savoyarde zeigte seine Freude, daß man noch kein Beispiel gehabt habe: ein Murmeltier sei eine Hexe gewesen. Lindpeindler äußerte: es möge an der Geschichte wahr sein, was da wolle, so habe sie doch eine höhere poetische Wahrheit; sie sei in jedem Falle wahr, insofern sie den Charakter der Einsamkeit, Wildnis und der türkischen Barbarei ausdrücke; sie sei durchaus für den Ort, auf welchem sie spiele, scharf bezeichnend und mythisch und darum dort wahrer, als irgendeine Lafontainesche Familiengeschichte. Aber es verstand keiner der Anwesenden, was Lindpeindler sagen wollte, und Devillier leugnete ihm grade ins Gesicht, daß Lafontaine irgendeine seiner Fabeln jemals für eine wahre Familiengeschichte ausgegeben habe; Lindpeindler schwieg und wurde verkannt.

Nun aber wendete sich der Franzose zu der Kammerjungfer, welche sich mit stillem Schauer in einen Winkel gedrückt hatte, sprechend: »Und Sie, schöne Nanny, sind ja so stille, als fühlten Sie sich bei der Geschichte getroffen.«

»Wieso getroffen?« fragte Nanny.

»Nun, ich meine«, erwiderte Devillier lächelnd, »von einem Schrote des kroatischen Herrn. Sollte das artigste Kammerkätzchen der Gegend nicht zu dem Teedansant eingeladen gewesen sein? Das wäre ein Fehler des Herrn Mores gegen die Galanterie, wegen welchem er die Rache seines Herrn allein schon verdient hätte.«

Alle lachten, Nanny aber gab dem Franzosen eine ziemliche Ohrfeige und erwiderte: »Sie sind der Mann dazu, einen in den Ruf zu bringen, daß man geschossen sei, denn Sie haben selbst einen Schuß!« und dabei zeigte sie ihm von neuem die fünf Finger; worauf Devillier sagte: »Erhebt das nicht den Verdacht, sind das nicht Katzenmanieren? Sie waren gewiß dabei! Frau Tschermack, die Wirtin, wird es uns sagen können, denn die hat gewiß nicht gefehlt; ich glaube, daß sie die Blessur in der Hüfte eher bei solcher Gelegenheit als bei den Wurmserschen Husaren erhalten.«

Alles lachte von neuem, und der Zigeuner sagte: »Ich will sie fragen.«

Der Kroate fand sich über die Ungläubigkeit Devilliers gekränkt und fing an, seine Geschichte nochmals zu beteuern, indem er seine pferdehaarne steife Halsbinde ablöste, um die Narben von den Klauen des Mores zu zeigen. Nanny drückte die Augen zu, und indessen brachte der Zigeuner die Nachricht: Frau Tschermack meine, Mores müsse es selbst am besten wissen. Er setzte mit diesen Worten die große schwarze Katze der Wirtin, welche er vor der Türe gefangen hatte, der Kammerjungfer in den Schoß, welche mit einem heftigen Schrei des Entsetzens auffuhr. – »Eingestanden!« rief Devillier; aber der Spaß war dumm, denn Nanny kam einer Ohnmacht nah, die Katze sprang auf den Tisch, warf das Licht um und fuhr dem armen Wehmüller über seine nassen Farben; der Vizegespan riß das Fenster auf und entließ die Katze, aber alles war rebellisch geworden; die Büffelkühe im Hintergrund der Stube rissen an den Ketten,

und jeder drängte nach der Türe. Wehmüller und Lindpeindler sprangen auf den Tisch und stießen mit dem Tiroler zusammen, der es auch in demselben Augenblick tat, und mit seinen nägelbeschlagenen Schuhen mehr Knopflöcher in das Porträt des Vizegespans trat, als Knöpfe darauf waren. Devillier trug Nanny hinaus; der Kroate schrie immer: »Da haben wir es, das kömmt vom Unglauben!« Frau Tschermack aber, welche mit einem vollen Weinkrug in die Verstörung trat, fluchte stark und beruhigte die Kühe; der Zigeuner griff wie ein zweiter Orpheus nach seiner Violine, und als Monsieur Devillier mit Nanny, die er am Brunnen erfrischt hatte, wieder hereintrat, kniete der kecke Bursche vor ihr nieder und sang und spielte eine so rührende Weise auf seinem Instrument, daß niemand widerstehen konnte und bald alles stille ward. Es war dies ein altes zigeunerisches Schlachtlied, wobei der Zigeuner endlich in Tränen zerfloß, und Nanny konnte ihm nicht widerstehen, sie weinte auch und reichte ihm die Hand; Lindpeindler aber sprang auf den Sänger zu und umarmte ihn mit den Worten: »O, das ist groß, das ist ursprünglich! Bester Michaly, wollen Sie mir Ihr Lied wohl in die Feder diktieren?«
»Nimmermehr!« sagte der Zigeuner, »so was diktiert sich nicht, ich wüßte es auch jetzt nicht mehr, und wenn Sie mir den Hals abschnitten; wenn ich einmal wieder eine schöne Jungfer betrübt habe, wird es mir auch wieder einfallen.«
Da lachte die ganze Gesellschaft, und Michaly begann so tolle Melodieen aus seiner Geige herauszulocken, daß die Fröhlichkeit bald wieder hergestellt wurde und Devillier den Kroaten fragte, ob Mores nicht diesen Tanz aufgespielt hätte; Herr Lindpeindler notierte sich wenigstens den Inhalt des extemporierten Liedes; es war die Wehklage über den Tod von tausend Zigeunern. Im Jahr 1537 wurde in den Zapolischen Unruhen das Kastell Nagy-Ida in der Abanywarer Gespanschaft mit Belagerung von kaiserlichen Truppen bedroht. Franz von Perecey, der das Kastell ver-

teidigte, stutzte, aus Truppenmangel, tausend Zigeuner in der Eile zu Soldaten und legte sie unter reichen Versprechungen von Geld und Freiheiten auf Kindeskinder, wenn sie sich wacker hielten, gegen den ersten Anlauf in die äußeren Schanzen. Auf diese vertrauend, hielten sich diese Helden auch ganz vortrefflich, sie empfingen die Belagerer mit einem heftigen Feuer, so daß sie umwendeten. Aber nun krochen die Helden übermütig aus ihren Löchern und schrien den Fliehenden nach: »Geht zum Henker, ihr Lumpen, hätten wir noch Pulver und Blei, so wollten wir euch anders zwiebeln.«

Da sahen sich die Abziehenden um, und als sie statt regulierter Truppen einen frechen Zigeunerschwarm auf den Wällen merkten, ergriff sie der Zorn, sie drangen in die Schanze und säbelten die armen Helden bis auf den letzten Mann nieder. Diese Niederlage, eine der traurigsten Erinnerungen der Zigeuner in jener Gegend, hatte Michaly in der Klage einer Mutter um ihren Sohn und einer Braut um ihren gefallenen Geliebten besungen.

Devillier sagte nun zu dem Kroaten: »Damit Sie nicht länger meinen Glauben an den Hexenmeister Mores in Katzengestalt bezweifeln, will ich Ihnen eine Geschichte erzählen, bei welcher ich selbst geholfen habe, ein paar hundert solcher Zauberer zu töten.«

»Ein paar hundert!« riefen mehrere in der Gesellschaft.

»Ja!« erwiderte Devillier, »und das will ich ebenso getrost beschwören als unser Freund den musizierenden Katzenkongreß.«

DEVILLIERS ERZÄHLUNG VON
DEN HEXEN AUF DEM AUSTERFELSEN

Vor mehreren Jahren, da ich als Lieutnant zu Dünkirchen in Garnison lag, genoß ich der vertrauten Freundschaft meines Majors, eines alten Gascogners. Er war ein großer Liebhaber von Austern, und zu seiner Majorschaft gehörte der Genuß von einem großen Austerfelsen, der hinter einem Lustwäldchen einen halben Büchsenschuß weit vom Ufer in der See lag, so daß man ihn bei der Ebbe trocknen Fußes erreichen konnte, um die frischen Austern vom Felsen zu schlagen. Da der Major eine Zeit her bemerkt hatte, daß in den meisten zutage liegenden Austern nichts drinnen war, konnte er sich gar nicht denken, wer ihm die Austern aus den Schalen hinweg stehle, und er bat mich, ihn in einer Nacht, mit Schießgewehr bewaffnet, nach dem Austerfelsen zu begleiten, um den Dieb zu belauern. Wir hatten kaum das kleine Gehölz betreten, als uns ein schreckliches Katzengeheul nach der See hin rief, und wie groß war unser Erstaunen, als wir den Felsen mit einer Unzahl von Katzen besetzt fanden, die, ohne sich von der Stelle zu bewegen, das durchdringendste Jammergeschrei ausstießen. Ich wollte unter sie schießen, aber mein Freund warnte mich, indem es gewiß eine Gesellschaft von Zauberern und Hexen sei und ich durch den Schuß ihre Rache auf uns ziehen könnte. Ich lachte und lief mit gezogenem Säbel nach dem Felsen hin; aber wie ward mir zumute, da ich unter die Bestien hieb und sich doch keine einzige von der Stelle bewegte! Ich warf meinen Mantel über eine, um sie ungekratzt von der Erde aufheben zu können, aber es war unmöglich, sie von der Stelle zu bringen, sie war wie angewurzelt. Da lief es mir eiskalt über den Rücken, und ich eilte, zu meinem Freunde zurückzukommen, der mich wegen meiner tollkühnen Expedition tüchtig ausschmälte. Wir standen noch, bis die Flut eintrat, um zu sehen, wie sich die Hexenmeister betragen würden, wenn das Wasser über sie herströmte; aber da ging es uns wie unserem kroatischen Freunde, als die Kirchglocke das Katzenpickenick auf der Eiche unterbrach. Kaum rollte die erste Welle über den Felsen, als die ganze Hexengesellschaft mit solchem Ungestüm gegen das Ufer und auf uns los stürzte, daß wir in der größten Eile Reißaus nahmen. Am andern Morgen begab sich der alte Major zum Gouverneur der Festung und zeigte ihm an: wie die ganze Festung voll Hexen und Zauberern sei, deren Versammlung er auf seinem Austerfelsen entdeckt habe. Der Gouverneur lachte ihn anfangs aus und begann, als er ernsthaft Truppen begehrte, diese Zauberer in der nächsten Nacht niederschießen zu lassen, an seinem Verstande zu zweifeln. Der Major stellte mich als Zeugen auf, und ich bestätigte, was ich gesehen, und die wunderbare Erscheinung von Unbeweglichkeit der Katzen. Dem Gouverneur war die Sache unbegreiflich, und er versprach, in der nächsten Nacht selbst zu untersuchen. Er ließ allen Wachen andeuten, ehe er in der Nacht mit uns und hundert Mann Voltigeurs ausmarschierte, keine Rücksicht darauf zu nehmen, wenn sie schießen hörten. Als wir dem Gehölz nahten, tönte dasselbe Katzengeschrei, und wir hatten vom Ufer dasselbe eigentümlich-schauerliche Schauspiel: den lebendigen heulenden Felsen im Mondschein über der weiten, unbegrenzten Meeresfläche. Der Gouverneur stutzte, er wollte hin, aber der Major hielt ihn mit ängstlicher Sorge zurück; nun ließ der Gouverneur die hundert Mann von der Landseite den Felsen umgehen und zwei volle Ladungen unter die Hexenmeister geben, aber es wich keiner von der Stelle, wenn gleich eine Menge Stimmen unter ihnen zu schweigen begannen. Hierüber verwundert, ließ sich der Gouverneur nicht länger halten, er ging nach dem Felsen, und wir folgten ihm; er versuchte, eine der Katzen wegzunehmen, aber sie waren alle wie angewachsen; da entdeckte ich, daß sie alle mit einer oder mehreren Pfoten, manche auch mit dem Schwanz in die festgeschlossenen Austern eingeklemmt waren. Als ich dies angezeigt, mußten die Soldaten heran und sie sämtlich erlegen. Da aber die Flut nahte, zogen wir uns ans Land zurück, und die ganze Katzenversammlung, welche gestern so lebhaft vor der ersten Woge geflohen war, wurde jetzt von der Flut mausetot ans Ufer gespült, worauf wir, den guten Major herzlich mit seinen Hexen auslachend, nach Hause marschierten. Die Sache aber war folgende: Die Katzen, welche die Austern über alles lieben, zogen sie mit den Pfoten aus den Schalen, und das gelang nicht länger, als bis sie von den sich schließenden Muscheln festgeklemmt wurden, wo sie sich dann so lange mit Wehklagen unterhielten, bis die Austern, von der Flut überschwemmt, sich wieder öffneten und ihre Gefangenen entließen; und ich glaube, bei strenger Untersuchung und weniger Phantasie würde unser Freund bei seinem Katzenabenteuer ebensogut lauter Fischdiebe, wie wir Austerndiebe, entdeckt haben.

BACIOCHIS ERZÄHLUNG VOM WILDEN JÄGER

Nachdem die Aufklärung dieses Ereignisses die Erzählung des Kroaten in ihrer Schauerlichkeit sehr gemildert hatte, kam man auf allerlei Jagdgespenster zu sprechen, und Lindpeindler fragte: ob einer in der Gesellschaft vielleicht je den wilden Jäger gesehen oder gehört habe?

Da sagte der Feuerwerker: »Mir kam er schon so nahe, daß ich das Blanke in den Augen sah, und wenn die Jungfer Nanny sich tapfer halten und die ganze ehrsame Gesellschaft wenigstens solange daran glauben will, bis die Geschichte zu Ende ist, so will ich sie erzählen.«

Nanny erwiderte: »Erzähle nur, Baciochi, du kennst mein Temperament und wirst es nicht zu arg machen.«

»Erzählen Sie«, fiel Devillier ein; »wenn wir die Geschichte auch am Ende für eine Lüge erklären, so soll Ihnen bis dahin geglaubt werden.« Und bald waren alle Stimmen vereint, den Feuerwerker einzuladen, welcher alle aufforderte, sich an ihre Plätze zu setzen, und seiner Erzählung einen eigentümlichen theatralischen Charakter zu geben wußte. Alle saßen an Ort und Stelle, er machte eine Pause, steckte sich eine Pfeife Tabak an und schlug mit der Faust so unerwartet heftig auf den Tisch, daß die Lichter verlöschten und alle laut aufschrieen.

»Meine Feuerwerke fangen immer mit einem Kanonenschuß an«, sagte er, »erschrecken Sie nicht!« und in demselben Augenblick brannte er mehrere Sprühkegel an, die er aus Pulver und vergoßnem Weine in der Stille geknetet hatte, und sagte: »Stellen Sie sich vor, Sie wären bei meinem großen Feuerwerke in Venedig, welches ich am Krönungstage Napoleons dort abbrannte. Es mußten mir einige Körner prophetischen Schießpulvers in die Masse gekommen sein; kurz gesagt: als der Thron und die Krone und das große Notabene: NB. Napoleon Bonapartes Namenszug im vollen Brillantfeuer, von hunderttausend Schwärmern und Raketen umzischt, kaum eine Viertelstunde von einer hohen Generalität und dem verehrten Publikum beklatscht worden waren, fing mein Feuerwerk an, ein wenig zu frösteln; es platzte und zischte manches zu früh und zu spät ab, eine gute Partie einzelner Sonnen und Räder brannten mir in einer Scheune nieder, die dabei das Dach verlor. Das Schauspiel war so grandios angelegt, daß man diesen ganzen kunstlosen Scheunenbrand für seinen Triumph hielt, man klatschte, und ich paukte und trompetete; schnell ließ ich alle meine übrigen Stücke in die Lücken stellen und von neuem losfigurieren. Aber der Satan fuhr mir mit dem Schwanz drüber, und die ganze Pastete flog mit einem großen Geprassel auf einmal in die Luft, die Menschen fuhren gräßlich auseinander, Gerüste brachen ein, alle Einzäunungen wurden niedergerissen, die Menge stürzte nach den Gondeln, die Gondelführer wehrten ab, die Bürger prügelten sich mit den französischen Soldaten, meine Kasse wurde geplündert; es war eine Verwirrung, als sei der Teufel in die Schweine gefahren und diese stürzten dem Meer zu. Unsereins kennt sein Handwerk, man ist auf dergleichen gefaßt, mein persönlicher Rückzug war gedeckt. Ich ließ nichts zurück als alle meine Schulden, meine Reputation und meinen halben Daumen. Meine selige Frau, welcher der Rock am Leibe brannte, riß mich in die Gondel ihres Bruders, eines Schiffers, und der brachte mich an einen Zufluchtsort, worauf wir am folgenden Morgen die Stadt verließen. Als wir das Gebirg erreichten, nahten wir uns auf Abwegen einer Kapelle, bei welcher ich mit meinem liebsten Gesellen Martino verabredet hatte, wieder zusammenzutreffen, wenn wir durch irgend ein Unglück auseinander gesprengt werden sollten. Mein gutes Weib hatte ein Stück von einer Wachsfackel, die bei der Leiche unsers seligen Töchterleins gebrannt hatte, in der Tasche und pflegte, wenn sie nähte, ihren Zwirn damit zu wichsen; aus diesem Wachs hatte sie während unseres Weges die Figur eines Daumens geknetet und hängte dieselbe, nebst einem Rosenkranz von roten und schwarzen Beeren, den sie auch sehr artig eingefädelt hatte, dem kleinen Jesulein auf dem Schoße der Mutter Gottes in der Kapelle als ein Opfer an das Händchen, und wir beteten beide von Herzen, daß mein Daumen heilen und wir glücklich über die Grenze in das Österreichische kommen möchten. Wir lagen noch auf den Knieen, als ich die Stimme Martinos rufen hörte: ›*Sia benedetto il San Marco!*‹ da schrie ich wieder: ›*E la Santissima Vergine Maria!*‹, wie wir verabredet hatten, und lief mit meinem Weibe vor die Kapelle. Da trat uns Martino in einem tollen Aufzug entgegen. Er hatte bei dem Feuerwerk den Meergott Neptun vorgestellt und in seinem vollen Kostüm Reißaus genommen; er hatte den Schilfgürtel noch um den Leib, einen Wams von Seemuscheln an und eine Binsenperükke auf, sein langer Bart war von Seegras, auf der Schulter trug er den Dreizack, auf welchem er ein tüchtiges Bauernbrot und drei fette Schnepfen, die er mitsamt dem Neste erwischte, gespießt hatte. Nach herzlicher Umarmung erzählte er uns, wie ihn seine Kleidung glücklich gerettet habe; die Strickreiter seien ihm auf der Spur gewesen, da habe er sich in das Schilf eines Sumpfes versteckt, und sein Schilfgürtel machte ihn da nicht bemerkbar. Als er stille liegend sie vorüberreiten lassen, hätten sich die drei Schnepfen sorglos neben ihm in ihr Nest niedergelassen, und er habe sie mit der Hand alle drei ergriffen. Das Brot hatte er von einem Contrebandier um einige Pfennige gekauft, der ihm zugleich die nächste Herberge auf der Höhe des Gebirges beschrieben, aber nicht eben allzu vorteilhaft: denn der ganze Wald sei nicht recht geheuer, der wilde Jäger ziehe darin um und pflege grade in dieser Herberge sein Nachtquartier zu halten. ›Wohlauf denn!‹ sagte ich, ›so haben wir heute nacht gute Gesellschaft; ich hätte den Kerl lange gern einmal gesehen, um seinen Jagdzug recht natürlich in einem Feuerwerk darstellen zu können.‹ Mein Weib Marinina aber, welche, um ja nichts zu versäumen, alles miteinander glaubte, machte ein saures Gesicht zu der Herberge. Das konnte aber nichts helfen, wir mußten den Weg wählen; er war ganz entlegen und sicher und ein Schleichweg der Contrebandiers, mit welchen Martino einige Bekanntschaft hatte. Die Nacht brach herein, es nahte ein Gewitter, und wir mußten uns auf den Weg machen. Martino machte unsere Wanderschaft etwas lustiger, er übergab meiner Marinina die Schnepfen und sagte: ›Rupft sie unterwegs, damit wir in der Herberge dem wilden Jäger bald einen Braten vorsetzen können‹, und nun marschierte er mit tausend Späßen in seinem tollen Habit, wie ein vazierender Waldteufel, voraus. Ich folgte ihm auf dem schmalen Waldpfade und hatte meinen halben Daumen, der mich nicht wenig schmerzte, meistens in dem Munde, und hinter mir zog – daß Gott erbarm! – meine selige Marinina und rupfte die Schnepfen unter Singen und Beten. Über der rechten Hüfte war ihr ein ziemliches Loch in den Rock gebrannt, und sie

74

schämte sich vorauszugehen, daß Martino, der seinen Witz in allen Nestern auszubrüten pflegte, an ihrer Blöße nicht Ärgernis nehmen möchte. Der Weg war steil, unheimlich und beschwerlich; der Sturm sauste durch den Wald, es blitzte in der Ferne. Marinina schlug ein Kreuz über das andre. Aber die Müdigkeit vertrieb ihre Furcht vor dem wilden Jäger immer mehr, von welchem Martino die tollsten Geschichten vorbrachte.

›Es ist gut‹, sagte er, ›daß wir selbst Proviant bei uns haben, denn wenn wir mit ihm essen müßten, dürften wir leicht mit dem Schenkel eines Gehenkten oder mit einem immarinierten Pferdekopf bewirtet werden. Fasset Mut, Frau Marinina, schaut mich nur an, ärger kann er nicht aussehen!‹ Unter solchen Gesprächen hatten wir die Gebirgshöhe erstiegen und waren ein ziemlich Stück Wegs in den wilden, finstern Wald geschritten, da hörten wir ein abscheuliches Katzengeheul und kamen bald an eine Hütte, mit Stroh und Reisern gedeckt; alte Lumpen hingen auf dem Zaun, und an einer Stange war ein großes Stachelschwein über der Türe herausgesteckt als Schild. ›Da sind wir‹, sagte Martino; ›wie glaubt Ihr, daß dies vornehme Gasthaus heiße?‹ – ›Zum Stachelschwein!‹ sagte ich. – ›Nein!‹ erwiderte Martino, ›es hat mehrere Namen; einige nennen es des Teufels Zahnbürste, andre des Teufels Pelzmütze, andre gar seinen Hosenknopf.‹ Wir lachten über die närrischen Namen. Die Katze saß vor der Türe auf einem zerbrochenen Hühnerkorb, machte einen Buckel gegen uns und ein Paar feurige Augen und hörte nicht auf zu solfeggieren*. In dem Hause aber rumpelte es wie in einem Raspelhause und leeren Magen. Nun schlug Martino mit der Faust gegen die Türe und schrie: ›Holla, Frau Susanna, für Geld und gute Worte Einlaß und Herberge; Eure Katze will auch hinein.‹ Da krähte eine Stimme heraus: ›Wer seid ihr Schalksknechte zu

---

* Solfeggio = Gesangsübung.

nachtschlafender Zeit?‹ Und Martino, der in Reimen wie ein Improvisatore schwatzen konnte, schrie: ›Ich bin ja der Rechte und komme von weit!‹ Nun keifte die Stimme wieder: ›Wenn die Katze nicht draußen wär, ich ließ Euch nimmermehr ein!‹ Und Martino sagte: ›Ihr denket so zärtlich ungefähr wie Euer Schild, das Stachelschwein.‹ Marinina war in tausend Ängsten; sie bat immer den Martino, die alte Wirtin nicht zu schelten, sie sei gewiß eine Hexe und werde uns nichts Gutes antun. Da ging die Tür auf, ein schwarzbraunes, zerlumptes, sonst glattes und hübsches Mägdlein, glänzend und schlank wie ein brauner Aal, leuchtete uns aus der Küche mit einer Kienfackel ins Gesicht und war nicht wenig erschrocken, als Martino in seinem wilden Aufzug ihr rasch entgegenschritt und, indem er drängend sie verhinderte, die Türe wieder zuzuschlagen, ihr sagte: ›Brauner Schatz, mach uns Platz! Menschen sind wir, schönes Kind, hier: hast zum Zeichen diesen Schmatz!‹ und somit küßte er sie herzlich; wir drangen indessen hinein. Die kleine Braune aber sagte: ›Und wenn du auch nicht der Satan selbst bist, so könnt ihr heute hier doch nicht bleiben; meine Großmutter ist sehr brummig, sie fürchtet, das Waldgespenst komme heut nacht, und da nimmt sie keine Gäste, um die Herberge nicht in bösen Ruf zu bringen; unsre Kammer, wo wir schlafen, ist eng, und sie rückt schon allen Hausrat vor ihr Bett, um das Gespenst nicht zu sehen, welches oft quer durch unsre Hütte zieht.‹ Martino aber erwiderte: ›Eben in dieser Kammer wollen wir schlafen, und eben dieses Waldgespenst wollen wir mit gebratenen Schnepfen bewirten; wir sind des wilden Jägers Küchengesinde!‹ Und somit packte er ein Bund Stroh auf, das in der Ecke lag, und marschierte in die Kammer; wir kamen nach, trotz allen Zeremonien, welche die nußbraune Jungfer machen wollte.
Es war gar keine alte Großmutter in der Hütte; das Mädchen log uns etwas vor. Martino breitete das Stroh an die Erde, und Marinina, furchtsam und müde, legte sich gleich,

mit dem Gesicht, über das sie noch ihre Schürze deckte, gegen die Wand gekehrt, nieder und rührte sich nicht. Martino begab sich mit den Schnepfen wieder in die Küche, in welcher die braune Jungfer schmollend und brummend zurückgeblieben war, und ich sah mich einstweilen in der Stube um. Eine Kienfackel brannte in der Mitte; sie war in einen Kürbis festgesteckt, der neben schmutzigen Spielkarten auf einem breiten Eichenstumpf lag, welcher als Tisch und Hackstock diente und fest genug stand, denn er steckte noch mit allen seinen Wurzeln in der Erde, welche ungedielt der ganzen Hütte ihren Grund und Boden gab. Ein paar Bretter, auf eingepfählte Stöcke befestigt, waren die unbeweglichen Sitze; die Wände bestanden aus Flechtwerk, mit Lehm und Erde verstrichen, und einzelne hereinragende Äste bildeten mancherlei Wandhaken, an denen zerlöcherte Körbe, Lumpen, Zwiebelbündel, Hasen-, Hunde-, Katzen- und Dachsfelle hingen, auch einige zerbrochene Gartenwerkzeuge. Auf einem derselben aber saß ein greuliches Tier, eine ungeheure Ohreule, welche gegen die Kienfackel mit den Augen blinzte und sich in die Schultern warf wie ein alter Professor, der soeben den Theriak* erfunden hat. In einem ausgebauten Winkel der Stube lag, auf zwei Baumstücken, die Bettstelle der Großmutter, die sehr dauerhaft in einer ausgehöhlten Eiche bestand, an der die Rinde noch saß. Sonst war das Bett wohlbedacht, denn seine schmutzigen Federkissen lagen so hoch aufgebauscht, daß die niedre Hüttendecke, aus der das Stroh herabhing, weder hoch noch hart gefallen wäre, wenn sie einstürzte; aber, sich noch zu besinnen, schien sie unentschlossen hin und her zu schwanken. Der Hausrat, von welchem das Mädchen gelogen hatte: daß die Großmutter ihn vor das Bett rücke, bestand in einer zerbrochenen Türe und einer alten Tonne, mit welcher wahrscheinlich der Lärm gemacht worden war, den wir in der Hütte hörten. Sie waren beide vor den Bettrog der Großmutter ge-

* Gegengift.

rückt. Außer allem diesen sah man nichts als eine sehr baufällige Leiter, die an einem Loche in der Ecke lehnte, durch welches ich einige Hühner oben gackern hörte, die das Geräusch unsrer Ankunft erweckt hatte, die Katze nicht zu vergessen, welche auf einer alten Trommel hinter der Türe schlief. Eine Geige, ein Triangel und ein Tambourin hingen an der Wand, und neben ihnen ein zerrissener bunter Tiroler Teppich. Ich hatte kaum alle diese Herrlichkeiten betrachtet, als Martino herein trat und zu mir sagte: ›Meister, ich habe alle Schwierigkeiten geebnet und weiß, wo wir sind. Wir hausen bei einer alten Zigeunerin, welche außer ihren Privatgeschäften: der Wahrsagerei, Hexerei, Dieberei, Viehdoktorei, auch eine Hehlerin der Contrebandiers macht; die Kleine draußen ist ihr Tochterkind, das auf der hohen Schule bei ihr ist und der Großmutter Tod abwarten soll, um hinter einen Topf voll Gold zu kommen, von dem sie immer spricht, ohne doch je zu sagen, wo sie ihn hin versteckt hat. Das hat mir das Mädchen alles anvertraut; ich habe ihr Herzchen gerührt, sie ist kirre wie ein Zeisig, und wenn wir wollen, läßt sie die Großmutter und den Goldtopf im Stich, läuft morgen mit uns und verdient uns das Brot mit Burzelbäumen, deren sie ganz wunderbare schlagen kann. Für all dies Vertrauen habe ich ihr versprechen müssen, zu glauben: daß der wilde Jäger heute nacht wirklich durch die Hütte zieht; wir sollen uns nur um Gotteswillen ruhig halten. Die Großmutter wird in kurzer Zeit zurückkommen; sie ist mit Lebensmitteln zu einem Zug Schleichhändler gegangen, der über das Gebirge zieht. Der wilde Jäger, sagt sie, treibe um Mitternacht durch die Stube, und wenn wir uns ruhig hielten, werde er uns kein Haar krümmen, sonst aber riskieren wir Leib und Leben; ich denke aber, wir wollen es mit ihm versuchen.‹ Nun legte er meinen Prügel und seinen Dreizack neben uns auf das Stroh nieder und fuhr fort: ›Es ist beinahe eilf Uhr, die Kleine hat es an ihrer Sanduhr gesehen; die Schnepfen weiß sie nicht am Spieß zu braten, sie hat sie mit Zwiebeln gefüllt in einen Topf gesteckt, und wenn wir die Schnepfensuppe gegessen, sollen wir das Fleisch mit Essig und Olivenöl als Salat verzehren; Wein muß hier in der Kammer ein Schlauch voll sein.‹ Da suchte Martino herum und fand unter einigen alten Brettern ein tiefes Loch in der Erde, das, als Keller, einen alten Dudelsack voll Wein enthielt. Er zog ihn heraus, wir setzten die zwei Pfeifen an den Mund und drückten den vollen Sack so zärtlich an das Herz, daß uns der süße Wein in die Kehle stieg. Nie hat ein Dudelsack so liebliche Musik gemacht. Wir labten uns herzlich; ich weckte meine Marinina, und sie mußte auch eins drauf spielen; dazu verzehrten wir unser Brot und einige Zwiebeln aus dem Vorrat, der an der Wand hing, und streckten uns, in der Erwartung des weiteren, zur Ruhe auf das Stroh. Marinina schlief fest ein. Ich betete mit Martino noch eine Litanei; dann legten wir uns neben unsere Waffen bequem, und Martino sagte: ›Laßt uns nun ruhen; mir ist so rund und so wohl, daß mir das Blut in den Adern flimmert; wer den wilden Jäger zuerst sieht, stößt den andern, dann springen wir mit unseren Tröstern über ihn her und schlagen den Kerl zu Brei; ich habe noch einen Schwärmer in der Tasche, den will ich dem Schelm unter die Nase brennen.‹ Ich freute mich an seinem frischen Herzen; wir empfahlen uns dem Schutz des heiligen Markus und lauschten dem Schlafe entgegen, der uns den Rücken hinaufkroch und uns schon hinter den Ohren krabbelte. Nun ward alles mäuschenstill; der Donner rollte fern, der Sturm hatte sich in den Waldwipfeln schlafen gelegt, die ihn mit leisem Rauschen einwiegten. Die Kienfackel knisterte, Grillen sangen, die Katze schnurrte auf der Trommel, welche, von dem Tone erschüttert, das ferne Donnern zu begleiten schien; Marinina pfiff durch die Nase, denn sie hatte sich einen Schnupfen geholt, in der Küche knackte das grüne Holz im Feuer, die Schnepfensuppe sauste im Topf, und unsere braune Köchin sang mit einer

klaren und starken Stimme, wie ich noch keine Primadonna
gehört, folgendes Lied:

> Mitidika! Mitidika!
> Wien üng quatsch,
> Ba nu, Ba nu n'am tsche fatsch,
> Waja, Waja, Kur libu,
> Ich bin ich und du bist du;
> *Ich* spricht Stolz,
> *Du* spricht Lieb!
> Wer sich scheut vor Galgenholz,
> Wird im grünen Wald zum Dieb.

> Mitidika! Mitidika!
> Wien üng quatsch,
> Ba nu, Ba nu n'am tsche fatsch,
> Singt die Magd, so kocht der Brei,
> Singt das Huhn, so legts ein Ei;
> *Er* spricht Schimpf,
> *Sie* spricht Fremd;
> Fehlen mir gleich Schuh und Strümpf,
> Hab ich doch ein buntes Hemd.

> Mitidika! Mitidika!
> Wien üng quatsch,
> Ba nu, Ba nu n'am tsche fatsch,
> Hör, was pocht dort an der Tür?
> Draußen schrein sie nach Quartier.
> Ists der *Er* ?
> Ists der *Sie* ?
> Mach ich auf wohl nimmermehr,
> Nur *du* Lieber, *du* schläfst hie.

> Mitidika! Mitidika!
> Wien üng quatsch,
> Ba nu, Ba nu n'am tsche fatsch,
> Waja, Waja, Kur libu,

In dem Topf hats nimmer Ruh;
Saus und Braus
'rab und 'rauf,
Küchenteufel drinnen haus:
Daß es mir nicht überlauf!«

Als der Feuerwerker den Anfang dieses Liedes: »Mitidika!
Mitidika!« gesagt, nahm der Zigeuner Michaly seine Violine
und sang es unter den lieblichsten Variationen der Gesellschaft vor; alle dankten ihm, der Feuerwerker aber sagte:
»Michaly, du sangst das nämliche Lied, wie die kleine Braune, und hast eine Ähnlichkeit mit ihr in der Stimme.«
»Kann sein«, sagte Michaly lächelnd, »aber erzähl nur weiter, ich bin auf den wilden Jäger sehr begierig.«
»Ich hob aa Schneid uf den soakrische Schlankl!« sagte der
Tiroler; alle drangen auf die weitere Erzählung , und der Feuerwerker fuhrt fort: »Als die Kleine das Lied sang, ward sie
von einem Schlag gegen die Türe unterbrochen. ›Mitidika!‹
rief es draußen mit einer rauhen, heiseren Stimme. ›Gleich,
Großmutter!‹ antwortete sie, öffnete die Türe und erzählte
ihr von den Gästen; die Großmutter brummte allerlei, was
ich nicht verstand, und trat sodann zu uns in die Stube. Ihr
Schatten sah aus wie der Teufel, der sich über die Leiden
der Verdammten bucklicht gelacht, und wäre er nicht vor ihr
her in die Stube gefallen, um einen ein wenig vorzubereiten,
ich hätte geglaubt, der Alp komme, mich zu würgen, als sie
eintrat. Sie war von oben und ringsherum eine Borste, ein
Pelz und eine Quaste und sah darin aus wie der Ober-
priester der Stachelschweine. Sie ging nicht, lief nicht, hüpf-
te nicht, kroch nicht, schwebte nicht, sie rutschte, als hätte
sie Rollen unter den Beinen wie großer Herren Studierstüh-
le. Wie die kleine flinke Braune hinter ihr drein und um sie
her schlüpfte, um sie zu bedienen, dachte ich so mag des
Erzfeinds Großmutter aussehen und die Schlange, ihre
Kammerjungfer.

›Mache mir das Bett, Mitidika!‹ sagte sie, ›und wenn ich ruhe, kannst du die Gäste besorgen.‹ Während das Mädchen die Kissen aufschüttelte, begann die Alte sich zu entkleiden, und ich weiß nicht zu sagen, ob ihre Kleidung oder oder ihr Bett aus mehreren Stücken bestand. Sie zog einen Schreckenwams, eine Schauderjacke und Zauberkapuze um die andre aus, und die ganze Wand, an der sie die Schalen aufhängte, ward eine Art Zeughaus; ich dachte alle Augenblick: noch eine Hülse herunter, so liegt ein bißchen Lung und Leber an der Erde, das frißt die Katze auf, und die Großmutter ist all; keine Zwiebel häutet sich so oft. Bei jedem Kissen, welches die Kleine ins Bett legte und aufschüttelte, brummte die Alte und legte es anders, befahl ihr dann, es ganz sein zu lassen und ihr ein Rauchbad zu geben, sie müsse in einen Ameisenhaufen getreten haben; das Gewitter mache alles Vieh lebendig. Da setzte sich die Alte auf die zerbrochene Leiter und hängte die Tiroler Decke über sich, und die Junge zündete Kräuter unter ihr an und machte einen scheußlichen Qualm, den sie uns, da sie von neuem anfing, die Federbetten hin und her zu werfen, in dicken Wolken auf den Leib jagte, als gehörten wir auch zu den Ameisen, die vertrieben werden sollten. Es sah ziemlich aus, als wenn man eine Hexe verbrennte oder einen ungeheuren Taschenkrebs räuchre, als die Alte so über dem Dampf, wie eine Mumie in den bunten Tiroler Teppich gehüllt, auf der Leiter saß.«

»Da sieht man, Wastl«, sprach der Zigeuner zu dem Tiroler, »wozu ihr die Teppiche fabriziert: um die Hexen darin zu räuchern.«

»Potz Schlakri«, erwiderte Wastl, »wonns daine sakrische ziganerische Großmuetta is, so loß i's poassiera; i bin gawis, es möga a Legion Spodifankerl aus ihr raussi floga sein, un du bist a ains dervo.« Die Gesellschaft lachte über Wastls Antwort, und die Kammerjungfer wie auch Lindpeindler baten den Feuerwerker: er möge machen, daß die Alte ins Bett komme, die Schnepfen könnten übergar werden.

»Ganz recht«, sagte Baciochi, »das meinte Martino auch; denn als der sie in der Decke zappeln sah wie Hunde und Katzen, die in einen Sack gesteckt sind, und der Rauch zu dick zu werden begann, sprang er vom Stroh auf, trat vor die Alte hin und sagte: ›Hochverehrte Frau Wirtin, ich versichere Euch im Namen Eurer Gäste, daß wir kein Rauchfleisch zu essen bestellt haben, und daß wir auch von keinem verpesteten Orte kommen, um eines so kostbaren Rauchkerzchens zu bedürfen; seid so gütig, dem Wohlgeruch ein Ende zu machen, wir müssen sonst mit all den Ameisen, die Euch plagen, davonlaufen.‹ Da fing die Alte eine weitläufige Gegenrede an und sagte: ›Schicksalen und Verhältnissen haben mich so weitgebracht.‹ Martino aber nahm keine Vernunft an, packte die Alte mit beiden Händen und warf sie von der Leiter in ihre Federbetten; sie zappelte wie eine Meerspinne, aber er wälzte ein Federbett über sie und sang ihr ein Wiegenlied mit so viel gutem Humor vor, indem er sie mit beiden Händen festhielt, daß sie endlich selbst mit lachte und sagte: ›Nun, legt Euch nur wieder nieder, hätte ich doch nicht gedacht, heute von einem so lustigen Gesellen zu Bette gebracht zu werden. Mitidika, gieb den Kavalieren zu essen!‹ Und somit kriegte sie den Martino beim Kopf und gab ihm unter großem Gelächter einen Kuß. ›Profiziat!‹ sprach dieser, ›schlaf wohl, du allerschönster Schatz!‹ und legte sich mit einem sauern Gesichte wieder neben mich. ›Gott sei Dank, Martino, daß sie weg ist!‹ flüsterte ich. ›Hast du gewacht, Meister?‹ sprach der Schelm. ›Leider Gottes!‹ erwiderte ich, ›du hast ein Kunststück gemacht; sie rauchte wie ein nasses Feuerwerk; für einen Hutmacher wäre sie ein sauberes Gestell, alle seine Mützen daran aufzuhängen, er brauchte keinen Nagel einzuschlagen.‹ – ›Ich werde mich wohl häuten müssen, da sie mich geküßt hat‹, sagte Martino. ›Warum?‹ fragte ich. ›Ei‹, entgegnete er, ›ich werde sonst die Augen nie wieder zukriegen können und die Zähne immer blecken wie ein Mops; die Haut ist mir vor Schrecken zu kurz geworden.‹ – Unter diesen Scherzreden hörten wir die Alte einschnarchen, und Mitidika ging ab und zu und verbaute leise das Bett der Alten mit der Tonne und der alten Türe, die Küchentüre ließ sie auf, daß der Dampf hinauszog. Dann zupfte sie den Martino bei den Haaren und flüsterte: ›Komm hinaus, deine Schnepfen sind gar, ich habe die Brühe abgegossen, ich muß das Feuer löschen, die zwölfte Stunde naht; denn fährt der wilde Jäger mir durch das Feuer, steckt er uns die ganze Hütte an.‹ Martino ging hinaus, und ich streckte den Kopf nach der Türe und hörte ihre Scherzreden. Mitidika sagte: ›Ich habe dir deine Vögel trefflich gekocht und dir auch Kräuter an die Suppe getan; was giebst du mir nun?‹ – ›Geben?‹ sagte Martino, ›ich will dich mit der Münze bezahlen, welche hier zu gelten scheint, und in der mich deine Großmutter zahlte, einen Kuß will ich dir geben.‹ – ›Das läßt sich hören‹, erwiderte sie; ›aber die Großmutter gab dir ein altes Schaustück, das kann ich nicht brauchen, die Münze ist verschlagen.‹ – ›Auch du bist verschlagen, Schelm!‹ erwiderte Martino, ›ich will dir kleine Münze geben, wenn du herausgeben und wechseln kannst; wärst du nur nicht so schwarz!‹ – ›Und du nicht so weiß‹, sagte sie; ›ich werde dir einen Schein geben, einen Wechsel schwarz auf weiß, aber gib mir keine Scheidemünze!‹ sagte sie. ›Die kriegst du morgen früh beim Abschied‹, erwiderte Martino, faßte sie beim Kopf, küßte sie herzlich und sagte: ›Ich habe dich lieb und bleibe dir treu.‹ – ›Ei so lüge, daß du schwarz wirst!‹ sprach sie. ›Dann wäre ich deinesgleichen, und es könnte etwas daraus werden‹, sprach Martino und schenkte ihr eine Nadelbüchse von Elfenbein und Ebenholz, die er bei sich trug. Das Mädchen dankte und sprach: »Sieh, wie artig schwarz und weiß zusammen aussehen; bleib bei uns; wenn die Alte stirbt, finden wir den Goldtopf und contrebandieren.‹ – ›Ja, auf die Ga-

leere!‹ sprach Martino. ›Ich gehe mit auf die Galeere!‹ sagte sie; ›pitsch, patsch! geht das Ruder, und ich singe dir dazu.‹ – ›Das wollen wir überlegen‹, meinte Martino, ›es ist eine
zu glänzende Aussicht um Mitternacht.‹ Da traten sie mit
der Suppe und den Schnepfen herein und stellten sie auf
den Eichenblock; die Suppe tranken wir aus dem Topf, ich
wollte meine Marinina nicht wecken und ließ ihr Teil in die
warme Asche setzen, die Vögel wollten wir morgen früh
verzehren. Nun begann sich der Sturm in dem Walde wieder zu heben, und das Gewitter zog mit Macht heran. ›Ach
Gott‹, sagte Mitidika, ›lege dich nieder, Martino, und schlafe
ein! Hörst du das Wetter? Der Jäger bläst sein Horn, er
wird gewiß bald kommen; lege dich nieder, gleich, gleich!‹
dabei sah sie ängstlich in der Stube umher. ›Nun, nun, was
fehlt dir?‹ fragte Martino, und sie sagte: ›Schlafen sollst du
und das Angesicht von mir kehren, denn ich muß mich entkleiden und schlafen gehen, und das sollst du nicht sehen;
ach, dreh dich um, Blanker!‹ – ›Bravo!‹ sagte Martino;
›es freut mich, daß du so auf Zucht hältst, putze nur den
Kien aus, bei der Nacht sind alle Kühe schwarz, selbst die
schwarzen!‹ – ›Ja‹, sagte sie, ›auch die blanken Esel! Dreh
dich um, ich bitte dich, ich will den Kien schon löschen,
wenn es Zeit ist.‹ Da drehte sich der ehrliche Martino um.
›Gute Nacht, Mitidika!‹ sagte er. ›Gute Nacht, Martino!‹
sprach sie. – Nun breitete sie sich eine bunte wollene Decke
an die Erde aus neben dem Eichenblock, stellte einen halben Kürbis voll Wasser darauf, holte einen kleinen, zierlichen
Kasten gar heimlich unter der Trommel hervor und setzte
ihn neben sich auf die Bank, wobei sie sich ängstlich nach
uns umsah. Ich blinzte durch die Augen und schnarchte, als
läge ich im tiefsten Schlaf. Mitidika traute und schloß das
Kästchen leise auf, musterte alle die Herrlichkeiten, die darin waren, und suchte sich einen Raum aus, die Nadelbüchse
des Martino bequem hineinzulegen. Ihr könnt euch meine
Verwunderung nicht denken, als ich, in dieser wüsten Zigeu-

nerherberge, die Kleine auf einmal in einem so zierlichen und reichgefüllten Schmuckkästchen kramen sah. Es sah nicht ganz so aus, als sei ein Affe hinter die Toilette seiner Herrschaft geraten, auch nicht, als richte der Satan einen Juwelenkasten ein, um einem unschuldigen Mädchen die Augen zu blenden; aber eine indianische Prinzessin, welche die Geschenke eines englischen Gouverneurs mustert, mag wohl so aussehn. Als sie so die Perlen- und Korallenschnüre, die brillantenen Ohrringe und die Zitternadeln durch die schwarzen Hände laufen ließ, konnte ich vor Augenlust gar nicht denken, daß dies gestohlnes Gut sein müsse. Nun stellte sie mehrere Kristallfläschchen mit Wohlgerüchen und Salben aus dem Kästchen auf den Block, zog feine Kämme und Zahnbürsten hervor und begann sich zu putzen und zu schmücken, wie die Nacht, die mit dem Monde Hochzeit machen will. Sie nahm die kleine, von buntem Stroh geflochtene Mütze von ihrem Kopf, und ein Strom von schwarzen Haaren stürzte ihr über die Schultern; sie gewann dadurch ein reizendes und wildes Ansehn, wenn ihre weißen Augäpfel und die blanken Zähne aus den schwarzen Mähnen hervorfunkelten. Sie kämmte sich, schlängelte sich goldene Schnüre in die Zöpfe, die sie flocht und kunstreich wie eine Krone um das schöne runde Köpfchen legte. Sie wusch sich das Gesicht und die Hände, putzte die Zähne, beschnitt sich die Nägel und tat alles mit so unbegreiflicher Zierlichkeit, Anmut und hinreißender Schnelligkeit der Bewegungen, daß es mir vor den Augen zitterte und bebte. Als sie die brillantenen Ohrringe in die kleinen schwarzen Muschelöhrchen befestigte und die glitzernden Zitternadeln in den Flechtenkranz steckte und die Korallen- und Bernsteinschnüre um das braune Hälschen legte und dabei hin- und herzuckte wie ein Wunderwerkchen, gingen mir die Augen über. Sie begoß sich mit Wohlgerüchen, rieb sich die schwarzen Patschchen mit duftendem Öl und steckte sich ein blitzendes Ringlein um das andere an die schlanken Fingerchen. Nun stellte sie einen Spiegel auf und bleckte die Zähnchen so artig hinein, es ist nicht zu beschreiben. Und bei allem dem donnerte und blitzte es draußen, und ihre Eile ward immer größer; ich verstehe mich auf Lichtwirkungen in der Nacht, aber ich habe mein Lebtag kein solches Feuerwerk gesehen, kein Blitzen auf so schönem dunkeln Grund als das Spiel der Diamanten und Perlen auf ihr; denn sie war ein wunderschönes, frei, kühn, scheu und züchtig bewegtes Menschenbild. Flüchtig packte sie nun alle Geräte wieder in das Kästchen, steckte noch eine Handvoll weißes Zuckerwerk in das Mäulchen und knupperte wie eine Maus, während sie das Kästchen mit scheuen Blicken um sich her: ob wir auch schliefen, wieder unter die alte Trommel stellte. Die schwarze Katze, die auf derselben schlief, erhob sich dabei und machte einen hohen Buckel, als verwundere sie sich über sie, da sie ihr mit den funkelnden Händen über den Rücken strich. Nun brachte sie ein feines Hemd von weißer Seide, legte es über den Arm und fing an, ihr Mieder aufzuschnüren, wobei sie uns den Rücken kehrte; es sah aus, als werfe sie Kußhändchen aus, wenn sie die Nestel zog; nun aber schlüpfte sie in die Küche und trat in wenigen Minuten wieder herein in einem schneeweißen Röckchen und einem Mieder von rotem venetianischen Samt. So stand sie mitten auf der Decke und betrachtete ihren Staat mit kindischem Wohlgefallen; der Donner rollte heftiger, Martino wachte auf, Mitidika faßte den Teppich mit beiden Händen über die Schultern, stieß mit dem Fuß die Kienfackel aus, wickelte sich schnell ein wie eine Schmetterlingslarve, ein heller Blitz erleuchtete die Kammer, sie schoß wie eine Schlange an die Erde nieder und krümmte sich zusammen. Martino hatte sie im Leuchten des Blitzes noch gesehen, aber er wußte nicht, was es war; er sprach: ›Meister, saht Ihr etwas?‹ Ich war aber so erstaunt, daß ich stumm blieb; da sprach er: ›Mitidika, schläfst du?‹ aber sie schwieg; Martino drehte sich um und schlief auch wieder. Meine Gedanken über das, was ich gesehen, ließen mich nicht ruhen, der wunderbare Schmuck in dem Besitz der kleinen braunen Bettlerin, und daß sie ihn jetzt so sorgsam und heimlich angelegt, befremdete mich ungemein; alles kam mir wie Zauberei vor. Sie erwartet ein Waldgespenst und schmückt sich wie eine Braut. War dies gestohlnes Gut? Ist sie eine verkleidete, versteckte Prinzessin? Warum geht sie in dieser Pracht schlafen, und warum wickelt sie sich mit all der Herrlichkeit in den alten Teppich ein? Sollte alles dies geheim sein, wie war es möglich, da wir sie morgen früh doch in ihrem Putz finden mußten? So lag ich nachsinnend; das Gewitter war in vollem Grimme über uns, und das Licht der zuckenden Blitze zeigte mir öfters das Bild der Mitidika, welche, wie eine Mumie in den Teppich gehüllt, an der Erde ausgestreckt lag. Als ich aber durch das wilde Wetter ein Horn schallen hörte, stieß ich Martino an und flüsterte ihm zu: ›Halte dich bereit, ich glaube, der wilde Jäger ist im Anzug.‹ Wir hörten das Horn nochmals und Pferdegetrapp und Gewieher, und ich bemerkte, daß Mitidika aufstand; ich kroch aber quer vor die offene Küchentüre, und als sie mit dem Fuße an mich anstieß, glaubte sie umgegangen zu sein und wendete sich nach einer andern Seite. Martino stand auf, die Haustüre öffnete sich, und es trat eine Gestalt mir raschem Schritt durch die Küche auf uns zu; ich faßte sie bei den Beinen, daß sie niederschlug, und Martino drosch so gewaltig auf ihn los, daß der wilde Jäger Zetermordio zu schreien begann. ›Mitidika, Hülfe, Hülfe! man mordet mich!‹ schrie er. ›Ha ha! Herr wilder Jäger‹, schrie nun Martino, ›wir haben dich!‹ und so zerrten wie ihn in die Stube herein und machten die Türe zu. Der Lärm ward allgemein; der Kerl wehrte sich verzweifelt. Meine Marinina erwachte und schrie: ›Jesus, Maria, Josef! Licht her, Licht her! was ist das, o Baciochi, Martino!‹ Die Alte fuhr aus ihren Betten auf, warf die alten Bretter um, die vor ihr standen, und schrie: Mörder, Hülfe, Mitidika!‹ Dabei wurden die Hühner auf dem Boden rebellisch, die Trommel kollerte brummend durch die Stube; Mitidika allein ließ sich nicht hören. Martino, schlage Feuer!‹ rief ich und drückte meinen fremden Gast fest in die Gurgel, daß er sich nicht rühren konnte. Da stieß Martino einen Schwärmer in die glühende Asche des Herds, der leuchtend durch die Kammer zischte und dem ganzen Spektakel ein noch tolleres Ansehen gab. Mein Gefangener fing von neuem an zu ringen, und indem ich ihn gegen die Wand drückte, trat ich gegen einige Bretter, die auswichen – ich warf ihn nieder. Ein großer Bock, der hinter den Brettern geruht hatte, sprang auf und fing nicht schlecht an zu stoßen, und ich warf meinen wilden Jäger so kräftig zur Erde, daß er keinen Laut mehr von sich gab. Martino brachte nun eine brennende Kienfackel herein, und wir sahen die ganze Verwirrung. Der wilde Jäger war ein schöner, schlanker Kerl in galanter Jagduniform. Er rührte sich nicht; der Gedanke, daß ich ihn gar totgedrückt hätte, fuhr mir unheimlich durch die Glieder, ich stürzte zur Küche nach Wasser; Martino faßte die Alte, die fluchend und schreiend aus dem Bett gesprungen war, und warf sie wieder in die Federn mit den Worten: ›Schweig still, Drache! wir wollen dir kein Haar krümmen; wir haben nur den wilden Jäger abgefangen.‹ Nun trat ich mit einem Eimer Wasser hinein und goß ihn pratsch! über den leblosen wilden Jäger; da sprang er wie eine nasse Katze in die Höhe –.«

»Das Wasser, das kalte Wasser«, schrie hier Devillier aufspringend, »war das allerfatalste!« und die ganze Gesellschaft sah ihn verwundert an. »Nun, was schauen Sie«, fuhr er fort, »soll ich länger schweigen? habe ich nicht schrecklich ausgehalten und mich hier in der Erzählung nochmals mißhandeln lassen?« Baciochi wußte nicht, was er vor Erstaunen sagen sollte über Devilliers Unterbrechung; dieser aber sprach heiter: »Ja, Herr Baciochi, ich war der wilde Jäger, mich habt Ihr so kräftig zugedeckt, ich habe es von Anfang der Geschichte gewußt und hätte gern geschwiegen, aber

das kalte Wasser lief mir wieder erweckend über den Rük-
ken.«

Da ward die ganze Gesellschaft vergnügt, der Feuerwerker
reichte Devillier die Hand, und dieser sagte: »Es freut mich,
Euch wieder zu sehen; alles ist längst vergessen, nur Mitidika nicht!«

»Das will ich hoffen«, meinte der Zigeuner ernsthaft, »ich
bitte mir das Ende der Geschichte aus.«

Da tranken alle lustig herum, und Devillier trank die Gesundheit der Mitidika, wozu Michaly einen Tusch geigte
und Lindpeindler das hochpoetische freie Leben der Zigeuner
pries; der Vizegespan meinte jedoch: sie hätten nicht die
reinsten Hände. Die Kammerjungfer aber fragte: »Wo hat
sie nur den Schmuck hergehabt?« Der Tiroler sagte: »Den
wilda Jaaga hobt's maisterli zuagdeckt!« und alle drangen,
Devillier möge weiter erzählen.

»Wohlan!« sagte dieser: »ich hatte damals Geschäfte mit der
Contrebande und manche andere politische Berührungen
diesseits und jenseits auf der Grenze. Ich dirigierte den ganzen Schleichhandel und forschte auf höhere Veranlassung
dem Orden der Carbonari nach. Auf meinen Streifereien
hatte ich Mitidika kennengelernt und mich leidenschaftlich
in dies schöne, unschuldige und geistvolle wilde Naturkind
verliebt. In bestimmten Nächten besuchte ich sie; der
Schmuck, den Ihr, Baciochi, sie anlegen sahet, war ein Geschenk von mir. Sie hatte den Glauben der Alten an den
wilden Jäger benutzt, um sich unentdeckt einige Stunden
von mir unterhalten zu lassen. Wenn ich kommen sollte,
schmückte sie sich immer wie eine Zauberin; ich setzte sie
dann mit auf mein Pferd und brachte sie nach einer Höhle,
eine Viertelstunde von ihrer Hütte, welche das Warenlager
meines Schleichhandels war; da saß sie in einem mit dem
feinsten englischen bunten Kattun ausgeschlagenen Raum
mit mir und ergötzte mich und einen verstorbenen Freund
mit Tanz, Gesang und freundlicher Rede. Gegen Morgen

ging sie zurück, einen Bündel Holz in die Küche tragend, und wurde von der Großmutter wegen ihrem Fleiß gelobt. Ich liebte sie unaussprechlich um ihrer Tugend und Schönheit, und ihr ganzes Wesen war so wunderbar und bei allem Mutwillen und aller kindlichen Ergebenheit so gebieterisch, daß ich nie daran denken konnte, ihre Unschuld auch nur mit einem Gedanken zu verletzen. O, sie war gar nicht mehr wie ein Mensch, sie war wie eine Zauberin, wie ein Berggeist, wenn sie in dem Edelsteinschmuck vor uns tanzte, sang, lachte und weinte; ich kann sie nie vergessen. In der Nacht, wo Ihr und Martino mich so häßlich zerprügeltet, ging die ganze Herrlichkeit zu Ende. Anfangs hielt ich meine Angreifer für italienische Gendarmen, die mir auf die Spur kamen; als wir uns aber erklärt hatten, nahm mir die Entdeckung vom Gegenteil allen Zorn hinweg, und unsere erste Sorge war: wo Mitidika hingekommen sei. Die alte Zigeunerin jammerte auch nach ihr, wir suchten alle Winkel aus und fanden sie nicht, bis die Alte die Leiter vermißte. Baciochi sagte: zur Türe könne sie nicht hinausgekommen sein, er habe davor gelegen; da machte uns der Regen, der durch das Loch in der Decke hereinströmte, aufmerksam; Martino kletterte auf den Schultern Baciochis hinan und fand die Leiter, aber Mitidika, welche die Leiter nach sich gezogen, war durch das Strohdach hinausgeklettert und nirgends zu finden. Ich eilte nach der Türe und vermißte mein Pferd; nun war ich gewiß, daß sie nach meinem Schlupfwinkel entflohen sein müsse, und war ruhig. Ich durfte diesen weder an Baciochi noch an die Zigeunerin, die nichts von meinem Verhältnisse mit Mitidika wußte, verraten und suchte deshalb noch lange mit. Das Wetter war aber so abscheulich, daß wir bald wieder zurückkehrten, und die Alte jammerte nicht mehr lange; da hörten wir Hufschlag und Mitidika stürzte in ihrem ganzen Schmuck mit wilder Gebärde in die Stube auf mich zu: ›Geschwind, fort, geflohen!‹ schrie sie, ›die italienischen Gendarmen streifen in der Nähe, Euren Freund haben sie mit einem ganzen Zug Schleichhändler gefangen; es ist ein Glück, daß hier der Spektakel losging, ich bin aus Angst durch das Dach geschlüpft, dadurch habe ich die nahe Gefahr entdeckt; geschwind fort!‹ – ›Wohin?‹ schrie ich, und Baciochi, Martino und Marinina, die sich auch vor der Entdeckung fürchteten, folgten alle mit mir der treibenden Mitidika zur Türe hinaus. Sie schwang sich auf mein Pferd, ich hinter sie, und so sprengten wir beide nach unserem Schlupfwinkel, unbekümmert um Euch, Herr Baciochi, und die Eurigen.«

»Ja«, sagte der Feuerwerker, »Ihr rittet nicht schlecht, und wir hatten in dem wilden Wetter übles Nachsehen; übrigens war es Euch nicht zu verargen, daß Ihr uns nicht eingeladen, mitzugehen, wir hatten Euch schlecht bewillkommt. Ich will mein Lebtag an den Mordweg denken. Meine Marinina ward krank und starb zwei Monate nachher in Kroatien; Gott habe sie selig! Martino ließ sich bei der österreichischen Artillerie anwerben und war neulich mit in Neapel, wenn er noch lebt. Ich fand mein Brot – Gott sei gelobt! – bei unserm gnädigen Herrn. Es freut mich, daß Ihr so gut davongekommen; aber was ist denn aus der braunen Mitidika geworden?«

»Ja, wer das wüßte!« sagte Devillier; »wir kamen vor der Höhle an und zogen das Pferd herein. Sie war voll Sorge um mich, wusch mir meine Kopfwunden und Beulen mit Wein und bewies mir unendliche Liebe. So brachten wir die Nacht in steter Angst und Sorge zu. Gegen Morgen hatte sie keine Ruhe mehr, sie verlangte nach der alten Mutter; sie beschwor mich, sogleich die Höhle zu verlassen und zu fliehen. Das Schicksal meines Freundes erschütterte mich tief, ich war entschlossen, ihn aufzusuchen. Sie schwur mir ewige Treue; ich versprach ihr, wenn ich sie nach einiger Zeit hier wieder fände, sie zu meiner Frau zu machen; sie lachte und meinte: sie wolle nie einen Mann, der kein Zigeuner sei, und nun auch keinen Zigeuner, sie wolle gar keinen Mann. Dabei scherzte und weinte sie, tanzte und sang noch einmal vor mir, und als ich sie umarmen wollte, schlug sie mich ins Gesicht und floh zur Höhle hinaus. Ich verließ den Ort gegen Abend. Als ich vom Tode meines Freundes gehört hatte und zu Mitidika zurückkehrte, war ihre Hütte abgebrannt; ich ging nach der Höhle, sie war ausgeplündert. Auf der Wand aber fand ich mit Kohle geschrieben: ›Wie gewonnen, so zerronnen! ich behalte dich lieb, tue, was du kannst, ich will tun, was ich muß.‹ Ich habe das holdselige Geschöpf durch ganz Ungarn aufgesucht, aber leider nicht wiedergefunden; hundert Mitidikas sind mir vorgestellt worden, aber keine war die rechte.«

»Es gibt auch nur *eine*«, sagte Michaly, »und wird alle tausend Jahre nur *eine* geboren.«

»Kennt Ihr sie?« sprach Devillier heftig.

»Was geht es Euch an«, erwiderte Michaly, »ob ich sie kenne? Habt Ihr nicht die Ehe ihr versprochen und doch eine Ungarin geheiratet? Sie hat Euch Treue gehalten bis jetzt, sie ist meine Schwester, und ich wollte sie abholen, da die Großmutter in Siebenbürgen gestorben, wo sie sich mit Goldwaschen ernährten, der Pestkordon hat mir aber den Weg abgeschnitten.«

Da ward Devillier äußerst bewegt; er sagte: »Ich habe sie lange gesucht und nicht gefunden, sie hatte mir ausdrücklich gesagt, sie werde nie einem Blanken die Hand reichen und nun auch keinem Zigeuner; nur in der Hoffnung, sie wiederzusehen, blieb ich bis jetzt in Ungarn, und ich würde nicht die Mittel gehabt haben, hier zu bleiben, wenn ich die alte Dame nicht geheiratet hätte, die mir jetzt mein schönes Gütchen zurückgelassen. Könnt Ihr mich mit Mitidika wieder zusammenbringen, so will ich sie gern heiraten und ihr alles lassen, was ich habe.«

»Das ist ein nicht zu verachtender Vorschlag, Michaly«, sagte der Vizegespan, »schlagt das nicht so in den Wind, Ihr habt Zeugen!«

Michaly aber lachte und sprach: »Mitidika wird nicht an dem Stückchen Erde kleben, sie wird nicht in einem gemauerten Hause gefangen sein wollen und sich um Abgaben und Zinsen zerquälen. Wer nichts hat, hat alles; es war immer ihr Sprüchwort: ›Der Himmel ist mein Hut; die Erde ist mein Schuh; das heilige Kreuz ist mein Schwert; wer mich sieht, hat mich lieb und wert.‹

»Das ist echt zigeunerisch gesprochen«, sagte der Vizegespan, »drum bleibt ihr auch immer vogelfreies Gesindel.«

Michaly nahm da seine Geige und wollte ein Lied auf die Freiheit singen, aber der Nachtwächter blies zwölf Uhr und mahnte die Gesellschaft zur Ruhe. Lindpeindler hatte sich mit dem Feuerwerker und der Kammerjungfer, welche durch die erwachte Neigung Devilliers für Mitidika sehr gekränkt worden war (denn sie spitzte sich selbst auf ihn), noch eine Viertelstunde nach dem Edelhof begeben.

Als sie sich der Gesellschaft empfahlen, bot Devillier der Zofe seine Begleitung an; sie sagte aber: »Ich danke, ich möchte das werte Andenken an die unbeschreibliche Mitidika nicht stören.« Damit machte sie einen höhnischen Knicks und verließ die Stube mit Lindpeindler, der diese Nacht als eine der romantischsten seines Lebens pries.

Der Kroate, der Tiroler und der Savoyarde waren bereits eingeschlummert, und der Vizegespan lud Wehmüllern, der mit seiner Arbeit ziemlich fertig war, wie auch den Zigeuner und Devillier zu sich in sein Haus ein. Sie nahmen es mit Freuden an, da sie dort doch ein Bett zu erwarten hatten. Frau Tschermack, die Wirtin, ward bezahlt und schloß die Türe mit der Bitte: wenn sie länger hier blieben, nochmals eine so schöne Gesellschaft bei ihr zu halten. – Vor Schlafengehen wußten Devillier und der Zigeuner den Vizegespan zu bereden, am andern Morgen den Kordon mit durchschleichen zu dürfen, denn Michaly und Devillier sehnten sich ebensosehr nach Mitidika, die jenseits war, als Wehmüller nach seiner Tonerl. Sie schliefen bis zwei Uhr,

da packte der Vizegespan jedem eine Jagdflinte auf, und sie
zogen, als Jäger, einem Waldrücken zu; aber kaum waren
sie hundert Schritt vor dem Dorf, als sie seitwärts bei den
Kordonpiketten verwirrtes Lärmen und Schießen hörten
und bald einen Husaren, dem das Pferd erschossen war,
querfeldein laufen sahen, welcher auf das Anrufen des Vizegespans schrie: »*Cordonus est ruptus cum armis in ma-
nibus a pestiferatis loci vicini,* der Kordon ist mit bewaff-
neter Hand von den Pestkranken des benachbarten Ortes
durchbrochen.« Als der Vizegespan dies hörte, ließ er seine
Gesellschaft im Stich und lief über Hals und Kopf nach dem
Dorfe zurück, um seine Bauern unter die Waffen zu bringen.
Wehmüller und der Zigeuner schrien: »Gott sei Dank, nun laßt
uns eilen!« Devillier besann sich auch nicht lange, und sie liefen spornstreichs nach dem verlassenen Pikettfeuer hin, wo
sie Bauern beschäftigt fanden, unter großem Geschrei das Brot
und die anderen Vorräte zu teilen, welche das Pikett zurückgelassen hatte. Als sie sich näherten, kam ihnen ein Reiter
entgegen und schrie: »Steht, oder ich schieße euch nieder!«
Sie standen und warfen die Waffen hinweg. Sie wurden gefragt, wer sie seien? und als sie erklärt: sie wollten über den
Kordon, und der Reiter ihre Stimmen vernommen, stürzte er
vom Pferde und fiel dem Zigeuner und Devillier wechselweise
um den Hals und schrie immer: »Michaly! Devillier! Ich bin
Mitidika.«
Vor Freude des Wiedersehens ganz zitternd, riß das Mädchen sie in die Erdhütte des Piketts, wo sie dieselbe in männlicher Kleidung, mit Säbel und Pistole bewaffnet, erkannten, und sie wollte eben zu erzählen anfangen, als sie Wehmüllern scharf ansah und zu ihm sprach: »Bist du noch immer
hier, Betrüger? Ich meinte, du seist gestern zu deiner angeblichen Frau nach Stuhlweißenburg gereist?«
Alle sahen bei diesen Worten auf den bestürzten Wehmüller; dieser sperrte das Maul auf vor Verwunderung. »Ich?«
fragte er endlich, »ich, gestern zu meiner angeblichen Frau?«

»Ja, du!« sagte Mitidika; »du, der du dich Wehmüller nennst und es nicht bist, du, der du deine Frau nicht einmal kenntest.«

»O, das ist um rasend zu werden!« schrie Wehmüller, »welche tolle Beschuldigungen, und das von einer wildfremden Person, die ich niemals gesehen!«

»Unverschämter Gesell!« schrie Mitidika; »du kennst mich nicht! Hast du mir nicht seit mehrerenTagen mit deinen Liebesversicherungen zugesetzt? Hat der wirkliche Wehmüller dir nicht deswegen schon ins Gesicht bewiesen: daß du Wehmüller nicht sein könnest, weil der rechte Wehmüller an niemand denkt als an sein liebes Tonerl?«

»Der rechte Wehmüller?« schrie nun Wehmüller, »wo haben Sie den je gesehen? Er wenigstens kennt Sie nicht.«

»Kennt mich nicht?« erwiderte Mitidika, »und reist mit mir?«

»Ich werde verrückt!« schrie Wehmüller, »nun ist gar noch ein dritter auf dem Tapet; wo sind die zwei andern? Geschwind, ich will sie sehen, ich will sie erwürgen!«

»Den dritten lügst du hinzu«, versetzte Mitidika; »der echte wird nicht weit von hier sein, ich will ihn holen, da sollst du beschämt werden!« Nun lief sie schnell zur Hütte hinaus.

Dieser Wortwechsel war so schnell und heftig und die Veranlassung so wunderbar, daß Michaly und Devillier nicht Zeit hatten, dem verblüfften Maler zu bezeugen: daß er seit gestern in ihrer Gesellschaft sei und unmöglich der sein könne, welchen Mitidika kannte. Sie waren eben noch beschäftigt, den weinenden Wehmüller zu trösten, als eine ganz ähnliche Figur wie er selbst in die Hütte trat; bei dem erloschenen Feuer war es unmöglich, jemand bestimmter zu erkennen. Kaum hatte Wehmüller sein Ebenbild in derselben Gestalt und Kleidung erkannt, als er wie eine Furie darauf losstürzte; der andre tat ein gleiches, und beide schrieen: »Ha, ertappe ich dich bei deiner Buhlerei unter meinem ehrlichen

Namen?« Sie rissen sich wie zwei Hähne herum. Devillier und Michaly brachten sie mit Gewalt auseinander, und Mitidika führte den dritten Wehmüller herein. Wie groß war die Bestürzung aller, da nun wirklich drei Wehmüller zugegen waren.

»Nein, das ist zum Verzweifeln!« rief der Wehmüller, den Mitidika mitgebracht hatte, »da ist noch einer!«

»Herr Jesus!« schrie nun unser Wehmüller, »Tonerl, bist du es, bist du hier, Tonerl?«

»Franzerl, lieber Franzerl!« schrie der andere, und sie sanken sich als Mann und Frau in die Arme.

Da wurde es dem einen Wehmüller, den Devillier festhielt, nicht recht wohl, und er sank vor Schreck zur Erde. Michaly schürte nun das Feuer wieder an, daß man sehen konnte, und Mitidika bezeugte die größte Freude, daß Tonerl, die in einem ganz ähnlichen Kleide wie ihr Mann von Stuhlweißenburg mit ihr diesem entgegengereist war, ihn endlich gefunden habe, nachdem sie zu ihrem großen Schrecken von dem falschen Wehmüller in dem Dorfe, das man wegen Pestverdacht eingeschlossen, sehr geplagt worden war, ohne sich ihm als Wehmüllers Weib zu entdecken, denn sie war auf einen alten Paß ihres Mannes gereist.

Sie hatten sich kaum von der ersten Freude erholt, als Mitidika sagte: »Wir müssen doch den falschen Wehmüller, der die Sprache verloren hat, wieder zu sich bringen.« Da aber ihr Rütteln und Schütteln ganz vergeblich war, sagte sie: »Ich habe ein untrüglich Mittel von der seligen Großmutter gelernt; das Herz ist ihm gefallen, wir wollen es ihm wieder heraufziehen.« Da nahm sie ein Schoppenglas und gab es Michaly nebst einem Endchen Licht, das sie am Feuer anzündete, und einem Scheibchen Brot.

»Aha, ich weiß schon!« sagte Michaly und öffnete dem Ohnmächtigen die Weste über dem Magen, setzte ihm das Licht, auf der Brotscheibe befestigt, auf den Leib und stülpte das Glas darüber. Das brennende Licht, welches die Luft unter dem Glase verzehrte, machte ihm den Leib wie in einem Schröpfkopf in das Glas aufsteigen.

Die ganze Gesellschaft lachte über dieses zigeunerische Kunststück, und der falsche Wehmüller kam bald zu Sinnen; der echte ging auf ihn zu und sprach: »Wer sind Sie, der auf eine so unverschämte Weise meinen Namen mißbrauchte?« Da antwortete der Patient, welchen Devillier und Michaly an der Erde festhielten: »Was Kuckuck habe ich auf dem Leib? Es ist, als wollten sie mir den Magen herausreißen; tun Sie mir die vermaledeite Laterne vom Leibe, eher sage ich kein Wort; ich bin Wehmüller und bleibe Wehmüller!«

»Gut«, sagte Mitidika, »wenn du noch nicht bei Sinnen bist, wollen wir dir etwas Süßes eingeben.» – »Recht,« sagte Michaly, »Katzenkot mit Honig, Zigeunertheriak.«

Auf dieses Rezept bekam der Patient andere Gesinnung und sprach: »Um Gotteswillen, laßt mich aufstehen, ich will alles bekennen! Ich bin der Maler Froschauer von Klagenfurt.«

»Das habe ich gleich gedacht«, sagte Wehmüller, »jetzt habe ich Sie in meinen Händen, ich kann Sie als einen Falsarius bei der Obrigkeit angeben, aber ich will großmütig sein, wenn Sie mir einen körperlichen Eid schwören: daß Sie auf ewige Tage resignieren, ungarische Nationalgesichter in meiner Manier zu malen.«

»Das ist sehr hart«, sagte Froschauer, »denn ich habe ganz darauf studiert und müßte verhungern; den Eid kann ich nicht schwören.«

»Er ist noch hartnäckig!« sagte Michaly; »geschwind den Zigeunertheriak her!«

Und da Mitidika sich stellte, als wolle sie ihm etwas eingeben, entschloß er sich kurz und schwor alles, was man haben wollte, worauf sie ihn losließen und ihm die Laterne vom Leib nahmen.

Die Freude und der Mutwille ward nun allgemein; aber der Tag näherte sich, und Mitidika rief eben die Kordonbrecher zusammen, um mit ihrem erbeuteten Proviant sich dahin zurückzuziehen, wo sie hergekommen waren. Aber der Vizegespan kam mit dem Kroaten, dem Feuerwerker, dem Gutsbesitzer und einigen Heiducken und Panduren herbei und brachte die freudige Nachricht, daß sie gar nicht nötig hätten, sich zurückzuziehen, denn der Kordonkommandant habe soeben bekannt gemacht: nur durch Mißverständnis sei das Dorf, in dem sie vierzehn Tage blockiert waren, in den Kordon eingeschlossen worden. Es solle ihnen deshalb verziehen sein, daß sie den Kordon durchbrachen, wenn sie dagegen auch keine Klage über den Irrtum erheben wollten; der Kordon habe sich schon nach einer andern Richtung bewegt. Der Gutsbesitzer bestätigte dies und lud die Gesellschaft, von der ihm Baciochi, Nanny und Lindpeindler so viel Interessantes erzählten, sämtlich nach seinem Edelhofe ein.

Die Bauern und Zigeuner, die unter der Anführung Mitidikas den Kordon durchbrochen hatten, waren hoch erfreut über diese Nachricht, dankten ihrer Anführerin herzlich und kehrten singend nach ihrer Heimat zurück. Michaly aber nahm seine Violine und spielte lustig vor der Gesellschaft her, die dem Edelmanne folgte. Unterwegs gab es viele Aufklärungen und Herzensergießungen. Devillier und Mitidika hatten ihre Neigung bald zärtlich erneuert und gingen Arm in Arm; dann aber folgten die drei Wehmüller, Tonerl in der Mitte, und die andern gingen hinterdrein über das Stoppelfeld. Mitidika sagte, daß sie Tonerl in Stuhlweißenburg kennengelernt, die, sehr bekümmert über das Ausbleiben ihres Mannes, eine Reisegesellschaft nach Kroatien gesucht, und da sie selbst, nach dem Tode ihrer Großmutter, zu ihrem Bruder Michaly habe ziehen wollen, hätten sie sich entschlossen, zusammen zu reisen in männlicher Kleidung. Frau Tonerl sei in einem Habit ihres Mannes und sie als ungarischer Arzneihändler gereist, bis sie in dem Dorfe plötzlich von dem Kordon eingeschlossen worden seien, wo sie auch Froschauer unter dem Namen Wehmüller, ganz in derselben Kleidung vorgefunden, was die arme Tonerl nicht wenig erschreckt habe. Nach vierzehn Tagen sei die Ungeduld und der Mangel der Einwohner, die wohl Hunger, aber keine Pest gehabt, über alle Grenzen gestiegen, und so habe sie sich an ihre Spitze gesetzt und den Kordon durchbrochen; das sei ihr aber gar leicht geworden, denn die Kordonisten wären, aus Furcht, angesteckt zu werden, gleich ausgerissen, als sie mit ihrem Haufen unter ihnen erschien.

Nun mußte Froschauer erzählen; er war eigentlich ein guter Schelm und sagte: »Lieber Herr Wehmüller, ich will Ihnen die Wahrheit sagen; der Spaß kostet mich fünfundzwanzig Dukaten und meine Braut. Ich bin der Maler Froschauer von Klagenfurt und liebe die Tochter eines Fleischhauers; das Mädchen aber wählte immer zwischen mir und einem wohlhabenden Siebmacher, der auch um sie freite. Er setzte dem Vater des Mädchens in den Kopf: es sei in den kaiserlichen Erblanden kein Maler, der eine Frau ernähren könne, und der überhaupt Genie habe, als der Wehmüller in Wien, der die ungarischen Nationalgesichter male, und der so und so gekleidet gehe; dabei hörte er nicht auf, von Ihnen und Ihrer Arbeit zu reden, so daß der alte Fleischhauer und seine Tochter mir endlich erklärten: sie würden den Siebmacher vorziehen, wenn ich Ihnen in Ungarn den Rang nicht abliefe, und nun wettete ich mit dem Siebmacher: daß ich ihm in Jahr und Tag das Mädchen abtreten und noch fünfundzwanzig Dukaten dazu geben wollte, wenn ich Ihnen den Rang nicht ablaufen könne. Ich reiste nach Wien und nach Ungarn, forschte nach allen Ihren Bildern und warf mich so in Ihre Manier, daß man unsre Bilder nicht mehr unterscheiden konnte. Da ich nun erfuhr, daß Sie die Reise nach Stuhlweißenburg machen würden, wo Sie noch nicht gewesen, und sich auf dem Gute des Grafen Giulowitsch vorbereiteten, benutzte ich die Gelegenheit, Ihnen zuvorzukommen, denn ich wußte durch einen Freund bei der Hofkriegskanzelei, daß die dortigen Regimenter verlegt werden würden. Mit einem Vorrate von Nationalgesichtern in einer Blechbüchse und ganz gekleidet wie Sie, machte ich mich nun als neuer Wehmüller auf, und als ich auf der Grenze an der Maut ein Päckchen liegen sah, ›an Herrn Wehmüller, wenn er durchreist‹, überschrieben, ward es mir von dem Mautbeamten ausgeliefert. Es war dies das Bild Ihrer Gemahlin, welches sie auf ihrer Reise in einem Posthause hatte liegen lassen; ich nahm es mit, um es ihr einhändigen zu lassen, habe es aber vergessen, dem Boten abzunehmen, der es trug, als er mich durch den Kordon brachte; denn meine Eile war groß, und ich triumphierte schon, daß ich, indem der Kordon Sie aussperrte, Ihnen gewiß zuvorkommen würde. Aber wie war mir zumute, da ich mich mit Ihrer Frau, als einem zweiten Wehmüller, den ich auch nicht für den echten erkannte, weil er von der Malerei gar nichts verstand, eingesperrt sah; bald ward ich aber von der Kühnheit und Schönheit Mitidikas, die es kein Hehl hatte, daß sie eine verkleidete Jungfer sei, so hingerissen, daß ich gern auf meine Braut und Wehmüllerschaft resigniert und alles gleich eingestanden hätte; aber Ehrgeiz und die fünfundzwanzig Dukaten hielten mich zurück. Ihr Erscheinen fuhr mir aber so durch alle Glieder, daß ich die Besinnung verlor; die fatale Laterne auf dem Magen und der angedrohte Theriak haben mich gänzlich hergestellt, und nun bleibt mir nichts übrig, als Sie herzlich um Verzeihung zu bitten, mit dem Vorschlag: mich in Ihren Unternehmungen zum Kompagnon zu machen; Sie können meine Arbeiten untersuchen, und gehen Sie den Vorschlag ein, so glaube ich, daß wir einen solchen Vorrat von Nationalgesichtern anfertigen, daß unser Glück begründet ist, wenn wir redlich teilen.«

»Das läßt sich hören!« sagte Wehmüller, »die ganze Geschichte macht mir jetzt Spaß, und wenn ich meine Tonerl nicht so lieb hätte, so möchte ich, um es Ihnen wett zu machen, nach Klagenfurt reisen und Ihre Fleischerstochter und die fünfundzwanzig Dukaten Ihnen wegschnappen, aber so geht es nicht.« Da umarmte er Tonerl herzlich und ward mit Froschauer eins, daß er ihm, wenn er seine Arbeiten untersucht, ein eigenhändiges Attest schreiben wolle: daß er ihn in allem sich gleich achte; gewänne er dann seine Wette, so könne er sein Mädchen heiraten und sich mit ihm auf gleichen Vorteil vereinigen. »Ja«, sagte Tonerl, »da habe ich doch eine Gesellschaft an Frau Froschauer, wenn ihr herumzieht.«

So ward der Friede gestiftet, und sie kamen auf dem Edelhofe an. Die Kammerjungfer und Lindpeindler standen unter der Türe und waren in großem Erstaunen über die drei Wehmüller, noch mehr aber über Mitidika; schnell liefen sie, der gnädigen Frau und dem jungen Baron die interessante Gesellschaft anzukündigen, und diese trat, von dem Edelmann geführt, in eine geräumige Weinlaube, wo die Hausfrau bald mit einem guten Frühstück erschien und alle die Abenteuer nochmals berichtet werden mußten; der Tiroler und der Savoyarde stellten sich auch ein, und der Edelmann bat alle, bei der Weinlese ihm behülflich zu sein, was zugesagt wurde.

Am Abend, als noch viel über die drei Wehmüller gescherzt worden war, wollte Devillier der Gesellschaft eine Geschichte erzählen, die er selbst erlebt, und bei welcher die Verwechselung zweier Personen noch viel unterhaltender war, als der Graf Giulowitsch und Lury, sein Hofmeister, mit seinen Eleven bei dem Edelmann zum Besuch kamen; sie freuten sich ungemein, den guten Wehmüller zu finden und die Aufklärung seines Abenteuers zu hören.

Die Erzählung Devilliers ward aufgeschoben, aber nach dem Abendessen mußte die schöne Mitidika all ihren Schmuck, den sie einst von Devillier empfing, anlegen; die Edeldame half ihr selbst bei ihrer Toilette, denn Nanny, die Kammerjungfer, wurde unpäßlich. So geschmückt trat das braune Mädchen wie eine Zauberin vor die Gesellschaft; der

Tiroler breitete seine Teppiche aus, und das reizende Geschöpf tanzte, schlug das Tambourin und sang – wozu Michaly sie begleitete – so ganz wunderbar hinreißend, daß alles
vor Erstaunen versteinert war. Sie schloß ihren Tanz damit,
daß sie den Teppich plötzlich erfaßte, sich schnell in ihn
einpuppte und an die Erde niederstreckte, wie damals in
der Hütte. Ein lebhaftes Beifallklatschen rauschte durch den
Saal; Devillier aber kniete vor ihr, weinte wie ein Kind und
wurde ausgelacht; so schied die Gesellschaft für diesen Abend
auseinander.

Die Erzählung, welche Devillier versprochen, eine andere
des Tirolers und eine des Savoyarden unterhielten an den
folgenden Tagen, und ich werde sie mitteilen, wenn ich Lust
dazu habe.

Der Eßkünstler

Nur acht Tage wurde ich in Wien verkannt, daher ich mich glücklicher schätzen darf, als viele andere. Nämlich der heiligen Allianz meiner Tischgenossenschaft, welche ihren Zweck, gemeinschaftlich zu verschlingen, gar nicht zu beschönigen suchte, drohte Zwietracht; denn sie konnte nicht einig darüber werden, ob ich verliebt sei, oder ein tiefsinniger Gelehrter, oder ein Narr, oder taubstumm, oder ein langweiliger und trockener Mensch. Allerdings hatte jede dieser Meinungen Gründe für sich. Ich aß wenig, sprach nichts, hörte auf keine Anrede ... bald war ich düster, bald lachte ich laut auf ... ich schnitt mehrere Gesichter, mein Blick war starr auf diesen oder jenen Punkt gerichtet, und nicht selten fuhr ich mit der Hand über die Stirne, gleich unsern artigen jungen Herren, die, wenn plötzlich Frauenzimmer in die Stube treten, sich aus dem Stegreife frisieren und ihre Locken in eine liebliche Verwirrung bringen. Aber nach einer Woche klärte sich alles auf, und meine gewöhnliche Liebenswürdigkeit, das heißt meine sehr gewöhnliche, kehrte zurück. Die Sache verhält sich wie folgt.
Mir gegenüber saß ein Mann, an dessen Rocke von unaussprechlicher Farbe eine seltene Seltenheit der Knöpfe meine Aufmerksamkeit anzog. Auf drei Quadratschuh Tuch kam nicht mehr als ein einziger Knopf – eine Bevölkerung, die zwar, wenn von den Menschen die Rede wäre, zu den großen gehörte, denn sie überträfe selbst die von Malta, die aber, da es sich von Knöpfen handelt, von einer Sparsam-

keit ohne Beispiel ist. Ich schloß aus Gründen der Anthropologie, daß ein Mann von so eigentümlicher Physiognomie ein ausgezeichneter Mensch sein müsse, und ich irrte mich nicht. Ich entdeckte bald in ihm einen höchst vortrefflichen Eßkünstler, der mit seinen herrlichen Gaben auch die Tugend der Uneigennützigkeit verband, indem er acht Tage hintereinander in seiner Kunst unentgeltlich öffentliche Vorstellungen gab.

Man wird mir beistimmen, wenn ich behaupte, daß die meisten Menschen wie das Vieh essen, ohne klares Bewußtsein, ohne Überlegung, ohne Regel und ohne jene Anmut, welche nur die verschönernde Kunst über die Natur haucht. Was ich nur immer dunkel geahnt hatte, daß das Essen etwas viel Erhabeneres bezwecke, als die Befriedigung eines bloß tierischen Triebes, wurde mir klar durch die Anschauung der Meisterschaft, welche der würdige Künstler, von dem ich reden will, vor meinen Augen entfaltete.

Andere Konzertgeber warten gewöhnlich, bis sich das Orchester versammelt hat und das Stimmen zu Ende ist; dann erst treten sie hervor. Unser Künstler aber verschmähte den kleinlichen Kunstgriff, durch Überraschung zu wirken. Im Gegenteile, er war eine halbe Stunde früher als die übrigen Gäste im Speisesaal, so daß die Kellner oft irre wurden und ihn fragten, was er befehle, denn sie glaubten, er suche ein Gabelfrühstück. Diese Einsamkeit benutzte er als ein Mann, dem seine Kunst heilig ist und der sie nicht bloß zum schnöden Zeitvertreib der Menge übt. Er unterwarf sein Gedeck einer höchst genauen Musterung; die Teller und das Glas wurden nachgesäubert; er untersuchte das Messer, ob es keine Scharten habe, in welchem Falle er es mit einem anderen vertauschte. Am meisten aber war er auf die Elastizität des Stuhles bedacht, wohl erwägend, wie viel auf diesen Resonanzboden des Eßinstrumentes ankäme. Darauf maß er sich mit seinen Ellenbogen einen Umkreis ab, indem er die Stühle auf beiden Seiten zusammenrückte, so daß man sich später wunderte, wie ein Mann, der für sechs essen mochte, doch nur für zwei Personen saß. War dieses alles geschehen und es blieb ihm noch Zeit übrig, so präludierte er, indem er sich ein Glas Wein aus den gemeinschaftlichen Beiträgen der benachbarten Flaschen sammelte, und dazu ein Milchbrot mit etwas Gurkensalat genoß. So konnte er von seinem sicheren Hafen aus mit Ruhe auf den Sturm der heranwogenden Gäste schauen, und durfte sich, während die andern verwirrt ihre Plätze suchten und hungrig der Suppe entgegenseufzten, der Früchte seiner weisen Vorsicht erfreuen.

Man kann sich nicht genug darüber wundern, wie es so viel tausend Menschen, die seit undenklichen Zeiten täglich in Gasthöfen speisen, entgehen konnte, daß der Gebrauch einer Gabel einer der Gebräuche sei, welche die Wirte aus Spitzbüberei eingeführt haben. Bei nur einiger Aufmerksamkeit hätte man entdeckt, daß jenes Werkzeug weniger geeignet ist, die Speisen zu halten, als herab- und durchfallen zu lassen. Einen so hellsehenden Eßkünstler, wie den unsrigen, konnte die heuchlerische Hilfsleistung der Gabel nicht betören, und er bediente sich ihrer nie, sondern gebrauchte bei allen Speisen den sichern und weitumfassenden Löffel, den er vor den räuberischen Händen der Kellner, die nach der Suppe alle Löffel wegräumten, dadurch sicherte, daß er Exerzitien und gymnastische Übungen mit ihm anstellte, so daß er nicht zu erhaschen war.

Die Völker germanischen Ursprungs leben alle in dem Wahne, als wären die verschiedenen Beiessen, von welchen das Rindfleisch begleitet zu werden pflegt, rote Rüben, Gurkensalat u. s. w. nur zur Auswahl da: aber unser großer Künstler ging von dem Standpunkte aus, daß jene Beiessen Simultanspeisen wären, und die glückliche Anwendung seines Grundsatzes zeugte von dessen Richtigkeit. Meerrettich, geröstete Kartoffeln, die gewöhnliche braune Brühe, eingemachte Bohnen, Gurkensalat, Radieschen, rote Rüben, Rettichscheiben, Senf und Salz, brachte er sämtlich auf seinen

Teller und wußte sie durch eine weise Benutzung des Raumes dergestalt im Kreise zu ordnen, daß keines das andere berührte. Nur ein einziger Platz blieb leer, wie an Artus' Tafelrunde, und war für das Beiessen bestimmt, welches er etwa übersehen haben und das noch kommen könnte.

Das Vorurteil, daß die Künste in monarchischen Staaten größere Aufmunterung fänden als in republikanischen, hat jenes andere Vorurteil veranlaßt, daß die meisten Künstler aristokratisch gesinnt wären. Bedarf es noch eines Beweises, daß diese Ansicht falsch sei, so hat ihn unser Eßkünstler gegeben. Seine Neigung für Freiheit und Gleichheit war so heftig, daß ihn der Vorzug, welchen er Frauenzimmer genießen sah, bei Tische mit Übergehen der Herren zuerst bedient zu werden, in die größte Wut versetzte, und er schwatzte nicht bloß für die Freiheit gleich den deutschen Liberalen, sondern er kämpfte auch für sie, indem er jeden Kellner, der ihn überspringen wollte, um die Schüssel einer Dame zu reichen, gewaltsam am Ärmel zurückhielt, und ihn Achtung der Menschenrechte lehrte. Den Kellnern selbst kam diese Freiheitsliebe unseres Künstlers am meisten zustatten; denn da der Wirt die geringste Nachlässigkeit, welche jene sich gegen die Gäste zuschulden kommen ließen, streng bestrafte, so arbeitete der Eßkünstler solcher Tyrannei dadurch entgegen, daß er den Kellnern unaufhörlich zurief und zuwinkte, sie sollten ihn nicht vernachlässigen und an ihn denken.

Gemüse sind die Freuden des Eßpöbels und der Wirte: sie befriedigen das rohe Bedürfnis auf eine wohlfeile Art. Unser Künstler offenbarte seine Geringschätzung gegen dieselben hinlänglich, indem er bei keinem Gemüse lange verweilte, sondern von einem zum andern eilend, sich unter das Gefolge, die sogenannten Beilagen, mischte, wo er, wie dieses oft der Fall ist, größere Bildung fand als bei der Herrschaft. Einen neuen Hering, der noch sehr schüchtern war und dem man die Verlegenheit, vor so vielen Gästen zu erscheinen, ansah, munterte er auf und unterhielt sich so zutraulich mit ihm, daß dieser ein Leib und eine Seele mit ihm ward. Freilich murrten die Tischgenossen über diese Vernachlässigung des sogenannten Anstandes, aber unser Künstler lachte dazu und fragte einen österreichischen Grafen, ob nicht der älteste Hering auch einmal neu gewesen wäre? Vorzüge adeln, nicht Jahre – setzte er hinzu.

Tutti aß zwar unser Künstler auch mit, sich von andern Künstlern unterscheidend, die hierin eine lächerlich vornehme Zurückhaltung zu beobachten pflegen; doch wie natürlich versparte er seine meiste Kraft auf die Solos. Wenn er nach einem Halte, in Kadenzen, die gewöhnlich eine große Schüssel Äpfelkompott als langatmiger Triller schloß, sich ganz seiner freien Phantasie überlassen durfte, dann wurde auch der kälteste Mensch zur Bewunderung hingerissen. Wie aber die Zeit, die während des Tellerwechselns und Auf- und Abtragens der Gerichte verloren geht, benutzt werden könnte, zeigte unser Eßkünstler zur Beschämung aller Tischgenossen.

Ich weiß nicht, ob es ein passendes Gleichnis ist, wenn ich sage: Mehlspeisen sind die Adagios der Tisch-Symphonien; aber passend oder nicht, unser Künstler war hierin unerreichbar. Sobald die süße Schüssel auf der Schwelle der Saaltüre erschien, machte er ganz kleine Augen, um seine Sehkraft zu verstärken. Er hatte dieses optische Verfahren nicht aus Hallers Physiologie gelernt, sondern an mehreren europäischen Höfen, wo die Fürsten ihre Augen und Ohren bis auf eine kleine Öffnung verschließen, oder, was in der Berechnung auf eins herauskommt, wo sie nur wenige Höflinge sehen und anhören, um deutlicher zu vernehmen, was das Volk braucht und wünscht. Er machte also solche Hofaugen. Bis die Schüssel an seine Person kam, sprach er laut und viel, um gleich Frauenzimmern während eines Donnerwetters seine Angst zu betäuben. Er lachte mit sichtbarer Anstrengung. Endlich kam sie und seine Brust ward frei. Er schnitt sich ein Stück von mittlerer Größe ab, das er, ehe er es aus der Schüssel nahm, einige Male darin herumdrehte, angeblich, es von allen Seiten zu beschauen, im Grunde aber, um es recht innig mit Sauce zu durchtränken. Dann überschüttete er es völlig, und wenn beim Schöpfen der Sauce noch etwas Solides im Löffel blieb, so war das schwer zu vermeiden.

Freilich fiel ihm dann immer bei, die anwesenden Engländer möchten seine Anhänglichkeit an das Kontinentalsystem übel nehmen, und um diese zu täuschen, goß er so lange Sauce in den Teller, bis kein Land mehr zu sehen war. Doch gelang ihm dieses nicht immer, und mehrere Male ragte ein Berg Ararat von Mandeln und Rosinen über der Flut empor. Während des Essens der Mehlspeise war er nachdenkend und in sich gekehrt, und man sah ihn nicht selten schmerzhaft lächeln. War das erste Drittel der Puddingportion verzehrt (denn er teilte seine Speiseportionen von allen Gerichten in drei Teile ab, weil die Teller zu klein waren, die ganze Portion auf einmal zu fassen), dann ließ er sich zum zweitenmal die Schüssel reichen, was gerade nichts Besonderes war. Beim drittenmal aber gebrauchte er List und rief dem Kellner zu, er wolle nur noch ein bißchen Sauce. Hatte er ihn aber herbeigelockt, dann lachte er ihn aus und griff auch zum Übrigen.

Nur deutsche Philister sind imstande, einen großen Mann zu bewundern, ohne ihn zu lieben. Daß große Männer auch immer gut sind, offenbarte unser Künstler in mehreren schönen Zügen. Nie schlug er eine Bitte unbedingt ab; konnte er sie nicht gewähren, so gab er wenigstens Hoffnung. Trug ihm der Kellner eine Schüssel vor, die er zurückweisen mußte, weil er zu beschäftigt war, sagte er: jetzt nicht, aber später, mein Freund! Ein rührender Zug seines sanften Herzens war folgender: eines Mittags wurde ihm zwischen dem Braten und dem Dessert noch einmal Suppe vorgesetzt, weil ihn der Kellner von hinten mit einem Gaste verwechselte, der eben erst in den Saal getreten und sich an den Tisch gesetzt hatte. Unser edler Künstler, um dem Kellner die Beschämung und die Vorwürfe des Wirts zu ersparen, hatte die Großmut, die Suppe zu essen, als wäre sie für ihn bestimmt gewesen. In allen Dingen war er ausgezeichnet. So teilte er die Unart der meisten Gäste nicht, welche die großen Krebse auswählten und die kleinen in der Schüssel liegen ließen – er nahm die kleinen auch … Der eingeführten lächerlichen Sitte, in eine Pastete von oben einzudringen, und so gleichsam in ein Haus durch das Dach zu steigen, trotzte er mutig. Er machte zweckmäßiger zwei Seitenöffnungen, einander gegenüber. Durch die Vordertüre steckte er den Löffel, und trieb das Wild und Geflügel nach der Hintertüre, wo er es mit Leichtigkeit auffing … Die Geschicklichkeit, mit welcher er einen Rebhuhnkopf trepanierte, hatte ihresgleichen nicht … Einen Prachthecht von seltener Größe nahm er ungeteilt vor sich, so daß der Fisch nur mit dem Leibe seinen eigenen Teller bedeckte, mit dem Kopf aber über den Teller seines rechten, und mit dem Schwanze über den des linken Nachbarn hinausreichte, welches ein imposanter Anblick war.

Man wird sich wundern zu hören, daß unser Künstler von den verschiedenen Bratensorten nur *gewöhnlich* viel aß, da allgemein bekannt ist, daß gerade diese Art Speisen bei wahren Kennern in großem Ansehen stehen. Aber der Meister betrat überall eine neue Bahn, und wie er selbst unnachahmlich war, so ahmte er auch niemals andere nach. Wie gesagt, er aß die Braten als Dilettant und benutzte die Muße, die er dadurch gewann, um sich auf das Dessert würdig vorzubereiten. Von diesem stellte er eine ganz neue Theorie auf, wodurch das bisherige System ganz über den Haufen geworfen wird. Ich werde mich bemühen, die neue Theorie unseres Künstlers in das klarste Licht zu setzen, und man wird erstaunen, daß die falsche Ansicht von Dessert sich so viele Jahrhunderte hat behaupten können.

Joseph in Ägypten, den meine Leser, wenn auch nicht aus der Bibel, doch gewiß aus Mehuls Oper kennen, war in den Jahren der Fruchtbarkeit auf die künftigen Jahre der Hungersnot bedacht und ließ, als guter Staatsverwalter, Vorratskammern anlegen. Ich weiß nicht, ob sich unser Künstler gegen eine Frau Potiphar so streng benommen hätte, als der keusche Joseph, aber in der Nationalökonomie blieb er hinter dem Sohne der Rahel nicht zurück. Auch ihn machte der Überfluß bei Tische nicht sorglos, er gedachte der sieben magern Nachmittagsstunden, und traf seine Maßregeln. Ein glücklicher Umstand, der Brand von Moskau, trug viel dazu bei, ihn auf den Weg der Weisheit zu führen. Der Künstler hatte in den ewig denkwürdigen Jahren 1814 und 1815 für die gute Sache gefochten und aus dem glorreichen Freiheitskampfe die wahre Ansicht vom Dom zu Köln, das Hep Hep und die Sprachreinigkeit als Beute des Sieges mit in die Heimat gebracht. Er war es, der den Vorschlag gemacht, der Bundestag solle sich nicht eher versammeln, als bis der Dom zu Köln ausgebaut wäre, um dann darin Platz zu nehmen, und jeder wahre Freund des deutschen Vaterlandes muß bedauern, daß dieser Vorschlag nicht zur Ausführung kam und daß sich der Bundestag früher versammelte. Er war es, der die Judenverfolgungen in den Gang brachte, um Freiheit und Gleichheit einzuführen, und ihm hat man zu verdanken, daß die Sekte der Puristen sich so allgemein verbreitet hat. Er jagte alle französischen Wörter über den Rhein zurück, und selbst das sanfte *Dessert* konnte seinem Hasse nicht entgehen; er sagte dafür *Nachtisch*. *Nachtisch!* Möchte man doch immer der ursprünglichen Bedeutung der Worte nachforschen, dann wäre es leicht, sich über die wahre Beschaffenheit aller Dinge zu verständigen! Was heißt *Nachtisch?* Nachtisch heißt dasjenige Essen, welches nicht *bei* Tische, sondern *nach* Tische verzehrt wird. Unser Künstler war nun nach dem zweiten Pariser Frieden gar nicht mehr zweifelhaft über das, was ihm als deutschem

Manne zu tun oblag, er aß den Nachtisch *nach* Tisch. Um aber die neue Institution so fester zu begründen, gab er ihr eine historische Basis. Er aß daher, gleich den übrigen Gästen, sein Dessert noch bei Tische, war dieses aber geschehen, so häufte er seinen Teller zum zweitenmale mit Kuchen und Früchten an und ließ dieses durch den Kellner auf sein Zimmer tragen, um es in den Nachmittagsstunden zu verspeisen.

Fehler wie Vorzüge, Laster wie Tugenden, Wahrheiten wie Irrtümer, hängen unter sich zusammen und ziehen sich nach. Unser Künstler gab einen neuen Beweis hievon. Kaum war ihm über die wahre Bestimmung des Nachtisches ein Licht aufgegangen, so schritt er auf der Bahn der neuen Entdeckung weiter, bildete das System aus und wandte es noch auf andere Verhältnisse des Lebens an. Daß er, sich unterscheidend von den übrigen Gästen, seine Serviette unter dem Kinn festband, konnte mich nicht überraschen, denn von einem solchen Manne ließ sich nichts anderes erwarten, als daß er die alte Sitte, Weste und Beinkleider zu schonen, beibehalten würde. Daß er aber genannte Serviette, die während des Gedränges des Essens herabfiel, zur Zeit wenn das Dessert kam und die andern Gäste ihre Serviette zulegten, von neuem unter dem Kinn befestigte, mußte mir auffallen. Ich dachte gleich: dahinter steckt was – und es stak wirklich etwas dahinter, wie sich zeigen wird. Er spielte nämlich während der ganzen Mahlzeit, so oft es ihm seine Geschäfte erlaubten, mit der rechten Hand hinter der Serviette, zog sie aber häufig hervor und zeigte, daß sie hohl war. Hierdurch gewöhnte er die Zuschauer an diesen Anblick, so daß sie zuletzt gar nicht mehr darauf sahen. Kam nun das Dessert, dann nahm er ein großes Stück Brot vor sich, wovon er aber nur wenige Brosamen zu der Torte aß. Er ließ das Brotstück auf dem Tischtuche artige Purzelbäume machen, dann zog er das Schnupftuch aus der Tasche und bediente sich dessen mit vielem Geräusche. Er ahmte hierin glücklich den Taschenspielern nach, die, wenn sie einen großen Streich vorhaben, die Ohren der Zuschauer zu beschäftigen suchen. Ich paßte auf. Husch hatte er die rechte Hand mit dem Brote hinter der Serviette und von da brachte er es unbemerkt in die Tasche, worauf er dann das Schnupftuch wieder einsteckte. Auf diese Art praktizierte er einige Birnen in die Tasche; jedoch hat man dieses letztere Stück schon von Pinetti gesehen. So wendete unser Künstler die Theorie des Nachtisches auch auf andre Lebensmittel an.

Ach, die menschliche Natur ist nie vollkommen! Die größten Männer haben ihre Schwächen und auch unser Künstler war nicht frei davon. Ich hatte gestern in einem Anfall von übler Laune in mein Tagebuch geschrieben: »und sei eine Frau noch so kluge Wirtschafterin, sie versteht nur die Küche: der Keller ist – um mich artig und architektonisch auszudrücken – unter ihrem Verstande.« Diese Bemerkung galt der Frau von Staël; aber treffender hätte ich sie auf unsern Eßkünstler anwenden können. Vom Weine hatte er gar keine Kenntnisse, und er trank nur wenige Gläser. Doch hielt er sich für diese einzige Schwäche durch seine Herzensgüte wieder schadlos, indem er, um zu verbergen, daß ihm der Wein nicht schmecke, was den Wirt hätte kränken können, den übriggelassenen zugleich mit dem Dessert auf sein Zimmer tragen ließ, wo er ihn wahrscheinlich heimlich ausschüttete.

Napoleon sagte nach seinem Rückzuge aus Rußland: »Vom Erhabenen zum Lächerlichen ist nur ein Schritt.« Die Kellner, welche unsern Eßkünstler bedienten, machten diesen Schritt, und fanden dessen Kunstansichten lächerlich. Sie waren nicht allein wegen dieser ihrer Unwissenheit zu bedauern, sondern noch mehr darum, daß sie etwas lächerlich fanden und doch nicht lachen durften. Ich konnte ohne das innigste Mitleid nicht sehen, wie diese armen Menschen sich quälen mußten, um die Konvulsionen ihres Gesichtes zu verbergen und denjenigen Anstand zu beobachten, den jeder Gast von einem loyalen Kellner fordern kann.

HEINRICH HEINE

Der Tee

Der Schauplatz der Geschichte, die ich jetzt erzählen will, sind wieder die Bäder von Lucca.

Fürchte dich nicht, deutscher Leser, es ist gar keine Politik darin, sondern bloß Philosophie, oder vielmehr eine philosophische Moral, wie du es gern hast. Es ist wirklich sehr politisch von dir, wenn du von Politik nichts wissen willst; du erführest doch nur Unangenehmes oder Demütigendes. Meine Freunde waren mit Recht über mich ungehalten, daß ich mich die letzten Jahre fast nur mit Politik beschäftigt und sogar politische Bücher herausgab. »Wir lesen sie zwar nicht«, sagten sie, »aber es macht uns schon ängstlich, daß so etwas in Deutschland gedruckt wird, in dem Lande der Philosophie und der Poesie. Willst du nicht mit uns träumen, so wecke uns wenigstens nicht aus dem süßen Schlafe. Laß du die Politik, verschwende nicht daran deine schöne Zeit, vernachlässige nicht dein schönes Talent für Liebeslieder, Tragödien, Novellen, und gebe uns darin deine Kunstansichten oder irgendeine gute philosophische Moral.«

Wohlan, ich will mich ruhig wie die andern aufs träumerische Polster hinstrecken und meine Geschichte erzählen. Die philosophische Moral, die darin enthalten sein soll, besteht in dem Satze: daß wir zuweilen lächerlich werden können, ohne im geringsten selbst daran schuld zu sein. Eigentlich sollte ich bei diesem Satze in der ersten Person des Singularis sprechen – nun ja, ich will es, lieber Leser, aber ich bitte dich, stimme nicht ein in ein Gelächter, das ich nicht verschuldet. Denn ist es meine Schuld, daß ich einen guten Geschmack habe und daß guter Tee mir gut schmeckt? Und ich bin ein dankbarer Mensch, und als ich in den Bädern von Lucca war, lobte ich meinen Hauswirt, der mir dort so guten Tee gab, wie ich ihn noch nie getrunken.

Dieses Loblied hatte ich auch bei Lady *Woolen*, die mit mir in demselben Hause wohnte, sehr oft angestimmt, und diese Dame wunderte sich darüber um so mehr, da sie, wie sie klagte, trotz allen Bitten von unserem Hauswirt keinen guten Tee erhalten konnte und deshalb genötigt war, ihren Tee per Estafette aus Livorno kommen zu lassen.

»Der ist aber himmlisch!« setzte sie hinzu und lächelte göttlich.

»Mylady«, erwiderte ich, »ich wette, der meinige ist noch viel besser.«

Die Damen, die zufällig gegenwärtig, wurden jetzt von mir zum Tee eingeladen, und sie versprachen des anderen Tages um sechs Uhr auf jenem heiteren Hügel zu erscheinen, wo man so traulich beisammen sitzen und ins Tal hinabschauen kann.

Die Stunde kam, Tischchen gedeckt, Butterbrötchen geschnitten, Dämchen vergnügt schwatzend – aber es kam kein Tee.

Es war sechs, es wurde bald sieben, die Abendschatten ringelten sich wie schwarze Schlangen um die Füße der Berge, die Wälder dufteten immer sehnsüchtiger, die Vögel zwitscherten immer dringender – aber es kam kein Tee. Die Sonnenstrahlen beleuchteten nur noch die Häupter der Berge, und ich machte die Damen darauf aufmerksam, daß die Sonne nur zögernd scheide und sichtbar ungern die Gesellschaft ihrer Mitsonnen verlasse.

Das war gut gesagt – aber der Tee kam nicht.

Endlich, endlich, mit seufzendem Gesicht, kam mein Hauswirt und frug: ob wir nicht Sorbett statt des Tees genießen wollten?

»Tee! Tee!« riefen wir alle einstimmig.

»Und zwar denselben«, setzte ich hinzu, »den ich täglich trinke.«

»Von demselben, Exzellenzen? Es ist nicht möglich!«

»Weshalb nicht möglich?« rief ich verdrießlich.

Immer verlegener wurde mein Hauswirt, er stammelte, er stockte; nur nach langem Sträuben kam er zu einem Geständnis – und es löste sich das schreckliche Rätsel.

Mein Herr Hauswirt verstand nämlich die bekannte Kunst, den Teetopf, woraus schon getrunken worden, wieder mit ganz vorzüglich heißem Wasser zu füllen, und der Tee, der mir so gut geschmeckt, und wovon ich so viel geprahlt, war nichts anders, als der jedesmalige Aufguß von demselben Tee, den meine Hausgenossin, Lady *Woolen*, aus Livorno kommen ließ.

Die Berge rings um die Wälder von Lucca haben ein ganz außerordentliches Echo, und wissen ein lautes Damengelächter gar vielfach zu wiederholen.

Des Lebens Überfluß

In einem der härtesten Winter war gegen Ende des Februar
ein sonderbarer Tumult gewesen, über dessen Entstehung,
Fortgang und Beruhigung die seltsamsten und widersprechend-
sten Gerüchte in der Residenz umliefen. Es ist natürlich,
daß, wenn alle Menschen sprechen und erzählen wollen, ohne den Gegenstand ihrer Darstellung zu kennen, auch das
Gewöhnliche die Farbe der Fabel annimmt.

In der Vorstadt, die ziemlich bevölkert ist, hatte sich in einer der engsten Straßen das Abenteuer zugetragen. Bald
hieß es, ein Verräter und Rebell sei entdeckt und von der
Polizei aufgehoben worden, bald, ein Gottesleugner, der mit
andern Atheisten verbrüdert das Christentum mit seiner
Wurzel ausrotten wollen, habe sich nach hartnäckigem Widerstand den Behörden ergeben und sitze nun so lange fest, bis
er in der Einsamkeit bessere Grundsätze und Überzeugun-
gen finde. Er habe sich aber vorher noch in seiner Wohnung
mit alten Doppelhaken, ja sogar mit einer Kanone verteidigt, und es sei, bevor er sich ergeben, Blut geflossen, so daß
das Konsistorium wie das Kriminalgericht wohl auf seine
Hinrichtung antragen werde. Ein politischer Schuhmacher
wollte wissen, der Verhaftete sei ein Emissär, der als das
Haupt vieler geheimen Gesellschaften mit allen Revolutions-
männern Europas in innigster Verbindung stehe; er habe alle
Fäden in Paris, London und Spanien wie in den östlichen
Provinzen gelenkt, und es sei nahe daran, daß im äußersten Indien eine ungeheure Empörung ausbrechen und sich

dann gleich der Cholera nach Europa herüberwälzen werde, um allen Brennstoff in lichte Flammen zu setzen.

Soviel war ausgemacht, in einem kleinen Hause hatte es Tumult gegeben, die Polizei war herbeigerufen worden, das Volk hatte gelärmt, angesehene Männer wurden bemerkt, die sich darein mischten, und nach einiger Zeit war alles wieder ruhig, ohne daß man den Zusammenhang begriff. Im Hause selbst war eine gewisse Zerstörung nicht zu verkennen. Jeder legte sich die Sache aus, wie Laune oder Phantasie sie ihm erklären mochten. Die Zimmerleute und Tischler besserten nachher den Schaden aus.

Ein Mann hatte in diesem Hause gewohnt, den niemand in der Nachbarschaft kannte. War er ein Gelehrter? ein Politiker? ein Einheimischer? ein Fremder? Darüber wußte keiner, selbst der Klügste nicht, einen genügenden Bescheid zu geben.

Soviel ist gewiß, dieser unbekannte Mann lebte sehr still und eingezogen, man sah ihn auf keinem Spaziergange, an keinem öffentlichen Orte. Er war noch nicht alt, wohlgebildet, und seine junge Frau, die sich mit ihm dieser Einsamkeit ergeben hatte, durfte man eine Schönheit nennen.

Um Weihnachten war es, als dieser jugendliche Mann in seinem Stübchen, dicht am Ofen sitzend, also zu seiner Frau redete: »Du weißt, liebste Clara, wie sehr ich den Siebenkäs unsers Jean Paul liebe und verehre; wie dieser sein Humorist sich aber helfen würde, wenn er in unsrer Lage wäre, bleibt mir doch ein Rätsel. Nicht wahr, Liebchen, jetzt sind, so scheint es, alle Mittel erschöpft?«

»Gewiß, Heinrich«, antwortete sie lächelnd und zugleich seufzend; »wenn du aber froh und heiter bleibst, liebster aller Menschen, so kann ich mich in deiner Nähe nicht unglücklich fühlen.«

»Unglück und Glück sind nur leere Worte«, antwortete Heinrich; »als du mir aus dem Hause deiner Eltern folgtest, als du so großmütig um meinetwillen alle Rücksichten fahren ließest: da war unser Schicksal auf unsre Lebenszeit bestimmt. Lieben und leben hieß nun unsre Losung; wie wir leben würden, durfte uns ganz gleichgültig sein. Und so möchte ich noch jetzt aus starkem Herzen fragen: Wer in ganz Europa ist wohl so glücklich, als ich mich mit vollem Recht aus der ganzen Kraft meines Gefühles nennen darf?«

»Wir entbehren fast alles«, sagte sie, »nur uns selbst nicht, und ich wußte ja, als ich den Bund mit dir schloß, daß du nicht reich warst; dir war es nicht unbekannt, daß ich aus meinem väterlichen Hause nichts mit mir nehmen konnte. So ist die Armut mit unsrer Liebe eins geworden, und dieses Stübchen, unser Gespräch, unser Anblicken und Schauen in des Geliebten Auge ist unser Leben.«

»Richtig!« rief Heinrich aus und sprang auf in seiner Freude, um die Schöne lebhaft zu umarmen; »wie gestört, ewig getrennt, einsam und zerstreut wären wir nun in jenem Schwarm der vornehmen Zirkel, wenn alles in seiner Ordnung vor sich gegangen wäre. Welch Blicken, Sprechen, Handgeben, Denken dort! Man könnte Tiere oder selbst Marionetten so abrichten und eindrechseln, daß sie eben die Komplimente machten und solche Redensarten von sich gäben. So sind wir, mein Schatz, wie Adam und Eva hier in unserm Paradiese, und kein Engel kommt auf den ganz überflüssigen Einfall, uns daraus zu vertreiben.«

»Nur«, sagte sie etwas kleinlaut, »fängt das Holz an, ganz einzugehen, und dieser Winter ist der härteste, den ich bis jetzt noch erlebt habe.«

Heinrich lachte. »Sieh«, rief er, »ich muß aus purer Bosheit lachen, aber es ist darum noch nicht das Lachen der Verzweiflung, sondern einer gewissen Verlegenheit, da ich durchaus nicht weiß, wo ich Geld hernehmen könnte. Aber finden müssen sich die Mittel; denn es ist undenkbar, daß wir erfrieren sollten bei so heißer Liebe, bei so warmem Blut! Pur unmöglich!«

Sie lachte ihn freundlich an und erwiderte: »Wenn ich nur

so wie Lenette Kleider zum Verkaufe mitgebracht, oder überflüssige Messingkannen und Mörser oder kupferne Kessel in unsrer kleinen Wirtschaft umherständen, so wäre leicht Rat zu finden.«

»Ja wohl«, sprach er mit übermütigem Ton, »wenn wir Millionärs wären, wie jener Siebenkäs, dann wäre es keine Kunst, Holz anzuschaffen und selbst bessere Nahrung.«

Sie sah im Ofen nach, in welchem Brot in Wasser kochte, um so das kärglichste Mittagsmahl herzustellen, welches dann mit einem Nachtisch von weniger Butter beschlossen werden sollte. »Während du«, sagte Heinrich, »die Aufsicht über unsre Küche führst und dem Koch die nötigen Befehle erteilst, werde ich mich zu meinen Studien niedersetzen. Wie gern schriebe ich wieder, wenn mir nicht Tinte, Papier und Feder völlig ausgegangen wären; ich möchte auch wieder einmal etwas lesen, was es auch sei, wenn ich nur noch ein Buch hätte.«

Du mußt denken, Liebster«, sagte Clara und sah schalkhaft zu ihm hinüber; »die Gedanken sind dir hoffentlich noch nicht ausgegangen.«

»Liebste Ehefrau«, erwiderte er, »unsre Wirtschaft ist so weitläuftig und groß, daß sie wohl deine ganze Aufmerksamkeit in Anspruch nimmt; zerstreue dich ja nicht, damit nicht unsre ökonomischen Verhältnisse in Verwirrung geraten. Und da ich mich jetzt in meine Bibliothek begebe, so laß mich vor jetzt in Ruhe; denn ich muß meine Kenntnisse erweitern und meinem Geiste Nahrung gönnen.«

»Er ist einzig!« sagte die Frau zu sich selber und lachte fröhlich; »und wie schön er ist!«

»So lese ich denn wieder in meinem Tagebuche«, sprach Heinrich, »das ich ehemals anlegte, und es interessiert mich, rückwärts zu studieren, mit dem Ende anzufangen und mich so nach und nach zu dem Anfange vorzubereiten, damit ich diesen um so besser verstehe. Immer muß alles echte Wissen, alles Kunstwerk und gründliche Denken in einen Kreis zusammenschlagen und Anfang und Ende innigst vereinigen, wie die Schlange, die sich in den Schwanz beißt – ein Sinnbild der Ewigkeit, wie andre sagen; ein Symbol des Verstandes und alles Richtigen, wie ich behaupte.«

Er las auf der letzten Seite, aber nur halblaut: »Man hat ein Märchen, daß ein wütender Verbrecher, zum Hungertode verdammt, sich selber nach und nach aufspeiset; im Grunde ist das nur die Fabel des Lebens und eines jeden Menschen. Dort blieb am Ende nur der Magen und das Gebiß übrig, bei uns bleibt die Seele, wie sie das Unbegreifliche nennen. Ich aber habe auch, was das Äußerliche betrifft, in ähnlicher Weise mich abgestreift und abgelebt. Es war beinah lächerlich, daß ich noch einen Frack nebst Zubehör besaß, da ich niemals ausgehe. Am Geburtstage meiner Frau werde ich in Weste und Hemdärmeln vor ihr erscheinen, da es doch unschicklich wäre, bei hoffähigen Leuten in einem ziemlich abgetragenen Überrock Cour zu machen.«

»Hier geht die Seite und das Buch zu Ende«, sagte Heinrich. »Alle Welt sieht ein, daß unsre Fracks eine dumme und geschmacklose Kleidung sind, alle schelten diese Uniform, aber keiner macht, so wie ich, Ernst damit, den Plunder ganz abzuschaffen. Ich erfahre nun nicht einmal aus den Zeitungen, ob andere Denkende meinem kühnen Beispiele und Vorgange folgen werden.«

Er schlug um und las die vorige Seite: »Man kann auch ohne Servietten leben. Wenn ich bedenke, wie unsre Lebensweise immer mehr und mehr in Surrogat, Stellvertretung und Lückenbüßerei übergegangen ist, so bekomme ich einen rechten Haß auf unser geiziges und knickerndes Jahrhundert und fasse, da ich es ja haben kann, den Entschluß, in der Weise unsrer viel freigebigern Altvordern zu leben. Diese elenden Servietten sind ja, was selbst die heutigen Engländer noch wissen und verachten, offenbar nur erfunden, um das Tischtuch zu schonen. Ist es also Großmut, das Tischtuch nicht zu achten, so gehe ich darin noch weiter, das Tafeltuch zusamt den Servietten für überflüssig zu erklären. Beides wird verkauft, um vom saubern Tische selbst zu essen, nach Weise der Patriarchen, nach Art der – nun? welcher Völker? Gleichviel! Essen doch viele Menschen selbst ohne Tisch. Und, wie gesagt, ich treibe dergleichen nicht aus zynischer Sparsamkeit, nach Art des Diogenes, aus dem Hause, sondern im Gegenteil im Gefühl meines Wohlstandes, um nur nicht, wie die jetzige Zeit, aus törichtem Sparen zum Verschwender zu werden.«

»Du hast es getroffen«, sagte die Gattin lächelnd; »aber damals lebten wir von dem Erlös dieser überflüssigen Sachen doch noch verschwenderisch. Oft sogar hatten wir zwei Schüsseln.«

Jetzt setzten sich die beiden Gatten zum dürftigsten Mahle nieder. Wer sie gesehen, hätte sie für beneidenswert halten müssen, so fröhlich, ja ausgelassen waren sie an der einfachen Tafel. Als die Brotsuppe verzehrt war, holte Clara mit schalkhafter Miene einen verdeckten Teller aus dem Ofen und setzte dem überraschten Gatten noch einige Kartoffeln vor. »Sieh!« rief dieser, »das heißt einem, wenn man sich an den vielen Büchern satt studiert hat, eine heimliche Freude machen! Dieser gute Erdapfel hat mit zu der großen Umwälzung von Europa beigetragen. Der Held Walter Raleigh soll leben!« – Sie stießen mit den Wassergläsern an, und Heinrich sah nach, ob der Enthusiasmus auch nicht einen Riß im Glase verursacht habe. »Um diese ungeheure Künstlichkeit«, sagte er dann, »um diese Einrichtung mit unsern alltäglichen Gläsern würden uns die reichsten Fürsten des Altertums beneidet haben. Es muß langweilig sein, aus einem goldenen Pokal zu trinken, vollends so schönes, klares, gesundes Wasser. Aber in unsern Gläsern schwebt die erfrischende Welle so heiter durchsichtig, so eins mit dem Becher, daß man wirklich versucht wird, zu glauben, man genieße den flüssig gewordenen Äther selbst. – Unsere Mahlzeit ist geschlossen; umarmen wir uns.«

»Wir können auch zur Abwechslung«, sagte sie, »unsre Stühle an das Fenster rücken.«

»Platz genug haben wir ja«, sagte der Mann, »eine wahre Rennbahn, wenn ich an die Käfige denke, die der elfte Ludwig für seine Verdächtigen bauen ließ. Es ist unglaublich, wieviel Glück schon darin liegt, daß man Arm und Fuß nach Gutdünken erheben kann. Zwar sind wir immer noch, wenn ich an die Wünsche denke, die unser Geist in manchen Stunden faßt, angekettet: Die Psyche ist in die Leimrute, die uns klebend hält, und von der wir nicht losflattern können, weiß der Himmel wie, hineingesprungen, und wir und Rute sind nun so eins, daß wir zuweilen das Gefängnis für unser besseres Selbst halten.«

»Nicht so tiefsinnig«, sagte Clara und faßte seine schön geformte Hand mit ihren zarten und schlanken Fingern; »sieh lieber, mit wie sonderbaren Eisblumen der Frost unsre Fenster ausgeschmückt hat. Meine Tante wollte immer behaupten, durch diese mit dickem Eis überzogenen Gläser werde das Zimmer wärmer, als wenn die Scheiben frei wären.«

»Es ist nicht unmöglich«, sagte Heinrich; »doch möchte ich auf diesen Glauben hin das Heizen nicht unterlassen. Am Ende könnten die Fenster von Eisschollen so dick werden, daß sie uns die Stube verengten, und so wüchse uns um die Haut her jener berühmte Eispalast in Petersburg. Wir wollen aber lieber bürgerlich und nicht wie die Fürsten leben.«

»Wie wunderbar«, rief Clara, »sind doch diese Blumen gezeichnet, wie mannigfaltig! Man glaubt sie alle schon in der Wirklichkeit gesehen zu haben, so wenig man sie auch namhaft zu machen weiß. Und sieh nur, die eine verdeckt oft die andere, und die großartigen Blätter scheinen noch nachzuwachsen, indem wir darüber sprechen.«

»Ob wohl«, fragte Heinrich, »die Botaniker schon diese Flora beobachtet, abgezeichnet und in ihre gelehrten Bücher übertragen haben? Ob diese Blumen und Blätter nach gewissen Regeln wiederkehren oder sich phantastisch immer neu verwandeln? Dein Hauch, dein süßer Atem hat diese Blumengeister oder Revenants einer erloschenen Vorzeit hervorgerufen, und so wie du süß und lieblich denkst und phantasierst, so zeichnet ein humoristischer Genius deine Einfälle und Fühlungen hier in Blumenphantomen und Gespenstern wie mit Leichenschrift in einem vergänglichen Stammbuche auf, und ich lese hier, wie du mir treu und ergeben bist, wie du an mich denkst, obgleich ich neben dir sitze.«

»Sehr galant! mein verehrter Herr«, versetzte sie sehr freundlich; »Sie könnten in der Weise diese Eisblumen lehr- und sinnreich erklären, wie wir zu Umrissen der Shakespeareschen Stücke zu gelehrte und elegante Erläuterungen besitzen.«

»Still, mein Herz!« erwiderte der Gatte, »kommen wir nicht in jene Gegend und nenne mich auch nicht einmal im Scherze Sie. – Ich werde mein Tagebuch jetzt nach unserem Festmahl noch etwas rückwärts studieren. Diese Monologe belehren mich schon jetzt über mich selbst, wieviel mehr müssen sie es künftig in meinem Alter tun. Kann ein Tagebuch etwas andres als Monologe enthalten? Doch, ein recht großer Künstlergeist könnte ein solches dialogisch denken und schreiben. Wir vernehmen aber nur gar zu selten diese zweite Stimme in uns selbst. Natürlich! Gibt es unter Tausenden doch kaum einen, der in der Wirklichkeit den Verständigen und dessen Antworten vernimmt, wenn sie anders lauten, als der Sprechende sich die seinigen und seine Fragen angewöhnt hat.«

»Sehr wahr«, bemerkte Clara, »und darum ist in ihrer höchsten Weihe die Ehe erfunden. Das Weib hat in ihrer Liebe immer jene zweite, antwortende Stimme oder den richtigen Gegenruf des Geistes. Und glaube mir, was ihr so oft in euerm männlichen Übermut unsre Dummheit oder Kurzsichtigkeit benennt oder Mangel an Philosophie, Unfähigkeit, in die Wirklichkeit einzudringen, und dergleichen Phrasen mehr, das ist, wie oft, der echte Geisterdialog, die Ergänzung oder der harmonische Einklang in euer Seelengeheimnis. Aber freilich, die meisten Männer erfreuen sich nur eines nachhallenden Echos und nennen das Naturlaut, Seelenklang, was nur nachbetender oder nachbuchstabierter Schall unverstandener Floskeln ist. Oft ist das sogar ihr Ideal der Weiblichkeit, in welches sie sich sterblich verlieben.«

»Engel! Himmel!« rief in Begeisterung der junge Gatte; »ja, wir verstehen uns; unsre Liebe ist die wahre Ehe, und du erhellst und ergänzest die Gegend in mir, wo sich der Mangel oder die Dunkelheit kundtut. Wenn es Orakel gibt, so darf es auch an Sinn und Gehör nicht fehlen, sie zu vernehmen und zu deuten.«

Eine lange Umarmung endigte und erläuterte dieses Gespräch. »Der Kuß«, sagte Heinrich, »ist auch ein solches Orakel. Sollte es wohl schon Menschen gegeben haben, die sich bei einem recht innigen Kusse etwas Verständiges haben denken können?«

Clara lachte laut, ward dann plötzlich ernsthaft und sagte etwas kleinlaut, ja selbst im Tone des Mitleids: »Ja, ja, so verfahren wir mit Domestiken und Haushältern, Reitknechten und Stallmeistern, denen wir doch oft so viel zu verdanken haben. Sind wir in geistiger oder gar in übermütiger Aufregung, so verachten und verlachen wir sie. Mein Vater sprang einmal mit seinem schwarzen Hengst über einen breiten Graben, und als alle Welt ihn bewunderte und die Damen in die Hände klatschten, stand ein alter Stallmeister in der Nähe, und nur er schüttelte bedenklich mit dem Kopfe. Der Mann war steif und linkisch, mit seinem langen Zopfe und der roten Nase komisch anzuschauen. ›Nun, Ihr?‹ fuhr ihn mein heftiger Vater an; ›gibt's wieder zu hofmeistern?‹ Der steilrechte Mann ließ sich aber nicht aus der Fassung bringen und sagte ruhig: ›Erstlich haben Exzellenz dem Pferde den Zügel nicht genug nachgelassen, weil Sie ängstlich waren; Sie konnten stürzen, denn der Sprung war nicht frei und weit genug; zweitens hat das Roß wenigstens ebensoviel Verdienst dabei als Sie, und wenn ich drittens nicht stunden-

und tagelang das Tier geübt und verständig gemacht hätte, was nur geschehen kann, wenn man Langeweile nicht fürchtet und die Geduld übt, so hätten weder Ihr freier Mut noch der gute Wille des Hengstes etwas gefruchtet.‹ – ›Ihr habt recht, alter Mensch‹, sagte mein Vater und ließ ihm ein großes Geschenk verabreichen. – So wir. Wir dürfen nur phantasieren, uns dem Gefühl und der Ahndung überlassen, träumen und witzig sein, wenn jener trockne Verstand die Schule allen diesen Rossen beigebracht hat. Will Reiter oder Pferd, wenn sie nur Dilettanten geblieben sind, den kühnen Sprung versuchen, so werden sie zum Grauen oder Gelächter der Zuschauer stürzen und im Graben liegen bleiben.«

»Wahr«, bemerkte Heinrich, »die Geschichte unsrer Tage bestätigt das in so manchem Schwärmer oder auch Poeten. Es gibt jetzt Dichter, die sogar von der falschen Seite aufsteigen und doch ganz arglos jenen künstlichen Sprung versuchen wollen. O dein Vater!«

Clara sah ihn mit mitleidvollen Augen an, deren Blick er nicht zu widerstehen vermochte. »Jawohl Vater«, sagte er halb verdrossen, »mit dem einzigen Laut ist sehr viel gesagt. Und was will ich denn auch? Du warst ja doch imstande, ihn aufzugeben, so sehr du ihn liebtest.«

Beide waren ernsthaft geworden. »Ich will weiterstudieren«, sagte dann der junge Mann.

Er nahm das Tagebuch wieder vor und schlug ein Blatt zurück. Er las laut: »Heut verkaufte ich dem geizigen Buchhändler mein seltenes Exemplar des Chaucer, jene alte kostbare Ausgabe von Caxton. Mein Freund, der liebe, edle Andreas Vandelmeer, hatte sie mir zu meinem Geburtstage, den wir in der Jugend auf der Universität feierten, geschenkt. Er hatte sie eigens aus London verschrieben, sehr teuer bezahlt und sie dann nach seinem eigensinnigen Geschmack herrlich und reich mit vielen gotischen Verzierungen einbinden lassen. Der alte Geizhals, so wenig er mir auch gegeben hat, hat sie gewiß sogleich nach London geschickt, um mehr als das Zehnfache wieder zu erhalten. Hätte ich nur wenigstens das Blatt herausgeschnitten, auf welchem ich die Geschichte dieser Schenkung erzähle und zugleich diese unsre Wohnung verzeichnet hatte. Das geht nun mit nach London oder in die Bibliothek eines reichen Mannes. Ich bin darüber verdrüßlich. Und daß ich dies liebe Exemplar so weggegeben und unter dem Preise verkauft habe, sollte mich fast auf den Gedanken bringen, daß ich wirklich verarmt sei oder Not litte; denn ohne Zweifel war doch dieses Buch das teuerste Eigentum, was ich jemals besessen habe, und welches Angedenken von ihm, von meinem einzigen Freunde! O Andreas Vandelmeer! Lebst du noch? Wo weilest du? Gedenkst du noch mein?«

»Ich sah deinen Schmerz«, sagte Clara, »als du das Buch verkauftest, aber diesen deinen Jugendfreund hast du mir noch niemals näher bezeichnet.«

»Ein Jüngling«, sagte Heinrich, »mir ähnlich, aber etwas älter und viel gesetzter. Wir kannten uns schon auf der Schule, und ich mag wohl sagen, daß er mich mit seiner Liebe verfolgte und sie mir leidenschaftlich aufdrang. Er war reich und bei seinem großen Reichtum und seiner verweichlichten Erziehung doch sehr wohlwollend und allem Egoismus fern. Er klagte, daß ich seine Leidenschaft nicht erwidere, daß meine Freundschaft zu kühl und ihm ungenügend sei. Wir studierten miteinander und bewohnten dieselben Zimmer. Er verlangte, ich solle Opfer von ihm begehren; denn er hatte an allem Überfluß, und mein Vater konnte mich nur mäßig unterhalten. Als wir in die Residenz zurückkehrten, faßte er den Plan, nach Ostindien zu gehen; denn er war ganz unabhängig. Nach jenen Ländern der Wunder zog ihn sein Herz; dort wollte er lernen, schauen und seinen heißen Durst nach Kenntnissen und der Ferne sättigen. Nun ein unablässiges Zureden, Bitten und Flehen, daß ich ihn begleiten solle; er versicherte, daß ich dort mein Glück machen werde und müsse, wobei er mich unterstützen wolle; denn dort hatte er von seinen Vorfahren große

Besitzungen ererbt. Aber meine Mutter starb, der ich noch in ihren letzten Tagen ihre Liebe etwas vergelten konnte, mein Vater war krank, und ich konnte die Leidenschaft meines Freundes nicht teilen; auch hatte ich alle jene Kenntnisse nicht gesammelt, die Sprachen nicht gelernt, was ihm alles aus Liebe zum Orient geläufig war. Es lebten selbst noch Verwandte von ihm, die er dort aufsuchen wollte. Durch Freunde und Beschützer ward mir, wie es immer mein Wunsch war, eine Stelle beim diplomatischen Korps. Mit dem Vermögen meiner Mutter war ich imstande, mich zu meinem Beruf geziemlich einzurichten, und ich verließ meinen Vater, für dessen Genesung nur wenig Hoffnung war. Mein Freund verlangte durchaus, daß ich einen Teil meines Kapitals ihm mitgeben solle, er wolle dort damit spekulieren und mir dann den Gewinn in Zukunft berechnen. Ich mußte glauben, daß dies ein Vorwand sei, mir mit Anstand einmal ein ansehnliches Geschenk machen zu können. So kam ich mit meinem Gesandten in deine Vaterstadt, wo sich nachher mein Schicksal auf die Art, wie du es weißt, entwickelte.«

»Und du hast niemals von diesem herrlichen Andreas wieder etwas erfahren?« fragte Clara.

»Zwei Briefe erhielt ich von ihm aus jenem fernen Weltteile«, antwortete Heinrich; »nachher erfuhr ich von einem unverbürgten Gerücht, er sei daselbst an der Cholera gestorben. So war er mir entrückt, mein Vater war nicht mehr, ich war gänzlich, auch in Ansehung meines Vermögens, auf mich selbst angewiesen. Doch genoß ich die Gunst meines Gesandten, bei meinem Hofe war ich nicht unbeliebt, ich durfte auf mächtige Beschützer rechnen – und alles das ist verschwunden.«

»Ja wohl«, sagte Clara, »du hast mir alles aufgeopfert, und ich bin ebenfalls von den Meinigen auf immer ausgestoßen.«

»Um so mehr muß uns die Liebe alles ersetzen«, sagte der Gatte, »und so ist es auch; denn unsre Flitterwochen, wie die prosaischen Menschen sie nennen, haben sich doch nun schon weit über ein Jahr hinaus erstreckt.«

»Aber dein schönes Buch«, sagte Clara, »deine herrliche Dichtung! Hätten wir nur wenigstens eine Abschrift davon behalten können. Wie möchten wir uns daran ergötzen in diesen langen Winterabenden! – Ja freilich«, setzte sie seufzend hinzu, »müßten uns dann auch Lichter zu Gebote stehen.«

»Laß gut sein, Clärchen«, tröstete der Mann; wir schwatzen, und das ist noch besser; ich höre den Ton deiner Stimme, du singst mir ein Lied, oder du schlägst gar ein himmlisches Gelächter auf. Diese Lachtöne habe ich noch niemals im Leben als nur von dir vernommen. Es ist ein so reiner Jubel, ein so überirdisches Jauchzen und dabei ein so feines und innig rührendes Gefühl in diesem Klange des Ergötzens und Übermutes, daß ich entzückt zuhöre und zugleich darüber denke und grüble. Denn, mein zarter Engel, es gibt Fälle und Stimmungen, wo man über einen Menschen, den man schon lange, lange kennt, erschrickt, sich zuweilen entsetzt, wenn er ein Lachen aufschlägt, das ihm recht von Herzen geht, und das wir bis dahin noch nicht von ihm vernommen haben. Selbst bei zarten Mädchen und die mir bis dahin gefielen, ist mir dergleichen wohl begegnet. Wie in manchem Herzen unerkannt ein süßer Engel schlummert, der nur auf den Genius wartet, der ihn erwecken soll, so schläft oft in graziösen und liebenswerten Menschen doch im tiefen Hintergrund ein ganz gemeiner Sinn, der dann aus seinen Träumen auffährt, wenn ihm einmal das Komische mit voller Kraft in des Gemütes verborgenstes Gemach dringt. Unser Instinkt fühlt dann, daß in diesem Wesen etwas liege, wovor wir uns hüten müssen. O wie bedeutungsvoll, wie charakteristisch ist das Lachen des Menschen! Das deinige, mein Herz, möchte ich einmal poetisch beschreiben können.«

»Hüten wir uns aber«, erinnerte sie, »nicht unbillig zu werden. Das allzu genaue Beobachten der Menschen kann leicht zur Menschenfeindschaft führen.«

»Daß jener junge, leichtsinnige Buchhändler«, fuhr Heinrich fort, »bankrott gemacht hat und mit meinem herrlichen Manuskript in alle Welt gelaufen ist, dient gewiß auch zu unserm

Glück. Wie leicht, daß der Umgang mit ihm, das gedruckte Buch, das Schwatzen darüber in der Stadt die Aufmerksamkeit der Neugierigen auf uns hieher gelenkt hätte. Noch hat die Verfolgung deines Vaters und deiner Familie gewiß nicht nachgelassen; man hätte wohl meine Pässe von neuem und schärfer untersucht, man wäre auf den Argwohn geraten, daß mein Name nur ein falscher und angenommener sei, und so hätte man uns bei meiner Hülflosigkeit und da ich mir durch meine Flucht den Zorn meiner Regierung zugezogen habe, wohl gar getrennt, dich deinen Angehörigen zurückgesendet und mich in einen schwierigen Prozeß verwickelt. So, mein Engel, sind wir ja in unsrer Verborgenheit glücklich und überglücklich.«

Da es schon dunkel geworden und das Feuer im Ofen ausgebrannt war, so begaben sich die beiden glücklichen Menschen in die enge, kleine Kammer auf ihr gemeinschaftliches Lager. Hier fühlten sie nichts von dem zunehmenden, erstarrenden Frost, von dem Schneegestöber, das an ihre kleinen Fenster schlug. Heitre Träume umgaukelten sie, Glück, Wohlstand und Freude umgaben sie in einer schönen Natur, und als sie aus der anmutigen Täuschung erwachten, erfreute sie die Wirklichkeit noch inniger. Sie plauderten im Dunkeln noch fort und verzögerten es, aufzustehen und sich anzukleiden, weil der Frost sie draußen und Mühsal erwartete. Indessen schimmerte schon der Tag, und Clara eilte in das beschränkte Zimmer, um aus der Asche den Funken zu wecken und das kleine Feuer im Ofen anzuzünden. Heinrich half ihr, und sie lachten wie die Kinder, als ihr Werk immer noch nicht gelingen wollte. Endlich, nach vieler Anstrengung von Hauchen und Blasen, so daß beide rote Gesichter bekommen hatten, entzündete sich der Span, und das wenige, fein geschnittene Holz wurde künstlich gelegt, um ohne Verschwendung den Ofen und das kleine Zimmer zu erwärmen. »Du siehst, lieber Mann«, sagte die Frau, »daß wir etwa nur auf morgen Vorrat haben: wie dann? —«

»Es muß sich ja etwas finden«, erwiderte Heinrich mit einem Blicke, als wenn sie etwas ganz Überflüssiges gesprochen hätte.

Es war ganz hell geworden, die Wassersuppe war ihnen das köstlichste Frühstück, von Kuß und Gespräch gewürzt, und Heinrich setzte der Gattin auseinander, wie falsch jenes lateinische Sprüchwort sei: *Sine Baccho et Cerere friget Venus.* So vergingen ihnen die Stunden.

»Ich freue mich schon darauf«, sagte Heinrich, »wenn ich in meinem Tagebuche an die Stelle kommen werde, wie ich dich, Geliebte, plötzlich entführen mußte.«

»O Himmel!« rief sie, »wie uns damals jener wunderbare Augenblick so seltsam und unerwartet überraschte! Schon seit einigen Tagen hatte ich an meinem Vater eine gewisse Verstimmung bemerkt; er sprach in einem andern Tone zu mir als gewöhnlich. Er hatte sich früher über deine häufigen Besuche gewundert; jetzt nannte er dich nicht, sprach aber von Bürgerlichen, die ihre Stellung so oft verkennen und sich den Besten unbedingt gleichstellen wollten. Da ich nicht antwortete, wurde er böse, und da ich endlich sprach, artete seine Laune in heftigen Zorn aus. Ich fühlte, wie er Zank mit mir suchte, und nachher, wie er mich bewachte und von andern beobachten ließ. Nach acht Tagen, als ich eben einen Besuch machen wollte, rannte meine getreue Kammerfrau mir auf der Treppe nach, der Bediente war schon voraus, und unter dem Vorwande, mir am Kleide etwas zu ordnen, sagte sie mir heimlich, wie alles entdeckt sei; man habe meinen Schrank gewaltsam geöffnet und alle deine Briefe gefunden, ich werde nach wenigen Stunden zu einer Tante fern in eine traurige Landschaft hinein verschickt werden. Wie schnell war mein Entschluß gefaßt. Ich stieg, um zu kaufen, an einem Galanterieladen ab, schickte Kutscher und Diener fort, um mich nach einer Stunde wieder abzuholen –«

»Und wie erstaunte, erschrak ich, war ich entzückt«, rief der Gatte aus, »als du so plötzlich in mein Zimmer tratst. Ich kam von meinem Gesandten, ich war angekleidet; er hatte seltsame Reden geführt, in einem ganz andern Tone als gewöhnlich, halb bedrohend, warnend, aber immer noch freundlich. Ich hatte zum Glück verschiedene Pässe bei mir, und so bestiegen wir schnell ohne Vorkehrungen einen Mietwagen, dann auf dem Dorfe ein Fuhrwerk und kamen so über die Grenze, wurden getraut und glücklich.«

»Aber«, fuhr sie fort, »die tausend Verlegenheiten unterwegs, in schlechten Gasthöfen, der Mangel an Kleidern und Bedienung, die vielfachen Bequemlichkeiten, die wir gewohnt waren und die wir nun entbehren mußten – und der Schreck, als wir von ungefähr durch einen Reisenden erfuhren, wie man uns nachsetze, wie öffentlich alles geworden sei, wie man so gar keine Rücksicht gegen uns beobachten wolle.«

»Ja, ja, Liebchen«, erwiderte Heinrich, »das war auf der ganzen Reise unser schlimmster Tag. Denkst du denn auch noch daran, wie wir, um nicht Argwohn zu erregen, mit jenem schwatzenden Fremden lachen mußten, als er sich in der Schilderung des Entführers erging, der nach seiner Meinung das Muster eines elenden Diplomaten sei, da er gar keine klugen Anstalten und sichere Vorkehrungen getroffen habe; wie er nun deinen Geliebten wiederholend einen dummen Teufel, einen Einfaltspinsel nannte, wie du in Zorn ausbrechen wolltest und auf meinen Wink dich doch wieder zum Lachen zwangst, ja zum Überfluß nun selber zu schelten begannst, mich und dich als Leichtsinnige, Unverständige schildertest, und endlich, als sich der Schwätzer, dem wir aber eigentlich seiner Warnung halber dankbar sein mußten, entfernt hatte, du in ein lautes Weinen ausbrachst –«

»Ja«, rief sie aus, »ja, Heinrich, das war ein ebenso lustiger als betrübter Tag. Unsre Ringe, so manches Wertvolle, das wir zufällig an uns trugen, half uns nun fort. Aber, daß wir deine Briefe nicht haben retten können, ist ein unersetzlicher Verlust. Und heiß überläuft mich die Angst, sooft es mir einfällt, daß andre Augen als die meinigen diese deine himmlischen Worte, alle diese glühenden Töne der Liebe gelesen haben und an diesen Lauten, die meine Seligkeit waren, nur ein Ärgernis genommen.«

»Und noch schlimmer«, fuhr der Gatte fort, »daß meine Dummheit und Übereilung auch alle die Blätter zurückgelassen hat, die du mir in so mancherlei Stimmungen schicktest oder heimlich in die Hand drücktest. In allen Prozessen, nicht bloß denen der Liebe, ist immer das Schwarz auf Weiß, welches das Geheimnis entdeckt oder den Kasus verschlimmert. Und doch kann man es nicht lassen, mit Feder und Tinte diese Züge zu malen, welche die Seele bedeuten sollen. O meine Geliebte, es waren oft Worte in diesen Briefen, bei denen mein Herz, von deiner Geisterhand, von diesem Lufthauch berührt, so gewaltig aus seiner Knospe ging, daß es mir, wie im zu raschen Auseinanderblühen aller Blätter, zu zerspringen schien.«

Sie umarmten sich, und es entstand eine fast feierliche Pause.

»Liebchen«, sagte Heinrich dann, »welche Bibliothek neben meinem Tagebuch, wenn deine und meine Briefe aus dieser Omarschen Verfolgung noch wären gerettet worden!« Er nahm das Tagebuch und las, indem er nach rückwärts das Blatt umschlug.

»*Treue!* – Diese wundersame Erscheinung, die der Mensch so oft am Hunde bewundern will, wird in der Regel am eignen Menschengeschlecht viel zu wenig beachtet. Es ist unglaublich und kommt doch täglich vor, welchen sonderbaren, oft ganz verwirrten Begriff sich so viele von den sogenannten Pflichten machen. Wenn ein Dienstbote das Unmögliche tut, so hat er nur seine Pflicht getan, und an dieser Pflicht künsteln die höhern Stände so herum und herab, daß sie diese Pflichten, soviel sie nur können, nach ihrer Bequemlichkeit beugen oder zu ihrem Egoismus erziehen. Wäre die unerbittliche Galeerenarbeit, der eiserne Zwang der Papier- und Aktenverhältnisse nicht, so würden wir vermutlich die seltsamsten Erscheinungen beobachten können. Es ist unleugbar, daß diese Sklavenarbeit der endlosen Schreiberei in unserm Jahrhundert großenteils unnütz, nicht selten sogar schädlich ist. – Aber man denke nur einmal dieses große Rad der Hemmung in dieser egoistischen

Zeit, bei dieser sinnlichen Generation plötzlich ausgehoben – was könnte da entstehen, was sich alles zerstörend verwirren?

Pflichtlos sein ist eigentlich der Zustand, zu welchem die sogenannten Gebildeten in allen Richtungen stürzen wollen; sie nennen es Unabhängigkeit, Selbständigkeit, Freiheit. Sie bedenken nicht, daß, sowie sie sich diesem Ziele nähern wollen, die Pflichten wachsen, die bis dahin der Staat oder die große, unsäglich komplizierte, ungeheure Maschine der geselligen Verfassung in ihrem Namen, wenn auch oft blindlings, übernahm. Alles schilt die Tyrannei, und jeder strebt, Tyrann zu werden. Der Reiche will keine Pflichten gegen den Armen, der Gutsbesitzer gegen den Untertan, der Fürst gegen das Volk haben, und jeder von ihnen zürnt, wenn jene Untergebenen die Pflichten gegen sie verletzen. Darum nennen auch die Niederen diese Forderung eine altertümliche, der Zeit nicht mehr anpassende und möchten nun mit Redekunst und Sophisterei alle jene Bande ableugnen und vernichten, durch welche die Staaten und die Ausbildung der Menschheit nur möglich sind.

Aber Treue, echte Treue – wie so ganz anders ist sie, wie ein viel Höheres als ein anerkannter Kontrakt, ein eingegangenes Verhältnis von Verpflichtungen. Und wie schön erscheint diese Treue in alten Dienern und ihrer Aufopferung, wenn sie in ungefälschter Liebe, wie in alten poetischen Zeiten, einzig und allein ihren Herren leben.

Ich kann es mir freilich als ein sehr großes Glück denken, wenn der Dienstmann nichts Höheres kennt, nichts Edleres denken mag, als seinen Gebieter. Ihm ist aller Zweifel, alle Grübelei, alles Schwanken und Hin- und Hersinnen auf ewig erloschen. Wie Tag und Nacht, Sommer und Winter, wie unabänderliches Naturwalten ist sein Verhältnis; in der Liebe zum Herrn liegt ihm jedes Verständnis.

Und gegen solche Diener hätte die Herrschaft keine Pflichten? Sie hat sie gegen alle ihre Diener, über den bedingten Lohn hinaus, aber gegen solche schuldet sie weit mehr und ganz etwas anderes und Höheres, nämlich eine wahre Liebe, eine echte, die dieser unbedingten Hingebung entgegenkommt.

Und womit wollen wir das je gutmachen, erwidern (denn vom Vergelten ist die Rede gar nicht), was unsre alte Christine an uns tut? Sie ist die Amme meiner Frau; wir trafen sie auf der ersten Station, und sie zwang uns beinah mit Gewalt, sie auf unsrer Reise mitzunehmen. Ihr durften wir alles sagen; denn sie ist die Verschwiegenheit selbst; sie fand sich auch gleich in die Rolle, die sie unterwegs und hier zu spielen hatte. Und wie ist sie uns, vorzüglich meiner Clara, ergeben! – Sie bewohnt unten ein ganz kleines, finsteres Kämmerchen und nährt sich eigentlich davon, daß sie in etlichen Nachbarhäusern noch gelegentliche Dienste tut. Wir begriffen es nicht, wie sie uns für so weniges unsere Wäsche unterhielt, immer wohlfeil einkaufte, bis wir endlich dahinterkamen, daß sie alles nur irgend Entbehrliche uns aufgeopfert hat. Jetzt arbeitet sie viel auswärts, um uns zu bedienen, um nur bei uns bleiben zu können.

So werde ich also nun doch meinen Chaucer, von Caxton gedruckt, verstoßen und das schimpfliche Gebot des knausernden Buchhändlers annehmen müssen. Das Wort ›verstoßen‹ hat mich immer besonders gerührt, wenn geringere Frauen es brauchten, indem sie in der Not gute oder geliebte Kleider versetzen oder verkaufen mußten. Es klingt fast wie von Kindern. – Verstoßen! – Wie Lear Cordelien, so ich meinen Chaucer. – Hat aber Clara nicht ihr einziges gutes Kleid, noch jenes von der Flucht her, längst verkauft? Schon unterwegs! – Ja, Christine ist doch mehr wert als der Chaucer, und sie muß auch vom Ertrage etwas erhalten. Nur wird sie es nicht nehmen wollen.

Caliban, der den trunkenen Stefano, noch mehr aber dessen wohlschmeckenden Wein bewundert, kniet vor den Trunkenbold hin, sagt flehend und mit aufgehobenen Händen: ›Bitte, sei mein Gott!‹

Darüber lachen wir; und viele Beamte, viele Besternte und

Vornehme lachen mit, die zum elenden Minister oder zum trunkenen Fürsten oder zur widerwärtigen Mätresse ebenso flehend sagen: ›Bitte, sei mein Gott!‹ – Ich weiß meine Verehrung, meinen Glauben, das Bedürfnis, etwas anzubeten, nirgend anzubringen: Mir fehlt ein Gott, an den ich glauben könnte, dem ich dienen, dem ich mein Herz widmen möchte, völlig; sei du es, denn – du hast guten Wein, und der wird hoffentlich vorhalten.

Wir lachen über den Caliban und seinen Sklavensinn, weil hier, wie beim Shakespeare immer, im Komischen verhüllt eine unendliche, eine schlagende Wahrheit ausgesprochen wird; weil wir diese, durch welche Tausende vor unsrer Phantasie in Calibans verwandelt worden, sogleich fühlen, darum lachen wir über diese bedeutsamen Worte.

›Bitte, sei mein Gott!‹ hat auch die alte Christine in ihrem stillen, ehrlichen Herzen, ohne es auszusprechen, zu Clara gesagt; aber nicht wie Caliban oder jene Weltmenschen, um Wein und Würden zu erhalten – sondern, damit Clara ihr die Erlaubnis gebe, zu entbehren, zu hungern und zu dürsten und bis in die Nacht hinein für sie zu arbeiten.

Es braucht wohl für einen Leser, wie ich einer bin, nicht gesagt zu werden, daß hier einiger Unterschied stattfindet.«

Eine Rührung hatte an diesem Tage die Lesung unterbrochen, eine Rührung, die um so gewaltiger wurde, als jetzt die alte, runzelvolle, halbkranke, von elenden Kleidern bedeckte Amme hereintrat, um zu melden, daß sie in dieser Nacht nicht im Kämmerchen unten schlafen, daß sie aber morgen früh dennoch den dürftigen Einkauf besorgen werde. Clara begleitete sie hinaus und sprach noch draußen mit ihr, und Heinrich schlug mit der Hand auf den Tisch und rief in Tränen: »Warum arbeite ich denn nicht auch als Tagelöhner? Ich bin ja bis jetzt noch gesund und kräftig. Aber nein, ich darf es nicht; denn dadurch erst würde sie sich elend fühlen; auch sie würde erwerben wollen, sich abquälen, allenthalben Hülfe suchen, und wir hätten uns beide für unglücklich erklärt. Auch würde man uns dann gewiß entdecken. Und leben wir doch, sind wir doch glücklich!«

Clara kam ganz heiter zurück, und das schlechte Mittagsmahl wurde von den Zufriedenen wieder als ein köstliches verzehrt. »Nun fühlten wir doch«, sagte Clara nach Tische, »gar keine Not, wenn unser Holzvorrat nicht völlig zu Ende wäre, und Christine weiß auch keinen Rat zu schaffen.«

»Liebe Frau«, sagte Heinrich ganz ernsthaft, »wir leben in einem zivilisierten Jahrhundert, in einem wohlregierten Lande, nicht unter Heiden und Menschenfressern; es muß ja doch Mittel und Wege geben. Befänden wir uns in einer Wildnis, so würde ich natürlich, wie Robinson Crusoe, einige Bäume fällen. Wer weiß, ob sich nicht Wald da findet, wo man ihn am wenigsten vermutet; kam doch auch zum Macbeth Birnams Wald hin, freilich um ihn zu verderben. Indessen sind ja auch zuweilen Inseln plötzlich aus dem Meere aufgetaucht; mitten unter Klüften und wilden Steinen wächst auch wohl ein Palmbaum, der Dornstrauch rauft Schafen und Lämmern die Wolle aus, wenn sie ihm zu nahe kommen, der Hänfling aber trägt diese Flocken zu Nest, um seinen zarten Jungen ein warmes Bett daraus zu machen.«

Clara schlief diesmal länger als gewöhnlich, und als sie erwachte, verwunderte sie sich darüber, daß es schon heller Tag war, und noch mehr, daß sie den Gemahl nicht an ihrer Seite fand. Wie aber erstaunte sie erst, als sie ein lautes kreischendes Geräusch vernahm, da so klang, wie wenn eine Säge hartes, widerspenstiges Holz zerschneidet. Schnell kleidete sie sich an, um dem sonderbaren Ereignis auf den Grund zu kommen. »Mein Heinrich«, rief sie eintretend, »was machst du da?« – »Ich zersäge das Holz für unsern Ofen«, versetzte er keuchend, indem er von der Arbeit aufsah und der Frau ein ganz rotes Gesicht entgegenhielt.

»Erst sage mir nur, wie in aller Welt du zu der Säge kommst, und gar zu dem ungeheuern Block dieses schönen Holzes?«

»Du weißt«, sagte Heinrich, »wie vier, fünf Stufen zu einem kleinen Boden von hier führen, der leer steht. Nun, in einem Verschlage sah ich neulich, durch das Schlüsselloch guckend, eine Holzsäge und ein Beil, die wohl dem alten Hauswirt oder wer weiß wem sonst gehören mögen. Man achtet auf den Gang der Weltgeschichte, und so merkte ich mir diese Utensilien. Heute morgen nun, als du noch so angenehm schliefst, ging ich in stockdichter Finsternis dort hinauf, sprengte die dünne, elende Tür, die kaum mit einem kleinen, jämmerlichen Riegel versperrt war, und holte mir diese beiden Mordinstrumente herunter. Nun aber, da ich die Gelegenheit unsers Hauses ganz genau kenne, hob ich dieses lange, dicke, gewichtige Geländer unserer Treppe, nicht ohne Mühe und Anstrengung und mit Hülfe des Beiles, aus seinen Fugen und brachte den langen und schweren Balken, der unsre ganze Stube ausfüllt, hieher. Sieh nur, geliebte Clara, welche soliden, trefflichen Menschen unsre Vorfahren waren. Betrachte diese eichene Masse vom allerschönsten und kernigsten Holze, so glatt poliert und gefirnißt. Das wird uns ein ganz andres Feuer geben als unser bisheriges elendes Kiefern- und Weidengeflecht.«

»Aber, Heinrich«, rief Clara und schlug die Hände zusammen, »das Haus verderben!«

»Kein Mensch kommt zu uns«, sagte Heinrich, »wir kennen unsre Treppe und gehen selber nicht einmal auf und ab, also ist sie höchstens für unsre alte Christine da, die sich doch unendlich verwundern würde, wenn man zu ihr sagen wollte: ›Sieh, altes Kind, es soll einer der schönsten Eichenstämme im ganzen Forst, mannsdick, gefällt werden, vom Zimmermann und nachher vom Tischler kunstreich bearbeitet, damit du, Alte, die Stufen hinaufgehend, dich auf diesen herrlichen Eichenstamm stützen kannst.‹ Sie müßte ja laut auflachen, die Christine. Nein, ein solches Treppengeländer ist wieder eine von des Lebens ganz unnützen Überflüssigkeiten; der Wald ist zu uns gekommen, da er gemerkt hat, daß wir ihn so höchst notwendig brauchten. Ich bin ein Zauberer; nur einige Hiebe mit diesem magischen Beil, und es ergab sich dieser herrliche Stamm in meine Macht. Das kommt alles von der Zivilisation; hätte man hier immer, wie in vielen alten Hütten, an einem Strick oder an einem Stück Eisen, wie in Palästen, sich hinaufhelfen müssen, so konnte diese meine Spekulation nicht eintreten, und ich hätte andre Hilfsmittel suchen und erfinden müssen.«

Als Clara ihr Erstaunen überwunden hatte, mußte sie laut und heftig lachen; dann sagte sie: »Da es aber einmal geschehen ist, so will ich dir wenigstens bei deiner Holzhauerarbeit helfen, so wie ich es ehemals oft auf den Straßen gesehen habe.«

Man legte den Baum auf zwei Stühle, die an den Enden des Zimmers standen, weil es seine Länge so erforderte. Nun sägten beide, um den Zwischenraum zu vermindern, den Block in der Mitte durch. Es war mühsam, da beide des Handwerks nicht gewohnt waren und das harte Holz den Zähnen der Säge widerstand. Lachend und Schweiß vergießend konnten die beiden nur langsam in dem Geschäft vorschreiten. Endlich brach der Balken unter den letzten Schnitten. Nun ruhte man und trocknete den Schweiß. »Das hat noch den Vorteil«, sagte Clara dann, »daß wir nun fürs erste nicht einzuheizen brauchen.« Sie vergaßen, sich das Frühstück zu bereiten, und arbeiteten so den ganzen Vormittag, bis sie den Baum in so viele Teile zerlegt hatten, als nötig war, um diese spalten zu können.

»Welch ein Künstleratelier ist plötzlich aus unserm einsamen Zimmer geworden«, sagte Heinrich in einer Pause. »Jener ungeschlachte Baum, dort in der Finsternis liegend, von keinem Auge bemerkt, ist nun bereits in diese zierlichen Kubusklötze verwandelt, die jetzt nach einiger Überredung und Kunstgeschliffenheit vermöge dieses Beiles feuerfähig gemacht und in den Stand gebracht werden, die Flammen der Begeisterung zu ertragen.«

Er nahm das erste Viereck zur Hand, und die Arbeit, dieses

in kleinere Klötze und schmale Stücke zu spalten, war natürlich noch mühsamer als das Zersägen. Clara ruhte indessen aus und sah dem Manne mit Verwunderung und Freude zu, der nach einiger Übung und vergeblichen Versuchen bald die Handgriffe fand und selbst in dieser niedrigen Beschäftigung seiner Gattin als ein schöner Mann erschien.

Es traf sich glücklich, daß bei diesen Arbeiten, von denen die Wände erdröhnten, der Herr des kleinen Hauses, der sonst das untere Zimmer bewohnte, abwesend war. So kam es, daß das verursachte Geräusch von niemand im Hause bemerkt werden konnte. Die Nachbarn hörten nicht sehr darauf, weil viele geräuschvolle Gewerbe sich in der Vorstadt, und namentlich in dieser Gasse, niedergelassen hatten.

Endlich war ein Vorrat des kleinen Holzes zustande gekommen, und man versuchte nun, den Ofen damit zu heizen. An diesem merkwürdigen Tage waren Mittagsmahl und Frühstück zusammengeflossen. Der Mittagstisch war heute viel anders als gestern und vorgestern.

»Du mußt nicht wunderlich sein, lieber Mann«, sagte Clara, bevor sie ein kleines Tuch auflegte; »unsre Christine hat von ihrem großen Waschfest diese Nacht allerhand nach Hause gebracht, und sie ist glücklich darin, es mit uns teilen zu können. Ich habe nicht den Mut gehabt, die Gabe zu verschmähen, und du wirst sie ebenfalls freundlich aufnehmen.«

Heinrich lächelte und sagte: »Die Alte ist ja schon seit lange unsere Wohltäterin, sie arbeitet in der Nacht, um uns zu helfen, sie bricht sich jetzt vom Munde ab, um uns zu speisen. Schwelgen wir also, um ihr Spaß zu machen, und stirbt sie, bevor wir uns in Tat dankbar erzeigen können, oder bleibt es uns für immer unmöglich, nun, so wollen wir mindestens in Liebe erkenntlich sein.«

Das Mahl war in der Tat schwelgerisch. Die Alte hatte einige Eier eingeliefert, etwas Gemüse mit Fleisch und selbst in einem Kännchen Kaffe zugerichtet. Beim Essen erzählte Clara, wie eine solche Wäsche in der Nacht diesen Leuten ein wahres hohes Fest sei, bei welchem sie erzählten und witzig und lustig wären, so daß sich zu dieser Arbeit immer viele drängten und diese nächtlichen Stunden feierlich begingen. »Welch ein Glück«, fuhr sie fort, «daß diesen Menschen sich so vieles in Genuß verwandelt, was uns wie harte sklavische Arbeit und Qual erscheint. So gleicht sich im Leben vieles glücklich aus, was ohne diese sanfte Einigung höchst widerwärtig, selbst schrecklich werden könnte. Und haben wir es nicht selbst erlebt, daß auch die Armut ihre Reize hat?«

»Ja wohl«, fiel Heinrich ein, indem er sich am Genuß des Fleisches erquickte, das er schon seit lange hatte entbehren müssen; »wüßten die Schlemmer und stets Übersatten, welch ein Wohlgeschmack, welche sanfte Würze auch dem Bissen des trocknen Brotes innewohnt, wie ihn nur der Arme, Hungernde zu würdigen weiß, sie würden ihn vielleicht beneiden und auf künstliche Mittel sinnen, um ebenfalls dieses Genusses teilhaft zu werden. Aber wie gut und glücklich trifft es sich, daß uns nach unsrer harten Tagesarbeit ein solches sardanapalisches Mahl zuteil geworden ist; so ergänzen sich unsre Kräfte wieder zu neuen Anstrengungen. Aber laß uns einmal recht übermütig sein und singe mir einige jener süßen Lieder, die mich immer so bezaubert haben.«

Sie tat gern, was er verlangte, und indem sie so, Hand in Hand und Auge in Auge, in der Nähe des Fensters saßen, bemerkten sie, wie die Eisblumen an den Scheiben aufzutauen begannen, sei es nun, daß die strenge Kälte etwas nachließ oder daß die Wärme, welche das harte Eichenholz verbreitete, mehr Gewalt auf jene Frostgewächse ausübte. »Sieh, meine Geliebte«, rief Heinrich aus, »wie das kalte, eisige Fenster in Rührung weint, vor deiner schönen Stimme zerschmelzend. Immer kehrt die alte Wundergeschichte vom Orpheus wieder.«

Es war ein heller Tag, und sie erblickten einmal den blauen Himmel wieder; zwar nur einen sehr kleinen Teil, aber sie freuten sich des durchsichtigen Kristalls, und wie ganz dünne, feine, schneeweiße Wölkchen zerfließend durch das azurblaue

Meer segelten und gleichsam mit Geisterarmen um sich griffen, als wenn sie sich behaglich und erfreut dort fühlen könnten.

Die uralte Hütte oder das kleine Haus war in dieser menschengedrängten Straße ein sehr sonderbares. Die Stube mit zwei Fenstern und die Kammer, die ein Fenster hatte, war der ganze Raum des Hauses. Unten wohnte sonst der alte, grämelnde Wirt, der aber, weil er Vermögen besaß, sich für den Winter nach einer andern Stadt gewendet und dort einem befreundeten Arzte in die Kur gegeben hatte, weil er am Podagra litt. Der Erbauer dieser Hütte mußte von seltsamer, fast unbegreiflicher Laune gewesen sein; denn unter den Fenstern des zweiten Stocks, welchen die Freunde bewohnten, zog sich ein ziemlich breites Ziegeldach hervor, so daß es ihnen völlig unmöglich war, auf die Straße hinabzusehen. Waren sie auf diese Weise, auch wenn sie zur Sommerszeit die Fenster öffneten, völlig von allem Verkehr mit den Menschen abgeschnitten, so waren sie es auch durch das noch kleinere Haus, welches ihnen gegenüberstand. Dieses hatte nämlich nur Wohnungen zu ebner Erde; darum sahen sie dort niemals Fenster und Gestalten an diesen, sondern immer nur das ganz nahe, sich weit nach hinten streckende, schwarz geräucherte Dach und rechts und links die steilen, nackten Feuermauern von zwei höhern Häusern, die jene niedrige Hütte von beiden Seiten einfaßten. In den ersten Tagen des Sommers, als sie hier eben erst eingezogen waren, rissen sie, wie es den Menschen natürlich ist, wenn sich in der ganz engen Gasse Geschrei oder Zank vernehmen ließ, schnell die Fenster auf und sahen dann nichts als ihr Ziegeldach vor sich und das der Hütte gegenüber. Sie lachten jedesmal, und Heinrich sagte wohl: wenn das Wesen des Epigramms (nach einer alten Theorie) in getäuschter Erwartung bestehe, so hätten sie wieder ein Epigramm genossen.

Nicht leicht ist es Menschen möglich gewesen, in einer so völlig abgeschlossenen Einsamkeit zu leben, als es diesen beiden hier gelang, am getümmelvollen Saum einer stets bewegten Residenz. So abgeschieden von aller Welt waren sie, daß es eine

Begebenheit schien, wenn ein Kater einmal behutsam über das fremde Dach spazierte und jenseit, den spitzen Kamm der Ziegel sich hinüberfühlend, eine Bodenluke und dort einen Gevatter oder eine Gevatterin aufsuchte. Wie im Sommer die Schwalben aus dem angeklebten Neste in die Lücke der Feuermauer flogen und zwitschernd wiederkehrten, wie sie mit ihrer jungen Brut plauderten, war den Zuschauenden an ihrem Fenster eine wichtige Geschichte. Sie erschraken fast über das höchst bedeutsame Ereignis, als ein Knabe, ein Schornsteinfeger, sich einmal aus seinem engen, viereckigen Zwinger mit seinem Besen gegenüber erhob und einige Töne von sich gab, die ein Lied bedeuten sollten.

Diese Einsamkeit war den Liebenden aber doch erwünscht; denn so konnten sie am Fenster stehen, sich umarmend und küssend, ohne Furcht, daß irgendein neugieriger Nachbar sie beobachten möchte. So phantasierten sie denn oft, daß jene trübseligen Feuermauern Felsen seien einer wunderbaren Klippengegend der Schweiz, und nun betrachteten sie schwärmend die Wirkungen der Abendsonne, deren roter Schimmer an den Rissen zitterte, welche sich in dem Kalk oder rohen Stein gebildet hatten. Mit Sehnsucht konnten sie an solche Abende zurückdenken und sich dann aller der Gespräche erinnern, die sie geführt, der Gefühle, die sie gehabt, aller Scherze, die sie gewechselt hatten.

So war nun jetzt vorerst eine Waffe gegen den harten Frost gefunden, wenn er noch dauern oder gar zunehmen sollte. Da es dem Gatten nicht an Zeit fehlte, so erleichterte er sich sein Geschäft des Holzspaltens dadurch, daß er kleine Keile schnitt, die er in den Stamm trieb, und auf diese Weise den Kloben zwang, schneller und leichter nachzugeben.

Nach einigen Tagen fragte die Frau, indem sie seinem Keilschnitzen aufmerksam zusah: »Heinrich, wenn diese Holzmasse, die du hier aufgetürmt hast, nun auch verbraucht ist – wie dann?«

»Mein Herz«, erwiderte er, »der gute Horaz (wenn ich nicht

irre) sagt unter andern seiner weisen Lehren einmal sehr kurz und bündig: ›*Carpe diem!*‹ Genieße den Tag, den du gerade vor dir hast, gib dich ihm ganz hin, bemächtige dich seiner als eines, der niemals wiederkehrt; das kannst du aber gar nicht vollständig, wenn du auch nur an ein mögliches Morgen denkst; geschieht dies gar mit Sorgen und Zweifeln, so ist dir ja der gegenwärtige Tag, diese Stunde, der du dich erfreust, schon verloren, indem du sie durch ängstliche Fragen dir verkümmerst. Wir kommen nur zum Bewußtsein der Gegenwart, wir können nur leben und glücklich sein, wenn wir uns ganz in diese stürzen. Sieh! so viel liegt in den zwei Worten dieser lateinischen Sprache, die darum wohl mit Recht eine bündige und energische genannt wird, weil sie mit so kleinen Lauten, so vielerlei ausdrücken kann. Und kennst du nicht die Liederzeilen:

›Alle Sorgen
Nur auf morgen;
Sorgen sind für morgen gut.‹«

»Richtig«, erwiderte sie, »haben wir uns doch seit einem Jahr diese Philosophie zu eigen gemacht und befinden uns wohl dabei.«

So gingen die Tage hin, und diese jungen Eheleute entbehrten nichts im Gefühle ihres Glücks, obgleich sie wie die Bettler lebten. An einem Morgen sagte der Gatte: »Ich hatte in dieser Nacht einen wunderlichen Traum.«

»Erzähle ihn mir, Liebchen«, rief Clara; »wir geben auf unsere Träume viel zu wenig, die doch einen so wichtigen Teil von unserm Leben ausmachen. Ich bin überzeugt, wenn viele Menschen diese Erlebnisse der Nacht mehr in ihr Tagesleben hineinzögen, so würde ihnen auch ihr sogenanntes wirkliches Leben weniger traumartig und schlafbefangen sein. Außerdem gehören aber deine Träume mir, denn sie sind Ergüsse deines Herzens und deiner Phantasie, und ich könnte eifersüchtig auf sie werden, wenn ich denke, daß mancher Traum dich von mir trennt, daß du, in ihm verstrickt, mich auf Stunden vergessen kannst oder daß du dich wohl gar, wenn auch nur in Phantasie, in ein andres Wesen verliebst. Ist dergleichen nicht schon eine wirkliche Untreue, wenn Gemüt und Einbildung auf dergleichen nur verfallen können?«

»Es kommt nur darauf an«, erwiderte Heinrich, »ob und inwiefern unsre Träume uns gehören. Wer kann sagen, wie weit sie die geheime Gestaltung unseres Innern enthüllen? Wir sind oft grausam, lügenhaft, feige im Traum, ja ausgemacht niederträchtig, wir morden ein unschuldiges Kind mit Freuden und sind doch überzeugt, daß alles dies unsrer wahren Natur fremd und widerwärtig sei. Die Träume sind auch sehr verschiedener Art. Wenn manche lichte an Offenbarung grenzen mögen, so erzeugen sich wohl andre aus Verstimmung des Magens oder andrer Organe. Denn diese wundersam komplizierte Mischung unsers Wesens von Materie und Geist, von Tier und Engel läßt in allen Funktionen so unendlich verschiedene Nuancen zu, daß über dergleichen sich am wenigsten etwas Allgemeines sagen läßt.«

»Oh, das Allgemeine«, rief sie aus, »die Maximen, die Grundregeln und wie das Zeug alles heißt: Ich kann nicht aussprechen, wie alles der Art mir immer zuwider und unverständlich gewesen ist. In der Liebe wird uns jene Ahndung recht deutlich, die schon unsre Kindheit erleuchtet, daß das Individuelle, das einzige, das Wesen, das Rechte, das Poetische und Wahre sei. Der alles allgemein machende Philosoph kann für alles eine Regel finden, er kann alles seinem sogenannten System einfügen, er zweifelt niemals, und seine Unfähigkeit, irgend etwas wahrhaft zu erleben, das ist eben jene Sicherheit, auf welche er pocht, jene Zweifelsunfähigkeit, die ihn so stolz macht. Der rechte Gedanke muß auch ein erlebter sein, die wahre Idee sich lebendig aus vielen Gedanken entwickeln und, plötzlich ins Sein getreten, rückstrahlend wieder tausend halbgeborne Gedanken erleuchten und beseelen. – Aber ich erzähle dir da meine Träume, und doch solltest du mir lieber den deinigen vortragen, der besser und poetischer sein wird.«

»Du beschämst mich in der Tat«, sagte Heinrich errötend, »weil du diesmal mein Traumtalent viel zu hoch anschlägst. Überzeuge dich selbst.

Ich war noch bei meinem ehemaligen Gesandten dort in der großen Stadt und in der vornehmen Umgebung. Man sprach bei Tische von einer Auktion, die nächstens stattfinden werde. Sooft das Wort Auktion bei Tische nur genannt wurde, befiel mich eine unbeschreibliche Angst, und doch begriff ich nicht, warum. In meiner frühen Jugend war es meine Leidenschaft gewesen, bei Bücherauktionen zugegen zu sein, und wenn es mir auch fast immer unmöglich fiel, jene Werke, die ich liebte, zu erstehen, so hatte ich doch meine Freude daran, sie ausgeboten zu hören und mir die Möglichkeit zu denken, daß sie in meinen Besitz gelangen könnten. Die Kataloge der Auktionen konnte ich wie meine Lieblingsdichter lesen, und diese Torheit und Schwärmerei war nur eine von den vielen, an welchen meine Jugend litt; denn ich war weit von dem entfernt, was man einen soliden, verständigen Jüngling nennt, und ich zweifelte in einsamen Stunden oft, ob aus mir je ein sogenannter vernünftiger und brauchbarer Mann werden würde.«

Clara lachte laut auf, umarmte ihn dann und küßte ihn heftig. »Nein«, rief sie, »bis jetzt ist davon, dem Himmel sei Dank, noch nichts eingetroffen. Ich denke dich auch so in der Zucht zu halten, daß du nie auf dergleichen Laster geraten sollst. Nun aber weiter in deinem Traum!«

»Ich hatte mich denn auch«, fuhr Heinrich fort, »nicht ohne Not vor dieser Auktion geängstigt, denn wie es im Traum zu gehen pflegt, war ich plötzlich in dem Saal der Versteigerung, und wie ich zu meinem Erschrecken sah, gehörte ich zu den Sachen, die öffentlich ausgeboten werden sollten.«

Clara lachte wieder. »Oh, das ist hübsch«, rief sie aus. Das wäre ein ganz neues Mittel, unter die Leute zu kommen.«

»Ich fand es gar nicht erfreulich«, antwortete der Mann. »Es lagen und standen da allerhand alte Sachen und Möbeln umher, dazwischen saßen alte Weiber, Tagediebe, elende Schriftsteller, Libellisten, verdorbene Studenten und Komödianten: Alles dies sollte nun heut dem Meistbietenden zugeschlagen werden, und ich war mitten unter diesen verstäubten Altertümlichkeiten. Im Saale saßen manche von meinen Bekannten, und einige von diesen betrachteten die ausgestellten Sachen und Menschen mit Kennerblicken. Ich war unendlich beschämt. Endlich kam der Auktionator, und ich erschrak, als wenn ich zur Hinrichtung geführt würde.

Der ernsthafte Mann setzte sich, räusperte und begann sein Amt damit, daß er zuerst nach mir griff, um mich auszubieten. Er stellte mich vor sich hin und sagte: ›Sehn meine Herrschaften hier einen noch ziemlich gut konservierten Diplomaten, etwas eingeschrumpft und abgerissen, von Würmern und Motten hier und da zernagt, aber doch noch brauchbar als Kaminschirm, um gegen zu große Flamme und Hitze zu schützen und abzukühlen, oder um ihn als Karyatide zu nutzen und ihm etwa eine Uhr auf den Kopf zu stellen. Auch kann man ihn vor das Fenster hängen, daß er die Witterung anzeigt. Es ist ihm selbst noch ein klein wenig Verstand geblieben, so daß er auf alltägliche Dinge, wenn die Frage nicht zu tief geht, ganz leidlich antworten und darüber sprechen kann. Wie hoch wollen Sie auf ihn bieten?‹

Keine Antwort im Saal. Der Auktionator rief: ›Nun, meine Herren und Damen? Er kann ja in einem Gesandtschaftslokal noch Türsteher werden; er könnte ja als Kronleuchter in der Entree angehangen werden und die Kerzen mit Armen, Beinen und auf dem Kopfe tragen. Es ist ja ein lieber, anstelliger Mensch. Wenn eine Herrschaft eine Hausorgel besitzen sollte, kann er auch die Balgen treten; seine Beine, wie Sie sehen, sind ja noch von leidlicher Beschaffenheit.‹ – Aber immer keine Antwort. – Ich fühlte mich im Zustand der tiefsten Erniedrigung, und meine Beschämung war ohne Grenzen; denn manche meiner Bekannten sahen grinsend und schadenfroh nach mir, manche lachten, andre zuckten die Schultern wie in tief verachtendem Mitleid. Mein Bedienter kam jetzt zur Tür

herein, und ich trat einen Schritt vor, um ihm einen Auftrag
zu geben, aber der Auktionator stieß mich heftig mit den
Worten zurück: ›Still, altes Möbel! Kennt Er die Pflichten seines Standes so wenig? Hier ist seine Bestimmung, sich ruhig
zu halten. Das wäre mir, wenn die Auktionsstücke selbständig
werden wollten!‹ – Wieder auf eine neue Anfrage antwortete
niemand. – ›Der Lump ist nichts wert‹, hörte man aus einem
Winkel; ›wer wird auf den Taugenichts etwas bieten?‹ sagte
ein andrer. Mir trat der Angstschweiß auf die Stirn. Ich
winkte meinem Bedienten mit den Augen, daß er eine Klei-
nigkeit bieten möchte; denn, so dachte ich ganz vernünftig, hat
mich der Mensch nur erst erstanden und ich bin aus dem ver-
fluchten Saal, so werde ich mich draußen schon mit meinem Diener abfinden, da wir uns kennen; ich will ihm seine
Auslagen wiedererstatten und ein Trinkgeld noch obendrein
verabreichen. Der mochte aber kein Geld bei sich haben oder
mein Winken nicht verstehen, vielleicht, daß ihm diese ganze
Anstalt unbekannt und unbegreiflich war; genug, er rührte
sich nicht von seinem Platze. Der Auktionator war verdrüßlich, er winkte seinem Gehülfen und sagte zu diesem: ›Holt
mir Nummer 2, 3 und 4 aus der Kammer.‹ Der starke Mensch
brachte drei zerlumpte Kerle, und der Ausrufer sprach: ›Da
man auf diesen Diplomaten gar nichts bieten will, so vereinigen wir ihn mit diesen drei Tagesschriftstellern, einem abge-
standenen Redakteur eines Wochenblatts, einem, der Korre-
spondenzartikel schrieb, und diesem Theaterkritiker – was
wird nun für diese Bande zusammengenommen geboten?‹
Ein alter Trödler rief, nachdem er eine Weile die Hand an die
Stirn gelegt hatte: ›Einen Groschen!‹ Der Auktionator fragte:
›Einen Groschen also? Niemand mehr? Einen Groschen zum
ersten‹ – er erhob den Hammer. Da rief ein kleiner schmutziger Judenjunge: ›Einen Groschen sechs Pfennige.‹ Der Auktionator wiederholte das Gebot zum ersten, zum zweitenmal,
schon wollte das dritte Wort mit dem Hammer mich zusamt
jenen Gesellen dem kleinen Israeliten zuschlagen, als sich die

Tür öffnete und du, Clara, in voller Herrlichkeit mit einem großen Gefolge von vornehmen Damen hereintratest, indem du gebieterisch mit stolzer Miene und Stellung: Halt! riefest. Alle erschraken und verwunderten sich, und mein Herz war in Freude bewegt. ›Meinen eignen Mann verauktionieren?‹ sagtest du mit Unwillen; ›wieviel ist bis jetzt geboten?‹ Der alte Ausrufer verbeugte sich sehr tief, setzte einen Stuhl für dich hin und sagte hochrot vor Verlegenheit: ›Bis jetzt haben wir einen und einen halben Groschen im Angebot auf Dero Herrn Gemahl.‹

Du sagtest: ›Ich biete aber nur allein auf meinen Mann und begehre, daß jene Personen wieder entfernt werden. Achtzehn Pfennige für den unvergleichlichen Mann! Unerhört! Ich setze gleich zum Anfang tausend Taler.‹ – Ich war erfreut, aber auch erschrocken; denn ich begriff nicht, woher du die Summe nehmen wolltest. Indessen wurde ich von dieser Angst bald befreit, da eine andere hübsche Dame gleich zweitausend bot. Nun entstand unter den reichen und vornehmen Weibern ein Wettstreit und Eifer, mich zu besitzen. Die Gebote folgten immer schneller, bald war ich auf zehn- und nicht lange nachher auf zwanzigtausend gestiegen. Mit jedem Tausend erhob ich mich mehr, stand stolz und gerade und ging dann mit großen Schritten hinter dem Tische und meinem Auktionator auf und ab, der es nun nicht mehr wagte, mich zur Ruhe zu verweisen. Verachtende Blicke schoß ich nun auf jene Bekannten, die vorher von Lump und Taugenichts gemurmelt hatten. Alle sahen jetzt mit Verehrung nach mir hin, besonders weil der enthusiastische Wettstreit der Damen zunahm, statt sich zu mäßigen. Eine alte, häßliche Frau schien es darauf angelegt zu haben, mich nicht zu lassen; ihre rote Nase wurde immer glühender, und sie war es, die mich nun schon bis hunderttausend Taler hinaufgetrieben hatte. Es herrschte eine Totenstille, eine feierliche Stimme ließ sich vernehmen: ›So hoch ist in unserm Jahrhundert noch niemals ein Mann geschätzt worden! Ich sehe jetzt ein, daß er für mich zu kostbar ist.‹

Als ich mich umsah, wurde ich gewahr, daß dieses Urteil von meinem Gesandten herrührte. Ich begrüßte ihn mit einer gnädigen Miene. Um es kurz zu machen, mein Wert erhob sich bis zu zweimal hunderttausend Talern und etlichen darüber, und für diesen Preis wurde ich endlich jener rotnasigen alten, häßlichen Dame zugeschlagen.

Als die Sache endlich entschieden war, erhob sich ein großer Tumult, weil jeder das ausbündige Stück in der Nähe betrachten wollte. Wie es kam, ist nicht zu sagen, aber die große Summe, für die ich erstanden war, wurde mir, gegen alle Gesetze der Auktion, eingehändigt.

Als ich nun aber fortgeschleppt werden sollte, da tratest du hervor und riefst: ›Noch nicht! Da man meinen Gemahl so gegen alle christliche Sitte öffentlich verauktioniert und verkauft hat, so will ich mich auch demselben harten Schicksal unterwerfen. Ich stelle mich also hiemit freiwillig unter den Hammer des Herrn Auktionators.‹ Der Alte beugte und krümmte sich, du begabst dich hinter den langen Tisch, und alle Menschen betrachteten deine Schönheit mit Bewunderung. Das Bieten fing an, und die jungen Herren trieben dich gleich hoch hinauf. Ich hielt mich anfangs zurück, teils vor Erstaunen, teils aus Neugier. Als die Summen schon in die Tausende hineingestiegen waren, ließ sich auch meine Stimme vernehmen. Wir kamen immer höher hinauf, und mein Gesandter geriet so in Eifer, daß ich beinahe die Fassung verloren hätte; denn es erschien mir schändlich, daß dieser ältliche Mann mir auf diese Weise meine angetraute Gattin rauben wollte. Er bemerkte auch meinen Mißmut; denn er sah mich immer scheel von der Seite und mit einem boshaften Lächeln an. Es drangen immer mehr reiche Kavaliere herein, und hätte ich nicht die ganz ungeheure Summe in meinen Taschen gehabt, so mußte ich dich verlorengeben. Es kitzelte mich nicht wenig, daß ich dir meine Liebe in größerem Maße zeigen konnte, als du mir bewiesen, denn bald nach deinem Angebot von tausend Talern hattest du mich schweigend dem Glück der Auktion und jener rotnasigen Dame überlassen, die jetzt verschwunden schien, denn ich sah sie nirgend mehr. Nun waren wir schon weit über hunderttausend Taler, du nicktest mir immer freundlich über den Tisch zu, und da ich mich im Besitz des mächtigen Kapitals befand, brachte ich durch Hinauftreiben alle meine Nebenbuhler zur Verzweiflung. So setzte ich es hohnlachend und mit Übermut durch. Alle verstummten endlich in Verdruß, und du wurdest mir zugeschlagen. Ich triumphierte. Ich zahlte die Summe hin – aber – o weh! ich hatte im Taumel nicht beachtet, wieviel ich für mich selbst gewonnen hatte, und jetzt fehlten beim Auszahlen noch viele Tausende. Meine Verzweiflung diente den andern nur zum Spott. Du rangst die Hände. So wurden wir in ein dunkles Gefängnis geschleppt und mit schweren Ketten belastet. Wir erhielten zur Nahrung nur Wasser und Brot, und ich mußte darüber lachen, daß das eine Strafe vorstellen sollte, da wir schon ziemlich lange hier oben nichts mehr genossen hatten und diese Speisung für ein Festmahl hielten. So verwirrt sich im Traume alles durcheinander, frühere Zeit und gegenwärtige, Nähe und Ferne. Der Kerkermeister erzählte uns, daß die Richter uns zum Tode verdammt; denn wir hätten hinterlistig das königliche Ärar und die öffentlichen Einkünfte defraudiert, das Vertrauen des Publikums betrogen und den Kredit des Staates untergraben. Es sei ein furchtbarer Betrug, sich so teuer auszubieten und sich mit solchen großen Summen bezahlen zu lassen, die dadurch der Konkurrenz und dem allgemeinen Nutzen entzogen würden. Dem Patriotismus, wo jedes Individuum sich unbedingt dem Ganzen opfern müsse, laufe es geradezu entgegen, und unser Attentat sei also als offenbarer Hochverrat zu betrachten. Der alte Auktionator werde mit uns zugleich hingerichtet werden, denn er sei mit im Komplott und habe auch dazu beigetragen, die Summen der Bietenden so hoch hinaufzutreiben, weil er uns beide übermäßig und ganz der Wahrheit entgegen den Kauflustigen als Wunderwerke der Schöpfung herausgestrichen habe. Es sei nun alles entdeckt, daß wir, mit den auswärtigen Mächten und den Feinden des Landes verbunden, einen allgemeinen Staatsbankerott hätten herbeiführen wollen. Denn es sei augenscheinlich, wenn auf den einzelnen, der obendrein keine Verdienste besitze, so ungeheure Summen verwendet werden sollten, so bleibe nichts für das Ministerium, die Schulen und Universitäten und selbst für Zucht- und Armenhäuser übrig. Gleich nachdem wir fortgegangen, hätten sich zehn Edelleute und funfzehn angesehene Fräulein verauktionieren lassen, und die Gelder seien ebenfalls dem Staatsschatz und den Einkünften entzogen worden. Aller moralische Wert ginge bei so bösen, verderblichen Beispielen unter, und die Schätzung der Tugend verschwinde, wenn Individuen so taxiert und übermäßig hoch geschätzt würden. Das alles kam mir ganz vernünftig vor, und ich bereute es jetzt, daß durch mein Verschulden diese Verwirrung habe entstehen können.

Als wir zur Hinrichtung hinausgeführt wurden – erwachte ich und fand mich in deinen Armen . . .«

»Nachdenklich ist die Geschichte in der Tat«, antwortete Clara; »sie ist, nur in ein etwas grelles Licht gestellt, die Geschichte vieler Menschen, die sich alle so teuer wie möglich verkaufen. Diese wunderliche Auktion geht freilich durch die Einrichtung aller Staaten.«

»Nachdenklich ist dieser dumme Traum auch mir«, erwiderte Heinrich; »denn die Welt hat mich und ich habe die Welt in dem Grade verlassen, daß kein Mensch meinen Wert mit irgendeiner namhaften Summe würde taxieren wollen. Mein Kredit in dieser ganzen großen Stadt erstreckt sich nicht auf einen Groschen; ich bin ganz ausdrücklich das, was die Welt einen Lumpen nennt. Und doch liebst du mich, du kostbares, herrliches Wesen! Und wenn ich wieder bedenke, wie die teuerste und künstlichste Spinnmaschine nur grob und roh eingerichtet ist gegen das Wunder meines Blutumlaufes, der Nerven, des Gehirns, und wie dieser Schädel, der, wie die meisten glauben, seinen Unterhalt nicht wert ist, große, edle Gedanken fassen kann, vielleicht auf eine neue Erfindung stößt, so möchte ich darüber lachen, daß Millionen diese Organisation nicht aufwägen, die auch der Klügste und Stolzeste nicht hervorzubringen imstande ist. Wenn unsre Köpfe aneinanderrücken, die Schädel sich berühren und die Lippen sich aufeinanderpressen, um einen Kuß entstehen zu lassen, so ist es fast unbegreiflich, welche künstlich verflochtene Mechanik dazu gehört, welche Überwindung von Schwierigkeiten, und wie nun diese Verbindung von Gebein und Fleisch, von Häuten und Lymphen, von Blut und Feuchtigkeit sich gegenseitig in Tätigkeit setzt, um dem Spiel der Nerven, dem feinen Sinn und noch unbegreiflicheren Geiste diesen Genuß des Kusses zuzuführen. Wenn man der Anatomie des Auges folgen will, auf wie Seltsames, Wunderliches, Widriges stößt die Beobachtung, um aus diesem glänzenden Schleime und milchigen Gerinne die Göttlichkeit des Blicks herauszufinden.«

»Oh, laß das«, sagte sie, »das alles sind gottlose Reden.«

»Gottlose?« fragte Heinrich verwundert.

»Ja, ich weiß sie nicht anders zu nennen. Mag es die Pflicht des Arztes sein, sich seiner Wissenschaft zulieb aus dieser Täuschung herauszureißen, die uns die Erscheinung und das verhüllte Innere bietet. Auch der Forscher wird aus der Täuschung der Schönheit nur in eine andre Täuschung geraten, die er vielleicht Wissen, Erkennen, Natur betitelt. Zerstört aber bloßer Vorwitz, freche Neugier oder höhnender Spott alle diese Netze und körperlichen Träume, in welchen Schönheit und Anmut gefangenliegen, so nenne ich das einen gottlosen Witz, wenn es überall einen solchen geben kann.«

Heinrich war still und in sich gekehrt. »Du magst wohl recht haben«, sagte er nach einer Pause. »Alles, was unser Leben schön machen soll, beruht auf einer Schonung, daß wir die liebliche Dämmerung, vermöge welcher alles Edle in sanfter Befriedigung schwebt, nicht zu grell erleuchten. Tod und Verwesung, Vernichtung und Vergehen sind nicht wahrer als das geistdurchdrungene, rätselhafte Leben. Zerquetsche die leuchtende, süßduftende Blume, und der Schleim in deiner Hand ist weder Blume noch Natur. Aus der göttlichen Schlafbetäubung, in welche Natur und Dasein uns einwiegen, aus diesem Poesieschlummer sollen wir nicht erwachen wollen, im Wahn, jenseit die Wahrheit zu finden.«

»Fällt dir das schöne Wort nicht ein?« sagte sie:

»Und wie der Mensch nur sagen kann: ›Hier bin ich‹;
Daß *Freunde* seiner *schonend* sich erfreun!«

»Sehr wahr!« rief Heinrich. »Selbst der vertraute Freund, der Liebende, muß den geliebten Freund *schonend* lieben, *schonend* das Geheimnis des Lebens mit ihm träumen, und in gegenseitiger inniger Liebe die Täuschung der Erscheinung nicht zerstören wollen. Es gibt aber so plumpe Gesellen, die unter dem Vorwande, der Wahrheit zu leben und einzig ihr zu huldigen, nur Freunde haben wollen, um etwas zu besitzen, was sie *nicht* zu schonen brauchen. Nicht bloß, daß diese Gesellen immerdar mit schlechtem Witz und Schraubereien in den sogenannten Freund hineinbohren: auch dessen Schwächen, Menschlichkeiten, Widersprüche sind der Gegenstand ihrer lauernden Beobachtung. Die Grundlage des menschlichen Daseins, die Bedingungen unsrer Existenz sind aber nun so feine und leise Schwingungen, daß grade diese von jenen hartfäustigen Kameraden in plumper Berührung nur Schwächen genannt werden. Es muß sich nun bald ergeben, daß alle Tugenden und Talente, wegen welcher man anfangs diesen Freund verehrte und aufsuchte, sich in Schwächen, Fehler und Torheiten verwandeln, und widersetzt sich endlich der edlere Geist und will die Mißhandlung nicht länger erdulden, so ist er nach dem Ausspruch der Rohen eitel, eigensinnig, rechthaberisch; er ist einer, der zu kleinlich fühlt, um die Wahrheit ertragen zu können; und die Gemeinsamkeit wird endlich aufgelöst, die sich niemals hätte zusammenfinden sollen. Wenn es sich aber mit Natur, Menschen, Liebe und Freundschaft so verhält, wird es wohl auch mit jenen mystischen Gegenständen, dem Staate, der Religion und der Offenbarung nicht anders sein. Die Einsicht, daß einzelne Mißbräuche da sind, die der Verbesserung bedürfen, gibt noch kein Recht, das Geheimnis des Staates selbst anzurühren. Will man die religiöse Ehrfurcht vor dieser mächtigen, übermenschlichen Zusammensetzung und Aufgabe, durch welche der Mensch in vielfach geordneter Gesellschaft nur zum echten Menschen werden kann, will man jene heilige Scheu vor Gesetz und Obrigkeit, vor König und Majestät, zu nahe an das Licht einer vorschnellen, oft nur anmaßlichen Vernunft ziehen, so zerstäubt die geheimnisvolle Offenbarung des Staates in ein Nichts, in Willkür. Ist es mit der Kirche, der Religion, der Offenbarung und diesen heiligen Geheimnissen anders beschaffen? Auch hier muß eine stille Dämmerung, ein zartes Gefühl der Schonung das Heiligtum umschweben. Weil es heilig und göttlicher Natur ist, ist auch nichts so wohlfeil, als mit frechem Witz der Verleugnung hineinzuleuchten, um dem Sinn des Unbegabten, der keine Glaubensfähigkeit besitzt, das fromme Gewebe als nüchternen Trug hinzustellen, oder den Schwachen in seinen besten Gefühlen irrezumachen. Es könnte unbegreiflich scheinen, wie allenthalben in unsern Tagen der Sinn für ein großes Ganze, für das Unteilbare, welches nur durch göttlichen Einfluß entstehen konnte, sich verloren hat. Immer wird, wie in Gedichten, Kunstwerken, Geschichte, Natur und Offenbarung, nur dies und jenes, nur das einzelne bewundert und gelobt; schärfer noch das einzelne getadelt, was im großen ganzen, wenn es ein Kunstwerk ist, doch nur so sein kann, wie es ist, wenn jenes Gelobte möglich sein soll. Sucht und Kraft zu vernichten ist aber gradezu der Gegensatz alles Talentes und wird endlich zur Unfähigkeit, irgend die Erscheinung in ihrer Fülle zu verstehen. Immer ›Nein‹ sprechen, ist gar nicht sprechen.«

So vergingen den Vereinsamten, Verarmten und doch Glücklichen Tage und Wochen. Die dürftigste Nahrung fristete ihr Leben, aber im Bewußtsein ihrer Liebe war keine Entbehrung, auch der drückendste Mangel nicht fähig, ihre Zufriedenheit zu stören. Um in diesem Zustande fortzuleben, war aber der sonderbare Leichtsinn dieser beider Menschen notwendig, die alles über der Gegenwart und dem Augenblick vergessen konnten. Der Mann stand jetzt immer früher auf als Klara; dann hörte sie ihn hämmern und sägen und fand die Stücke Holz vor dem Ofen zurechtgelegt, welche sie zum Einheizen brauchte. Sie verwunderte sich, daß dieses gespellte Holz seit einiger Zeit eine ganz andre Form, Farbe und andres Wesen hatte, als sie es bis dahin gewohnt war. Da sie indessen immer Vorrat fand, so unterließ sie jede Betrachtung, indem die Gespräche, Scherze und Erzählungen beim sogenannten Frühstück ihr viel wichtiger waren.

»Die Tage werden schon länger«, fing er an; »bald wird nun die Frühlingssonne auf das Dach da drüben scheinen.«

»Jawohl«, sagte sie, »und die Zeit wird nicht mehr fern sein, wo wir das Fenster wieder aufmachen, uns daran setzen und die frische Luft einatmen. Das war im vorigen Sommer gar so schön, als wir vom Park draußen sogar hier den Duft der Lindenblüte spürten.«

Sie holte zwei kleine Töpfchen herbei, die mit Erde gefüllt waren und in welchen sie Blumen aufzog. »Sieh!« fuhr sie fort, »diese Hyazinthe und diese Tulpe kommen nun doch heraus, die wir schon verloren gaben. Wenn sie gedeihen, so will ich es als ein Orakel ansehen, daß sich auch unser Schicksal bald wiederum zum Bessern kehren wird.«

»Aber, Liebchen«, sagte er etwas empfindlich, »was geht uns denn ab? Haben wir nicht bis jetzt noch Überfluß an Feuer, Brot und Wasser? Das Wetter wird augenscheinlich milder, wir werden des Holzes weniger bedürfen, nachher kommt die Sommerwärme. Zu verkaufen haben wir freilich nichts mehr, aber es wird, es muß sich irgendein Weg auftun, auf welchem ich etwas verdienen kann. Bedenke nur unser Glück, daß keines von uns krank geworden ist, auch die alte Christine nicht.«

»Wer steht uns aber für die getreuste Dienerin?« antwortete

Clara; »ich habe sie nun seit so lange nicht gesehen; du fertigst sie jetzt immer des Morgens schon früh ab, wenn ich noch schlafe; du nimmst dann von ihr das eingekaufte Brot sowie den Wasserkrug. Ich weiß, daß sie oft für andre Familien arbeitet; alt ist sie, ihre Nahrung nur eine dürftige, wenn also ihre Schwäche zunimmt, so kann sie leicht erkranken. Warum ist sie nicht schon längst wieder einmal zu uns heraufgekommen?«

»Je nun«, sagte Heinrich nicht ohne einige Verlegenheit, welche Clara auch bemerkte und die ihr auffallen mußte, »es wird sich wohl bald wieder eine Gelegenheit finden, warte nur noch einige Zeit.«

»Nein, Liebster!« rief sie mit ihrer Lebhaftigkeit aus, »du willst mir etwas verbergen, es muß etwas vorgefallen sein. Du sollst mich nicht abhalten, ich will gleich selbst hinuntergehen, ob sie etwa in ihrem Kämmerchen ist, ob sie leidet, ob sie unzufrieden mit uns sein mag.«

»Du hast diese fatale Treppe schon seit so lange nicht betreten«, sagte Heinrich; »es ist finster draußen, du könntest fallen.«

»Nein«, rief sie, »du sollst mich nicht zurückhalten; die Treppe kenne ich; ich werde mich in der Finsternis schon zurechtfinden.«

»Da wir aber das Geländer verbraucht haben«, sagte Heinrich, »welches mir damals als ein Überfluß erschien, so fürchte ich jetzt, da du dich nicht anhalten kannst, daß du stolpern und stürzen könntest.«

»Die Stufen«, erwiderte sie, »sind mir bekannt genug, sie sind bequem, und ich werde sie noch oft betreten.«

»Diese Stufen«, sagte er mit einiger Feierlichkeit, »wirst du niemals wieder betreten!«

»Mann!« rief sie aus und stellte sich gerade vor ihn hin, um ihm in die Augen zu sehen –, »es ist nicht richtig hier im Hause; du magst reden, was du willst, ich laufe schnell hinab, um selber nach Christinen zu sehen.«

So wandte sie sich um, die Tür zu öffnen, er aber stand eilig auf und umschlang sie, indem er ausrief: »Kind, willst du mutwillig den Hals brechen?«

Da es nicht mehr zu verschweigen war, öffnete er selber die Tür; sie traten auf den Vorplatz und, indem sie weitergingen und der Gatte die Frau noch immer umfaßt hielt, sah diese, daß keine Treppe mehr da war, die hinabführen sollte. Sie schlug verwundert in die Hände, bog sich hinüber und schaute hinab; dann kehrte sie um, und als sie wieder in der verschlossenen Stube waren, setzte sie sich nieder, um den Mann genau zu betrachten. Dieser hielt ihrem forschenden Auge ein so komisches Gesicht entgegen, daß sie in ein lautes Gelächter ausbrach. Hierauf ging sie nach dem Ofen, nahm eins der Hölzer in die Hände, betrachtete es genau von allen Seiten und sagte dann: »Ja, nun begreife ich freilich, warum die Heizstücke so ganz andre Statur hatten als die vorigen. Also die Treppe haben wir nun auch verbrannt!«

»Jawohl«, antwortete Heinrich jetzt ruhig und gefaßt; »da du es nun einmal weißt, wirst du es ganz vernünftig finden. Ich begreife auch nicht, warum ich es dir bisher verschwiegen habe. Sei man auch noch so sehr alle Vorurteile los, so bleibt irgendwo doch noch ein Stückchen hangen und eine falsche Scham, die im Grunde kindisch ist! Denn erstlich warst du das Wesen in der Welt, das mir am vertrautesten ist; zweitens das einzige, denn mein Sechzehntel-Umgang mit der alten Christine ist nicht zu rechnen; drittens war der Winter immer noch hart und kein andres Holz aufzutreiben; viertens war die Schonung fast lächerlich, da das allerbeste, härteste, ausgetrocknete, brauchbarste dicht vor unsern Füßen lag; fünftens brauchten wir die Treppe gar nicht und sechstens ist sie schon, bis auf wenige Reliquien, ganz verbrannt. Du glaubst aber nicht, wie schlecht sich diese alten, ausgebogenen, widerspenstigen Stufen sägen und zersplittern ließen. Sie haben mich so warm gemacht, daß mir die Stube oft nachher zu heiß dünkte.«

»Aber Christine?« fragte sie.

O die ist ganz gesund«, antwortete der Mann. »Alle Morgen lasse ich ihr einen Strick hinunter, woran sie dann ihr Körbchen bindet; das zieh ich herauf und nachher den Wasserkrug, und so geht unsre Haushaltung ganz ordentlich und friedlich. – Als unser schönes Treppengeländer sich zum Ende neigte und immer noch keine warme Luft eintreten wollte, sann ich nach, und es fiel mir ein, daß unsre Treppe recht gut die Hälfte ihrer Stufen hergeben könnte; denn es war doch nur ein Luxus, ein Überfluß, so gut wie die dicke Lehne, daß der Stufen bloß der Bequemlichkeit wegen so viele waren. Schritt man höher aus, wie man in manchen Häusern muß, so konnte der Treppenmaschinist mit der Hälfte ausreichen. Mit Christinens Hülfe, die mit ihrem philosophischen Geiste sogleich die Richtigkeit meiner Behauptung einsah, brach ich nun die unterste Stufe los, dann, indem sie mir nachschritt, die dritte, fünfte und so fort. Unser Grabstichel nahm sich, als wir diese Filigranarbeit geendigt hatten, recht gut aus. Ich sägte, zerschnitt und du heiztest in deiner Arglosigkeit mit den Stufen ebenso geschickt und wirksam, als du es vordem mit dem Geländer getan hattest. Aber unserer durchbrochenen Arbeit drohte von der unermüdlichen Winterkälte ein neuer Angriff. Was war diese ehemalige Treppe überhaupt noch als eine Art von Kohlenbergwerk, eine Grube, die ihre Steinkohlen jetzt lieber ganz und auf einmal zu Tage fördern konnte? Ich stieg demnach in den Schacht hinab und rief die alte, verständige Christine. Ohne nur zu fragen, teilte sie gleich meine Ansicht; sie stand unten, ich brach mit großer Anstrengung, da sie mir nicht helfen konnte, die zweite Stufe los. Als ich diese der vierten anvertraut hatte, reichte ich der guten Alten den Abgrund hinunter die Hand zum ewigen Abschied; denn diese ehemalige Treppe sollte uns nun niemals wieder verknüpfen oder zueinander führen. So zerstörte ich sie denn nicht ohne Mühsal am Ende völlig, immer die geretteten Tritte oder Stufen nach den übrigen noch vorhandenen obern Stufen hinaufführend. Jetzt hast du das vollendete Werk angestaunt, mein herziges Kind, und siehst nun wohl ein, daß wir uns zur Zeit noch mehr als sonst selbst

genügen müssen. Denn wie möchte es doch eine Kaffeegesell-
schaft anfangen, mit ihren Nachrichten hier zu dir hinaufzu-
dringen? Nein, ich bin dir, du bist mir genug; der Frühling
kommt, du stellst deine Tulpe und Hyazinthe an das Fenster
und wir sitzen hier,

Wo uns die Gärten der Semiramis
Auf zu den Wolken steigenden Terrassen,
In bunter Sommerpracht entgegenlachen
Mit dem Geplätscher ihrer spielenden Brunnen!
Den langen Sommer durch soll dort auf uns
Ein paradiesisch Liebesleben taun!
Dort auf der höchsten der Terrassen will ich,
Von dunkel glühnden Rosen überlaubt,
An deiner Seite sitzen, uns zu Füßen
Die heißbesonnten Dächer Babylons. –

Ich glaube, unser Freund Üchtritz hat das ganz eigen auf unsern Zustand hier gedichtet. Denn, sieh nur, dort sind die heißbesonnten Dächer, wenn nämlich erst die Sonne im Julius wieder scheinen wird, wie wir doch hoffen dürfen. Ist nun erst
deine Tulpe und Hyazinthe in Blüte geraten, so haben wir
hier wirklich und anschaulich die fabelhaften hängenden Gärten der Semiramis und noch viel wunderbarer als jene; denn
wer nicht Flügel hat, kann gar nicht hieher zu ihnen gelangen,
wenn wir ihm nicht hülfreiche Hand bieten und etwa eine
Strickleiter präparieren.«

»Wir leben eigentlich«, erwiderte sie, »ein Märchen, leben so
wunderlich, wie es nur in der Tausendundeinen Nacht geschil-
dert werden kann. Aber wie soll das in der Zukunft werden;
denn diese sogenannte Zukunft rückt doch irgend einmal in
unsre Gegenwart hinein.«

»Sieh, herzlichstes Herz«, sagte der Mann, »wie du nun wieder
von uns beiden die Prosaische bist. Um Michaelis reisete unser
alter grämlicher Hauswirt nach jener entfernten Stadt, um bei
seinem Doktorfreunde Hülfe oder Erleichterung für sein Podagra zu suchen. Wir waren damals so unermeßlich reich, daß

wir ihm nicht nur die vierteljährliche Miete, sondern sogar die Vorausbezahlung bis Ostern geben konnten, was er mit schmunzelndem Danke annahm. Von ihm haben wir also bis nach Ostern wenigstens nichts zu besorgen. Der eigentliche strenge Winter ist bereits vorüber, Holz werden wir nicht mehr viel brauchen, und im äußersten Fall sind uns immer noch die vier Stufen zum Boden hinauf übrig, und unsre Zukunft schläft dort noch sicher in mancher alten Tür, den Brettern des Fußbodens, den Bodenluken und manchen Utensilien. Darum getrost, meine Liebe, und laß uns recht heiter des Glückes genießen, daß wir hier von aller Welt so völlig abgetrennt sind, von keinem Menschen abhängig und keines Menschen bedürftig. So ganz eine Lage, wie der weise Mann sie sich immer gewünscht hat, und wie nur wenige und Seltene glücklich genug sind, sich aneignen zu können.« – –

Aber es kam dennoch anders, als er vorausgesetzt hatte. Als sie am nämlichen Tage kaum ihre dürftige Mahlzeit beschlossen hatten, fuhr ein Wagen vor das kleine Haus. Man hörte das Rasseln der Räder, das Anhalten des Fuhrwerks, das Aussteigen von Personen. Das seltsam vorgebaute Dach hinderte freilich die beiden Eheleute zu erfahren, wer oder was die Ankommenden sein möchten. Es wurde abgepackt, so viel konnten sie vernehmen, und den Gatten überschlich jetzt die bängliche Vermutung, daß es denn doch wohl der grämliche Hausherr sein könne, der früher, als man berechnet, den Anfall des Podagra möchte überstanden haben.

Es war deutlich zu hören, der Angekommene richtete sich unten ein, und so konnte kein Zweifel bleiben, wer er sei. Koffer wurden abgepackt und in das Haus geschafft, verschiedene Stimmen redeten durcheinander, man begrüßte sich mit den Nachbarn. Es war ausgemacht, Heinrich würde noch heut' einen Kampf zu bestehen haben. Er horchte mißtrauisch hinunter und blieb an der nur angelehnten Tür stehen. Clara sah ihn mit einem fragenden Blick an; er aber schüttelte lächelnd mit dem Kopfe und blieb stumm. Unten wurde alles ganz still; der Alte hatte sich in sein Zimmer zurückgezogen.

Heinrich setzte sich zu Clara hin und sagte mit etwas unterdrückter Stimme: »Es ist in der Tat verdrüßlich, daß nur sehr wenige Menschen so viel Phantasie wie der große Don Quixote besitzen. Als man diesem sein Bücherzimmer vermauert hatte und ihm erklärte, ein Zauberer habe ihm nicht nur seine Bibliothek, sondern auch die ganze Stube zugleich hinweggeführt, so begriff er sogleich, ohne nur zu zweifeln, die ganze Sache. Er war nicht so prosaisch, sich zu erkundigen, wo denn ein so ganz abstraktes Ding, wie der Raum, hingekommen sei. Was ist Raum? Ein Unbedingtes, ein Nichts, eine Form der Anschauung. Was ist eine Treppe? ein Bedingtes, aber nichts weniger als ein selbständiges Wesen, eine Vermittelung, eine Veranlassung, von unten nach oben zu gelangen, und wie relativ sind selbst diese Begriffe von Oben und Unten. Der Alte wird es sich nimmermehr ausreden lassen, daß dort, wo jetzt nur eine Lükke ist, ehemals eine Treppe gestanden habe; er ist gewiß zu empirisch und rationalistisch, um einzusehen, daß der wahre Mensch und die tiefere Intuition der gewöhnlichen Übergänge jener armseligen, prosaischen Approximation einer so gemeinen Stufenleiter der Begriffe nicht bedarf. Wie soll ich ihm das alles von meinem höhern Standpunkte auf seinem niedern da unten deutlich machen? Er will sich auf die alte Erfahrung des Geländers stützen und zugleich gemächlich eine Staffel nach der andern zur Höhe des Verständnisses abschreiten, und er wird unserer unmittelbaren Anschauung niemals folgen können, die wir unter uns alle diese trivialen Erfahrungs- oder Ergehungssätze abgebrochen und dem reinsten Erkennen nach alter Parsenlehre durch die reinigende und erwärmende Flamme geopfert haben.«

»Ja, ja«, sagte Clara lächelnd, »phantasiere und witzle nur; das ist der wahre Humor der Ängstlichkeit.«

»Niemals«, fuhr er fort, »will das Ideal unsrer Anschauung mit der trüben Wirklichkeit ganz aufgehen. Die gemeine Ansicht, das Irdische will immerdar das Geistige unterjochen und beherrschen.«

»Still!« sagte Clara, unten rührt es sich wieder.«

Heinrich stellte sich wieder an seine Tür und öffnete sie ein wenig. »Ich muß doch einmal meine lieben Mietsleute besuchen«, sagte man unten ganz deutlich; »ich hoffe, die Frau ist noch ebenso hübsch, und die beiden Leutchen sind noch so gesund und heiter wie sonst.« – »Jetzt wird er«, sagte Heinrich leise, »an das Problem geraten.«

Eine Pause. Der Alte tappte unten in der Dämmerung umher. »Was ist denn das?« hörte man ihn sagen; »wie bin ich denn in meinem eignen Hause so fremd geworden? Hier nicht – da nicht – was ist denn das? – Ulrich! Ulrich, hilf mir doch einmal zurecht.«

Der alte Diener, der in seiner kleinen Wirtschaft alles in allem war, kam aus der Kammer herbei. »Hilf mir doch einmal die Treppe hinauf«, sagte der Hauswirt, »ich bin ja wie verhext und verblindet, ich kann die großen, breiten Stufen nicht finden. Was ist denn das?«

»Nun, kommen Sie nur, Herr Emmerich«, sagte der mürrische Hausknecht, »Sie sind noch vom Fahren etwas duselig.«

»Der da«, bemerkte Heinrich oben, »gerät auf eine Hypothese, die ihm nicht standhalten wird.«

»Schwerenot!« schrie Ulrich, »ich habe mir hier den Kopf zerstoßen; ich bin ja auch wie verdummt; es ist fast, als wenn uns das Haus nicht leiden wollte.«

»Er will es sich«, sagte Heinrich, »durch das Wunderbare erklären; so tief liegt in uns der Hang zum Aberglauben.«

»Ich fasse rechts, ich fasse links«, sagte der Hausbesitzer, »ich greife nach oben – ich glaube beinah, der Teufel hat die ganze Treppe geholt.«

»Fast«, sagte Heinrich, »die Wiederholung aus dem Don Quixote; sein Untersuchungsgeist wird sich aber damit nicht zufriedengeben; es ist im Grunde auch falsche Hypothese, und der sogenannte Teufel wird oft nur eingeschoben, weil wir eine

Sache nicht begreifen, oder, was wir begreifen, uns in Zorn versetzt.«

Man hörte unten nur murmeln, leise fluchen, und der verständige Ulrich war still fortgegangen, um ein brennendes Licht zu holen. Dieses hielt er jetzt mit starker Faust empor und leuchtete in den leeren Raum hinein. Emmerich blickte verwundernd hinauf, stand eine Weile mit aufgesperrtem Munde, starr vor Schrecken und Erstaunen, und schrie dann mit den lautesten Tönen, deren seine Lunge fähig war: »Donnerwetter noch einmal! Das ist mir ja eine verfluchte Bescherung! Herr Brand! Herr Brand da oben!«

Jetzt half kein Verleugnen mehr, Heinrich ging hinaus, beugte sich über den Abgrund und sah beim ungewissen Schein des flackernden Lichtes die beiden dämonischen Gestalten in der Dämmerung des Hausflurs. »Ach! wertgeschätzter Herr Emmerich«, rief er freundlich hinab, »sein Sie uns willkommen; es ist ein schönes Zeichen Ihres Wohlseins, daß Sie früher ankommen, als Sie es sich vorgesetzt hatten. Es freut mich, Sie so gesund zu sehen.«

»Gehorsamer Diener!« antwortete jener, »aber davon ist hier die Rede nicht. Herr! wo ist meine Treppe geblieben?«

»Ihre Treppe, verehrter Herr?« erwiderte Heinrich; »was gehn mich denn Ihre Sachen an. Haben Sie sie mir bei Ihrer Abreise aufzuheben gegeben?«

»Stellen Sie sich nicht so dumm«, schrie jener, »wo ist die Treppe hier geblieben? Meine große, schöne, solide Treppe?«

»War hier eine Treppe?« fragte Heinrich; »ja, mein Freund, ich komme so wenig oder vielmehr gar nicht aus, daß ich von allem, was nicht in meinem Zimmer vorgeht, gar keine Notiz nehme. Ich studiere und arbeite und kümmre mich um alles andre gar nicht.«

»Wir sprechen uns, Herr Brand«, rief jener, »die Bosheit erstickt mir die Zunge und Rede; aber wir sprechen uns noch ganz anders! Sie sind der einzige Hausbewohner; vor Gericht werden Sie mir schon melden müssen, was dieser Handel zu bedeuten hat.«

»Sein Sie nicht so böse«, sagte Heinrich jetzt; »wenn Ihnen an der Geschichtserzählung etwas liegt, so kann ich Ihnen auch schon jetzt damit dienen; denn allerdings erinnre ich mich jetzt, daß vormals hier eine Treppe war, auch bin ich nun eingeständig, daß ich sie verbraucht habe.«

»Verbraucht?« schrie der Alte und stampfte mit den Füßen; »meine Treppe? Sie reißen mir mein Haus ein?«

»Bewahre«, sagte Heinrich, »Sie übertreiben in der Leidenschaft; Ihr Zimmer unten ist unbeschädigt, so steht das unsre hier oben blank und unberührt, nur diese arme Leiter für Emporkömmlinge, diese Unterstützungsanstalt für schwache Beine, dieses Hülfsmittel und diese Eselsbrücke für langweilige Besuche und schlechte Menschen, diese Verbindung für lästige Eindringlinge, diese ist durch meine Anstalt und Bemühung, ja schwere Anstrengung allerdings verschwunden.«

»Aber diese Treppe«, schrie Emmerich hinauf, »mit ihrer kostbaren, unverwüstlichen Lehne, mit diesem eichenen Geländer, diese zweiundzwanzig breiten, starken, eichenen Stufen waren ja ein integrierender Teil meines Hauses. Habe ich noch, so alt ich bin, von einem Mietsmann gehört, der die Treppen im Hause verbraucht, als wenn es Hobelspäne oder Fidibus wären?«

»Ich wollte, Sie setzten sich«, sagte Heinrich, »und hörten mich ruhig an. Diese Ihre zweiundzwanzig Stufen lief oft ein heilloser Mensch herauf, der mir ein kostbares Manuskript abschwatzte, es drucken wollte, sich dann für bankrott erklärte und auf und davon ging. Ein andrer Buchhändler stieg unermüdet diese Ihre eichenen Stufen hinauf und stützte sich dabei immer auf jenes starke Geländer, um sich den Gang bequemer zu machen; er ging und kam und kam und ging, bis er, meine Verlegenheit grausam benutzend, mir die erste kostbare Edition meines Chaucer abdrang, die er für mehr als einen Spottpreis, für einen wahren Schandpreis in seinen Armen davontrug. Oh, mein Herr, wenn man solche bittere Erfahrungen macht, so kann man wahrlich eine Treppe nicht liebgewinnen, die es solchen Gesellen so übermäßig erleichtert, in die obern Etagen zu dringen.«

»Das sind ja verfluchte Gesinnungen«, schrie Emmerich.

»Bleiben Sie gelassen«, sprach Heinrich etwas lauter hinunter. »Sie wollten ja den Zusammenhang der Sache erfahren. Ich war betrogen und hintergangen; so groß unser Europa ist, Asien und Amerika nicht einmal zu rechnen, so erhielt ich doch von nirgend her Rimessen, es war, als wenn alle Kredite sich erschöpft hätten und alle Banken leer geworden wären. Der überharte, unbarmherzige Winter forderte Holz zum Einheizen; ich hatte aber kein Geld, um es auf dem gewöhnlichen Wege einzukaufen. So verfiel ich denn auf diese Anleihe, die man nicht einmal eine gezwungene nennen kann. Dabei glaubte ich nicht, daß Sie, geehrter Herr, vor den warmen Sommertagen wiederkommen würden.«

»Unsinn!« sagte jener, »glaubten Sie denn, Armseliger, daß meine Treppe bei der Wärme wie der Spargel von selbst wieder herauswachsen würde?«

»Ich kenne die Natur eines Treppengewächses zu wenig, wie ich auch von Tropenpflanzen nur geringe Kenntnisse habe, um das behaupten zu mögen«, antwortete Heinrich. »Ich brauchte indes das Holz höchst nötig, und da ich gar nicht ausging, meine Frau ebensowenig, auch kein Mensch zu mir kam, weil bei mir nichts mehr zu gewinnen war, so gehörte diese Treppe durchaus zu den Überflüssigkeiten des Lebens, zum leeren Luxus, zu den unnützen Erfindungen. Ist es, wie so viele Weltweise behaupten, edel, seine Bedürfnisse einzuschränken, sich selbst zu genügen, so hat dieser für mich völlig unnütze Anbau mich vor dem Erfrieren gerettet. Haben Sie niemals gelesen, wie Diogenes seinen hölzernen Becher wegwarf, als er gesehen, wie ein Bauer Wasser mit der hohlen Hand schöpfte und so trank?« –

»Sie führen aberwitzige Reden, Mann«, erwiderte Emmerich;

»ich sah einen Kerl, der hielt die Schnauze gleich an das Rohr und trank so Wasser; somit hätte sich Ihr Mosje Diogenes auch noch die Hand abhauen können. – Aber, Ulrich, lauf mal gleich zur Polizei; das Ding muß einen andern Haken kriegen.«

»Übereilen Sie sich nicht«, rief Heinrich, »Sie müssen einsehen, daß ich Ihr Haus durch diese Hinwegnahme wesentlich verbessert habe.«

Emmerich, der schon nach der Haustür ging, kehrte wieder um. »Verbessert?« schrie er in höchster Bosheit, »nun, *das* wäre mir denn doch etwas ganz Neues!«

»Die Sache ist jedoch ganz einfach«, erwiderte ihm Heinrich, »und jeder kann sie einsehen. Nicht wahr, Ihr Haus steht nicht in der Feuerkasse? Nun hatte ich zeither böse Träume von Brandunglück, auch fielen Häuserbrände hier in der Nachbarschaft vor; ich hatte eine ganz bestimmte Ahndung, ja, ich möchte es ein Vorauswissen nennen, daß unser Haus hier dasselbe Unglück betreffen würde. Gibt es nun wohl (das frage ich jeden Bauverständigen) etwas Ungeschickteres als eine hölzerne Treppe? Die Polizei sollte dergleichen gefährliches Bauwerk geradezu verbieten. Sooft ein Feuer auskommt, so ist in allen Städten, wo dieser Mißbrauch noch stattfindet, immer die hölzerne Treppe das allergrößte Unheil. Sie leitet das Feuer nicht nur in alle Stockwerke, sondern macht auch oft die Rettung der Menschen unmöglich. Da ich nun gewiß wußte, daß binnen kurzem hier oder in der Nachbarschaft Feuer auskommen würde, so habe ich mit vieler Mühe und saurem Schweiß diese elende, verderbliche Treppe mit eignen Händen weggebrochen, um das Unglück und den Schaden so viel als möglich zu mildern. Und darum hatte ich sogar auf Ihren Dank gerechnet.«

»So?« rief Emmerich hinauf; »wäre ich länger ausgeblieben, so hätte mir der saubere Herr wohl aus eben den spitzigen Gründen mein ganzes Haus verbraucht. Verbraucht! Als wenn man Häuser so verbrauchen dürfte! Aber wart! Patron! – Ist die Polizei da?« fragte er den wiederkehrenden Ulrich.

»Wir legen«, rief Heinrich hinab, »eine große steinerne Treppe, und Ihr Palais, geehrter Mann, gewinnt dadurch ebensosehr wie die Stadt und der Staat.«

»Mit der Windbeutelei soll es bald zu Ende sein«, antwortete Emmerich und wendete sich sogleich an den Führer, der mit verschiedenen Gehülfen der Polizei herbeigekommen war.

»Mein Herr Inspektor«, sagte er, sich zu diesem wendend, »haben Sie je von dergleichen Attentat gehört? Mir aus meinem Hause die große Treppe wegzubrechen und sie als Klafterholz im Ofen während meiner Abwesenheit zu verbrennen!«

»Das wird in die Stadtchronik kommen«, erwiderte der Anführer trotzig, »und der saubere Patron, der Treppenräuber, in das Zuchthaus oder auf die Festung. Das ist schlimmer als Einbruch! Den Schaden muß er außerdem noch ersetzen. Kommen Sie nur herunter, Herr Missetäter!«

»Niemals«, sagte Heinrich; »wohl hat der Engländer ein Recht, sein Haus ein Kastell zu nennen, und meines hier ist ganz unzugänglich und unüberwindlich; denn ich habe die Zugbrücke aufgezogen.«

»Dem läßt sich abhelfen!« rief der Anführer. »Leute, schafft mal eine große Feuerleiter herbei; so steigt ihr dann hinauf und schleppt, wenn er sich wehren sollte, den Verbrecher mit Stricken gebunden herunter, um ihn seiner Strafe zu überliefern.«

Jetzt hatte sich das Haus unten schon mit Leuten aus der Nachbarschaft gefüllt; Männer, Weiber und Kinder hatte der Tumult herbeigelockt, und viele Neugierige standen auf der Gasse, um zu erforschen, was hier vorgehe, und zu sehen, was aus dem Handel sich ergeben werde. Clara hatte sich an das Fenster gesetzt und war verlegen, doch hatte sie ihre Fassung behalten, da sie sah, daß ihr Gatte so heiter blieb und sich die Sache nur wenig anfechten ließ. Doch begriff sie nicht, wie es endigen werde. Heinrich aber kam jetzt einen Augenblick zu ihr herein, um sie zu trösten und etwas aus der Stube zu holen. Er sagte: »Clara, schau, wir sind jetzt ebenso eingeschlossen wie unser Götz in seinem Jaxthausen; der widerwärtige Trompeter hat mich auch schon aufgefordert, mich auf Gnade und Ungnade zu ergeben, und ich werde ihm jetzt Antwort sagen, aber bescheidentlich, nicht wie mein großes Vorbild von damals.« Clara lächelte ihm freundlich zu und sagte nur die wenigen Worte: »Dein Schicksal ist das meinige; ich glaube aber doch, daß, wenn mein Vater mich jetzt sähe, er mir verzeihen würde.«

Heinrich ging wieder hinaus, und als er sah, daß man wirklich eine Leiter herbeischleppen wollte, sagte er mit feierlichem Ton: »Meine Herren, bedenken Sie, was Sie tun, ich bin seit Wochen schon auf alles, auf das Äußerste gefaßt, ich werde mich nicht gefangengeben, sondern mich bis auf den letzten Blutstropfen verteidigen. Hier bringe ich zwei Doppelflinten, beide scharf geladen, und noch mehr, diese alte Kanone, ein gefährliches Feldstück voller Kartätschen und gehacktem Blei, zerstoßenem Glas und derlei Ingredienzen. Pulver, Kugeln, Kartätschen, Blei, alles Nötige ist im Zimmer aufgehäuft; während ich schieße, ladet meine tapfere Frau, die als Jägerin wohl damit umzugehen weiß, die Stücke aufs neue, und so rücken Sie denn an, wenn Sie Blut vergießen wollen.«

»Das ist ja ein Erzsakermenter«, sagte der Polizeianführer, »ein solcher resoluter Verbrecher ist mir seit lange nicht vor die Augen gekommen. Wie mag er nur aussehen; denn man kann in diesem dunkeln Neste keinen Stich sehen.«

Heinrich hatte zwei Stäbe und einen alten Stiefel auf den Boden niedergelegt, die ihm für Kanone und Doppelflinten gelten mußten. Der Polizeimann winkte, daß sich die Leiter wieder entfernen solle. »Hier ist wohl der beste Rat, Herr Emmerich«, setzte er dann hinzu, »daß wir den ungeratenen Abällino aushungern; so muß er sich uns ergeben.«

»Weit gefehlt!« rief Heinrich mit heiterer Stimme hinab! »auf Monate sind wir mit getrocknetem Obst, Pflaumen, Birnen, Äpfeln und Schiffszwieback versehen; der Winter ist ziemlich vorüber, und sollte es uns an Holz gebrechen, so ist oben noch die Bodenkammer; da finden sich alte Türen, überflüssige Dielen, selbst vom Dachstuhle kann gewiß manches als entbehrlich losgebrochen werden.«

»Hören Sie den Heidenkerl!« rief Emmerich; »erst reißt er mir unten mein Haus ein, nun will er sich auch noch oben an das Dach machen.«

»Es ist über die Beispiele«, sagte der Polizeiwächter. Viele von den Neugierigen freuten sich über Heinrichs Entschlossenheit, weil sie dem geizigen Hausbesitzer dieses Ärgernis gönnten. »Sollen wir das Militär kommen lassen, auch mit geladenen Flinten?«

»Nein, Herr Inspektor, um Himmels willen nicht; darüber würde mir am Ende mein Häuschen in Grund und Boden geschossen, und ich hätte das leere Nachsehen, wenn wir den Rebellen auch endlich bezwungen hätten.«

»Richtig«, sagte Heinrich, »und haben Sie nebenher vergessen, was seit vielen Jahren in allen Zeitungen steht? Der erste Kanonenschuß, er falle, wo er wolle, wird ganz Europa in Aufruhr setzen. Wollen Sie nun, Herr Polizeimann, die ungeheure Verantwortung auf sich nehmen, daß aus dieser Hütte der engsten und finstersten Gasse der kleinen Vorstadt, die ungeheure europäische Revolution sich herauswickeln soll? Was würde die Nachwelt von Ihnen denken? Wie könnten Sie diesen Leichtsinn vor Gott und Ihrem König verantworten? Und doch sehen Sie hier schon die geladene Kanone liegen, welche die Umwandlung des ganzen Jahrhunderts herbeiführen kann.«

»Er ist ein Demagog und Carbonari«, sagte der Polizeianführer, »das hört man nun wohl an seinen Reden. Er steckt in den verbotenen Gesellschaften und rechnet in seiner Frechheit auf auswärtige Hülfe. Möglich, daß unter diesem lärmenden und gaffenden Haufen schon viele seiner Gesellen verkleidet lauern, die nur auf unsern Angriff warten, um uns dann mit ihrem Mordgewehr in den Rücken zu fallen.«

Als diese Müßiggänger erlauschten, daß die Polizei sich vor ihnen fürchte, erhoben sie in ihrer Schadenfreude ein lautes

Geschrei, die Verwirrung vermehrte sich, und Heinrich rief seiner Gattin zu: »Bleibe heiter, wir gewinnen Zeit und können gewiß kapitulieren, wenn nicht vielleicht gar ein *Sickingen* kommt, uns zu erlösen.«

»Der König, der König!« hörte man jetzt von der Straße her das laute Geschrei. Alles sprang zurück und durcheinander; denn eine glänzende Equipage suchte sich in der engen Gasse Bahn zu machen. Livreebedienten in betreßten Kleidern standen hinten auf, ein glänzender, geschickter Kutscher lenkte die Rosse, und aus dem Wagen stieg ein prächtig gekleideter Herr mit Orden und Stern.

»Wohnt hier nicht ein Herr Brand?« fragte der vornehme Mann; »und was hat dieser Auflauf zu bedeuten?«

»Sie wollen da drin, Ew. Durchlaucht«, sagte ein kleiner Krämer, »eine neue Revolution anfangen, und die Polizei ist dahintergekommen; es wird auch gleich ein Regiment von der Garde einrücken, weil sich die Rebellen nicht ergeben wollen.«

»Es ist halt eine Sekte, Exzellenz«, rief ein Obsthöker, »sie wollen als gottlos und überflüssig alle Treppen abschaffen.«

»Nein, nein!« schrie eine Frau dazwischen, »er soll vom heiligen Sänkt Simon abstammen, der Empörer; alles Holz, sagt er, und alles Eigentum soll gemeinschaftlich sein, und die Feuerleiter haben sie schon geholt, um ihn gefangenzunehmen.«

Es war dem Fremden schwer, in die Tür des Hauses zu gelangen, obgleich ihm alles Platz machen wollte. Der alte Emmerich trat ihm entgegen und berichtete auf Nachfrage mit vieler Höflichkeit die Lage der Dinge, und wie man noch nicht einig sei, auf welche Weise man des großen Verbrechers habhaft werden könne. Der Fremde schritt jetzt tiefer in den dunkeln Hausflur hinein und rief mit lauter Stimme: »Wohnt denn hier wirklich ein Herr Brand?«

»Jawohl«, sagte Heinrich; »wer ist da unten Neues, der nach mir fragt?«

»Die Leiter her!« sagte der Fremde, »daß ich hinaufsteigen kann.«

»Das werde ich jedem unmöglich machen«, rief Heinrich; »es hat kein Fremder hier oben bei mir etwas zu suchen und keiner soll mich molestieren.«

»Wenn ich aber den Chaucer wiederbringe?« rief der Fremde, »die Ausgabe von Caxton, mit dem beschriebenen Blatt des Herrn Brand?«

»Himmel!« rief dieser, »ich mache Platz, der gute Engel, der Fremde, mag heraufkommen. – Clara!« rief er seiner Frau fröhlich, aber mit einer Träne entgegen, »unser Sickingen ist wirklich angelangt!«

Der Fremde sprach mit dem Wirt und beruhigte ihn völlig, die Polizei ward entlassen und belohnt, am schwersten aber war es, das aufgeregte Volk zu entfernen; doch als endlich auch dies gelungen war, schleppte Ulrich die große Leiter herbei, und der vornehme Unbekannte stieg allein zur Wohnung des Freundes hinauf.

Lächelnd sah sich der Fremde im kleinen Zimmer um, begrüßte höflich die Frau und stürzte dann dem seltsam bewegten Heinrich in die Arme. Dieser konnte nur das eine Wort: »Mein Andreas!« hervorbringen. Clara sah nun ein, daß dieser rettende Engel jener Jugendfreund, der vielbesprochene Vandelmeer sei.

Sie erholten sich von der Freude, von der Überraschung. Das Geschick Heinrichs rührte Andreas tief; dann mußte er über die seltsame Verlegenheit und die Aushülfe lachen, dann bewunderte er wieder die Schönheit Claras, und beide Freunde konnten es nicht müde werden, die Erinnerung jugendlicher Szenen wieder zu beleben und in diesen Gefühlen und Rührungen zu schwelgen.

»Aber nun laß uns auch vernünftig sprechen«, sagte Andreas. »Dein Kapital, welches du mir damals bei meiner Abreise anvertrautest, hat in Indien so gewuchert, daß du dich jetzt einen reichen Mann nennen kannst; du kannst also jetzt unabhängig leben, wie und wo du willst. In der Freude, dich bald wiederzusehen, stieg ich in London ans Land, weil ich dort einige Geldgeschäfte zu berichtigen hatte. Ich verfüge mich wieder zu meinem Bücherantiquar, um für deine Liebhaberei an Altertümern ein artiges Geschenk auszusuchen. Sieh da, sage ich zu mir selber, da hat jemand den Chaucer in demselben eigensinnigen Geschmack binden lassen, wie ich die Art damals für *dich* ersann. Ich nehme das Buch in die Hand und erschrekke, denn es ist das deinige. Nun wußte ich schon genug und zu viel von dir; denn nur Not hatte dich bewegen können, es wegzugeben, wenn es dir nicht gestohlen war. Zugleich fand ich, und zu unser beider Glück, ein Blatt von deiner Hand vorn beschrieben, in welchem du dich unglücklich und elend nanntest, mit dem Namen Brand unterzeichnetest und Stadt, Gasse und Wohnung anzeigtest. Wie hätte ich, bei deinem veränderten Namen, bei deiner Verdunklung, dich jemals auffinden können, wenn dieses liebe, teure Buch dich mir nicht verraten hätte. So empfange es denn zurück zum zweiten Male und halte es in Ehren, denn dies Buch ist wunderbarerweise die Treppe, die uns wieder zueinander geführt hat. – Ich kürze in London meinen Aufenthalt ab, ich eile hieher – und erfahre vom Gesandten, der seit acht Wochen schon von seinem Monarchen hiehergeschickt ist, daß du seine Tochter entführt hast.«

»Mein Vater hier?« rief Clara erblassend.

»Ja, meine gnädige Frau«, fuhr Vandelmeer fort, »aber erschrecken Sie nicht; noch weiß er es nicht, daß Sie sich in dieser Stadt befinden. – Der alte Mann bereut jetzt seine Härte, er klagt sich selber an und ist untröstlich, daß er jede Spur von seiner Tochter verloren hat. Längst hat er verziehen, und mit Rührung erzählte er mir, daß du völlig verschollen seist, daß er trotz aller eifrigen Nachforschung nirgend eine Spur von dir habe entdecken können. – Es ist nur begreiflich, Freund, wenn man sieht, wie du, fast wie ein thebaischer Einsiedler oder wie jener Simeon Stylites, zurückgezogen gelebt hast, daß keine Nachricht, keine Zeitung zu dir gedrungen ist, um dir zu sagen, daß dein Schwiegervater dir ganz nahe lebe, und wie froh bin ich, daß ich hinzusetzen kann, dir versöhnt. Ich komme eben von ihm her, aber ohne ihm gesagt zu haben, daß ich die fast gewisse Hoffnung hegte, dich heut' noch zu sehn. Er wünscht, wenn du dich mit der Tochter wiederfindest, daß du auf seinen Gütern lebst, da du gewiß selbst nicht in deine frühere Karriere zurücktreten möchtest.«

Alles war Freude. Den beiden Eheleuten war die Aussicht, wieder anständig und in behaglicher Wohlhabenheit zu leben, wie dem Kinde die Weihnachtsbescherung. Gern ließen sie die notgedrungene Philosophie der Armut fahren, deren Trost und Bitterkeit sie bis auf den letzten Tropfen ausgekostet hatten. Vandelmeer führte sie in der Kutsche erst nach seiner Wohnung, wo man sogleich für anständige Kleider sorgte, um sich in diesen dem versöhnten Vater vorzustellen. Daß die alte getreue Christine nicht vergessen wurde, bedarf wohl keiner Erinnerung. Sie war in ihrer Art ebenso glücklich wie ihre Herrschaft.

Nun sah man in der kleinen Gasse Maurer, Zimmerleute und Tischler tätig. Lachend führte der alte Emmerich die Aufsicht über diese Wiederherstellung und den Bau seiner neuen Treppe, die, ungeachtet der Anmahnungen Heinrichs, doch wieder eine hölzerne war. Sein Verlust war ihm so reichlich und großmütig vergütet worden, daß der alte Geldsammler sich oft fröhlich die Hände rieb und gern wieder einen abenteuerlichen Mietsmann ähnlicher Gesinnung in seine Wohnung genommen hätte. – – –

Nach drei Jahren empfing der alte Zusammengekrümmte mit vielen verlegnen Scharrfüßen und übertriebenen Verbeugungen eine vornehme Herrschaft, die in einer reichen Equipage ankam, und die er selber die neue Treppe in das kleine Quartier hinaufführte, das jetzt ein armer Buchbinder bewohnte. Claras Vater war gestorben, sie war mit ihrem Gatten von den fernen Gütern hereingekommen, um den Verscheidenden noch einmal zu sehen und seinen Segen zu empfangen. Arm in Arm standen sie jetzt am kleinen Fenster, sahen wieder nach dem roten und braunen Dache hinüber und beobachteten wieder jene traurigen Feuermauern, in denen der Sonnenschein wie damals spielte. Diese Szene ihres vormaligen Elends und zugleich unendlichen Glücks rührte sie innigst. – Der Buchbinder war eben beschäftigt, die zweite Auflage jenes Werkes, was dem Verarmten gewissenlos war geraubt worden, für eine Lesebibliothek einzubinden. »Das ist ein sehr beliebtes Buch«, äußerte er bei seiner Arbeit, »und wird noch mehr Editionen erleben.«

»Unser Freund Vandelmeer erwartet uns«, sagte Heinrich, und bestieg, nachdem er den Handwerker beschenkt hatte, mit der Gattin den Wagen. Beide sannen nach über den Inhalt des menschlichen Lebens, dessen Bedürfnis, Überfluß und Geheimnis. – –

Die drei Schmiede ihres Schicksals

Quilibet fortunae suae faber est
Alter Spruch

Es war in einer Gesellschaft lustiger Männer ein Streit über
den altlateinischen Satz ausgebrochen, daß jeder Mensch der
Schmied seines Schicksals sei. Einige behaupteten, der Satz
wäre echt römisch und stehe gewiß in diesem oder jenem Werke dieses oder jenes Klassikers; andere sagten, er sei ein neues
Machwerk und schleppe sich erst seit kurzer Zeit durch unsere
lateinischen Schulbücher. Aber wie es geht, von diesem rein
historischen Standpunkte, über den sie sich nicht einigen konnten, spielte sich der Streit auf den philosophischen über und
entbrannte nun auf das heftigste über die Frage, ob es auch
wahr sei, was der Satz enthalte. Man führte nun nicht mehr
bloß die Historie in das Feld, sondern suchte der Sache auch
a priori beizukommen, indem man die Psychologie, die Lo-
gik und Metaphysik aufbot. Man redete über Zusammenhang
der Dinge, sittliche Weltordnung, Emanzipation vom Zufalle,
Freiheit des Willens und war auf dem Wege, ins Endlose zu
geraten, als plötzlich ein Schalk, der bisher geschwiegen hatte,
eine Geschichte zu erzählen anfing, worauf es nach und nach
stille ward; denn beide Parteien horchten hin, in der Hoffnung,
Gründe für ihre Behauptung aus der Geschichte ziehen zu können. Allein der Mann zog seine Geschichte gerade bis zu dem
Punkte, wo sie sich spalten mußte, um der einen oder der andern Partei zu dienen – dann brach er ab und sagte, daß er

den Rest morgen erzählen wolle, wenn sie etwa wieder zusammenkämen. Sofort erhob sich ein Lärm über Willkür und Täuschung, und man verlangte, daß er fortfahre. Aber da er hartnäckig bei seinem Ausspruche blieb, so vertagten sie listig den Streit, weil jeder begierig war, wie es nun weitergehen werde, und weil jeder heimlich hoffte, ihm würden die Hülfstruppen aus der Sache zuwachsen.

Allein, da nun die vierundzwanzig Stunden vorübergegangen waren, da sich die Gesellschaft versammelt, und der Mann seine Geschichte beendet hatte, so waren sie so ins Weite verschlagen, daß sie nun über ihren anfänglichen Satz gar nicht mehr stritten, sondern ihn alle plagten, ob die Geschichte wahr sei, wo sie sich zugetragen, wie die Personen geheißen haben, und wären beinahe in den neuen Streit geraten, ob die Geschichte aus innern Gründen wahr sein könne oder nicht. Der Mann aber lächelte verschmitzt, drehte seinen Ring auf dem Finger und sagte kein Wort mehr. Die Klügern unter uns merkten, daß er uns am Narrenseile geführt, die andern aber haderten auf dem neuen Wege weiter, auf den er sie gelockt hatte.

Da ich aber nun die Geschichte gerne wieder erzählen möchte, der Mann jedoch, wie ich oben sagte, ein Schalk ist, so weiß ich in der Tat nicht, ob er sie gelesen, ob sie ihm jemand erzählt, oder ob sie sich gar an ihm selber zugetragen habe. Letzteres wäre nicht ganz unwahrscheinlich, da man sich aus seinem früheren Leben noch ganz andere abenteuerliche Sachen erzählt. Jedenfalls aber hat er sich die üblen Folgen, die etwa aus meiner Plauderhaftigkeit entstehen sollten, selber zuzuschreiben; warum hat er uns die Geschichte arglistig erzählt, und warum hat er uns nicht aufgetragen, dieselbe geheim zu halten.

Es waren zwei Männer. Mein Vormann hat sie Erwin und Leander genannt. Beide waren sehr reich, hatten aber in ihrer frühesten Jugend das Unglück gehabt, ihre Eltern zu verlieren, und jeder stand dann unter einem tyrannischen Vormunde. Gleiche Schicksale, gleiche Jahre und vielleicht auch ein Zug des Herzens hatte sie schon frühe zusammengeführt. Sie betrieben auf dem mauerschwarzen Kollegium dieselben Studien, nämlich die Anfangsgründe alter Sprachen, und naschten zu Hause miteinander dieselbe Lektüre, nämlich nicht etwa Kinderbücher, sondern nur alte Klassiker. Sie hatten auch nie Kinderkleider gehabt, sondern, selbst da sie noch ganz klein waren, schon nach dem Schnitte der Vormünder und auf das Wachsen berechnet, daher immer zu groß – jeder hatte einen sauersehenden Diener, und in jedem der zwei blühenden Kindergesichter war die traurige Miene und der liebeleere Blick von Waisenknaben bemerkbar.

Nach und nach wurden sie in die Welt und das Leben eingeführt, das heißt, sie kannten die Gesetze der Spartaner, beteten die Stoiker an, ahmten beide nach und waren außer sich über das Bekannte jenes Weibes: »Es schmerzt nicht.« Leander kam wohl zu besonderen Zeiten, damit er, wie der Vormund sagte, Manieren lerne, in diese oder jene Familie, die einst mit seinem nun verwaisten Hause verbunden gewesen war, aber er lernte dort nichts, weil er bloß schwieg, in einen Winkel gedrängt wurde und bei der ersten Gelegenheit fortging. Um Erwin aber, dessen Güter lauter Raubritterruinen in den fernen Waldbergen waren, kümmerte sich kein Mensch und kein Hund. Wenn er mit seinem Diener zur Schule ging, so geschah es zuweilen, daß eine Mädchengestalt etwa über seinen Weg trat, oder in einem Wagen vorbeifuhr; allein er machte sich nie davon eine deutliche Vorstellung, was das sei, und wie sie sich von ihm unterscheide.

Nicht weit von der Stadt war ein verrufener Winkel, »die Gänseweide« geheißen, dort rangen sie, warfen den Diskus und fochten mit Schild und kurzem Schwerte. Weit von ihrer Wohnung, wo der Fluß zwischen düstern Föhren stagnierte, schwammen sie und sprangen über ausgetrocknete Lehmgruben.

Als sie Jünglinge geworden, schlossen sie einen Freundschaftsbund, wie etwa zwei gefeierte Namen des Altertums, und damals hatten sie auch verabredet, im strengsten Sinne des Wortes, wie das klassische Sprichwort sagt, die Schmiede ihres Schicksals zu werden, nämlich sich von allem unabhängig zu machen, was zufällig sei, damit geschehen könne, was auf Erden möglich, ohne ihr inneres Glück zu berühren. Von diesem Tage an aßen sie nur mehr eine vegetabilische Brühe, annähernd die schwarze Suppe Lakedämons, schliefen auf bloßem Stroh und verbannten alle Geräte, außer einem Tische und einer Bank. Ihre Zeit und ihre Mitwelt ging neben ihnen her, als sei sie vor tausend Jahren gewesen.

Daß ihr äußeres Benehmen auf diese Weise ungeschlacht und eckig, ja unheimlich und lächerlich zugleich werden mußte, ist begreiflich, nur sie ahneten nichts davon. Bloß darin mochte sich ein dunkles Gefühl davon aussprechen, daß sie, je mehr sie heranwuchsen, desto mehr die Gesellschaft flohen, namentlich die gesellige, von Männern und Frauen gemischte; nur mit dem einen oder dem andern verwitterten und bemoosten Repetenten der Schule pflogen sie Umgang und lernten von ihm Kneipenton, was sie für moderne Welt hielten, im Gegensatze zu der alten klassischen. Damen und Mädchen gossen ihnen Blei in die Glieder, so daß die Füße in dem Boden und die Hände in den Rocktaschen wurzeln mußten. Sie erlangten die Beweglichkeit erst wieder, wenn sich der Zauber dieser Klapperschlangen entfernt hatte. Nur Leander hatte sogar schon einmal mit einer geredet, er war damals achtzehn Jahre alt, sie fünfzehn und wunderschön. Er mußte zum neuen Jahre Glück wünschen gehen und traf unseliger Weise nur Mutter und Tochter zu Hause, und zwar zum Ausgehen angezogen. Noch dazu wurde die Mutter abgerufen und sagte im Weggehen: »So reden Sie doch mit Elmiren, Herr Baron!« Damals nun hatte er gefragt: »Diese Webe an Ihrem Gewande ging gewiß aus Ihrer und Ihrer Mutter kunstreicher Webehand im Frauengemache hervor.« Elmire wurde bloß im ganzen Gesichte blutrot und hatte ihm aber gar nichts geantwortet. Seit der Zeit beging er lieber die schreiendste Unart, als daß er sich wieder einer sol-

chen Lage ausgesetzt hätte. Erwin hatte solches nie zu erdulden gehabt; denn er war in seinem Leben noch nie auf dem
glatten Boden eines Besuches gestanden.
Eine Stellung hatten sie trotz alle dem, in welcher sie jedes
Auge mit Vergnügen anschaute, nämlich, wenn sie zu Pferde
saßen – reiten hatten sie bei dem ersten Meister gelernt –, da
reichte kein Jüngling an diese zwei kraftvollen schönen Göt-
tergestalten. In der Tat hatten sie durch ihre Übungen eine
Gesundheit erlangt, daß ein eiserner Turm auf sie fallen
konnte, ohne ihnen etwas anzuhaben, und eine tigerartige Kraft
und Geschmeidigkeit, die nur in Wüsten vorkömmt; leider trat
sie bloß bei ihrem einsamen Laufen und Springen hervor, nie
aber im geselligen Verkehre. Auch war ihrem Erscheinen ein
Umstand im Wege, den ich zum Schaden meiner Helden noch
anführen muß. Sie gingen nämlich, wie einst als Knaben in
Männerkleidern, so jetzt als Jünglinge in Greisengewändern
und noch dazu fast im Schnitte des vorigen Jahrhunderts. Sie
ließen, oder vielmehr ihre Bedienten – sonst fast Todfeinde,
in diesem einen Punkte aber wunderbar gleich – ließen bei
demselben uralten Schneider arbeiten, und zwar so, wie es in
ihrer Jugendzeit schön gewesen wäre. Sie trotzten mit der Garderobe ihrer jungen Herren der Macht des neuen Jahrhunderts.
Nur die jungen Herren wußten es nicht, da sie zu Hause keinen Spiegel hatten und auf der Gasse nur andere, nicht sich
sahen. Bloß in dem einen Stücke gingen sie mit der Mode, daß
sie sich allen Bart wachsen ließen, aber doch wieder mit der
Ausnahme, daß sie vorhatten, ihn mit der Schere nach altgrie-
chischer Art zusammenzustutzen, wenn er nur erst groß genug
sein werde.
Ob sie in dieser Lage glücklich waren?
Ich glaube beinahe: sehr; denn ihr Leben machte ihnen Freude,
ein anderes kannten sie nicht. Ihr reiner sprossender Körper
gab ihnen Gefühle von Behagen und Wohlsein, wie sie andere
gar nicht zu ahnen vermögen, und eine Heiterkeit trat hervor,
die in der Tat durch keinen Unfall zu trüben war, nachdem

sie nur einmal jene Zeit überwunden hatten, wo aus den Augen eines Kindes, wenn man es für glücklich halten soll, noch die empfangene Mutterliebe herausschauen muß. Ihr Geist war auch glücklich, denn sie hatten sehr viel gelernt und erfreuten sich gegenseitig des Besitzes. Alte Geschichte und Literatur, dafür gar keine neue, Mathematik in allen Zweigen, dann die Realwissenschaften – alles das hatten sie sich nach und nach meistens gegenseitig beigebracht, und zwar in einer Vollendung, wie selten junge Leute – es war eine andere Art Rennbahn gewesen, und in diesen Übungen erfreute sich ihr Geist. Von Gefühlen schwärmender Sehnsucht, von namenlosen Hinausahnungen, von Schmachten, von Trieben des Herzens, von süßem Schmerz und so weiter war gar nichts da; außer einigem Übermaß klassischer Begeisterung waren sie in diesen Dingen so roh wie die Irokesen.

Wenn es mit ihnen so fort geht, so haben sie das Rätsel gelöst, das sie sich aufgegeben, nämlich jetzt waren sie die Schmiede ihres Schicksals, und zwar eines ganz und gar glücklichen; denn wenn auch von dem einen oder anderen Vormund mit Schmerzensrufen und Lamentierungen die Nachricht einging, wie dort der Hagel wieder ein Feld in den Grund geschlagen, hier eine Scheuer abgebrannt, und dort ein Knecht ein Schlingel gewesen sei, so war ihnen das bloß komisch; denn sie hatten für ihre künftigen Bedürfnisse so lächerlich zu viel, daß eher eine Verlegenheit daraus entstanden wäre, was sie mit dem Überschusse tun sollten, als daß sie sich hätten kränken können, wenn etwas verloren ging.

So lebten sie mehrere Jahre, waren meistens beisammen und trugen sich mit Vorstellungen, wie sie erst, wenn sie in den Besitz ihres Vermögens kämen, eine recht eigentliche eiserne Unabhängigkeit gründen wollten, die sie zum Herrn der ganzen Welt machte.

Der erste, welcher von diesem Zusammenleben Abschied nehmen mußte, war Leander, der etwas älter war. Es erschien ein junger Mensch, und mit dem mußte er seine Reise durch Europa antreten, daß er Weltbildung bekomme. Der Vormund selbst hatte ihn abgeholt, und nun ging Erwin allein in den Räumen der Musenstadt herum. Aber auch seine Zeit dauerte nicht mehr lange; denn er wurde, da sein Vormund plötzlich starb, mündig erklärt und in die Verwaltung seiner Güter eingesetzt. Man hatte absichtlich keinen Briefwechsel verabredet, weil diese Trennung die erste Probe ihrer Grundsätze sein sollte. Erwin ging in das Gebirge, und auf der dreißig Meilen langen Straße lief das Gerücht hinter ihm her von dem Manne, welcher lauter Gemüse gegessen habe. Sein Plan ging noch viel weiter, als der Leanders. Nicht Europa, das er fast verachtete, wollte er besuchen, sondern, um seine menschliche Kraft an der großen aufrecht stehenden Natur zu üben, statt sie an Afterverhältnissen herabzubringen, beschloß er, nach Texas zu gehen, dort an der Grenze der Wilden eine Niederlassung zu gründen mit dem Keime antiker Kraft und Gesetze, der sich durch die ganze Republik verbreiten, dereinst wachsen und etwa einen Staat von spartanischem Erze, athenischer Schönheit und römischer Tüchtigkeit erzeugen, der dereinst seiner geographischen Lage nach der erste der Welt werden würde. Vorher wollte er die Verwaltung seiner europäischen Güter auf einen Fuß nach seiner eigenen Einsicht bringen, welche auf mathematischer Basis ruhte, so daß nach seiner Abreise ruhig das Gesetz fortwirke und ihm dorthin die Zuflüsse sende, die er zu seinen Zwecken brauchte. Erreiche er dieselben wegen äußerer Zufälle nicht, so seien sie doch moralisch da und erreicht; das Wollen ist das Himmelreich der Menschen, das Vollbringen das der Götter.

Alle Diener und Müßiggänger, alle Schmarotzer und Freunde des Hauses, alle Beamte, große und kleine, waren in ihrem Herzen unsäglich erleichtert, als sie den Tod des unerträglichen tyrannischen Vormundes erfuhren und die Ankunft des schwachen Narren, ihres neuen jungen Herrn, erwarteten. Der Verwalter konnte sein Staunen drei Tage und drei Nächte nicht verwinden über die unsägliche Albernheit seines neuen

Gebieters, wie er ihn verwirrt und ehrerbietig vor seiner eigenen Tochter, der törichten Rose, stehen sah, wie er lauter Kräutersuppe aß, stets zu Fuße ging und auf einem Bund Stroh schlafe. Aber ehe zwei Jahre ins Land gingen, sagte man sich unter dem Siegel der tiefsten Verschwiegenheit ins Ohr, welch unendlich fürchterlicher Tyrann jetzt da sei: Zwei Jahre nicht zornig und zwei Jahre unerbittlich.

Erwin ließ sich, als er einen Tag zu Hause gewesen, sofort alle Papiere, die sich auf den Komplex seiner Güter und auf einzelnes bezogen, vorlegen und las darin über anderthalb Jahre, dann schrieb er ein halbes Jahr und legte endlich dem Verwalter den Entwurf für die Zukunft vor. Dieser sagte, er sei unausführlich. Erwin erwiderte nichts, aber in zwei Jahren war der Entwurf ausgeführt und im Gange, er hatte nur zu diesem Behufe zwei Dritteile seiner Leute entlassen. Keine Gesellschaft, kein Gastmahl, kein Tropfen Wein, als lauter verkäuflicher, keine Kutsche, kein Pferd daran, einen groben grauen Rock, tagsüber stets am Schreibtische und von Boten und Beauftragten umringt, abends allein im Garten, Klettern, Laufen, Steine werfen, über Holzböcke springen, dabei immer ernsthaft bleiben — — es ging über menschliche Begriffe! – und so jung und so geizig und so unerhört hartnäckig; um kein Jota durfte von seinen Anordnungen abgegangen werden. Und als nach fünf Jahren alles in seinem ordentlichen Gange war, sahen sie ihn in dem grauen Rocke, mit einem Ränzlein auf dem Rücken und einem Knotenstocke in der Hand fortgehen und nicht wiederkommen.

Er aber war auf dem Wege nach Havre, um von dort New-Orleans zu gewinnen. Ein Oberverwalter war bestellt, alle Korrespondenzpunkte bestimmt und alles in absoluter Festigkeit und Gewißheit. Seinen Freund hoffte er in Paris zu finden, wo er sich, wie er gehört, schon seit einem Jahre aufgehalten, und er hoffte, ihn vielleicht zur Teilnahme oder Nachfolge zu bewegen. Aber auf seiner fünften Nachtstation hatte er das Unglück, zu erfahren, daß sich Leander auf das schmählichste geändert. Er fand nämlich dort auf der Post einen Brief seines Verwalters und darinnen eingeschlossen einen von Leander, der ihn zu Gaste auf seine Hochzeit bat. ›Ich habe Dich‹, hieß es unter andern darin, ›Du geliebter alter Freund und Genosse meiner Jugendträume, nicht vergessen und immer nicht vergessen können. Erinnerst Du Dich noch an das kindische Versprechen des Nichtkorrespondierens – nun, ich muß es doch brechen, um zu sehen, wie es mit Dir ist, da Du gar nichts hören läßt. Auf alle Deine Schlösser habe ich zugleich Abschriften dieses Briefes gesendet und hoffe, Dich gewiß bei mir zu sehen, wenn Du nicht etwa indessen, weiß Gott wo, in Europa herumvagierest. Wir hätten Dich trotz der Unpäßlichkeit meiner Eveline und der Abneigung ihrer Mutter vor Reisen auf einem Deiner Nester überfallen, wenn wir nur gewußt hätten, wo. Alle Nachrichten der Reisenden stimmten darin überein, daß auf keinem Deiner Güter eine Herrschaft wohne. Bist Du etwa in süßen Banden? Wie!? Und halten Dich diese in der Stadt? Ich hoffe, daß ein Deiniger Lehnsmann, dem dieser Zettel in die Hände gerät, so viel Vernunft haben wird, ihn Dir zu übermachen. Ich sehne mich im Ernste nach Dir, die holdesten liebsten Fäden meines Herzens und meiner Kinderspiele laufen in Dir zusammen. Eveline ist zu begierig auf Dich. Komme, komme und komme, Du bist der willkommenste auf Schloß Turun.‹

Erwin war zu einer Säule erstarrt. Das erste Mal in seinem Leben half ihm die Stoa nichts. Er suchte vergeblich, zu machen, daß dieser Schmerz und dieser Verdruß nichts sei – er war immer wieder da, und so sehr er bisher und so glücklich er an seinem Schicksale geschmiedet hatte: dieser Klumpen Eisen war einmal absolut nicht zu schweißen, ja er wurde sogar, wie gerade starke Menschen, wenn sie einmal aus dem Geleise sind, nervös und ärgerte sich über Dinge, über die sich niemand zu ärgern hat: über die gläsernen Salzfässer, über den kleinen Wirt und über seinen Ärger. Turun lag nur eine Meile von dem Städtchen, übermorgen war Hochzeit, ganze Wägen voll

Gäste waren schon durchpassiert, mit der lieblichen Morgenröte war auch die Stoa beinahe wieder gekommen, aber doch nicht ganz; denn, statt seine Reise gelassen fortzusetzen, wie Zeno getan hätte, dachte Erwin: »Dies eine Mal kann ich ja von meinem Vorhaben so weit abgehen, daß ich es um zwei Tage verzögere, oder auch gar nicht verzögere, denn diese zwei Tage kann ich ja im Gehen einbringen – ich will hinüber und den einstigen Freund mit meiner ruhigen Gegenwart beschämen und etwa retten, was noch zu retten ist.«

Ach, der Arme! den süßen Zug, der ihn heimlich zu dem ehemaligen Lieblinge zog, wagte er nicht, sich einzugestehen. Und so ging er gegen Abend auf Schloß Turun hinüber. Das Ränzlein hatte er bei dem Wirte gelassen, mit dem Bedeuten, daß er es übermorgen abholen werde.

Er war nicht ganz zufrieden mit sich, und sein Herz war auf dem ganzen Wege unruhig. Dieses erste Mal hatte er seinem Zwecke zuwider dem Zufalle nachgegeben, aber es soll gewiß auch das letzte Mal sein.

Drüben war alles vollgestopft mit Gästen. Man geriet durch den neuen Ankömmling in eine zweifache Verlegenheit: erstens, was man denn aus seinem einfachen grauen Rocke machen sollte, der so unsäglich hochzeitswidrig war, und zweitens, wohin man ihn einquartieren werde; denn von allen Geladenen waren entweder Entschuldigungen oder Annahmen eingegangen, und jeder Raum und jedes Räumchen des Schlosses war vergeben, bis auf eines, wohin man aber unmöglich einen Menschen stecken konnte, ohne sich der größten Verantwortung auszusetzen. Nur Leander in seinem wahrhaft stürmischen Entzücken, daß er den Mann wieder habe, den er am meisten auf dieser Welt liebte, machte sich aus beiden Verlegenheiten nichts. Über das Erste, worauf sich doch die Blicke aller andern richteten, glitt sein Auge ohne Bewußtsein hinaus; über das Zweite, als es ihm der Haushofmeister zugeflüstert hatte, lachte er bloß und sagte: »Dieser Mann, Erwin, trägt Bedenken, dich in eine Stube zu weisen, worin Gespenster sind. Du mußt nämlich wissen, daß mein Haus nicht bloß von außen das ganze weitläufige Ansehen eines alten Feudalschlosses hat, sondern daß es auch noch seinen Geist auf unsere ungläubige Zeit herüber gerettet. In dem Zimmer, wo du heute schlafen sollst, geht zu Zeiten unsere weiße Frau herum, eine Dame des Hauses aus dem eilften Jahrhundert. Sie ist aber nicht etwa eine Verbrecherin, sondern bloß eine Schutzfrau, die nur zur Warnung erscheint. Heute, meine ich, wird sie wohl ruhig in der Gruft bleiben; denn wenn sie gegen Evelinen etwas hätte, so hätte sie mir zarter Weise doch viel früher erscheinen sollen – außer sie dehnt etwa ihre Sorgfalt für mich auch auf dich, meinen Freund, aus, wenn du vielleicht auf bösen Wegen wandelst.«

Erwin, der keine anderen als klassische Gespenster kannte, fürchtete keine mittelalterlichen und beruhigte den Haushofmeister, der nun sofort befahl, daß man das rote Eckzimmer lüfte, daß man weiche Dunen in das Bett lege, Teppiche breite, den Kamin heize und Wein und kalten Braten auf den Tisch stelle. Alles müsse noch bei Tageshelle fertig sein.

Leander nahm nun den Freund, indessen man sein Zimmer bereite, mit sich in sein eigenes Gemach, das einzige, das ihm heute zu freier Schaltung übrig geblieben war, und bewillkommte ihn dort wieder und wieder, so daß es dem andern fast süß und lieb ins Herz geflossen wäre, wenn er nicht den feinen schönen verweichlichten Mann vor sich hätte stehen gesehen, der einst sein starker edler Freund gewesen. Ob der Mann aber nicht auch in dem fein rasierten Angesichte und dem modernen Fracke noch edel und stark geblieben sein könne, davon ahnte Erwin in seiner Einseitigkeit nichts, Leander aber durchblickte den armen Freund gar wohl.

»Wir wollen heute und morgen«, sagte er, »einmal das reine Beisammensein genießen und von nichts anderem reden, was es trüben könnte. Ich fürchte, du bist auf einer weiten Reise.«

»Ja, nach Texas, wo ich bleiben will.«

»Da sei Gott vor, was willst du denn in dem verworrenen unsicheren Lande? Davon müssen wir dich abbringen.«

»Das wird wohl nicht angehen«, sagte Erwin lächelnd.

»Nun, nun, es sei, wie es wolle«, versetzte Leander, »lassen wir das alles, wir wollen schon über dich gehen und dich heilen. Jetzt komme, damit wir nicht streiten, mit mir auf den Balkon, ich will dir meine Gäste aufführen, die unten im Parke spazieren gehen, und dir auch die Stelle zeigen, wo sich der liebe Zufall ereignete, der mich mit Evelinen verbunden hat.«

»Lasse mich doch wenigstens aus deinem Munde nicht das Wort Zufall vernehmen«, entgegnete Erwin, »es ist, als sei es unmöglich, daß du es solltest aussprechen können.«

»Noch viel mehr«, sagte der andere, »ich will dich lehren, daß es einen Zufall gibt, und daß wir nur weise sind, wenn wir ihn beherrschen.«

Mit diesen Worten hatte er den Freund auf den Balkon hinausgeführt. Dort fuhr er fort: »Ja, wenn du nicht gar zu ungelehrig bist, so hoffe ich mit Zuversicht, daß ich bald so glücklich sein werde, bei dir einem gleichen Feste beizuwohnen, wie du heute bei mir.« – »Lasse doch um Himmels willen die Weiber«, sagte Erwin und zuckte ordentlich weg, als hätte ihn schon eine dieser Schlangen bei der Hand.

Der andere aber fuhr hartnäckig fort. Entweder merkte er die Stimmung des Freundes nicht, oder wollte er sie nicht merken. »Da wäre die zarte Agnes Harrand, die dort neben dem Merkur steht, sie ist die Schönste des Landes und erst siebzehn Jahre alt. Oder jene rot gekleidete schlanke Figur neben der dicken Mutter, das ist die Gräfin Rosalie Steinheim, so gut und schön wie eine Taube. Siehe, da gerade über das Parterre geht eine Schmiedin ihres Schicksals, wie wir es einst waren. Unsere jungen Herren würden lieber ein glühendes Eisen anrühren, als diese Dame, so stolz ist sie. Sie bleibt unvermählt, weil sie keinem Zufalle, d. h. keinem Manne, preisgegeben sein will. Es freit auch keiner mehr um sie. Der alte Mann, mit dem

sie geht, ist ihr Vater, der Ritter Fargas, mein nächster Nachbar, sie heißt ebenfalls Rosalie, und wenn du reiten lernen willst, so nimm sie zum Stallmeister. Dort auf der Gartenbank sitzen gar drei auf einmal, doch nur die mittlere ist ausgezeichnet, die andern minder, aber jede trägt zwei Rittergüter in der Schürze. Sie sind die Baronessen Kralstein, Bertha, Emilie und Clarinda. Eine heißere Sonnenscheibe als Emiliens schwarzaugige Blicke gibt es nicht. Oder betrachte die, welche jetzt von Rosalie Fargas leichthin gegrüßt wird, sie ist viel gefeiert, und einige sind über sie verrückt, sie ist die Gräfin Miris, eine einzige Erbin – und dann erst die, die wir nur von der Ferne sehen, oder erst die, so von den Gebüschen gedeckt sind, Johanna, Mathilde, Emerentia, Sibylla, Margareta, Cajetana, und wie sie heißen mögen. Morgen wirst du sie alle neben alten Papas-, Mamas- und Onkelsgesichtern sitzen sehen und kannst wählen. Dem Sohne deines Vaters und deinen ungeheuren Wäldern wird keine abgeschlagen. – Doch Scherz bei Seite, Erwin. Morgen wird Eveline kommen, und du wirst die ruhig schöne Tugend sehen, aus klaren fleckenlosen aufrichtigen Augen schauend, und ein solches Gut wünsche ich deinem Herzen, dem festesten und besten dieser Welt.«
Erwin aber bat mit düstern trüben Blicken, daß er ihn mit alledem verschonen möge, daß man ihm lieber sein Zimmer anweise, und daß man ihm gestatte, für heute dort zurückgezogen bleiben zu dürfen. Wie er es morgen halten wolle, war ihm noch nicht recht klar, nur so viel ungefähr schwebte ihm vor: wenn nur diese Nacht überstanden sei, so werde er morgen bei der Zeremonie sein und dann sogleich auf dem Wege nach Havre. Verstimmt, mürrisch und durchaus nicht mehr Herr seiner Stimmung, ließ er sich von Leander in das rote Gemach geleiten. Er schrieb alles dem Zufalle zu, dem er sich hingegeben, und dachte, es werde nicht eher gut, als bis er wieder auf der Straße nach Havre sei, niemanden Raum gebend und gehorchend, als sich selbst und seinen Entschlüssen. »Daher kommt alles«, dachte er, »daß ich das Ding da nicht

gelassen habe, wie es ist, und ruhig meines Weges weiter gegangen bin. Nun habe ich Reue, ein Ding, das früher nie da war, und nun schmiede ich vergebens an meinen Gedanken, daß sie ruhig und ebenmäßig sein sollen, und sie fahren widerspenstig im Kopfe gegen einander.«

Leander empfahl sich, der andere schloß hinter ihm seine Türe zu und betrachtete sich trübselig die Behausung, in der er die Nacht zubringen sollte. Er war über sich ärgerlich, daß er nicht ruhig sei, daß so viele fremde Dinge kämen, und deshalb ging er an die Musterung des Zimmers, um sie abzuleiten. Es war nicht anders, als gewöhnliche Zimmer sind, nur, da es in einem reichen Schlosse war, war es groß, ein reguläres Viereck und mit einem ungeheuren Kamine versehen, in welchem trotz des nicht kühlen Maiabends ungeschlachte Scheite loderten. Die Fenster gingen gegen Osten, an dem bereits, da die Sonne schon untergegangen, ein riesengroßer, blutroter Vollmond stand und matt durch die Gläser herein schien. Erwin, dem die Hitze zuwider war, da er stets in ungeheizten Zimmern schlief, öffnete die Flügel des einen Fensters und sah nun, daß es das letzte einer langen Fronte sei, und daß daneben rechtwinklig eine andere noch längere Fronte wegspringe, mit unzähligen riesenhaft wegstehenden Dachrinnen, welche große kupferne Rachen aufrissen. Drüber hinaus standen Wirtschaftsgebäude in allen Richtungen verschoben, und über sie blickten die Wipfel des Parkes herein, gegen den Vollmond emporstehend. Da er dieses betrachtet hatte, ging er an den Tisch, nahm sich Brot und Wasser und hielt Abendmahl. Der Braten und Wein blieb unangerührt stehen. Da es indessen ganz finster geworden, zündete er die auf dem Nachttische stehenden Kerzen an und bemerkte, daß ein modernes Buch daliege, welches etwa der Haushofmeister zur Zerstreuung des Gastes hergelegt. Damit keine Kohle auf den Teppich herausfalle, schürte er noch das Feuer in dem Kamine zurück, schob den Holzkorb ein wenig weiter hinweg, dann nahm er alle Dunen und anderes Zeug aus dem Bette bis auf den Strohsack und eine Decke, packte alles auf einen Kasten, dann legte er die Oberkleider ab, versuchte noch einmal die Güte des Türschlosses, da er große Summen im grauen Rock führte, und legte sich endlich auf sein Stroh nieder. Die durch das offene Fenster hereinströmende Mailuft tat ihm sehr wohl, da es ihm von dem unvernünftigen Heizen unerträglich warm schien. Eine Weile las er in dem Buche, es stand von nichts als lauter überschwenglicher Liebe in überschwenglichen Versen darinnen, dann legte er es weg, löschte die Lichter aus und starrte noch eine Zeit in die zusammensinkende Glut des Kamines, die um so düsterer rot war, als daneben das weiße Silber des Mondes in breiten Scheiben auf dem Fußboden lag. Dann, mit einem flüchtigen Gedanken an die weiße Frau und mit verwirrten Träumen von Emilie, Emerentia, Cajetana entschlummerte er fest und ruhig.

Wie lange er mochte geschlafen haben, wußte er nicht, aber es durfte schon Mitternacht vorüber sein, da war es ihm, als streife ein eiskalter Hauch über sein Gesicht. – War es nun, daß er über die Sagen des Zimmers doch nicht ganz gleichgültig war, oder war es seine angewohnte Entschlossenheit, er weckte sich aus dem halb träumenden Zustande, in den ihn der Luftzug versetzt hatte, vollends auf und öffnete seine Augen. Aber wer beschreibt sein Erstaunen, in das er geriet, als er die Veränderung erblickte, die in seinem Zimmer vorgegangen war: im Kamine, wo er nur ein Häufchen verglimmender Kohlen gelassen hatte, loderte nun ein helles Feuer, vor demselben, die Fußsohlen gegen die Wärme haltend und ihm den Rücken zugekehrt, saß eine Gestalt, über und über mit weißem Zeuge, wie mit Nebelhüllen angetan, vorne durch das Kaminfeuer blaß rosenrot angeleuchtet, hinten mit dem bleichen, fast blauen Scheine des Mondes belegt. Er getraute sich keinen Atemzug zu tun, so war er erschrocken. Er glaubte noch zu träumen und redete sich innerlich zu, zu erwachen, aber er antwortete sich, daß er ja wache; denn auf dem Tische stehen die Flaschen und ganz deutlich die Teller mit den Speisen, da stehen neben ihm die zwei ausgelöschten Kerzen, da liegt das Buch und dort auf dem Kasten das herausgeräumte Bettzeug, von dem Feuer sanft rot gesäumt – und es ist ja so heller Mondschein, daß man einen Strohhalm auf dem Zimmer liegen sähe. Die Gestalt saß unbeweglich in derselben Stellung dort. »Das ist meine rechte Hand«, sagte er sich, »das ist die linke, jetzt rühre ich den Daumen, jetzt den Fuß –« das alles sagte und tat er, um sich zu überzeugen, und um sich von jenem Zustand emporzuraffen, der sich bleischwer und alpartig auf ihn zu legen drohte und seine Sinne zu benebeln begann. Aber es half nichts, das Bild blieb unbeweglich dasselbe, und es war, als scheine der Mond nur immer greller darauf. Erwin war bis an die Wand gerückt, dort drückte er sich an, zog die Decke bis an die Augen, und über seine Glieder ging es fast wie ein Fieberfrost. Er schloß ein um das andere Mal die Augen, aber es half nichts, er mußte sie wieder öffnen, und sie saß immer wieder dort. Einmal nur hatte sie wie traumartig den Arm gehoben und ihn wie einen Bogen über das Haupt gehalten, wie etwa jemand im Schlafe einen Arm über den Kopf emporlangt. Dann aber hatte sie ihn wieder sinken lassen und war unbeweglich wie früher. Nur die Füße hielt sie nicht mehr gegen das Feuer, sondern auf den Teppich gestellt. Sie waren ebenfalls schneeweiß.

Wie lange die Erscheinung schon dauerte, konnte Erwin nicht ermessen; denn ihm war alles Zeitmaß verloren gegangen. Nur eine Tätigkeit war in ihm geblieben, die der Augen. Unverwandt und bezaubert mußte er sie immer hin heften, und den drängenden Atem ließ er so leise strömen, daß er ihn selbst nicht einmal hören konnte. Bald war ihm, die Gestalt rege sich, bald, sie sei starr – endlich regte sie sich in der Tat. Unheimlich langsam, wie ein Totes oder Träumendes, richtete sie sich auf, wendete sich mechanisch um, schritt nebelhaft gleichmäßig gegen das Bett, beugte sich und legte sich hinein. Nur im Momente des Niederlegens hatte er ein kurzes leises Seufzen gehört, wie von menschlichen Lippen – dann

aber folgte bald das regelmäßige tiefe Atmen eines ruhig
Schlafenden.

So schmal sich nur immer ein ohnehin sehr schlanker Mann
machen konnte, so schmal hatte er sich in dem Augenblicke
gemacht, als sich die Erscheinung zum Niederlegen anschickte,
wie ein Schilfrohr lag er an der Wand, und keine Fiber an
ihm regte sich. Fast wollte ihn wieder die eisige Hand des Entsetzens packen, wenn er sich die seit achthundert Jahren mo-
dernde Schönheit bei sich im Bette dachte, aber da er das gesunde Atmen hörte, und da ihm war, als fließe sanfte Lebens-
wärme von der Gestalt zu ihm, so war nun sein Erstaunen
noch größer, als früher sein Entsetzen gewesen war. Eine Zeitlang rührte er sich noch nicht, dann aber ganz behutsam und
sachte, daß nichts knistere, drehte er den Kopf herum (er hatte
nämlich früher das Gesicht gegen die Wand gekehrt) – aber
er sah nichts als feine weiße Wäsche, die über eine menschliche
Gestalt gedeckt schien. Das halb weggewendete Angesicht der
Gestalt konnte er nicht sehen, weil eine sehr große Krause einer Nachthaube davor emporstand. Daß es nur ein Weib sei,
schloß er, aber sein Zustand war nun nicht viel besser, als
wenn es ein Gespenst gewesen wäre. Bloß des einen war er
sicher, daß ihm das Weib nicht gegen seinen Willen den Hals
umdrehen könne, das andere war alles ängstlich genug.

Wieder eine Weile war er ruhig – dann wagte er es, den Kopf
auch ein wenig zu heben, um über die obere Kante der Krause
auf das Gesicht niederblicken zu können. Auch diese Operation gelang. Halb schwebend hielt er so den Oberleib gehoben
und sah auf die ruhigen schlummernden Züge einer jungen
schönen Dame nieder. Ja, sie war fast außerordentlich schön.
Eine weiße sanfte Stirne, darunter die zwei großen geschlossenen Augenlider mit langen Wimpern, feine stolze Wangen,
vom Schlafe leicht gerötet. Seine Angst erreichte den höchsten
Gipfel, aber gerade in ihr gab ihm der Himmel einen Gedanken ein, für den er ihm inbrünstig dankte, nämlich, sich leise
emporzurichten, mit äußerster Vorsicht über sie hinauszustei-

gen, seine Kleider zu nehmen und in den Garten zu entfliehen. »Wenn nur die Tür einmal offen ist«, dachte er, »zumachen wolle er sie dann gar nicht mehr.« Da das Atmen der Gestalt so sanft und gleichmäßig fortging, machte er sich an sein Werk. Langsam und mit der gemessensten Behutsamkeit richtete er sich in die Lage empor, die er brauchte – schwebend prüfte er die Breite des Bettes – plötzlich geschah, da die Nacht doch kalt war, wieder durch das noch offene Fenster ein so eisiger Windzug, wie der, welcher ihn aufgeweckt haben mochte – die Gestalt mußte ihn auch verspürt haben; denn sie tat einen tiefen unterbrechenden Atemzug und griff mit den Händen mechanisch nach der Decke, die sie über sich zog. Erwin war indessen wie ein in die Luft geheftetes Marterbild starr geblieben und gelobte sich innerlich heilig, wenn er je wieder in einem fremden Zimmer schlafe, stets das Bett von der Wand zu rücken, damit man an allen Seiten hinaus könne. Endlich atmete die Gestalt wieder gleichmäßig weiter, und er ging an die Fortsetzung seines Werkes. Aber ruhig muß ihr Schlaf nicht gewesen sein, oder dichtete es ihm seine Angst vor: jeden Augenblick regte sie sich, und jeden Augenblick mußte er innehalten.

Endlich war er so weit, daß nur noch das Aufstellen des einen Fußes auf die jenseitige Bettkante und der leichte Sprung nötig war, vor dem er sich, seiner Gelenkigkeit bewußt, gar nicht fürchtete. Aber eben, wie er so halb über sie gebeugt hing, wie einer, der die Schlafende entzückt bewunderte, was aber bei ihm, weiß Gott, durchaus nicht der Fall war – eben in dem Augenblick öffnete sie die Augen und starrte ihn, aber gleichsam mit erloschener Sehkraft an. In dieser Sekunde tat er das Törichteste, was er zu tun vermochte: er plumpte nämlich mit eins in seine vorige Lage zurück – im Momente belebten sich ihre Augen zum völligen Sehen, und mit dem Schrei: »Nichtswürdiger Mensch!« sprang sie aus dem Bette heraus, und »Rosa, Rosa!« rufend eilte sie gegen den Kamin – hier aber hielt sie plötzlich, wie von einem Schlage betäubt, an, tat einen gellenden Schrei, schlug ihre beiden Hände vor die Augen und stürzte auf die Knie nieder.

Erwin war ebenso schnell aus dem Bette, warf seinen Rock über und wollte ihr beistehen. Aber er wußte nicht, wie es anzufangen sei, und sah bloß einen Augenblick hin, und da war es ihm, als zittere es innerhalb der weißen Hüllen heftig, wie wenn ein ganzer erschütterter Organismus bebt. In ungeschickter Güte nahm er sie bei dem Arme, aber sie riß ihn weg und rief leise: »Nur fort, fort!« Das war ihm das Liebste, er raffte alles, was sein war, zusammen und näherte sich der Tür. Aber in dem Augenblicke fühlte er sich wieder ergriffen und hörte die Worte: »Verlassen Sie mich nicht – wie können Sie mich denn verlassen?« Diese Worte waren in jenem Tone gesagt, den man, wenn es erlaubt wäre, flüsterndes Schreien nennen könnte, und der Ton, ob er ihn gleich nie gehört hatte, kündete ihm ihre furchtbare Gemütsbewegung an. Die Seele hat einen Instinkt, die Leiden einer andern Seele zu fühlen – und dieser Instinkt gab ihm Geschicklichkeit, zu handeln. Er wendete sich an der Türe um. »Ich will Ihnen helfen«, sagte er, »ich will alles tun, was in der Kraft eines Menschen ist. Sie haben sich in dem Zimmer geirrt, ich will Sie auf das Ihrige geleiten –« in dem Momente fuhr ihm der Gedanke durch den Kopf, daß er ja gestern den Nachtriegel vorgeschoben, er tat einen plötzlichen scheuen Blick auf die Tür – es war richtig – der Riegel steckte noch, wie er ihn vorgeschoben – es war nun kein anderer Weg herein gewesen, als das offene Fenster. – Sie war angstvoll seinen Blicken gefolgt, und mit leisem Händeringen hatte sie die Worte geächzt: »Ach Gott! ach Gott!«

»Sein Sie ruhig, sein Sie ruhig!« sagte er.

»Ich kann nicht ruhig sein«, antwortete sie, »ich kann nicht ruhig sein – Mann! wer sind Sie denn?«

»Ich bin Erwin Alan, der Freund des Schloßherrn.«

»Ach, es ist entsetzlich«, sagte sie, gleichsam als hätte sie seine Worte ganz überhört, »es ist entsetzlich –« und händeringend ging sie im Zimmer herum. Dann, als wollte sie sich gewaltsam sammeln, setzte sie sich wieder auf den Stuhl, der noch vor dem Kamine stand, drückte ihr Gesicht verzweiflungsvoll in die Hände und saß gebeugt da. Er stand neben ihr, aber da sich ihre Stellung Minute nach Minute nicht änderte, so nahm er sich wieder den Mut, sie anzureden: »Fassen Sie sich, fassen Sie sich.«

Sie sprang wieder auf, wollte vorwärts, wollte rückwärts, wußte selbst nicht, was sie wollte. Sie nahm ihn bei der Hand und drückte sie so heftig, wie wenn man mit Angst etwas erflehen will, oder wie man einen Retter anfaßt. Er war auch ganz verloren und wußte nicht was und wie; er nahm ihre andere Hand, er wäre bald vor ihr niedergekniet, wie man betet, aber dann erschien es ihm töricht – und er rief, fast so angstvoll geworden, wie sie: »Ich will Ihnen ja helfen, aus Mitleid und Barmherzigkeit und Menschenliebe will ich Ihnen helfen, so sagen Sie nur, wie ich es kann?«

»Ach Gott, was werden Sie von mir denken, wenn ich es Ihnen sage – ich bin nun der Großmut eines Mannes verfallen – zum ersten Male meines Lebens bin ich abhängig – ich will keinen einzigen mehr verachten, o Gott, wenn du mir nur aus dieser Lage hilfst! – Aber Sie werden mich verraten, wenn ich es sage, und mich verlachen.«

»Aber nein – nein, solange ein lebendiger Blutstropfen in mir ist, will ich Sie nicht verraten – so reden Sie nur.«

Sie schlug ihre Augen zweifelnd zu ihm auf und sah die schönen ehrlichen von dem Monde beschienen Züge.

»Hören Sie mich«, sagte sie leiser und gefaßter, »ich bin Rosalie Fargas. Kein Mensch weiß es, als mein Kammermädchen Rosa, daß ich im Vollmondscheine manchmal herumwandle. Ich weiß nicht, daß ich sonst aus dem Zimmer gegangen bin, aber heute – vielleicht sind breite Simse – Ihr offenes Fenster muß mich gelockt haben, da Ihr innerer Türriegel vor ist – und, ach Gott, bei mir ist auch ein solcher von innen vor.«

»Schläft Rosa in Ihrem Zimmer?«

»Nein, daneben, aber die Tür zwischen beiden ist offen.«

»Würden Sie auf dem Gange Ihre Zimmertür erkennen?«

»Ja.«

»So warten Sie ein wenig, ich will auf den Gang hinaustreten und sehen, ob er frei ist, dann gehen Sie zu Ihrer Türe und klopfen leise, bis Sie Rosa hört und hineinläßt.«

Ach da würde ich eher alle Schläfer dieses Schlosses mit meinem Pochen erwecken als Rosa; denn die schläft so fest, wie sonst kein Mensch, und auch, wenn sie erwachte, so würde sie, ehe sie öffnete, ein Gespräch anheben wollen, um sich zu überzeugen, daß ich es sei.«

»Sie haben recht, es darf Sie kein Mensch erblicken, hier bleiben können Sie auch nicht, sonst vermißt Sie Rosa und macht Lärm; wo schläft denn Ihr Vater, ich will ihn wecken.«

»Ich weiß es nicht – aber es nützt auch nichts, weil Sie anklopfen müßten, und er von innen noch mehr Lärm machen würde.«

»Es nützt auch nichts – es nützt nichts«, sagte Erwin und sah sie ratlos an. Plötzlich aber rief er: »Ha, mir kömmt ein Gedanke, der alles löset.« Hiebei war er an das Fenster gesprungen. Sie war ihm gefolgt. – »Wo liegt Ihr Zimmer?«

»Es muß das über die Ecke hinüber sein, wo das Fenster offen ist; denn alle andern sind zu, wo wäre ich denn sonst herausgekommen?«

»Ich springe hinüber«, sagte Erwin, »öffne leise Ihren Riegel, und Sie gehen hinein.«

»Um Gotteswillen nein«, flüsterte sie bestürzt, »in diesem Abgrunde zerschmettern Sie sich – da kann ja kein Mensch hinüber.« Und in der Angst hatte sie ihn mit beiden Armen umschlungen, als springe er bereits hinaus.

»Ich kann es, ich kann es«, erwiderte er, »Ihnen zuliebe kann ich es«, sagte er wiederholt, indem er die weichen Arme, von derlei er zum ersten Male in seinem Leben umschlungen war, aufzulösen strebte und bemüht war, die sanfte Schulter, die er gefaßt, von sich wegzudrücken.

»Springen Sie nicht«, flehte sie, »ich stürbe, wenn Sie hinunterfielen.«

»Ich falle aber nicht hinunter«, sagte er, »ich falle nicht, lassen Sie mich doch, ich bin mehr geübt, als andere Männer, und kann viel, viel weiter springen, als dieser Raum beträgt.«

Zögernd – versuchsweise ließ sie mit zurückgepreßtem Atem von ihm ab – in demselben Momente war seine dunkle Gestalt schon lautlos auf dem Fenstersime und im selben Momente auch schon nicht mehr – mit einem schwachen Schrei war sie zurückgesunken, ihre Sinne flirrten, und sie kämpfte mit einer Ohnmacht, aber doch durch alles hindurch war sich ihre gespannte Seele bewußt geblieben, keinen schweren Fall gehört zu haben. Sie sprang wieder vor und blickte hinaus, aber auch im andern Fenster war keine Gestalt mehr. Dafür hörte sie ganz leise draußen an dem Türschlosse die Klinke versuchen. Sie ging hin, öffnete den Riegel, und Erwin ging auf den Zehen herein.

»Gehen Sie nun schnell hinüber, die Tür steht offen«, sagte er, »nun ist alles gut.«

»Ewig, ewig dankbar«, flüsterte sie, indem sie auf das innigste seine Hand nahm. »Sie verraten mich nicht.«

»Nein, nie«, antwortete er, und sie war hinaus.

Er schob so leise, als es nur immer anging, seinen Riegel wieder vor. Dann ging er in die Mitte des Zimmers und atmete beruhigt auf. Drüben hörte er jetzt ein Fenster zumachen – und im Osten blühte ein schwaches graues Licht auf, der Vorbote des bald kommenden Morgens. Er schloß nun auch sein Fenster und legte sich wieder nieder. Aber er konnte nicht schlafen, weil eine ganze Verwirrung in seinem Kopfe war. Nach einer Weile, da jeder Versuch einzuschlafen mißlungen war, zündete er sich die Kerzen an und nahm wieder das Liebesbuch, aber es war einmal zu toll, was drinnen stand. Er mußte es auch wieder weglegen. Später ging er an das Fenster, um zu sehen, ob das von Rosaliens Zimmer zu sei. Es war zu, und der Mond war jenseits der Dächer getreten, so daß jetzt alles vor ihm im Schatten lag, und nur der Kiesweg an den Ställen ein wenig beleuchtet schimmerte. Erst gegen Morgen, da es

Aufstehenszeit war, wäre er wieder eingeschlafen, wenn es
nicht in den Gängen laut geworden und so hin und her gepol-
tert wäre, daß er endlich resigniert aufstand, sich ankleidete
und zu Leander hinunterging. Dieser aber war bereits in dem
Versammlungssaale, wo, wie ein Diener sagte, eben die Gesellschaft zum Frühstücke zusammenkomme. Erwin, einmal in
dieses Haus gelangt, wollte nun mit seinem grauen Rocke
trotzen und ging auch in den Saal. Leander trat augenblicklich
auf ihn zu, führte ihn mit ausnehmender Auszeichnung gegen
die Mitte des Saales hin und stellte ihn der ganzen Gesellschaft
als Erwin Alan van Alansford, seinen ersten und teuersten
Jugendfreund, vor, der, auf einer großen Fußreise begriffen,
erst gestern in der Nachbarschaft seine Einladung zur Hochzeit nachgeschickt bekommen und ihm die Freude bereitet
habe, ihn mit seiner Gegenwart zu überraschen. Bei einigen
schwand, als der altbekannte Rittername genannt wurde, sogleich das Bedenken hinsichtlich des groben grauen Rockes
weg, andere aber sahen nun gerade noch begieriger auf ihn
hin, weil sich der Ruf des verrückten Güterherrn bereits bis zu
ihren Ohren verbreitet hatte, und wieder andere hatten ein
gemischtes Gefühl von Schadenfreude, weil sie doch die leise
Verlegenheit gewahr wurden, die sich in Leanders Bewegungen zeigte.
Vorne am Fenster in einem tiefen breiten Rollsessel saß Rosalie Fargas und war heute besonders blaß.
Es erhoben sich Gespräche über dies und das. Man reichte Tee,
Kaffee und anderes herum. Erwin ging zum Erstaunen aller
zu einer Milchkanne hin, leerte sie beinahe ganz in ein Glas,
tat etwas Wasser dazu und trank den Inhalt aus. Dann aß er
ein Stück Milchbrot. In dem Augenblicke tat ein altes Damen-
gesicht die unglückselige Frage: »Herr Baron, Sie haben ja im
Zimmer der ›weißen Frau‹ geschlafen – ist sie Ihnen nicht erschienen?«
»Nein«, sagte Erwin kurz, ward aber rot.
»Das wäre mir an des Herrn Baron Stelle leid gewesen«,

sagte ein alter Knasterbart, »ich war von jeher ein großer Liebhaber von Erscheinungen weißer Frauen.« Und er belachte tüchtig seinen eigenen Witz.

»Ja wenn sie von Fleisch und Blut waren«, sagte ein anderer.

»Anderweitige, Herr Kamerad, gibt es ja nicht«, entgegnete der Knasterbart, »ich bin in aller Herren Länder gewesen und habe niemals derlei Schnarrwerk angetroffen.«

»Unbedingt sind diese Sachen doch nicht abzusprechen«, sagte ein dritter.

Und ein vierter leugnete, und ein fünfter bejahte die Gespenster, und es entstand eine kurze Debatte über diesen Gegenstand, allein sie mußte aus dem Grunde hohl und unfruchtbar bleiben, weil kein einziger in der ganzen Gesellschaft war, dem je ein Gespenst erschienen wäre, – sie lachten sich bereits gegenseitig aus, als mit großem Ernste und schüchtern sich der Haushofmeister geltend zu machen suchte und vortrat: »Wenn die gnädigen Herrschaften erlauben«, hub er an, »so könnte ich da Auskunft geben, ich habe ein Gespenst gesehen.«

»Ja, das Weingespenst in der Flasche«, sagte der Knasterbart.

»Vergönnen, Herr Oberst«, erwiderte der Haushofmeister, »ein anderes Gespenst.« – »Nun also, welches? wann?«

»Ich habe heute nacht die ›weiße Frau‹ des Hauses gesehen.«

»Die weiße Frau?!« riefen alle.

»Ja, heute um zwei Uhr nachts. Ich stand zeitlich auf, um die Teppiche im Speisesaale und dann die im Gartensalon legen zu lassen, wo das Vesperbrot sein wird – und da ging ich in den obern Gang, um Sebastian zu wecken – da sah ich mit diesen Augen – deutlich sah ich die ›weiße Frau‹ schweben. Sie kam aus des Herrn Baron Alan Zimmer und verschwand auf Nr. 23, wo Baronesse Fargas schliefen.«

Ein erschrocknes Schweigen herrschte nach diesen Worten im ganzen Saale. Manche Augen richteten sich auf Rosalien, die nun ihrerseits flammend rot im Sessel saß – hülflos gegen dieses zweideutige Schweigen.

In dem Augenblicke trat der Vater Rosaliens mit dem heitersten

Gesicht ein und entschuldigte sich, daß er so spät erscheine, seit Jahren habe er nicht so gut und lange geschlafen.

»Das ist ein Glück für den«, flüsterte eine Stimme, »daß er so lange geschlafen.«

Rosalie wiegte sich vorne in ihrem Sessel, um gleichgültig zu scheinen. Leander schickte den Haushofmeister mit einem Geschäfte ab und verlangte den Rapport darüber nach einer halben Stunde im Schreibzimmer – einige machten sich mit Kaffeegeschirren zu tun, andere fragten nach dem Barometerstande – die Damen bewunderten da ein Armband, dort ein Dosengemälde – der alte Fargas verlangte in seiner jovialen Weise eine oder etliche Flaschen in den blauen Gartenpavillon, es würden sich schon Gesellen zu ihm finden, die ein solches Frühstück jedem andern vorzögen – und so war das ganze Geistergespräch in andere, gleichgültige Dinge übergegangen. Auch zerstreute sich die Gesellschaft bald, um die Zeit bis zur Vermählung durch Herumschlendern, Putzen oder, wie der alte Ritter, durch Trinken hinzubringen. Leander hatte seinen Staatswagen mit sechs milchweißen Pferden bespannen lassen, um in eigener Person Evelinen entgegenzufahren, die um zwei Uhr mit ihrer Begleitung in Schloß Turun eintreffen sollte. Manche andere Wägen hatten sich angeschlossen. Auch Reiter waren fortgesprengt, um der schönen neuen Herrin bei ihrem Einzuge das Geleite zu geben. Dennoch war es im Schlosse, als sei um keinen einzigen weniger; auf jeder Treppe, in jedem Gange, auf jedem Gartenplatze und in jedem Hofe begegnete Erwin einzelnen und Gruppen. Die aus der nächsten Nachbarschaft kamen erst heute an, und die älteren Gäste erzählten ihnen heimliche Geschichten.

Erwin ging in sein Zimmer, dann ging er in den Garten, dann besah er die Kirche des Schlosses, die schon prachtvoll dekoriert war, dann ging er wieder in sein Zimmer – und dann wieder durch die Gänge – eine unbestimmte Wut kochte in ihm. Man hatte, durch die feine Sitte höherer Stände geleitet und aus Hochachtung vor dem Wirte des Hauses, nicht

mit dem leisesten Worte, nicht mit der mindesten beziehenden
Miene mehr an die beim Frühstücke erzählte Geschichte erinnert, aber dafür wehte durch das ganze Schloß jenes feine unsichtbare ungreifbare Gift schnöder Meinung, das sich in
naturrohe Herzen, wie Erwins, fürchterlicher einfrißt, als
Schwerter und Kanonen. Es wisperte hier – es fisperte dort –
und nirgends war etwas. Und alle hatten sie lächelnde Gesichter, und alle waren sie ausnehmend höflich – und als gegen
Mittag, da eben die größte Hitze über dem Schlosse stand,
ein unsäglich freundlicher Herr die Mitteltreppe hinanstieg
und, im ganzen Gesicht über und über glänzend, Erwin grüßte,
so packte ihn dieser beim Kragen und schleuderte ihn die einigen Stufen abwärts, die er gekommen, daß ihm Hut und Stab
entflogen – und da Erwin dies getan, so war ihm unendlich
leichter, und er war zum ersten Male in diesem Schlosse von
Grund aus mit sich zufrieden. Der Herr hatte unten Hut und
Stock aufgerafft und nur noch gesagt: »Wir werden uns sehen,
Herr Baron, wir werden uns sehen«, und dann war er verschwunden.
Erwin blieb auf der Treppe stehen. Von Rosalien wußte er
gar nichts. Er suchte sie nicht, und fragen durfte er nicht. Hätte
er aber gewußt, was sich kurz vorher mit ihr zugetragen und
die Heiterkeit des Schlosses nicht wenig vermehrt hatte, er
würde sich über seine Tat, sei's nun an einem Schuldigen oder
Unschuldigen, noch weit mehr erfreut haben, als er ohnehin
tat. Man hatte nämlich Rosalien im Garten im dicksten Ge-
büsche ihrem Vater an der Brust liegen gesehen, worauf der
Ritter mit donnernder Stimme nach seinen Leuten und Pferden rief und zu satteln befahl; denn er wolle augenblicklich
mit seiner Tochter nach Hause reiten. Dieses Aufsehen drückte
der ganzen Geschichte erst die Krone auf.
Erwin stand noch auf der Treppe, als schon drei Herren zu
ihm kamen und ihm eine Einladung auf Degen brachten, augenblicklich zu vollziehen auf dem Fasanenplatze hinter dem
Fichtengehege des Parkes.

»Ich komme schon«, rief er mit leuchtenden Augen, »laßt nur Schwerter hinbringen, denn ich habe keines – ich kämpfe mit dir auch und mit dir auch, und sagt nur dem Affen, das ist mir eben recht.«

Die andern verbeugten sich ruhig und bedauerten den Menschen, der sich so bloßgebe. Erwin aber begab sich sogleich auf den Weg zu dem Fasanenplatze, der ihm heute morgens bekannt geworden war. Seine Wanderung führte ihn an dem blauen Gartenpavillon vorüber, wo noch die Flaschen standen, an denen der alte Fargas gefrühstückt hatte. Erwin trat hinein, schenkte sich von dem Reste des Weines ein und stürzte zwei Gläser hinunter. Dann begab er sich auf den Fasanenplatz. Die andern kamen auch, man maß die Degen und machte Stellung.

Die Sache war aber im Schlosse nicht geheim geblieben, man sprach von Beleidigung und Zweikampf, und eben da Rosalie schon zu Pferde saß, um ihre Schmach nach Hause zu flüchten, flüsterte ihr der Stallmeister ihres Vaters die ganze Geschichte zu – auch der Fasanenplatz war genannt worden. Ohne sich im geringsten zu bedenken, flog sie mit ihrem Fuchse durch das Bogengitter auf die Kieswege des Parkes hinaus, dem Fasanenplatze zu. Der Vater und der Reitknecht mit dem gesattelten Handpferde, das er hielt, folgten ihr. Da sie ankam und mit fliegendem Schleier auf den Sandplatz hervorjagte, traf sie den Mann, der ihr heute nacht so bedeutend geworden war, seinem Gegner gegenüberstehen und ein wenig veratmen. Er blutete aus der Wange, der andere am rechten Arme. Erwins Gesicht flammte fieberisch von dem genossenen ungewohnten Weine und von dem ebenso ungewohnten tiefen Zorne – die andern standen etwas verdutzt da: sie hatten nicht geahnt, was Erwin sei, nach den Verwundungen hatten sie den Kampf beenden wollen, aber er gab bloß zehn Sekunden Atmungsfrist, nahm den Degen, wie der andere, links und verlangte Fortsetzung, bis einer tot sei. Wie er Rosalie vorsprengen, vom Pferde steigen und zwischen sie treten sah, wischte er sich mit seinem grauen Rockärmel das Blut von der Wange, als schäme er sich dessen, und sah auf sie hin. In dem nämlichen Augenblicke stürzte auch Leander, der eben mit Evelinen auf Turun angelangt war, totenbleich herbei, indem nur er allein die Kampfkraft Erwins kannte und das Schrecklichste fürchtete. Auch andere, Männer und Frauen, waren herzugekommen, da sich die Sache mit furchtbarer Schnelligkeit verbreitet hatte.

»Erwin, Erwin«, rief Leander, »warum hast du mir das getan?«

Oh, du weißt nicht, Leander«, erwiderte der andere, der vor der Menge vergebens mit seinem Zorne kämpfte, wie ein Knabe, der ihn nicht beschwichtigen kann, »du weißt nicht – mit Lächeln, mit Blicken und mit süßen Mienen – o, da stechen sie – aber siehe, ein Helote führt das Schwert besser, als diese.« – Dann gegen Rosalie gewendet, fuhr er fort: »Fräulein, es soll Sie kein Mensch mehr auf dieser Welt, so groß sie ist, beleidigen dürfen. Werden Sie mein Weib – ich habe Güter und Wälder, ich werde Ihnen alles geben, was Sie verlangen – aber, wenn dann nur einer wagt, mit seiner kleinsten Faser zu zucken, so will ich nach ihrer lächerlichen Sitte Mann nach Mann mit ihnen kämpfen, bis keiner eine Faser hat, die er regen könnte.«

Tränen der Scham und Wut wären ihm bald hervorgebrochen, als er dieses gesagt, weil er den ganzen Kreis auf sich blicken und sich bestaunen fühlte. Rosalie stand glühend, betäubt und verwirrt da, eine solche Werbung mochte noch nicht vorgekommen sein.

Aber ihr Vater trat in diesem Moment hervor und sagte ruhig, wie man es an dem heftigen Manne gar nicht gewohnt war: »Für die Ehre meiner Tochter bin ich da – laßt das jetzt weg – indessen seid bedankt, edler Mann –«

»Ich bitt euch, Freunde, Nachbarn«, fiel Leander ein, »tut mir die Liebe und Freundschaft, zerstört mir den schönsten Tag meines Lebens nicht – es kann nur ein leichtes Mißverständnis sein – es wird sich alles lösen. Lasset uns gegenseitig die Hände reichen und uns heiter zu dem bevorstehenden Feste rüsten. Erwin, komm, vergiß, was dir heute bei mir zugestoßen.«

»Halte Hochzeit, Leander«, entgegnete Erwin, »aber lasse mich fortziehen – ich kann nicht bleiben, weil mich deine Luft erstickt – ich will mit dem Fräulein auf Schloß Fargas; sie mag mich nun als Bräutigam annehmen oder nicht, weil sie keinen Mann will, woran sie recht tut: so wird sie mich doch heute beherbergen, und dann, ehe ich nach Texas ziehe, soll noch jeder Rechenschaft geben, der sie zu beleidigen wagt.«

Und in seiner Verwirrung bestieg er das ledige Pferd, welches der Reitknecht hielt, und ritt davon. Draußen auf der Straße wartete er, bis der Ritter Fargas mit Rosalien und seinen Leuten kam, dann schloß er sich an und ritt von dem lärmenden Schlosse weg nach Fargas. –

Auf Turun war verstimmte Hochzeit gewesen. Auf Fargas kamen des andern Tags von allen männlichen Gästen des Festes Briefe an, in denen sich die Schreiber als Rächer anboten, wenn jemand etwas gegen Rosalien habe. Der Ritter dankte kalt, und die Sache war aus.

Das Ränzchen wurde bei dem kleinen Wirte in zwei Tagen auch nicht abgeholt, dafür schrieb Erwin einen zornigen Brief an seinen Oberverwalter, worin die Worte standen: ›Ich bin von dem Wege nach Havre durch Zufall abgewichen, habe gezankt, habe mich betrunken, duelliert und verlobt. Schicke Deine Briefe nach Schloß Fargas.‹

Endlich wurde das Ränzchen doch geholt, aber die Reise nach Havre bis nächsten Frühling aufgeschoben. Nächsten Frühling aber war Erwin mit Rosalie vermählt. Auf seiner Hochzeit war Leander und viele der damaligen Gäste gewesen. Erwin erzählte nun mit Erlaubnis seiner Gemahlin die Geschichte jener verhängnisvollen Nacht, und alles war weit fröhlicher und heiterer als damals.

Auf Erwins Schlössern war nun Wein und Braten, waren Wägen und Pferde daran, der spartanische Bart war von seinem Gesichte, Rosalie, die Unvermählbare, betete ihren Gatten an, dies alles hat der ganz kleine Zufall verschuldet, dem Erwin damals gestattet hatte, ein winziges Loch in sein System zu bohren – dies und noch etwas, flüsterten die bösen Zungen, daß nämlich Erwin ein ganz klein wenig unter dem Pantoffel stehe.

So endete die Geschichte der drei Schicksalsschmiede, sie sind sehr gute Freunde und schmieden bis auf den heutigen Tag, nur daß das Eisen, welches sie nehmen, nicht mehr so spröde ist, sondern sie lassen den Zufall gelten, aber sich nicht von ihm beherrschen.

Als Note muß zum Schlusse noch beigefügt werden, daß Erwin auf seinem Wohnschlosse zwar jedes Fensterchen vergittern ließ, daß sich aber nie mehr der Fall ereignete, daß Rosalie im Vollscheine ihr Bett verlassen hätte. Es mußte damals nur heimtückische Rache des Zufalls gewesen sein, dessen Reiche sie getrotzt hatte.

Der Schneidermeister Nepomuk Schlägel
auf der Freudenjagd

Wenn dir, lieber Leser, in der Augustinergasse der Stadt München um die Zeit, wo ein ordnungsliebender Bürger ins Bierhaus zu gehen pflegt, nämlich in der Winterabenddämmerung zwischen vier und fünf Uhr, ein Mann von untersetzter Statur begegnen sollte, an dem dir ein ungewöhnlich großer Mund mit trefflichem Gebiß und ein plötzliches Stehenbleiben nebst der damit verbundenen scharfen Musterung deiner Rückseite auffällt, so fürchte nur nicht etwa, daß er ein Gauner sei, dem dein sorgloses Schlendern böse Gedanken einflößte; es ist kein anderer als der ehrsame Schneidermeister Nepomuk Schlägel, der in dem Albrecht-Dürer-Hause zu Nürnberg geboren und erzogen, aber noch nie, sei es auch nur für eine Nacht, auf die Wache gesetzt, geschweige in ein Gefängnis gebracht wurde, und bloß um sich zu ärgern, bloß um sich zu sagen: was sind das Stiefel! welch ein Rock gegen den deinigen, Nepomuk, und ein silberner Knopf auf dem Stock! schenkt er dir seine Aufmerksamkeit. Langsam schreitet er die Straße entlang, und sein spürender Blick weiß an jedem Vorübergehenden einen Vorzug aufzufinden, der ihm die Galle rege macht; an dem alten Bettler dort, der sich ermüdet an die Ecke lehnt, wird ihm die blautuchene Hose, die dem fast Erstarrten zu Mittag ein mitleidiger Student zuwarf, gewiß nicht entgehen, wohl aber, daß sie einige Löcher hat; der Stelzfuß selbst, der eben pfeifend vorüberstapft, gibt ihm zu einem Fluche Grund genug, denn er denkt: »Es wäre die Frage, ob du ein hölzernes Bein bezahlen könntest, wenn du, wie der da, das fleischerne einbüßtest.« Als er einmal vom Lande einen Dieb einbringen sah, verdroß es ihn sehr, daß der kränkliche Mensch, den der Arzt für den Fußtransport zu schwach befunden hatte, auf einen Leiterwagen gepackt war, und er fragte einen Bekannten giftig, ob er glaube, daß man ihn in gleicher Lage ähnlich behandeln werde; ich würde es für ein Wunder halten, wenn ihm nicht selbst der Raubmörder, der kürzlich durch Vermittlung des Scharfrichters das Zeitliche mit dem Ewigen gesegnete, durch irgendetwas zum Murren über die Ungerechtigkeit und Stiefmütterlichkeit des Glücks gegen ihn, den Vernachlässigten, immer hintangesetzten Schneidermeister, Anlaß gegeben hätte. Eben begegnet ihm sein einziger Kunde, der Unteroffizier, dem er zuweilen die Zivilhose flickt, weil keiner seiner Kollegen sich aus gerechtem Kleidermacherstolz damit befassen will. Nepomuk grüßt ihn, aber unmöglich könnte ein Prinz von Geblüt den kahlen Hut des Schneidermeisters mit größerem Abscheu berühren, als der Schneidermeister selbst, er scheint ihn nur abzuziehen und zu schwenken, um ihn von sich zu schleudern. Jetzt tritt er in einen Bäckerladen, nicht um Brot einzukaufen – Geld hat er nicht – sondern weil er gehört hat, die reiche Tante des Bäkkers, den er noch von seinen Gesellenjahren her kennt, sei gestorben und habe dem Manne ihr Vermögen hinterlassen; nun will er kondolieren und gratulieren und hofft dabei zu erfahren, daß alles, zum wenigsten das Beste, nämlich die Erbschaft, erstunken und erlogen sei. Bettelkinder könnt' er durchprügeln, weil sie ihn nicht anbetteln; woher weiß das Gesindel – denkt er – daß ich ein Lump bin; könnte ich nicht auch ein Sonderling sein, ein Engländer, der sich aus Grillenhaftigkeit in nichtswürdige Kleider steckt? – Was hat der Kerl für Schultern und Fäuste – ruft er aus, indem er in die laute, vom Steinkohlenfeuer lustig und hell erleuchtete Werkstatt eines Schmiedes hineinlauscht und auf den riesenhaften Gesellen, der eben den schweren Hammer schwingt, grollende Blicke wirft – ich glaube, er könnte den Amboß zerschmettern wie Glas, wenn er wollte. Aus dir, Nepomuk, hätte nie ein tüchtiger Schmied werden können, denn du bist aus Lappen zusammengepfuscht; pfui über die Wirtschaft! – Dem liebenden Paare, das, innig in sein süßes Geschwätz verloren, vorüberschleicht, folgt er auf dem Fuß, nicht aus Neugier, oder um es zu stören, sondern um sich bei Laternenlicht aus des Mädchens Gesicht die Impertinenz zu abstrahieren, mit der sie ihn würde ablaufen lassen, falls er sich zum Seladon antrüge. »Daß ich längst ein Weib habe«, denkt er, »sieht mir keine an, aber wohl, daß ich häßlich bin wie die Nacht.« – »Jung freilich, aber jungfräulich?« ruft er dann und schießt vorbei. Einer alten Frau, die die Gosse zur rechten Hand hat, rennt er gegen den knöchernen Arm, damit sie ihm seine krummen Säbelbeine und den Ansatz zum Höcker vorwerfe, oder doch wenigstens, falls sie wider sein Vermuten nicht zu dem streitbaren Korps gehört, das bei Tage Äpfel oder Fische feilbietet, seine Tölpelhaftigkeit. Wenn der Pudel, der, auf seiner Abendpromenade begriffen, eben, ein Bild der personifizierten Zufriedenheit, die Straße herunterkömmt, dem Schneidermeister nicht beizeiten ausweicht, so versetzt er ihm gewiß einen derben Stoß mit dem Fuße, denn das wohlbeleibte Tier ist Schlägel, dem nichts der Art entgeht, schon eine Minute lang ein Dorn im Auge. »Solch eine Kreatur«, denkt er, »die die Garderobe mit auf die Welt bringt, frißt und säuft und macht sich Pläsier und krepiert zuletzt ohne Qual und Krankenbett.« Der Pudel stiehlt sich, geschickt und hurtig am herausgerückten Tisch in einer offenen Metzgerbude aufspringend, eine Groschenwurst. »Heda, halt!« ruft Nepomuk, »diebische Hunde«, brummt er dann mit einem Ingrimm, als ob er selbst bestohlen wäre, »sollten so gut aufgeknüpft werden wie Menschen, die das siebente Gebot nicht respektieren; warum haben sie mehr Recht zu einer schlechten Aufführung wie ich?« – Dem Fleischer, der gerade, die messingne Brille auf der Nase, in der ›Bayrischen Landbötin‹ liest, ist das crimen entgangen; Nepomuk macht ihm schleunige Mitteilung und lächelt, da jener verdrießlich die Nachtmütze ins Gesicht schiebt und einen Fluch ausstößt, an diesem Abend zum erstenmal. »Das Kind hat die Wassersucht!« sagt er zu einer Magd, die einen blassen, weinerlichen, in dicke Tücher eingewickelten Knaben über die Straße trägt; »schützt der Doktor immer noch ein heilbares Übel vor? Drei Brüder verlor ich daran!« – »Also der ist richtig davongekommen!« ruft er aus und biegt, um seinem ehemaligen Schulkameraden, dem schon aus der Ferne gutmütig mit der Hand grüßenden Seifensieder, nicht zu begegnen, in ein Nebengässchen ab; »ja, das sag' ich ja nur, der Kerl, so schmächtig er scheint, ist aus Eisen gegossen, jeder andere, z. B. ich, erliegt hitzigen Gallenfiebern, wenn sie ihn packen, ihn ficht's nicht an, er darf schon wieder in der Abendluft herumlaufen, obgleich sie wahrlich rauh und kalt ist; nun, ich will mich nicht erbosen, wenn ich mich auch nicht darüber freuen kann, daß der einzige Zeuge meines ersten und letzten Tuchdiebstahls, denn an die Wiederholung ist nicht zu denken, da niemand etwas Neues bei mir machen läßt, just ein Katzenleben hat!«

Es ist ihm völlig recht, daß der rußige Schornsteinfeger mit seinen weißen Augen, der gerade, die lange, schmutzige Leiter unterm Arm und den Kehrbesen in der Hand, aus einem Winkel hervortritt, ihm im engen Gässchen beim besten Willen nicht auszuweichen vermag; »verfluchter Kittel«, denkt er und wirft auf seinen Rock einen schnöden Seitenblick, »dir geschieht, was dir gebührt!« Einem weinenden, blondhaarigen Mädchen von sieben Jahren, das den Sechsbätzner, wofür es das Nachtbier holen sollte, verloren hat und sich nicht zum jähzornigen Vater zurückgetraut, gibt er, statt der Münze, die das Kind für die Erzählung seiner Jammergeschichte erwartete, den Rat, ein andermal die Hand fester zuzuhalten und sich nicht wieder am Juwelierladen durch Betrachtung der blitzenden Goldsachen und Edelsteine zu zerstreuen; er möchte des Strafamts wegen wohl eine Viertelstunde Vater zum Mädchen sein. Einige Wonne würd' er spüren, wenn einmal plötzlich unter seinen Augen ein großes Verbrechen – ein Totschlag wäre groß genug – begangen würde, er müßte aber zu spät kommen, um die Tat zu verhüten, aber früh genug, um den Missetäter der Gendarmerie zu überantworten. So war, da einst in einem Dorfe, wo er übernachtete, Feuer ausbrach, niemand geschäftiger, schrecklichen, d. h. erschreckenden Lärm zu machen und die Sturmglocke zu läuten als Nepomuk, nachdem er sich vorher überzeugt hatte, daß das Löschen bei dem starken Winde und der Gebrechlichkeit der Spritzen unmöglich sei. Ebenso ist er jeden Sonnabend der erste, der der alten halbblinden Tischlerswitwe, die neben ihm in einem elenden Dachkämmerlein wohnt und leidenschaftlich in der Zahlenlotterie spielt, weil sie Sarg und Leichenhemd gern herausbringen möchte, mit zuvorkommender Dienstfertigkeit es anzeigt, daß ihre Nummern wieder ausgeblieben sind. Die schöne Militärmusik beim Aufziehen der Hauptwache am Schrannenplatz ergötzt ihn zuweilen sehr, aber nur dann, wenn es grimmig kalt ist oder viel Schnee fällt, so daß den Spielleuten die Finger erstarren; »jetzt«, denkt er, »wissen sie doch, wofür der König sie löhnt.« An Theaterabenden versäumt er selten, sich vor dem Schauspielhause einzufinden. Es verdrießt ihn, daß das Haus nie bei einer Oper, wie es doch in andern Städten schon geschah, in Flammen aufgeht, denn das wäre ein Schauspiel, das in seinen Augen jedes sonstige überträfe, und ein römisch-unentgeltliches obendrein. Auch ist es ihm nicht angenehm, daß so selten Ohnmächtige oder Epileptische herausgebracht werden. Doch entschädigt ihn manches, z. B. an einer Equipage junge hitzige Pferde, die der Haber so sticht, daß sie nicht stehen oder gar durchgehen wollen, während die Herrschaft aussteigt; ein plötzlicher Regenguß, der Damen, die das Parapluie vergaßen, bis auf die Haut einnäßt; auch wohl ein leichtfüßiger Elegant, der die Stufen gar zu schnell und gar zu anmutig hinaufhüpfen will, weil die artige Cousine seine Grazie bewundern soll, und der dabei schmählich ausglitscht. Wenig beneidet er übrigens

Standespersonen, die ins Schauspiel fahren, namentlich durchaus nicht den Hof, aus demselben Grunde, warum er dem Vogel sein Flügel und dem Himmel seine Sterne nicht mißgönnt, dagegen ergrimmt er gegen alles, was Paterre und Galerie füllt, »denn«, sagt er, »da hinein gehörte ich so gut wie andere, wenn's in der Welt nicht so lüderlich herginge.« Von Mitleid empfindet er eigentlich so viel wie gar nichts, wenn ein armes Riegelhäubchen, dem der Geliebte, ein Maler und Anstreicher, für den ›Freischütz‹ ein Billet geschenkt hat, den kahlen Strickbeutel beim Eintritt ins Haus umsonst darnach durchsucht und zuletzt mit Entsetzen entdeckt, daß die Schatullenmäuse aus Hunger oder Langeweile ein Loch hineingefressen haben. Es empört ihn, daß Theaterbediente unsterblich sind, wie er sich hyperbolisch ausdrückt; »der Wanst da mit der roten Nase, der an der Kasse sitzt«, sagt er, »wird, wie ein Schwein, mir vor den Augen von Tag zu Tag fetter, und doch verschluckt er mehr Zugluft als die Flöhe in meinem Ärmel!« Wenn junge Herren, die nur ins Theater eintreten, um es in einer Szene, die alles spannt, mit Geräusch wieder zu verlassen, anbettelnde Gassenbuben die Kontermarke verweigern, weil sie sich keine geben ließen, so vergnügt's ihn einigermaßen. Ließe sich bei der Aufmerksamkeit des zahlreichen Aufsichtspersonals an ein Einschleichen nur irgend denken, so hätte Nepomuk es längst versucht, nicht, um sich an Schiller oder Kotzebue zu delektieren – er verlacht beide und das Publikum, das sich durch sie täuschen läßt, obendrein – sondern um sich zu sagen: »Also die kleine geschminkte Wachspuppe da ist Mamsell die und die, die dafür, daß sie hopst oder das Gesicht verzieht und sich stellt, als ob sie weinte, dreitausend Gulden einstreicht, und der zum Barbier herausstaffierte Narr ist Herr der und der, dem man seine Triller und Läufe, seit ihm viertausend nicht mehr genug sind, mit sechstausend bezahlt!«

Festtage sind wahre Leckertage für ihn. Am heiligen Weihnachtsabend kann er sich's nicht versagen, stundenlang Gasse nach Gasse, die freundliche, im Glanz der menschlich und gött-

lich schönsten Jahresfeier schimmernde Stadt, der Gustav Adolf einst Räder wünschte, um sie nach Schweden hinüberschaffen zu können, zu durchstreifen. Dann ergeht er sich in erheiternden Phantasien, denkt zuweilen: »Wie wär's, wenn jener Läufer dich suchte, weil er dich in die Residenz zur Tafel bitten soll«, schämt sich aber bald des materiellen Gelüstes und malt sich's aus, wie es den Konditor, an dessen prangenden Laden ihn eben sein Weg vorbeiführt, überraschen würde, wenn er ihm plötzlich die Fenster einwürfe; »wär' ich der Teufel«, denkt er, »so macht' ich mir doch den Spaß, in jedem Hause, sowie man sich zum Schmarotzen niedersetzte, die Lichter auszublasen und den Tisch umzustoßen, oder ich verwandelte auch den Wein in ein abführendes Dekokt und den Braten in unverdauliches Sohlleder.« Ja daraus, daß so etwas nie geschieht, schließt er fast, daß es gar keinen Teufel gibt. Neujahrs ermuntert er mutwillige junge Leute eifrigst zum Freudenschießen, teils weil es von der Polizei verboten ist, teils weil es den unvorsichtigen Schützen oft die Hand kostet oder doch einen Finger. Am Oktoberfest hält er sich am liebsten in der Nähe des sogenannten Rettungszeltes für Verunglückende auf, hat aber selten die Satisfaktion, einen Erquetschten, vom Pferde Gestürzten oder sonst Beschädigten hineinbringen zu sehen, und schimpft darum das ganze Fest eine Lumperei.
Am Tage Allerseelen besucht er das Grab seines Vaters, nicht, um daran zu beten oder es gar zu bekränzen, sondern um daran zu fluchen und es dem Toten vorzuwerfen, daß er ihm nichts hinterlassen hat. »Wer weiß«, denkt er, »wie weit die Macht der Toten geht, und ob sie einem nicht Schätze anzeigen oder Glücksnummern eingeben können!« Fleißigst besucht er die Kirchen und macht, da alle ihn auf gleiche Weise erbauen, keinen Unterschied zwischen protestantischen und katholischen. »Da hocken sie alle«, murrt er, indem er die vollen Sitzbänke und Betstühle mustert, »dickbäuchig und mit strotzenden Vollmondgesichtern, gleich gemästeten Hühnern auf der Latte; da stammeln sie wie Gäste, die vom Schmaus aufstehen, fürs ge-

nossene Gute den Dank heraus und bitten um ferneres gütiges
Gedenken; da gehen sie selbstzufrieden und zuversichtlich davon und sind sicher, nicht, wie ich, der Schneidermeister, vergessen zu werden! Vater unser, gib ihr doch« – er faßt, während er dies sagt, ein tief in Gebet und Gebetbuch versunkenes
schönes Mädchen mit auf die Seite geneigtem, gesundblassem
Madonnengesicht ins Auge – »gib ihr doch, was sie verlangt,
gib ihr den Geliebten, und dann gib ihr auch etwas, was sie
nicht verlangt!« Zuweilen geht er bei sich selbst zu Gast und
beneidet sich seiner frühern Jahre wegen. »Da ich ein Knabe
war«, denkt er, »und es nicht zu schätzen wußte, mangelte mir
's an nichts; meine Hemden mußten immer etwas feiner fein
sein als die der Nachbarskinder, kein Sonntagsmorgen ging
vorüber, wo ich nicht mit Lebkuchen vor die Tür oder ans
Fenster treten und auf die rothaarige Böttcherstochter, die
ihre trockene Semmel verzehrte, stolz herabschauen konnte,
und wenn mir die Mittagskost nicht behagte, so buk die Mutter mir heimlich einen leckeren Pfannkuchen. Wurde nicht damals mein Geburtstag so gut gefeiert wie der des Königs, und
gab's dann nicht Gänse mit Äpfeln und Rosinen gefüllt und
mit herrlicher brauner Sauce übergossen? O verflucht und dreimal verflucht sei jene Zeit! Hätt' ich solche Gänse nie gefres-
sen, so würde mir jetzt nicht das Maul danach wässern!« Bier-
und Speisehäuser sind Bet-, d. h. Fluchhäuser für ihn; seine
nah' an den Atheismus streifende Überzeugung von der ge-
brechlichen Einrichtung der Welt hat er in dieser trüben At-
mosphäre und im eigentlichsten Verstande aus Bierkrügen, aus
solchen nämlich, die er nicht stürzen durfte, geschöpft. Was
muß er aber auch nicht alles aushalten, ehe er nur dazu kommt,
seine Andacht zu verrichten! Für dich, lieber Leser, der du, die
Abendpfeife oder die Zigarre im Munde und das bare blanke
Geld im Sack, dich nach einem Gespräch und einer Zeitung
oder nach reellern Dingen sehnst, ist der Eintritt in ein Wirtshaus freilich kein Heldenstück. Du gehst einem wahren Bom-
bardement von Genüssen entgegen: devote Bücklinge, die dich

an der Tür empfangen; interessante Neuigkeiten, die, gerade wie du eintrittst, erzählt werden; ein Herzensfreund, den du erst in acht Tagen von seiner Reise zurückerwarten durftest, und der deiner mit Ungeduld harrt; ein anderer, der dir noch vor einer Stunde sagte, er könne den Akten heute gewiß keinen Augenblick abmüßigen, und der nun doch lächelnd hinter dem Tisch sitzt; dies und wieviel mehr noch verwirrt dir den Kopf und stürzt dich mitten in jenen süßen Taumel hinein, in dem alle Wollustknospen der Sinne und des Herzens aufbrechen, und bloß zur Erinnerung an die Unvollkommenheit alles Irdischen mischt sich der kleine Verdruß darunter, daß heute abend jeder Braten, nur kein Rehbraten, auf den du dich doch gerade gespitzt hattest, auf der Speisekarte paradiert. Wie anders verhält es sich mit Nepomuk! Es steckt etwas Rätselhaftes in einem Wirt. Er trieft von Artigkeiten, wenn er von Schweiß trieft; quäle ihn bis aufs Blut, laß ihn hundert Dinge aus allen Ecken und Winkeln seines Hauses herbeischleppen, finde nichts gut genug, sondern verlange immerfort das Bessere und das Beste: ihm dünkt's nicht unverschämt; er wird nicht verdrießlich, er lächelt dazu, seine Heiterkeit steigt mit seiner Mühe, und er kreiert dich, ohne Pfalzgraf zu sein, zum Baron, zum Grafen, zu allem, was du nicht bist. Wehe aber stillen, genügsamen Leuten wie Nepomuk, die sich, mit einem Trunk Luft zufrieden, so gut oder so schlecht sie zu haben ist, bescheiden in eine Ecke drücken und sich ein Gewissen daraus machen, ihn oder den Kellner zu plagen. Sie sind ihm in tiefster Seele zuwider, und er hat des kein Hehl; da er sie durch Blicke nicht vergiften kann, so sucht er sie dadurch zu vertreiben, und die Römerseele, die dies kleine Gewehrfeuer erträgt, halte darum den Sieg nur nicht für schon entschieden, sondern bereite sich auf die schnödeste Kriegslist vor, denn die Niederlage beugt den Feind nicht, sie macht ihn grimmig und tückisch. Wer hat dies schmerzlicher erfahren als der Schneidermeister Nepomuk Schlägel! Er hielt, man muß es sagen, im Stachusgarten aus, was Menschen aushalten können. Augen, aus denen die ganze

Hölle flammt; schnödes Einpalissadieren mit leeren Krügen und Flaschen; verachtungsvolles Wegnehmen des Lichts von dem Tisch, an dem er, in fast kindlicher Unbefangenheit mit seinem Hut spielend, einsam saß; sogar ein Tritt des groben Aufwärters auf seine Leichdornen, dem keine Bitte um Entschuldigung folgte – standhaft ertrug und verbiß er alles, wie jener Holländer die Greuel der französischen Revolution, und tröstete sich wie dieser: es hat ein Ende, und jeden Abend lebt' ich noch, wenn ich zu Bett ging. Was half's? Einmal war er kaum eingetreten, da setzte der Wirt gräßlich-freundlich in eigner Person einen übermächtigen Braten samt Zubehör und zwei helle Festkerzen vor ihn hin und sah dann mit inhaltsschwerem Gesicht auf seine Tasche. Als er den Mann gutmütig aufmerksam machte, er habe nichts bestellt, fuhr der Grobian ihn an, das wisse er wohl und eben darum solle er sich zum Teufel scheren, er habe noch nie etwas bestellt. Seitdem schleicht er sich ins Wirtshaus wie eine Maus in die Speisekammer. Wenn's nur glücken will, mischt er sich als einzelnen bitteren Tropfen in eine Welle willkommener Gäste, die hineinströmt. Geht das nicht, so gibt er sich beim Eintritt das Ansehen, als ob er jemanden suche, frägt auch wohl nach einem Herrn mit metallenen Knöpfen auf'm Rock oder mit rotem Schnurrbart und schlüpft dann mit der Geschwindigkeit einer Eidechse in den dunkelsten Winkel. Wahrlich, Nepomuk, wer dich so mit unendlicher Geschicklichkeit das Kunststück, dich in einer räucherigen Wirtshausecke unterzubringen, ausführen sieht, der ahnt nicht, daß es bloß darum geschieht, damit du jedem Gast die Bissen in den Mund zählen und dich dabei der kalten Kartoffeln, die dich zuhause erwarten, mit Zähneknirschen erinnern kannst. Und wird dir, wenn du's aufrichtig bedenkst, etwas anderes zu teil? Ein zerbrochenes Glas kann dich wenig trösten, denn selten oder nie trifft das Unglück einen, der den letzten Heller schon ausgegeben hat und es nicht bezahlen kann; geschäh's aber auch einmal, so würde es dir zu nichts als zu der Überzeugung verhelfen, daß es, dich ausgenommen, niemandem bei Wirtsleuten an Kredit fehlt. Prügeleien entstehen freilich beim Biere ebenso oft als ewige Freundschaften, aber wen verdrießt denn ein Faustschlag, da er zwei zurückgeben darf, wer macht sich viel aus einer gepletschten Nase, wenn er zu seiner Satisfaktion das abgerissene Ohr des Gegners in der Hand behielt? Im trunkenen Zustande wird allerdings manches ausgeschwatzt, was besser verschwiegen bliebe, aber ist jemals in deiner Anwesenheit von einer längst vergessenen Mordtat oder einer Brandstiftung etwas zum Vorschein gekommen, und was hattest du also von deiner Nüchternheit, deinem Aufhorchen? Das Bierhaus ist unstreitig der Boden, wo Wassersuchten und andere Todkrankheiten lustig wie Pilze zu Dutzenden aufschießen; ist aber, frage dich einmal, deine Phantasie flügelkräftig genug, dir, wenn du irgend einen Hans ohne Sorgen frisch und wohlgemut das sechste Glas hinunterstürzen und das siebente fordern siehst, flink als niederschlagendes Pulver das Krankenbett vorzuführen, wo ihm ein Arzt kopfschüttelnd das Bier als Wasser wieder abzapft und im stillen das Leben abspricht? Nichts bleibt dir als das wohltuende Gefühl glücklich überwundener Hindernisse und der Triumph, doch auch da zu sein, nichts als der leidige Trost, daß, sowie die Polizeistunde eintritt, jeder fortgewiesen wird gleich dir, und daß dann dir das Gehen besser fleckt als den meisten.

Und nun zu Hause! Freilich sollst du aus dem Munde deiner Frau noch die erste Klage über die bittere Armut hören, die sie mit dir teilen muß; sie wartet geduldig auf dich in der ungeheizten Kammer, solange du auch ausbleiben magst, sie geht, wenn du endlich mit leeren Händen kommst, hungrig zu Bette, wie sie hungrig aufgestanden ist, und beschwert sich mit keinem Wort über ihr Schicksal. Aber nie wirst du sie dahin bringen, daß sie sich ihre schönen schwarzen Haare abschneiden läßt, und da du, seit dein Nachbar, der Friseur, dir zwei Kronentaler dafür bot, keinen Gedanken mehr spinnst, der nicht an diese Haare geknüpft wäre, so hast du ebenso viel Qual und

Pein von ihr, als wenn sie tobte und lärmte. Umsonst ziehst du sie schmeichelnd auf deinen Schoß, nennst sie dein Täubchen und fragst sie, indem du ihre Locken kosend durch die Finger gleiten lässest, ob sie dich glücklich machen will; umsonst suchst du sie durch den Triumphzug von gebratenen Gänsen, dampfenden Nudeln, schäumenden Bierkrügen, den du mit dichterischer Glut und Kraft vor ihre Phantasie heraufbeschwörst, zu betäuben, um dann gleich einem Stoßvogel die Bemerkung: »Und das alles kann man für zwei Kronentaler haben!« hinterdrein fliegen zu lassen; umsonst machst du's ihr plausibel, daß man ohne langes Haar leben kann, aber nicht ohne Geld. Sie erwidert sanft, aber bestimmt: »Im Sarg magst du mich scheren, früher nicht!« Und da sich, wie du versucht hast, im Schlaf nichts bei ihr ausrichten läßt, so wirst du durch dieses Hauskreuz vielleicht dein ganzes Leben lang für die Freuden, die du dir auf der Straße erjagst, den Zoll abtragen müssen. Und ist's denn so ganz ungerecht?

WILHELM HEINRICH RIEHL

Die vierzehn Nothelfer

I

Konrad Lenz, geboren 1513, gestorben um 1590, Schüler des
Christoph Amberger, ausgezeichnet durch den warmen Gold-
ton seiner Farbe, malte Historien und Legenden, auch Mytho-
logisches auf Holztafeln in kleinem Format. Seine Bilder sind
sehr selten.

So ungefähr steht's gedruckt im Katalog einer Galerie, die ich
augenblicklich nicht nennen kann.

Dieser merkwürdige Mann pflegte zu sagen: »Das Malen wäre
die schönste Kunst, wenn die Bilder nur nicht fertig zu werden
brauchten.« Denn er malte gern und gut, allein er wollte immer nur malen, wann er wollte, und das geschah oft nur einmal
die Woche, öfters auch gar nicht. Den verabredeten Termin eines bestellten Bildes einzuhalten, war ihm ganz unmöglich.
Hatte er's heuer auf Weihnachten zu liefern versprochen, so
begann er zu Pfingsten übers Jahr die Tafel zu grundieren. Er
grämte sich auch gar nicht über diese Eigenschaft, die offenbar
mit der launischen Natur des Planeten zusammenhing, unter
welchem er geboren war, sondern sprach: »Ich habe malen gelernt; die andern mögen warten lernen.«

Der leichtmütige Künstler zählte erst vierundzwanzig Jahre,
als er einen großen Auftrag erhielt. Auf vierzehn schmalen
Tafeln sollte er die vierzehn Nothelfer darstellen nebst er-
läuternden Szenen aus ihrer Legende im Hintergrund; Haupt-
bedingung aber war, daß das Ganze unfehlbar vollendet sein
müsse binnen Jahresfrist, das heißt auf Leonhardstag 1538.

Dann sollte der Künstler den hohen Ehrensold von hundert Goldgulden empfangen.

Der Besteller, Ritter Hans von Haltenberg, war vordem auf einer Fahrt von Genua nach Neapel in die Hände tunesischer Seeräuber gefallen. Während seiner Gefangenschaft flehte er zu den vierzehn Nothelfern und gelobte jedem derselben bis Leonhardi 1538 ein schönes Bild in seiner Burgkapelle, wenn er binnen zwei Monaten aus dem Kerker erlöst würde. Wirklich gewann er bald darauf die Freiheit wieder und säumte nicht, nach Deutschland heimgekehrt, sofort die Bilder zu bestellen und dem Maler das Gewissen zu schärfen wegen genauer Lieferzeit, damit er den Heiligen Wort halte.

Mit wahrem Feuereifer hatte sich Konrad Lenz in die Arbeit gestürzt. Die drei Frauen des hilfreichen Kreises, Sankt Katharina, Margaret und Barbara, malte er im Sturm, Tafel für Tafel binnen vierzehn Tagen, und sie gelangen vortrefflich. Dann machte er sich an Sankt Pantaleon, Veit und Eustachius. Da ging's schon etwas langsamer; er brauchte drei Wochen auf den Mann und malte so hin und her bald am einen, bald am andern.

Beim heiligen Blasius kam er wieder recht frisch in Zug; aber bei Papst Gregor wollte es um so weniger flecken. Volle zwei Monate schleppte er sich mit dem Bilde herum. Endlich biß er die Zähne zusammen. »Es *muß* sein!« hörte man ihn einmal ums andere laut in seiner Werkstatt rufen. Mit Todesverachtung griff er zu Pinsel und Palette, nahm den letzten Anlauf, und wirklich in etlichen Tagen stand der Heilige vollendet.

Aber der Künstler war auch beinahe krank geworden vor lauter Selbstbeherrschung. Noch hatte er sechs Bilder vor sich. Sechs ist zwar die kleinere Hälfte von vierzehn, allein es schien ihm jetzt eine Riesenzahl, an die er gar nicht denken durfte, wollte er nicht das Gehirnfieber kriegen.

Darum trug er die fertigen Bilder auf den Speicher und die sechs leeren Tafeln dazu, damit er sie beileibe nicht mehr sehe, und trieb sich wochenlang müßig umher, als ob es gar keine Nothelfer jemals gegeben hätte.

Der Ritter, welcher zeitweilig von seiner Burg in das Reichsstädtchen herüberritt, um den Fortgang des Bilderwerks zu
überwachen, entdeckte mit Schrecken diesen vollkommenen
Arbeitsstillstand. Als er in die Werkstatt trat, saß Konrad Lenz
am Hackbrett und spielte Tänze, die Staffelei war ganz leer,
und auf der Marmorplatte zum Farbenreiben lag der Staub so
dick, daß man mit dem Finger hineinschreiben konnte.
»Wenn ich musiziere,dann male ich eigentlich im Geist am
allerbesten; mit den Farben wird sich's später schon finden!«
– so rief der Maler lachend und war sehr erstaunt, daß der alte
Herr erstaunt und erzürnt war. Er bat ihn, noch etliche Schlei-
fer und Hopser anzuhören, dann werde sich seine finstre
Stirn gewiß entrunzeln.
Ein andermal war Konrad den ganzen Tag im Wald umherge-
strichen, meilenweit von der Stadt. Da sah er den Herrn von
Haltenberg mit seinem Hund seitab in den Tannen. Er hätte
sich unbemerkt davonschleichen können. Doch das fiel ihm gar
nicht ein; höchst treuherzig trat er vor den Alten, grüßte ihn
und sprach: »Ihr jagt auf Hirsche, und ich jage auf Verse; sie
schwärmen mir wie Bienen im Kopf und wollen nur eingefan-
gen sein; seit Sonnenaufgang irre ich von Hag zu Hag und
mache die schönsten Gedichte. Nirgends dichtet sich's besser
als im Wald!«
Der Ritter fragte, ob sich's denn auch im Wald am besten male?
»Malen?« wiederholte Konrad überrascht: – »Das Malen
kommt nachher ganz von selbst und geht dann um so besser!«
Allein der Herr von Haltenberg beruhigte sich nicht bei dieser
Antwort. Er faßte den Maler fest am Arm, blickte ihm mit
den kleinen braunen Augen so stechend ins Gesicht, als ob er
ihn durch und durchsehen wolle, und hielt ihm seinen Leichtsinn vor, durch welchen er nicht nur ihn erzürne, sondern was
noch viel schlimmer, sogar die Heiligen. »Und glaubt Ihr
denn«, – so schloß er – »daß ein Maler nicht auch zuzeiten die
vierzehn Nothelfer brauche? Sie werden Euch stecken lassen,
wie Ihr mich jetzt stecken laßt.«

Der Maler sah den Alten mit seinen großen blauen Augen anfangs so unschuldig an, wie ein Kind, dann ward er purpurrot im Gesicht, senkte den Blick und rief: »Bei Gott! Ihr habt recht. Das ist ja entsetzlich, welch eine Kette von Unheil ich mit meinem Leichtsinn um uns schlinge!« Und er versprach, sofort die Arbeit eifrig wieder aufzunehmen, gleich heute noch, und lief im Sturmschritt heim, um ja die letzte Stunde vor Sonnenuntergang noch an der Staffelei zu stehn.

II

Es war eine Lust, zu sehen, wie Konrad Lenz jetzt wieder malte; der Pinsel flog nur so übers Bild, rastlos, von früh bis spät. In wenigen Tagen war der heilige Nikolaus fertig bis aufs Firnissen, der heilige Erasmus untermalt, der heilige Ägidius fein aufgezeichnet, der heilige Georg samt seinem Lindwurm grob umrissen.

Ein wunderschöner Sommermorgen lachte zum Fenster herein, und die Sonne leuchtete goldig auf die gegenüberliegenden Dächer, wenn sie auch nicht in die Werkstatt selber schien; denn die hatte selbstverständlich Nordlicht. Der Maler setzte, bald singend, bald pfeifend, das höchste Rot – Bergzinnober! – auf den Mantel des heiligen Erasmus. Er freute sich kindisch über das fröhliche, rasche Gelingen. Fast tat es ihm leid, daß es bloß vierzehn und nicht achtundzwanzig Nothelfer gab, er hätte sie alle achtundzwanzig auf Leonhard fertig machen mögen.

Gehoben von dieser ruhmvollen Gesinnung schaute er einen Augenblick auf die Straße.

Da stand eine Matrone, von einem jungen Mädchen begleitet, vornehme Leute, wie es schien. Sie sprachen und deuteten lebhaft; augenfällig suchten sie eine Straße oder ein Haus und zweifelten, welchen Weg sie nehmen sollten. Es waren Fremde, denn Konrad kannte sie nicht und er kannte doch alle Frauenzimmer der Stadt. Er legte die Palette hinweg und lugte und lauschte. Himmel! war das Mädchen schön, zwar höchst einfach gekleidet, aber wie edel, wie vornehm in jeder Bewegung!

Jetzt hörte der Maler ganz deutlich, daß die Frauen den Weg zum Katharinenkloster suchen. Die Straße ist ganz leer, kein Mensch weit und breit, der Auskunft gebe, also bleibt ihm als wohlerzogenem jungen Manne doch nichts anderes übrig, als hinauszueilen und sich höflich zum Führer anzubieten. Die Damen folgten ihm.

Er sagte der Alten so allerlei, was man eben zu sagen pflegt, wenn man Fremde führt, allein er wußte bald selbst nicht recht, was er sprach, denn er blickte fortwährend über die Achsel rückwärts nach der Jungen, die sich bescheiden einen Schritt weit hinten hielt. Sie war aus der Nähe noch viel schöner als aus der Ferne, und die paar Worte, welche sie manchmal sehr zurückhaltend mitredete, klangen wie himmlische Musik. Jugendfrisch in ihrer Schönheit, schien sie in ihrer demütigen Art und Sitte anderseits ganz aus der alten Schule.

Leider war das Kloster bald erreicht. Die Frauen dankten dem Führer; die Pforte öffnete sich. Da warf die Junge dem Maler noch einen Gruß zum Abschiede zu mit einem lächelnden Blick, so schelmisch, neckisch, vertraulich – – war das auch alte Schule?

Konrad Lenz stand vor der Tür wie aus einem Traum erwacht. Im Grunde hatte die Alte sehr herablassend gedankt, und nun vollends der unbeschreibliche Abschiedsblick der wunderschönen Kleinen! Er betrachtete sich von oben bis unten. Da entdeckte er erst, daß er in Pantoffeln und ohne Mütze aus seiner Werkstatt fortgelaufen war, eine Schürze vorgebunden, mit einem ganzen Regenbogen von Ölfarben bekleckst: er glich vielmehr einem Lackierer als einem Maler.

Langsam und verdrießlich schlich der arme Junge nach Hause. Überall forschte er, wer die Frauen gewesen, aber niemand kannte sie. Am Ende war das schöne Mädchen gar ins Kloster gebracht worden, um Nonne zu werden? Doch nein! Mit solchem Blick, wie sie ihm zugeworfen, geht keine auf ewig ins Kloster.

Das Bild des Mädchens ließ dem Maler keine Ruhe; den ganzen Tag sah er sie vor sich stehen und hörte ihre süße Stimme. Wie konnte er da den heiligen Erasmus fertig malen! Wenn es noch eine Erasma gewesen wäre, er hätte ihr das Gesicht der unvergleichlichen Jungfrau gegeben und hätte sich so seine Träume aus der Seele gemalt. Aber leider gibt es unter den vierzehn Nothelfern auf elf Männer nur drei Frauen, und die waren ja zuerst fertig geworden.

Konrad holte die drei Gemälde wieder herbei. Wie dünkten diese Frauengestalten ihm jetzt kalt und trocken; keine glich entfernt der Unbekannten! Aber die erste derselben hieß doch wenigstens Katharina, und das Mädchen, dessen Namen er nicht wußte, war im Katharinenkloster verschwunden. So sollte die heilige Katharina zum mindesten ihre Züge bekommen.

Er kratzte die Tafel ab und begann sie neu zu übermalen. Doch sein Pinsel erreichte nicht entfernt das Ideal seiner Seele. Fünf Tage lang setzte er Farbe auf Farbe, der Auftrag wurde immer plastischer und dicker, aber die Katharina wurde auch der Unbekannten immer unähnlicher.

Also goß er zum zweitenmal Spiritus über die Tafel und rieb sie wieder mit Bimsstein ab. Es waren nur noch die Füße der Heiligen und ihr halbes Marterrad sichtbar, als der Herr von Haltenberg eintrat, um zu sehen, was inzwischen gefördert worden sei. Er fand allerdings den heiligen Nikolaus fertig bis aufs Firnissen, aber dafür die heilige Katharina wieder ganz in Spiritus aufgelöst.

Rührend offenherzig beichtete Konrad dem erzürnten Ritter, daß er sich verliebt und seine unbekannte Geliebte spurlos verloren habe, alles binnen einer Viertelstunde. Nun tröste er sich in seiner Not, indem er die Verlorene wenigstens als Nothelferin festzuhalten suche. Ein Stein mußte Mitleid fühlen mit ihm. Aber der Alte blieb härter als ein Stein; gewiß er hatte sich niemals binnen einer Viertelstunde verliebt. Er fuhr nicht einmal fort zu zanken, sondern lachte dem Maler ins Ge-

sicht und ging ohne Abschied dröhnenden Schrittes zur Tür
hinaus.

Aber nach drei Tagen kam die Antwort. Der Torwart von
Burg Haltenberg erschien mit dem gemessenen Befehl seines
Herrn, den heiligen Nikolaus, mit oder ohne Firnis, samt allen anderen fertigen Tafeln abzuholen. Sollte aber etwa auch
Sankt Nikolaus wieder abgekrazt oder Sankt Katharina noch
nicht wieder hinaufgemalt sein, dann war der Dienstmann angewiesen, so lange bei dem Maler sitzenzubleiben und nicht
von seiner Seite zu weichen, bis beide fertig wären. Denn man
müsse den gar zu lebhaften Künstler vor Zerstreuung bewahren.

Zwischen dem Ritter und dem Maler ging es, wie man sieht,
immer ganz ehrlich und offen zu: jeder sagte dem andern, was
er dachte, geradeaus unter die Nase. Doch waltete dabei ein
feiner Unterschied. Der eine war offen wie ein alter Recke,
weil es ihm Pflicht und Gewissen gebot; der andere wie ein
junger Maler, weil es ihm Spaß machte; auch hatte er noch gar
nicht ordentlich lügen gelernt.

Der Maler fand das Mittel des Ritters, ihn durch Einquartie-
rung zum Malen zu zwingen, ebenso neu als grob; wäre ihm
der Ritter zuhanden gewesen, so würde er ihm die schönsten
Grobheiten dafür zurückgegeben haben. Allein dem Torwart
durfte er's doch nicht entgelten lassen; der tat ja nur seine
Pflicht und war überdies ein baumstarker Kerl, den man nicht
so ohne weiteres vor die Tür warf.

Also bot er ihm einen Stuhl und setzte ihm einen Krug Wein
und ein großes Stück kalten Rindsbraten vor; denn der Mann
war heute schon drei Meilen weit geritten und hatte noch nicht
gefrühstückt. Der Appetit war sehenswert, mit welchem derselbe lautlos den Braten verarbeitete.

Konrad tat, als grundiere er das abgekratzte Bild der heiligen
Katharina, um nebenher seinen ungebetenen Gast zu beobachten. Da blitzte ihm ein Einfall durch den Kopf. War es nicht
gescheiter, er malte dies echte, greifbare Stück Natur, was da

vor ihm saß, statt dem Luftgespinste eines Frauenbildes nach-
zujagen, welches er doch niemals mit dem Pinsel fassen konnte? Gesagt, getan! Ganz wie von selbst gestalteten sich ihm
die verwetterten Züge des alten Torwarts auf der verdorbenen
Tafel. Und als nur erst einmal die Umrisse feststanden, mischte er sich mit wütendem Eifer eine ganz neue Palette und begann naß in naß alla prima zu malen. Er befahl dem Torwart,
ganz fest sitzenzubleiben, und dieser tat es auch mit komi-
schem Zwange; denn er glaubte, das gehöre mit zu seinem
Auftrag. Dagegen war kein Wort aus ihm herauszubringen;
sein Herr hatte ihm strenge eingeschärft, den Künstler nicht
durch Unterhaltung zu stören.

Höchst naturgetreu brachte Lenz sein neues Modell auf die
Tafel, nur verlängerte er dessen Ohren etwas eselartig, ließ ihm
ein Paar kleine Hörner zwischen dem wolligen Haar hervor-
schießen, verwandelte die engen Lederhosen in Bocksfüße und
setzte hinten seitwärts ein allerliebstes Schwänzchen an. Und
so hatte er bis zum Abendläuten einen frühstückenden Satyr
fertig und war glückselig in dem Bewußtsein, doch endlich
wieder einmal mit rascher Hand ein Bild vollendet zu haben.

Er erschrak gar nicht, als ihm im Augenblicke, wo er eben den
Pinsel weglegte, der Ritter auf die Schulter klopfte. Vor lauter Schöpferjubel hatte er ihn gar nicht kommen hören.

»Ihr erscheint zur rechten Stunde!« rief er und zeigte ihm das
neue Bild und versicherte, es gehöre zum Besten, was er je gemalt; nun werde der Herr Ritter doch gestehen, daß er auch
rasch entwerfen und ausführen könne, wenn es gelte.

Allein der wunderliche Mann hatte gar kein Verständnis für
diese Meisterprobe; er donnerte und wetterte und nannte den
Maler einen Narren, der schon wieder einen Tag verloren und
nun gar einen Waldteufel statt der heiligen Katharina gemalt
habe.

Lenz mußte laut auflachen, die Tränen traten ihm in die großen blauen Augen, und er sah und lachte dem Ritter so herzlich
ins Gesicht, daß dieser mitlachen mußte, obgleich er mit aller

Gewalt den Mund zusammenbiß. Das verdoppelte nun des Künstlers Lachlust dergestalt, daß er auch den Torwart ansteckte, der sein Porträt mit so schallendem Gewieher begrüßte, als sei er ein wirklicher Satyr und eben aus Theokrits Idyllen davongelaufen.

»Ihr habt recht mit Eurem Schelten!« rief Konrad, da er endlich wieder zu Atem kam; »es ist eine wahre Schande, wie leicht ich mich verführen lasse! Aber warum habt Ihr mir auch einen so unwiderstehlichen Kerl vor die Staffelei gesetzt?«

Der Ritter meinte, nun gebe es nur noch ein Mittel, die Nothelfer rechtzeitig fertig zu kriegen: der Maler solle mit allem Handwerkszeug auf seine Burg kommen. Da seien etliche abgelegene Zimmer, wo ihn nichts zerstreue; in tiefster Stille und Einsamkeit könne er dort die Bilder vollenden.

Der Maler fand den Vorschlag ganz prächtig und hoffte auf raschesten Erfolg. Nur fürchtete er, seinem Gönner lästig zu fallen.

Allein dieser beruhigte ihn darüber: er habe den Plan schon länger gehegt, ja bereits alles für denselben vorgekehrt. In der Tat hatte der Torwart vorsorglich ein Saumtier neben seinem Pferde mitgebracht und in die Schenke eingestellt, auf welches die Staffelei mit den Malgeräten und den fertigen und leeren Tafeln gepackt wurde.

So zogen sie zu dreien noch selbigen Abends aus, Konrad Lenz gleichfalls zu Roß, statt eines Spießes mit dem Malerstock bewehrt. Der alte Torwart aber ritt als Knappe hinterdrein, an der rechten Hand als dextrarius das Saumtier führend, welches statt Schild und Rüstung die Staffelei und die Bilder trug.

Konrad fand den ritterlichen Aufzug so köstlich, daß er Lust hatte, ihn vor dem Aufbruch wenigstens mit etlichen Strichen zu skizzieren, aber der Ritter drängte, denn es galt noch einen scharfen Ritt, daß sie vor tiefer Nacht die Burg erreichten.

Am andern Morgen erwachte Konrad Lenz auf Burg Haltenberg nach einem höchst gesunden Schlafe; es war schon neun
Uhr, und die Augustsonne brannte ihm heiß aufs Bett. Nachdem er sich erinnert, wo er sei und wie er hierhergekommen,
sprang er frohgelaunt aus den Federn. Es war doch lustig,
daß der Ritter gleich ihn selber aufgepackt, um der Bilder ganz
gewiß zu sein.

Beim Anziehen der einzelnen Kleidungsstücke lief er so zwi-
schendurch in der Stube herum, die Örtlichkeit genauer zu betrachten; denn vergangene Nacht hatte er wenig mehr gesehen, und sein unruhiger Geist duldete nicht, daß er ein Geschäft methodisch nach dem andern vornahm.

Also schlüpfte er auf den Strümpfen zum Fenster und er-
forschte den landschaftlichen Hintergrund, während er die
Hosen nestelte. Da war freilich nicht viel zu finden. Eine hohe
Mauer schnitt, etwas unverschämt nahe, den Horizont ab;
hinter derselben sah man jedoch noch die Kuppe eines fernen
Waldberges. Der mußte nächstertags erstiegen werden! Vorher
wollte der Künstler übrigens die Damen des Schlosses kennen-
lernen und mit ihnen in näheren Verkehr treten; denn der Ritter sollte eine schöne Tochter haben, die er vor niemandem
sehen ließ. Wenn über solch erster Orientierung innerhalb
und außerhalb der Burg auch vierzehn Tage vergingen, so
schadete das nichts; Leonhard fällt Anfang November,
folglich blieben noch gut zwei Monate Zeit für die leidige
Malerei.

Unter diesen Erwägungen war der Künstler glücklich ins halbe Wams gekommen und durchschritt nun, indes er dasselbe
vollends anzog, die geräumige Vorhalle, sein künftiges Atelier.
Dort sah es wunderlich aus.

Ein Feuerherd mit großem überhangenden Kaminschoß stand
an der Wand, daneben ein kleiner seltsam geformter Ofen,
Schmelztiegel und Töpfe aller Art, Flaschen und Destillierkol-

ben auf Tischen und Simsen, altes, bestaubtes, zerbrochenes Geschirr. Die Staffelei mit den Bildern und Malwerkzeugen hatte man zwischen diesen Trödel mitten hineingestellt.

Der Maler wollte eben seine Pantoffeln anziehen, um auch noch ein wenig ins nächstanstoßende Zimmer zu spähen, da erschien der Hausherr, gefolgt vom Torwart, welcher das Frühstück brachte.

Man begrüßte sich artig, und der Gast bezeugte dem Wirte seinen Dank, daß er ihn so malerisch quartiert habe, diese phantastische Halle zumal sei ganz wie für einen Künstler gemacht, Quintin Messis hätte sein Atelier nicht sinniger ausschmücken können mit angenehm unnützen Dingen, fast möchte er's gleich als Studie malen. Übrigens möge ihm sein freundlicher Wirt doch sagen, was dieser Herd und Ofen samt all den Flaschen und Kolben eigentlich bedeute?

Kurz und bündig antwortete der Herr von Haltenberg: »Mein Vater baute diese Halle für einen Alchimisten, welcher von ihm viel Gold erhielt und hundertmal mehr Gold damit zu machen versprach. Aber eines Tages ging der Goldmacher durch und ließ nichts zurück als etwas schwarze Wäsche. Darauf ließ mein Vater alle Fenster dieses Baues stark vergittern – wie Ihr seht – die Türen mit schweren Schlössern und starken Riegeln verwahren – überzeugt Euch selber! – ja sogar den Kamin von innen durch gute Eisenstangen sichern – blickt hinauf: durch den Schornstein aufs Dach zu klettern, ist ganz unmöglich. Er hoffte den Goldmacher wiederzukriegen oder vielleicht auch einen andern, besseren, und dann war abermaligem Davonlaufen vorgebeugt. Aber der alte Goldmacher kam nicht wieder; denn er war inzwischen in Eßlingen gehängt worden, und ein zweiter fand sich auch nicht. So standen denn die Räume leer bis heute. Und also hat mein Vater Riegel und Gitter doch nicht umsonst gemacht; denn jetzt bleibt Ihr hier eingesperrt, bis alle vierzehn Nothelfer fertig sind. Ihr werdet während der Zeit weder mich sehen noch überhaupt einen Menschen außer meinem treuen Torwart, der Euer Schließer und Aufwärter

sein wird. Sein Gesicht wird Euch nicht zerstreuen. Ihr habt es ja bereits gemalt. Guten Appetit zum Frühstück!«
Mit diesen Worten ging der Alte hinaus samt dem Diener, welcher äußerst hurtig die Tür schloß und riegelte.
Vergebens rief ihnen Konrad Lenz die feierlichsten Proteste nach gegen solche Gewalttat – zuerst durchs Schlüsselloch, dann durchs Fenster. »Ich bin Bürger der Reichsstadt, sie wird mich befreien und rächen! Ich bin Genoß der Malergilde, sie wird für mich bei Kaiser und Reich klagen!« Vergebens! Es hörte ihn niemand außer etlichen Spatzen vor dem Fenster, die sehr erschreckt davonflogen.

IV

Konrads nächster Entschluß war, nunmehr erst recht keinen Pinsel anzurühren, dagegen alle List dahin zu richten, wie er etwa ausbrechen oder doch seinen Freunden Nachricht geben könne, daß sie ihn freimachten. Aber alle Versuche scheiterten.
Das Zimmer war hell und geräumig, gar nicht kerkerhaft, allein die Gitter und Riegel so fest, daß selbst ein Goldmacher, welcher doch in Spitzbubenkünsten geschulter ist als so ein unschuldiger Maler, schwerlich hinausgekommen wäre.
Der Torwart brachte nicht etwa karge Gefangenenkost, sondern treffliches Essen und den besten Wein und sorgte für alle Bequemlichkeit. Allein keine Überredungskunst verfing bei dem alten knurrenden Bullenbeißer, und solange er im Zimmer war, hielt eine unsichtbare Hand von außen die Türe verschlossen.
Die Räume lagen im Erdgeschoß, wie sich's bei der Teufelsküche eines Alchimisten von selbst versteht, und die Fenster gingen auf ein kleines verwildertes Gärtchen, welches durch die hohe, von der fernen Waldkuppe überragten Mauer abgeschlossen war; irgendeinen benachbarten Teil der Burg oder gar einen Menschen konnte man nirgends erspähen. Und so

blieb kein Kartäuser in seiner engen Zelle gründlicher vor den Zerstreuungen der Welt bewahrt, als der Künstler in dem weitläufigen Gelaß.

Nachdem er acht Tage nichts getan, als laut auf den Ritter geschimpft und leise an allen Eisenstangen gerüttelt, ward ihm diese einfache Beschäftigung doch zu langweilig. Er betrachtete seinen gröbsten Borstpinsel und sprach: »Will mich der Herr von Haltenberg so gröblich zur Arbeit zwingen, so soll ihm auch nur mit diesem groben Pinsel gedient sein. Wie ein freier Mann malen kann, das habe ich ihm gezeigt; jetzt soll er einmal sehen, wie man in Banden malt!«

Und nun strich er mit dem Borstpinsel sämtliche noch ausstehende Nothelfer hurtig und geschwind auf die Tafeln: Sankt Erasmus, Georg, Ägidius, Christoph, Leonhard und zuletzt auch die heilige Katharina. Sie waren gezeichnet wie Lebkuchenmänner und koloriert wie Bleisoldaten. Darauf schickte er die ganze Gesellschaft dem Ritter mit dem Bemerken, hier erhalte der gnädige Herr seine Bilder, nun möge er ihm auch seine Freiheit wiedergeben.

Allein der Torwart brachte die Kunstwerke umgehend zurück, mit der Antwort, wenn es dem Herrn Maler etwa an Spiritus und Bimsstein fehle, um die Tafeln wieder abzuwaschen, dann solle ein reitender Bote sofort genügenden Vorrat aus der Stadt holen.

Im hellen Zorn rückte Konrad die Staffelei ans Fenster, um die bunten Puppen der Reihe nach darauf zu stellen und noch einmal im besten Lichte zu betrachten und bei ihrem Anblick seinen Ärger hinwegzulachen. Er meinte, so ganz wertlos sei diese Arbeit doch nicht, denn er habe da die faustfertigen Heiligenmaler recht gelungen travestiert. Nur schien ihm noch hier und dort ein besonders charaktervoller Stümperzug zu fehlen, und so griff er zum Pinsel und setzte immer drolligere Drucker auf die tollen Karikaturen.

Plötzlich ward es ihm aber doch etwas unheimlich zumute. Beging er nicht eine Sünde? Zwar wollte er zunächst des Ritters spotten, aber verspottete er nicht zugleich auch die Heiligen? Ein Meister aus der alten Schule hätte dergleichen gewiß nicht getan. Er hätte dem groben Ritter vielleicht noch viel gröber gedient; aber die Heiligen hätte er um Gottes willen so schön gemalt, als nur immer möglich. »Und wenn mir nun die Nothelfer wirklich zürnten? Sie haben den Ritter aus dem Kerker der Türken befreit; könnten sie mich nicht ebensogut im Kerker des Ritters auf ewig stecken lassen?«

Bei diesem Selbstgespräche blickte er auf. Und wie erstaunte er! Gegenüber der Fensternische, wo er vor der Staffelei saß, hing ein Spiegel, und in dem Spiegel erschien mit einem Male ganz hell und klar das leibhafte Bild der heiligen Katharina, nicht jener Katharina, die er anfangs gemalt und nachher wieder abgekratzt, sondern der andern, schöneren, die er vergebens hatte malen wollen.

Eine Vision! Erschien ihm die Heilige strafend oder helfend? Im ersten Augenblicke glaubte der erschrockene Maler wirklich, es sei eine überirdische Erscheinung. Aber das liebliche Mädchengesicht war gar zu irdisch lebensfrisch und Konrad Lenz kein Maler mehr aus der alten Schule, sondern das humanistisch aufgeklärte Kind einer neuen Zeit. Darum sammelte er sich rasch, hielt sich ganz stille und malte mechanisch fort, indes er von unten herauf nach dem Spiegel schielte.

Und blitzschnell überlegte er: nach den Gesetzen der Perspektive mußte das Original des Spiegelbildes ganz nahe hinter seinem Rücken, draußen vor dem offenen Fenster stehen, seine Arbeit belauschend. Schon vorgestern, da er vom Mittagsschlaf erwachte, war es ihm, als sei dieselbe Gestalt durch den Garten vorm Fenster vorbeigehuscht; doch weil er schlummernd eben von der schönen Unbekannten geträumt hatte, hielt er damals die fliehende Erscheinung für das wache Ausklingen seines Traumes.

Was war nun zu tun? Kehrte er sich um, dann würde sie sicher wieder davonlaufen. Für einen Gefangenen gelten die gewöhnlichen Regeln des Verkehrs mit Damen nicht. Also sprang er mit einem wahren Katzensprung vom Stuhle, ergriff in halber Wendung durchs Gitter die rechte Hand des auf die Fensterbrüstung lauschend gelehnten Mädchens und hielt sie fest.

Die Jungfrau, zum Tode erschreckt, schrie laut auf und rang, sich freizumachen; allein es half nichts; im Nu hatte der Maler auch ihre Linke gepackt und hielt seine Gefangene nun mit beiden Händen. Um Hilfe zu rufen, wagte sie nicht; denn sie war ja selber auf verbotenen Wegen herbeigeschlichen.

Konrad Lenz aber sprach mit größter Artigkeit. »Verzeiht, edles Fräulein, daß ich Euch nicht wieder loslasse, bevor wir ein wenig geplaudert haben. Seit Wochen durfte ich mit keiner Menschenseele sprechen, und da fühle ich jetzt ein entsetzliches Bedürfnis nach mündlicher Mitteilung, zumal aus so schönem Munde.«

Das Mädchen aber klagte leise über ihre Neugier, die sie in diese Falle gebracht. Sie habe in der Burg gehört, daß hier wieder ein Goldmacher eingesperrt sei, und da hätte sie gar zu gern einmal erspähen mögen, wie Gold gemacht werde. Nun sehe sie aber, daß er gar kein Alchimist sei, sondern der freundliche Tünchermeister, welcher ihnen neulich in der Stadt den Weg zum Katharinenkloster gewiesen.

Bei dem Worte »Tünchermeister« fühlte sich Lenz wie von einer Natter gestochen, daß er die linke Hand des Mädchens unwillkürlich fahren ließ, aber die rechte hielt er dafür um so fester. »Ich bin kein Tüncher«, rief er stolz, »ich bin ein Maler! ein Schüler des trefflichen Christoph Amberger, dieser aber war ein Schüler des unübertrefflichen Hans Holbein, und so stammt meine Kunst in gerader Linie und im zweiten Glied vom größten deutschen Meister ab.«

»Die Enkel sehen manchmal dem Großvater nicht besonders ähnlich«, sprach lächelnd das Mädchen und deutete mit der Linken auf die Tafel, an welcher Lenz soeben gemalt hatte.

Entsetzt blickte dieser auf die grobe Sudelei, allerdings eine verdächtige Urkunde seiner Meisterschaft, und stieß mit dem Fuße wider das Gestell, daß das Bild herunterfiel und glücklicherweise – wie Butterbrote pflegen – mit der fetten Seite auf den Boden.

»Nur aus Wut habe ich diese Spottbilder gemacht, weil man mich hier durch den Kerker zum Malen zwingen will. Der Burgherr verwahrt ganz andere Werke meines Pinsels, die werden Euch zeigen, daß ich kein Tüncher bin. Und glaubt Ihr denn, daß man mich wie einen Goldmacher einsperrte, wenn ich nur die Fratze machen könnte, welche hier am Boden liegt?«

Der letzte Grund leuchtete dem klugen Mädchen ein. Aber der Maler hörte kaum auf ihre Antwort. Er war so lange nicht zu Worte gekommen, er mußte den Augenblick festhalten und sich gründlich aussprechen. Aufs anmutigste beschuldigte er seine schöne Gefangene, daß sie schuld sei an seiner eigenen Gefangenschaft, und erzählte, wie ihr Anblick beim Gange zum Katharinenkloster seine Phantasie zu so hellen Flammen entzündet, daß er sie durchaus habe malen müssen, und zwar als heilige Katharina; allein so ganz frei aus dem Kopf sei das nun und nimmer gegangen, und dadurch seien die bestellten Nothelfer derart in Rückstand gekommen, daß ihn der Herr von Haltenberg zuletzt hier zur Zwangsarbeit eingesperrt habe. Nach Künstlerart wußte aber der Erzähler die ganze Geschichte so geschickt zu gruppieren und mit hoch aufgesetzten Lichtern zu steigern, daß seine Schwärmerei für die Unbekannte zuletzt als die alleinige Quelle alles Unheils erschien.

Beim Beginn der Erzählung hielt er ihre Hand noch fest, doch im Verlauf konnte er sie ohne Gefahr loslassen; das Mädchen lief nicht mehr davon, sondern hörte gespannt bis zum Ende, und als er ihr dann die Hand noch einmal aus bloßer Freundschaft drücken wollte, zog sie die ihrige nur ein klein wenig zurück.

Sie schien recht bekümmert über den armen Mann, den sie so ganz unwissend in Not gebracht. Dem glückseligen Konrad ging aber jetzt eine helle Fackel auf: die Unbekannte konnte niemand anders sein, als des Haltenbergers wunderschöne Tochter, die der Tyrann, gleich grausam gegen das Naturschöne wie gegen das Kunstschöne, vor aller Welt verborgen hielt. Darum bat er, sie möge doch in ihren Vater dringen, daß er die Türen dieses Kerkers öffne.

»Das kann ich nicht«, erwiderte sie, »und das darf mein Vater nicht. Er mag Euch hart behandeln; allein er tut eben nur, was ihm die Pflicht befiehlt.«

Da haben wir ganz das Kind der alten Schule! dachte der Maler. Einen armen Maler martert man zu Tod, nur um den Heiligen auf Tag und Stunde Wort zu halten!

Übrigens fragte er sich, ob es jetzt nicht nützlicher sei, wenn er noch etliche Wochen eingesperrt bliebe? Vielleicht bewog er das Fräulein, öfters in den stillen Garten zu kommen; sie sah ja schon recht teilnehmend aus. Wurde er in die Stadt geschickt, dann erblickte er sie niemals wieder, und arbeitete er frei in der Burg, dann versiegte wohl stracks der erste Quell der Zuneigung, welchen er bei dem schönen Kinde erschlossen – das Mitleid.

Darum spann er rasch einen entsprechenden Plan.

Er hielt ihr vor, daß er nur wieder frei werden könne, wenn er die Bilder pünktlich und schön vollende. In der tötenden Einsamkeit, ohne irgendeine menschliche Ansprache, sei ihm dies aber ganz unmöglich. Zudem könne er die verdorbene heilige Katharina nie wieder herstellen, wenn *sie* nicht ihre schönen Züge zum Vorbild leihe. Sie brauche ja nur ein paarmal auf ein Viertelstündchen wiederzukommen; plaudernd und auf den Raub porträtiere man am allerbesten. Dazwischen fragte er, ob sie nicht etwa auch Katharina heiße? – Allein sie hieß Susanne.

Anfangs sträubte sie sich gegen den Vorschlag, ging dann aber doch darauf ein – fast etwas geschwind, wie es hinterher dem Maler dünkte. Ihr Vater schien sie in der Einsamkeit zum unschuldsvollen reinen Naturkind erzogen zu haben.

Wie hatte die Erscheinung dieses Naturkindes unsern Maler wieder von Grund aus verändert! Er freute sich seines Gefängnisses; denn sie wollte morgen schon wieder ins Gärtchen kommen. Und malen wollte er jetzt die rückständigen Heiligen um der schönen Susanne willen so begeistert und so pflichtgetreu, wie es nur je ein alter Meister um Gottes willen getan!

Schon war es ihm undenkbar, daß er die Burg wieder verlassen könne, ohne mit Susannen verlobt oder noch besser gleich verheiratet zu sein. Hier aber kreuzten sich zwei grundverschiedene Gedankenzüge.

Er liebte Susanne so heftig, wie nur je so ein stürmischer Wildfang ein Mädchen lieben konnte, welches er bereits zweimal gesehen und gesprochen, und er wollte sie gewinnen, weil er sie liebte.

Er wollte sie aber auch gewinnen, um ihren Vater mit dem letzten Trumpf zu schlagen. Der Alte hatte ihn überlistet und eingesperrt, um ihm die Bilder abzuzwingen. Dafür überlistete jetzt der Gefangene den Alten und zwang ihm sein köstlichstes Kleinod ab, die so wohl verwahrte Tochter. Einen Goldmacher kann man hinter Schloß und Riegel setzen, aber wenn man einen jungen Maler und ein junges Mädchen einsperrt, dann befreit zuletzt der Maler sich selbst und das Mädchen dazu!

Mit diesem Doppeltriumphlied der Liebe und der Rache begann er eine ganz neue Tafel für die heilige Katharina zu grundieren.

V

Die hilfsbereite Susanne kam wieder und setzte sich zum Plaudern vor das Fenstergitter, welches sie nach klösterlicher Redeweise das »Sprechgitter« nannte. Da sich kein Mensch in der Burg dem verwilderten Gärtchen nähern durfte, damit der Maler vor Zerstreuung bewahrt bleibe, so war ihr Verkehr ganz sicher.

Die ersten Tage brachten warmes und heiteres Wetter; Susanne konnte stundenlang dasitzen, ohne sich zu erkälten. Konrad

malte äußerst langsam an seiner Katharina, auf daß sie ja
recht trefflich geriete.

Im September dagegen kam Regen und Nebel. Für die nassen
Tage hatte sich der Maler den heiligen Erasmus samt den andern Männergestalten aufgespart. Susanne erschien nicht.
Aber der Regentage wurden ihm zu viele, und er entdeckte,
daß er die Männer schlechter male, wenn ihn die Jungfrau
nicht durch ihre anmutige Gegenwart begeisterte.

Notgedrungen mußte sie darum auch im Regen kommen. Ja,
die Regentage wurden die allerschönsten. In ein großes Tuch
verhüllt – Regenschirme waren noch nicht landesüblich –
schwang sich Susanne auf die Fensterbrüstung, denn sonst
hätte sie unter der Dachtraufe gestanden, und drückte sich
ganz hart ans Gitter, um nicht herunterzufallen. Da gab sich's
dann sehr natürlich, daß ihr der Maler bei einem Platzregen
den ersten Kuß raubte.

Sie war fast immer heiter, schalkhaft; ihre sonnige Laune
paßte so recht für den fröhlichen Jüngling, und beide beteu-
erten sich bald gegenseitig, daß sie füreinander geboren seien
und einander verbleiben müßten immer und ewig; auch konnten sie sich's schon gar nicht mehr denken, daß es einmal eine
Zeit gegeben habe, wo sie sich noch nicht gekannt.

Konrad hatte sich's im Grunde etwas schwieriger gedacht, die
Liebe eines so vornehmen Fräuleins zu gewinnen. Doch das
kam wohl alles von ihrer abgesperrten Jugend; die Vögel,
welche man am strengsten im Käfig hält, fliegen am liebsten
davon. Und Susanne hatte noch gar nichts von der Welt gesehen, als das benachbarte Reichsstädtchen; Konrad aber versprach ihr, sie weit in die Welt mitzunehmen, sogar über die
Alpen bis nach Rom und Venedig.

Nur in einigen Dingen war sie gar altmodisch streng. Aus lauter Ehrfurcht wagte sie kaum von ihrem Vater zu reden; sie
schien sich ihn vielmehr als ihren Herrn und die Mutter als
ihre Gebieterin zu denken, so recht nach urväterlicher Sitte;
sie nannte ihn mitunter geradezu den Herrn von Haltenberg,

wie ja auch die Ehefrauen vordem ihren Gemahl als Herrn bei Titel und Namen zu nennen pflegten.

Nachdem die beiden am Sprechgitter ihre Liebe völlig ins reine gebracht, beredeten sie das Heiraten. Da verhehlte nun Susanne nicht, daß ihr Vater großes Bedenken gegen den Stand des Malers hegen werde; die Künstler stelle er nicht besonders hoch, und den hier im Alchimistenkäfig eingesperrten halte er für einen lockeren Vogel. »Das sind nun Standesvorurteile«, meinte Susanne, »über welche ich selber völlig erhaben bin.« Ja es dünke ihr sogar ein feinerer Beruf, schöne, fromme Bilder zu malen, als eine alte Burg zu hüten, die seit Menschengedenken niemand angegriffen habe.

Der Maler war entzückt, daß das Fräulein so gescheit sprach, und bestärkte sie in ihrer erleuchteten Ansicht.

Inzwischen rückte der Herbst immer weiter vor: Konrad beschleunigte seine Arbeit, denn die Jahreszeit war nachgerade etwas zu kalt für die künstlerischen Anregungen am offenen Fenster. Und so vollendete er denn die sämtlichen Gemälde wirklich noch vierzehn Tage vor dem Termin, und die letzten Tafeln waren schöner als die ersten, die heilige Katharina aber das weitaus schönste Bild von allen.

Der Tag des Triumphes und der Rache erschien. Am 23. Oktober ließ Konrad Lenz dem Herrn von Haltenberg sagen, der letzte Nothelfer habe den letzten Pinselstrich erhalten, und wenn sich der Ritter des Nachmittags in die Halle bemühen wolle, so werde er sämtliche neue Bilder im besten Lichte aufgestellt finden.

Auf den Vormittag hatte er noch eine Rücksprache mit Susannen verabredet. Leider fiel der Regen in Strömen, so daß sich das Mädchen auf die Fensterbrüstung setzen und ganz eng ans Gitter drücken mußte. Konrad wollte heute noch mit dem Geständnis ihrer geheimen Schwüre vor den Ritter treten. Dessen Standesvorurteile machten ihm jetzt freilich bänger denn je, darum redete er sich seine Beklemmung hinweg, indem er Susannen noch einmal vorerzählte, wie hoch-

gestellt in gegenwärtigen Zeiten die großen Maler Italiens
seien, und wie seine Ahnen auch keineswegs aus den Zünften
stammten, sondern aus den Patriziern der freien Reichsstadt Bopfingen. Als sein Urgroßvater von dort weggezogen,
habe er aber das Patriziat aufgegeben, das dem niederen Adel
gleichgeachtet würde.

Zwischenbei unterbrach er diese schon öfters erzählte Geschichte durch mehr lyrische Ausrufungen und zwängte seinen Kopf
mühsam durch die Eisenstangen, wobei er Susannens Mund
etwas näher berührte, als fürs bloße Wortverständnis nötig
war.

Nun hatte aber den Ritter die Neugier geplagt, die vollendeten
Bilder sofort zu sehen; um das bessere Licht am Nachmittage
kümmerte er sich wenig. Er war mit dem Torwart in die
Halle getreten, dröhnenden Schrittes nach gewohnter Art,
allein im Rausch der Gefühle und im Rauschen des Regens
hatte ihn das Paar am Sprechgitter dennoch nicht gehört. Er
hörte eine Weile ruhig zu, wie der Maler seinen vornehmen
Künstler- und Patrizierstand rühmte; als aber derselbe zum
drittenmal seinen Kopf durchs Gitter zwängte, klopfte er ihm
auf die Schulter.

Konrad wollte rasch zurückfahren, blieb jedoch stecken, denn
nur langsam und mit feinem Bedacht war der Kopf wieder
hereinzubringen. Susanne schrie laut auf und lief davon.

Der Künstler befand sich in einer kläglichen Lage. Er hatte
dem Ritter so stolz und fest vor Augen treten wollen und
steckte nun da, wie der Fuchs im Schlageisen. Und daß Susanne davongelaufen, war auch gar zu kindisch; sie hätte hel-
denhaft stehenbleiben sollen, trotz Regen und Ritter.

Doch das alles war nur ein Moment. Der Maler lachte laut auf,
der Ritter lachte mit, und der alte Torwart lachte im Echo:
da wurde der Kopf frei. Ein anderer als der Maler hätte keineswegs gelacht, trotzdem ärgerte es ihn fürchterlich, daß der
Ritter mitgelacht hatte, statt zu toben und zu wüten, und dieser Ärger gab ihm seinen ganzen Stolz zurück.

Fest und feierlich trat er vor den alten Herrn. Er deutete auf die prächtigen Bilder und sagte geradeaus wie immer, diese Tafeln seien so gut und pünktlich zu Ende gediehen, nicht durch die Langeweile des Kerkers, sondern einzig und allein durch die Beihilfe der reizenden Susanne. Sie nur habe des Ritters Wort vor den Nothelfern gerettet. Die hundert Goldgulden begehre er nicht für eine durch Gewalttat erpreßte Arbeit; für das, was er frei getan, habe er bereits den höchsten Preis gewonnen, Susannens Liebe – keine Macht könne ihre Herzen wieder auseinanderreißen, das stehe jetzt so fest und fertig, wie sämtliche vierzehn Nothelfer. Und also bitte er ihn um Susannens Hand.

Der Ritter lachte abermals, daß es von den Gewölben widerhallte. »Susannen wollt Ihr heiraten? Nun, ich habe durchaus nichts dagegen, wenn ich auch als Herr von Haltenberg einigen Einwand erheben könnte. Allein Ihr solltet doch zuerst den Vater des Mädchens fragen!« – und er deutete auf – den Torwart. Dieser aber trat vor und sprach: »Wenn Susanne einmal heiratet, dann muß es ein Mann sein, der in ordentlichem Herrendienste steht und festes Brot hat und kein windiger Maler, den man einsperren muß, damit er seine Schuldigkeit tut.«

Konrad wußte nicht, wie ihm geschah. Über und über errötend vermochte er nur verworrene Fragen zu stammeln, welche der Ritter wiederum kaum begriff; nur faßte dieser zuletzt wenigstens soviel, daß er's für dienlich zum allseitigen Verständnis hielt, dem Maler zu erklären, Susanne sei keineswegs seine Tochter, sondern die Kammerjungfer seiner Frau und seines treuen alten Dienstmannes, des Torwarts, eheliches Kind.

Der hatte inzwischen das Mädchen herbeigeholt, um es unter harten Worten dem armen Maler wie zum Verhör gegenüberzustellen.

Aus tiefer Scham erwachte dieser jetzt zu kochendem Zorn. Er sah sich betrogen von Susannen, die vor ihm das Fräulein gespielt, vielleicht gar im Komplott mit seinen beiden Kerkermeistern.

Und als sich das Mädchen mit Tränen im Auge und doch fest und hoffnungssicher ihm näherte, stieß er sie hinweg und rief: »Ich glaubte einem ehrbaren Fräulein Lieb' und Treue geschworen zu haben; einer buhlerischen Dienstmagd gilt mein Wort nicht!«

Susanne hatte genug von dem Vorhergegangenen gehört, um den Sinn dieser Worte zu begreifen. Lautlos, totenbleich, mit zitternden Lippen, aber voll edeln Trotzes und Stolzes entfernte sie sich.

Doch der Ritter holte sie zurück und trat vor den Maler. Scharf, streng und ruhig sprach er: »Ich bin ein Mann von der alten Art, und ihr feinen jungen Herrn wißt wohl besser zu leben als ich. Eines aber sage ich Euch: Wenn ich mich verliebt hätte, dann wäre ich nicht so blind ins Zeug gegangen. Aber wenn ich einmal einem ordentlichen Mädchen mein Wort gegeben, dann hätt' ich's ihr auch gehalten, selbst wenn ich hinterdrein erfahren hätte, daß sie statt eines Fräuleins bloß eine Kammerjungfer wäre!«

Diese Rede brachte den Maler wieder zur Besinnung. Er blickte auf die arme Susanne, die größer und vornehmer dastand als er selber. Nein! Ein solches Wesen konnte ihn nicht so durchtrieben betrogen haben! Und zugleich fiel ihm ein, daß sie sich doch niemals des Ritters Tochter genannt, von ihm vielmehr immer nur als von dem Herren gesprochen hatte. Es wurde klarer vor seinen Sinnen. Er selbst hatte sich betrogen und im stürmischen Brausen seiner Leidenschaft völlig überhört, was ihn auf die richtige Spur leiten mußte. Nach Künstlerart hatte er sich ausgedichtet und ausgemalt, was er sehen wollte, nicht was er sah.

Nun aber durchzuckte ihn auch die Reue über das unsägliche Leid, welches er Susannen in dieser Stunde angetan. Er begehrte nur einen Augenblick allein mit ihr zu reden. Sie weigerte sich dessen anfangs; doch gab sie nach, und sie zogen sich zurück.

Der Ritter betrachtete inzwischen die letzten, frisch gemalten

Nothelfer. Bei einem der Bilder schüttelte er den Kopf sehr bedenklich.

Als Konrad und Susanne wieder vortraten – der Augenblick hatte fast eine halbe Stunde gewährt –, da hielten sie sich Hand in Hand, nicht ganz so fest wie zum erstenmal am Sprechgitter und doch viel fester. Sogar dem alten Herrn ward es weich ums Herz, da er den beiden ins Gesicht blickte, und er legte selber Fürsprache ein beim Torwart, daß er sein Standesvorurteil gegen die Maler überwinde. Was der Herr begehrte, das konnte der Diener nicht verweigern. Er legte seine knochige Hand oben auf die verbundenen Hände der Liebenden. Es war fast rührend anzusehen.

In den Romanen denken die Helden bei jedem Hauptmoment genau, was sie denken sollen. Im Leben aber ist das oft ganz anders. Als Konrad den segnenden Händedruck des unerwarteten Schwiegervaters fühlte, warf er trotz allen Sturmes der Empfindung einen vergleichenden Blick auf den Vater, welchen er als frühstückenden Satyr, und auf die Tochter, welche er als Heilige gemalt. Und er dachte bei sich: die längst verstorbene Mutter Susannens müsse wohl schöner noch wie eine Heilige, sie müsse geradezu engelschön gewesen sein, daß kraft ihres unendlichen Überschusses der Schönheitsgnade ein solcher Vater dennoch zu einer solchen Tochter habe kommen können. (Es ist manchmal gut, wenn man die Schwiegereltern erst nach der Verlobung kennenlernt, besonders für Maler.)

Nun aber kam der Ritter noch mit einem schweren Bedenken. Er hob die neue Tafel der heiligen Katharina gegen das Licht und rief: »Das ist gar nicht die rechte Katharina, sondern Jungfer Susanne! – ganz aus dem Gesicht geschnitten! Die Tafel lasse ich nicht gelten! Soll ich unsere ehemalige Kammerjungfer meiner Familie und meinen Dienstleuten in der Burgkapelle zur Anbetung aufstellen? Hättet Ihr noch meine wirkliche Tochter mit dem Marterrad gemalt, so ließe sich darüber reden. Es ist noch vierzehn Tage bis Sankt Leonhard: Ihr müßt eine neue Tafel machen.«

Der Maler erklärte, daß er mit Freuden das Bild zurücknehme, sein bestes Gemälde, Frucht und Zeuge seiner seligsten Stunden. Und wenn der Ritter es durchaus wünsche, daß er seine Tochter unter die Nothelfer male, so wolle er ihm auch dies, aber auch *nur* dies noch zu Gefallen tun.

Doch der Herr von Haltenberg bereute bereits das Wort, welches er so unbedacht gesprochen. Es faßte ihn ein plötzliches Grauen vor der dämonischen Malerei. Wer stand ihm gut, daß sich seine wirkliche Tochter beim Sitzen nicht am Ende auch noch wirklich in diesen unwiderstehlichen Wildfang von Maler verliebte?

Auf ein Drittes aber ging Konrad durchaus nicht ein. Er behielt das Bild und malte keine neue Heilige. Leonhardstag kam, der Künstler war gar nicht mehr zu haben; er rüstete sich eben in der Stadt zur Hochzeit, und um ein Haar wären es jetzt doch bloß dreizehn Nothelfer gewesen.

Da nahm der entschlossene Ritter kühnen Griffes jene mit dem Borstpinsel gemalte heilige Katharina, die noch unversehrt in der Ecke stand, und reihte sie zu den dreizehn anderen in der Kapelle.

Spätere Geschlechter hielten dieses Gemälde wegen seiner abscheulichen Malerei für ein ganz uraltes und darum besonders weihevolles Stück, und so kam es in den Ruf eines Mirakelbildes und genoß der allgemeinsten Verehrung bei allem Volke. Die dreizehn feinen Bilder sind zur Revolutionszeit in verschiedene Galerien gewandert, aber die heilige Katharina hängt noch immer, von brennenden Kerzen umgeben, in der Burgkapelle.

Konrad Lenz lebte überaus glücklich mit seiner Susanne, und an ihrem goldenen Hochzeitstage schmückten blühende Enkel mit frischen Kränzen das Kunstheiligtum des Hauses, die andere Tafel der heiligen Katharina, das wundervolle Brautbild ihrer Großmutter.

GOTTFRIED KELLER

Der schlimm-heilige Vitalis

Meide den traulichen Umgang mit einem
Weibe, empfiehl du überhaupt lieber das
ganze andächtige Geschlecht dem lieben
Gott. (Thomas a Kempis, Nachfolge, 8, 2).

Im Anfang des achten Jahrhunderts lebte zu Alexandria in
Aegypten ein wunderlicher Mönch, namens Vitalis, der es sich
zur besondern Aufgabe gemacht hatte, verlorene weibliche
Seelen vom Pfade der Sünde hinwegzulocken und zur Tugend
zurückzuführen. Aber der Weg, den er dabei einschlug, war so
eigentümlich, und die Liebhaberei, ja Leidenschaft, mit welcher er unablässig sein Ziel verfolgte, mit so merkwürdiger
Selbstentäußerung und Heuchelei vermischt, wie in der Welt
kaum wieder vorkam.

Er führte ein genaues Verzeichnis aller jener Buhlerinnen auf
einem zierlichen Pergamentstreifen, und sobald er in der Stadt
oder deren Umgebung ein neues Wild entdeckt, merkte er
Namen und Wohnung unverweilt auf demselben vor, so daß
die schlimmen Patriziersöhne von Alexandria keinen besseren
Wegweiser hätten finden können als den emsigen Vitalis,
wenn er einen minder heiligen Zweck hätte verfolgen wollen.
Allein wohl entlockte der Mönch ihnen in schlauem spaßhaf-
tem Geplauder manche neue Kunde und Notiz in dieser Sache; nie aber ließ er sich dergleichen selbst ablauschen von den
Wildfängen.

Jenes Verzeichnis trug er zusammengerollt in einem silbernen
Büchschen in seiner Kappe und nahm es unzählige Male hervor,

243

um einen neuentdeckten leichtfertigen Namen beizufügen oder die bereits vorhandenen zu überblicken, zu zählen und zu berechnen, welche der Inhaberinnen demnächst an die Reihe kommen würde.

Diese suchte er dann in Eile und halb verschämt und sagte hastig: »Gewähre mir die zweite Nacht von heute und versprich keinem andern!« Wenn er zur bestimmten Zeit in das Haus trat, ließ er die Schöne stehen und machte sich in die hinterste Ecke der Kammer, fiel dort auf die Knie und betete mit Inbrunst und lauten Worten die ganze Nacht für die Bewohnerin des Hauses. Mit der Morgenfrühe verließ er sie und untersagte ihr streng, zu verraten, was er bei ihr gemacht habe. So trieb er es eine gute Zeit und brachte sich in den allerschlechtesten Ruf. Denn während er im geheimen, in den verschlossenen Kammern der Buhlerinnen durch seine heißen Donnerworte und durch inbrünstiges süßes Gebetlispeln manche Verlorene erschütterte und rührte, daß sie in sich ging und einen frommen Lebenswandel begann, schien er es öffentlich vollständig darauf anzulegen, für einen lasterhaften und sündigen Mönch zu gelten, der sich lustig in allem Wirrsal der Welt herumschlüge und seinen geistlichen Habit als eine Fahne der Schmach aushänge.

Befand er sich des Abends, wenn es dunkelte, in ehrbarer Gesellschaft, so rief er etwa unversehens: »Ei, was mache ich doch? Bald hätt ich vergessen, daß die braune Doris meiner wartet, die kleine Freundin! Der Tausend, ich muß gleich hin, daß sie nicht schmollt!«

Schalt man ihn nun, so rief er wie erbost: »Glaubt ihr, ich sei ein Stein? Bildet ihr euch ein, daß Gott für die Mönche keine Weiblein geschaffen habe?« Sagte jemand: »Vater, legt lieber das kirchliche Gewand ab und heiratet, damit die andern sich nicht ärgern!« so antwortete er: »Ärgere sich, wer will und mag und renne mit dem Kopf gegen die Mauer! Wer ist mein Richter?«

Alles dies sagte er mit Geräusch und großer Verstellungskunst, wie einer, der eine schlechte Sache mit vielen und frechen Worten verteidigt.

Und er ging hin und zankte sich vor den Haustüren der Mädchen mit den Nebenbuhlern herum, ja er prügelte sich sogar mit ihnen und teilte manche derbe Maulschelle aus, wenn es hieß: »Fort mit dem Mönch! Will der Kleriker uns den Platz streitig machen? Zieh ab, Glatzkopf!«

Auch war er so beharrlich und zudringlich, daß er in den meisten Fällen den Sieg davontrug und unversehens ins Haus schlüpfte.

Kehrte er beim Morgengrauen in seine Zelle zurück, so warf er sich nieder vor der Mutter Gottes, zu deren Preis und Ehre er allein diese Abenteuer unternahm und den Tadel der Welt auf sich lud, und wenn es ihm gelungen war, ein verlorenes Lamm zurückzuführen und in irgendeinem heiligen Kloster unterzubringen, so dünkte er sich seliger vor der Himmelskönigin, als wenn er tausend Heiden bekehrt hätte. Denn dies war sein ganz besonderer Geschmack, daß er das Martyrium bestand, vor der Welt als ein Unreiner und Wüstling dazustehen, während die allerreinste Frau im Himmel wohl wüßte, daß er noch nie ein Weib berührt habe und ein Kränzlein weißer Rosen unsichtbar auf seinem vielgeschmähten Haupte trage.

Einst hörte er von einer besonders gefährlichen Person, welche durch ihre Schönheit und Ungewöhnlichkeit viel Unheil und selbst Blutvergießen anrichte, da ein vornehmer und grimmiger Kriegsmann ihre Türe belagere und jeden niederstrecke, der sich mit ihm in Streit einlasse. Sogleich nahm Vitalis sich vor, diese Hölle anzugreifen und zu überwinden. Er schrieb den Namen der Sünderin nicht erst in sein Verzeichnis, sondern ging geraden Weges nach dem berüchtigten Hause und traf an der Türe richtig mit jenem Soldaten zusammen, der in Scharlach gekleidet, hochmütig daherschritt und einen Wurfspieß in der Hand trug.

»Duck dich hier beiseite, Mönchlein!« rief er höhnisch dem

frommen Vitalis zu, »was wagst du, an meiner Löwenhöhle herumzukrabbeln? Für dich ist der Himmel, für uns die Welt!«

»Himmel und Erde samt allem, was darin ist«, rief Vitalis, »gehören dem Herrn und seinen fröhlichen Knechten! Pack dich, aufgeputzter Lümmel, und laß mich gehen, wo mich gelüstet!«

Zornig erhob der Krieger den Schaft seines Wurfspießes, um ihn auf den Kopf des Mönches niederzuschlagen; doch dieser zog flugs den Ast eines friedlichen Ölbaumes unter dem Gewande hervor, parierte den Streich und traf den Raufbold so derb an die Stirne, daß ihm die Sinne beinahe vergingen, worauf ihm der streitbare Kleriker noch viele Knüffe unter die Nase gab, bis der Soldat ganz betäubt und fluchend sich davon machte.

Also drang Vitalis siegreich in das Haus, wo über einem schmalen Treppchen die Weibsperson stand, eine Lampe tragend, und auf das Lärmen und Schreien horchte. Es war eine ungewöhnlich große und feste Gestalt mit schönen großen, aber trotzigen Gesichtszügen, um welche ein rötliches Haar in reichen wilden Wellen gleich einer Löwenmähne flatterte. Verachtungsvoll schaute sie auf den anrückenden Vitalis herab und sagte: »Wohin willst du?« – »Zu dir, mein Täubchen!« antwortete er, »hast du nie vom zärtlichen Mönch Vitalis gehört, vom lustigen Vitalis?« Allein sie versetzte barsch, indem sie die Treppe sperrte mit ihrer gewaltigen Figur: »Hast du Geld, Mönch?« Verdutzt sagte er: »Mönche tragen nie Geld mit sich!« – »So trolle dich deines Weges«, rief sie, »oder ich lasse dich mit Feuerbränden aus dem Hause peitschen!«

Ganz verblüfft kratzte Vitalis hinter den Ohren, da er diesen Fall noch nicht bedacht hatte; denn die Geschöpfe, die er bis anhin bekehrt, hatten dann natürlicherweise nicht mehr an einen Sündenlohn gedacht, und die Unbekehrten begnügten sich, ihn mit schnöden Worten für die kostbare Zeit, um die er sie gebracht, zu strafen. Hier aber konnte er gar nicht ins

Innere gelangen, um seine fromme Tat zu beginnen; und doch reizte es ihn über alle Maßen, gerade diese rotschimmernde Satanstochter zu bändigen, weil große schöne Menschenbilder immer wieder die Sinne verleiten, ihnen einen höheren menschlichen Wert zuzuschreiben, als sie wirklich haben. Verlegen suchte er an seinem Gewande herum und bekam dabei jenes Silberbüchschen in die Hand, welches mit einem ziemlich wertvollen Amethyst geziert war. »Ich habe nichts als dies«, sagte er, »laß mich hinein dafür!« Sie nahm das Büchschen, betrachtete es genau und hieß ihn dann mit hineingehen. In ihrem Schlafgemache angekommen, sah er sich nicht weiter nach ihr um, sondern kniete nach seiner Gewohnheit in eine Ecke und betete mit lauter Stimme.

Die Hetäre, welche glaubte, er wolle seine weltlichen Werke aus geistlicher Gewohnheit mit Gebet beginnen, erhob ein unbändiges Gelächter und setzte sich auf ihr Ruhbett, um ihm zuzusehen, da seine Gebärden sie höchlich belustigten. Da das Ding aber kein Ende nahm und anfing, sie zu langweilen, entblößte sie unzüchtig ihre Schultern, schritt auf ihn zu, umstrickte ihn mit ihren weißen starken Armen und drückte den guten Vitalis mit seinem geschornen und tonsurierten Kopf so derb gegen ihre Brust, daß er zu ersticken drohte und zu prusten begann, als ob er im Fegfeuer stäke. Es dauerte aber nicht lang, so fing er an, nach allen Seiten auszuschlagen, wie ein junges Pferd in der Schmiede, bis er sich von der höllischen Umschlingung befreit hatte. Dann aber nahm er den langen Strick, welchen er um den Leib trug, und packte das Weib, um ihr die Hände auf den Rücken zu binden, damit er Ruhe vor ihr habe. Er mußte jedoch tüchtig mit ihr ringen, bis es ihm gelang, sie zu fesseln; und auch die Füße band er ihr zusammen und warf den ganzen Pack mit einem mächtigen Ruck auf das Bett. Wonach er sich wieder in seinen Winkel begab und seine Gebete fortsetzte, als ob nichts geschehen wäre.

Die gefesselte Löwin wälzte sich erst zornig und unruhig hin und her, suchte sich zu befreien und stieß hundert Flüche aus; dann wurde sie stiller, während der Mönch nicht aufhörte, zu beten, zu predigen und zu beschwören, und gegen Morgen ließ sie deutliche Seufzer vernehmen, welchen bald, wie es schien, ein zerknirschtes Schluchzen folgte. Kurz, als die Sonne aufging, lag sie als eine Magdalena zu seinen Füßen, von ihren Banden befreit, und benetzte den Saum seines Gewandes mit Tränen. Würdevoll und heiter streichelte ihr Vitalis das Haupt und versprach, mit einbrechender künftiger Nacht wiederzukommen, um ihr kundzutun, in welchem Kloster er eine Bußzelle für sie ausfindig gemacht hätte. Dann verließ er sie, vergaß aber nicht, ihr vorher einzuschärfen, daß sie inzwischen nichts von ihrer Bekehrung verlauten lassen und vor allem jedermann, der sie darum befragen würde, sagen solle, er habe sich recht lustig bei ihr gemacht.

Allein, wie erschrak er, als er, zur bestimmten Stunde wieder erscheinend die Türe fest verschlossen fand, indessen das Frauenzimmer frisch geschmückt und stattlich aus dem Fenster sah.

»Was willst du, Priester?« rief sie herunter, und erstaunt erwiderte er halblaut: »Was soll das heißen, mein Lämmchen? Tu von dir diesen Sündenflitter und laß mich ein, daß ich dich zu deiner Buße vorbereite!« – »Du willst zu mir herein, schlimmer Mönch?« sagte sie lächelnd, als ob sie ihn mißverstanden hätte, »hast du Geld oder Geldeswert bei dir?« Mit offenem Munde starrte Vitalis empor; dann rüttelte er verzweifelt an der Türe; aber sie war und blieb verschlossen und vom Fenster war das Weib auch verschwunden.

Das Gelächter und die Verwünschungen der Vorübergehenden trieben den scheinbar verdorbenen und schamlosen Mönch endlich von dem verrufenen Hause hinweg; allein sein einziges Sinnen und Trachten ging dahin, wieder in das nämliche Haus zu gelangen und den Bösen, der in dem Weibe steckte, auf jede Weise zu überwinden.

Von diesem Gedanken beherrscht, lenkte er seine Schritte in

eine Kirche, wo er, statt zu beten, über Mittel und Wege sann, wie er sich den Zutritt bei der Verlorenen verschaffen könne. Indem fiel sein Blick auf die Lade, in welcher die Gaben der Mildtätigkeit aufbewahrt lagen, und kaum war die Kirche, in welcher es dunkel geworden, leer, so schlug er die Lade mit kräftiger Faust auf und warf ihren Inhalt, der aus einer Menge kleiner Silberlinge bestand, in seine aufgeschürzte Kutte und eilte schneller als ein Verliebter nach der Wohnung der Sünderin.

Eben wollte ein zierlicher Stutzer in die aufgehende Türe schlüpfen; Vitalis ergriff ihn hinten an den duftenden Locken, schleuderte ihn auf die Gasse und schlug die Türe, indem er hineinsprang, jenem vor der Nase zu, und so stand er nach einigen Augenblicken abermals vor der ruchlosen Person, welche ihn mit funkelnden Augen besah, da er statt des erwarteten Stutzers erschien. Vitalis schüttete aber schnell das gestohlene Geld auf den Tisch und sagte: »Genügt das für diese Nacht?« Stumm aber sorgfältig zählte sie das Gut und sagte dann: »Es genügt!« und tat es beiseite.

Nun standen sie sich sonderbarlich gegenüber. Das Lachen verbeißend schaute sie darein, als ob sie von nichts wüßte, und der Mönch prüfte sie mit ungewissen und kummervollen Blicken und wußte nicht, wie er es anpacken sollte, sie zur Rede zu stellen. Als sie aber plötzlich in verlockende Gebärden überging und mit der Hand in seinen glänzenden dunkeln Bart fahren wollte, da brach das Gewitter seines geistlichen Gemütes mächtig los, zornig schlug er ihr auf die Hand, warf sie dann auf ihr Bett, daß es erzitterte, und indem er auf sie hinkniete und ihre Hände festhielt, fing er, ungerührt von ihren Reizen, dergestalt an, ihr in die Seele zu reden, daß ihre Verstocktheit endlich sich zu lösen schien.

Sie ließ nach in den gewaltsamen Anstrengungen, sich zu befreien, häufige Tränen flossen über das schöne und kräftige Gesicht, und als der eifrige Gottesmann sie nun freigab und aufrecht an ihrem Sündenlager stand, lag die große Gestalt auf demselben mit ausgestreckten müden Gliedern, wie von Reue und Bitterkeit zerschlagen, schluchzend und die umflorten Augen nach ihm richtend, wie verwundert über diese unfreiwillige Verwandlung.

Da verwandelte sich auch das Ungewitter seines beredten Zornes in weiche Rührung und inniges Mitleid; er pries innerlich seine himmlische Beschützerin, welcher zu Ehren ihm dieser schwerste aller Siege gelungen war, und seine Rede floß jetzt versöhnend und tröstend wie lindes Frühlingswehen über das gebrochene Eis dieses Herzens.

Fröhlicher, als wenn er das lieblichste Glück genossen hätte, eilte er von dannen, aber nicht, um auf seinem harten Lager noch ein Stündchen Schlaf zu finden, sondern um vor dem Altare der Jungfrau für die arme reuevolle Seele zu beten, bis der Tag vollends angebrochen wäre; denn er gelobte, kein Auge zu schließen, bis das verirrte Lamm nunmehr sicher hinter den schützenden Klostermauern verwahrt sei.

Kaum war auch der Morgen lebendig geworden, so machte er sich wieder auf den Weg nach ihrem Hause, sah aber auch gleichzeitig vom andern Ende der Straße den wilden Kriegsmann daherkommen, welcher nach einer durchschwelgten Nacht, halb betrunken, es sich in den Kopf gesetzt hatte, die Hetäre endlich wieder zu erobern.

Vitalis war näher an der unseligen Türe, und behende sprang er darauf zu, um sie vollends zu erreichen; da schleuderte jener den Speer nach ihm, der dicht neben des Mönches Kopf in der Tür steckenblieb, daß der Schaft zitterte. Aber noch ehe er ausgezittert, riß ihn der Mönch mit aller Kraft aus dem Holz, kehrte sich gegen den wütend herbeigesprungenen Soldaten, der ein bloßes Schwert zückte, und trieb ihm mit Blitzesschnelle den Speer durch die Brust; tot sank der Mann zusammen und Vitalis wurde fast im selbigen Augenblicke durch einen Trupp Kriegsknechte, die von der Nachtwache kamen und seine Tat gesehen, gefangengenommen, gebunden und in den Kerker geführt.

Wahrhaft kummervoll schaute er nach dem Häuschen zurück, in welchem er sein gutes Werk nun nicht vollenden konnte; die Wächter glaubten, er bedaure lediglich seinen Unstern, von einem sündhaften Vorsatz abgelenkt zu sein, und traktierten den vermeintlich unverbesserlichen Mönch mit Schlägen und Schimpfworten, bis er im Gefängnis war.

Dort mußte er viele Tage liegen, mehrfach vor den Richter gestellt; zwar wurde er am Ende straflos entlassen, weil er den Mann in der Notwehr umgebracht. Doch ging er immerhin als ein Totschläger aus dem Handel hervor und jedermann rief, daß man ihm endlich das geistliche Gewand abnehmen sollte. Der Bischof Johannes, welcher dazumal in Alexandria vorstand, mußte aber irgendeine Ahnung von dem wahren Sachverhalt oder sonst einen höheren Plan gefaßt haben, da er sich weigerte, den verrufenen Mönch aus der Klerisei zu stoßen, und befahl, denselben einstweilen noch seinen seltsamen Weg wandeln zu lassen.

Dieser führte ihn ohne Aufenthalt zu der bekehrten Sünderin zurück, welche sich mittlerweile abermals umgekehrt hatte und den erschrockenen und bekümmerten Vitalis nicht eher hereinließ, bis er wiederum irgendwo einen Wertgegenstand entwendet und ihr gebracht. Sie bereute und bekehrte sich zum drittenmal, und auf gleiche Weise zum vierten- und fünftenmal, da sie diese Bekehrungen einträglicher fand als alles andere, und überdies der böse Geist in ihr ein höllisches Vergnügen empfand, mit wechselnden Künsten und Erfindungen den armen Mönch zu äffen.

Dieser war jetzt wirklich von innen heraus ein Märtyrer; denn je ärger er getäuscht wurde, desto weniger konnte er von seinem Bemühen lassen, und es dünkte ihn, als ob seine eigene Seligkeit gerade von der Besserung dieser einen Person abhange. Er war jetzt bereits ein Totschläger, Kirchenräuber und Dieb; allein lieber hätt er sich eine Hand abgehauen als den geringsten Teil seines Rufes als Wüstling aufgegeben, und wenn dies alles ihm endlich in seinem Herzen schwer und schwerer zu tragen war, so bestrebte er sich umso eifriger, vor der Welt die schlimme Außenseite mit frivolen Worten aufrecht zu halten. Denn diese märtyrliche Spezialität hatte er einmal erwählt. Doch wurde er bleich und schmal dabei und fing an, herumzuschleichen, wie ein Schatten an der Wand, aber immer mit lachendem Munde.

Gegenüber jenem Hause der Prüfung nun wohnte ein reicher griechischer Kaufmann, der ein einziges Töchterchen besaß, Jole geheißen, welche tun konnte, was ihr beliebte, und daher nicht recht wußte, was sie den langen Tag hindurch beginnen sollte. Denn ihr Vater, der sich zur Ruhe gesetzt hatte, studierte den Plato, und wenn er dessen müde war, so verfaßte er zierliche Xenien über die geschnittenen antiken Steine, deren er eine Menge sammelte und besaß. Jole hingegen, wenn sie ihr Saitenspiel beiseite gestellt hatte, wußte ihren lebhaften Gedanken keinen Ausweg und guckte unruhig in den Himmel und in die Ferne, wo sich eine Öffnung bot.

So entdeckte sie auch den Verkehr des Mönches in der Straße und erfuhr, welche Bewandtnis es mit dem berüchtigten Klerikus habe. Erschreckt und scheu betrachtete sie ihn von ihrem sicheren Versteck aus und konnte nicht umhin, seine stattliche Gestalt und sein männliches Aussehen zu bedauern. Als sie aber von einer Sklavin, welche mit der Sklavin der bösen Buhlerin vertraut war, vernahm, wie Vitalis von letzterer betrogen würde und wie es sich in Wahrheit mit ihm verhalte, da verwunderte sie sich über alle Maßen, und weit entfernt, dies Martyrium zu verehren, befiel sie ein seltsamer Zorn und sie hielt diese Art Heiligkeit der Ehre ihres Geschlechts nicht für zuträglich. Sie träumte und grübelte eine Weile darüber, und immer unzufriedener wurde sie, während gleichzeitig ihre Teilnahme für den Mönch sich erhöhte und mit jenem Zorne kreuzte.

Plötzlich entschloß sie sich, wenn die Jungfrau Maria nicht so viel Verstand habe, den Verirrten auf einen wohlanständigeren Weg zu führen, dies selbst zu übernehmen und ihr etwas ins Handwerk zu pfuschen, nicht ahnend, daß sie selbst das unbewußte Werkzeug der bereits einschreitenden Himmelskönigin war. Und alsogleich ging sie zu ihrem Vater, beschwerte sich bitterlich über die unangemessene Nachbarschaft der Buhldirne und beschwor ihn, dieselbe um jeden Preis vermittelst seines Reichtums und augenblicklich zu entfernen.

Der Alte verfügte sich, nach ihrer Anweisung, auch sogleich zu der Person und bot ihr eine gewisse Summe für ihr Häuschen, wenn sie es zur Stunde verlassen und ganz aus dem Revier wegziehen wolle. Sie verlangte nichts Besseres und war noch am gleichen Vormittag aus der Gegend verschwunden, während der Alte wieder hinter seinem Plato saß und sich nicht weiter um die Sache kümmerte.

Desto eifriger war nun Jole, das Häuschen von unten bis oben von allem räumen zu lassen, was an die frühere Besitzerin erinnern konnte, und als es gänzlich ausgefegt und gereinigt war, ließ sie es mit feinen Spezereien so durchräuchern, daß die wohlduftenden Rauchwolken aus allen Fenstern drangen.

Dann ließ sie in das leere Gemach nichts als einen Teppich, einen Rosenstock und eine Lampe hinübertragen, und als ihr Vater, welcher mit der Sonne zur Ruhe ging, eingeschlafen war, ging sie selbst hin, das Haar mit einem Rosenkränzlein geschmückt, und setzte sich mutterseelenallein auf den ausgebreiteten Teppich, indessen zwei zuverlässige alte Diener die Haustüre bewachten.

Dieselben jagten verschiedene Nachtschwärmer davon; sobald sie dagegen den Vitalis herankommen sahen, verbargen sie sich und ließen ihn ungehindert in die offene Tür treten. Mit vielen Seufzern stieg er die Treppe hinan, voll Furcht, sich abermals genarrt zu sehen, und voll Hoffnung, endlich von dieser Last befreit zu werden durch die aufrichtige Reue eines Geschöpfes, welches ihn verhinderte, so viele andere Seelen zu retten. Allein wie erstaunte er, als er, in das Gemach getreten, dasselbe von all dem Flitterstaat der wilden roten Lö-

win geleert und statt ihrer eine anmutige und zarte Gestalt
auf dem Teppich sitzend fand, das Rosenstöckchen sich
gegenüber auf demselben Boden.

»Wo ist die Unselige, die hier wohnte?« rief er, indem er
verwundert um sich schaute und dann seine Blicke auf der
lieblichen Erscheinung ruhen ließ, die er vor sich sah.

»Sie ist fortgewandert in die Wüste«, erwiderte Jole ohne auf-
zublicken, »dort will sie das Leben einer Einsiedlerin führen
und büßen; denn es hat sie diesen Morgen plötzlich übernom-
men und darniedergeworfen gleich einem Grashalm, und ihr
Gewissen ist endlich aufgewacht. Sie rief nach einem gewissen
Priester Vitalis, daß er ihr beistehen möchte. Allein der Geist,
der in sie gefahren, ließ sie nicht länger harren; die Törin
raffte alle ihre Habe zusammen, verkaufte sie und gab das
Geld den Armen, worauf sie stehenden Fußes in einem häre-
nen Hemd und mit abgeschnittenem Haar, einen Stecken in
der Hand, hinauszog, wo die Wildnis ist.«

»Gepriesen seist du, Herr! und gelobt deine gnadenvolle
Mutter!« rief Vitalis, voll fröhlicher Andacht die Hände fal-
tend, indem es ihm wie eine Steinlast vom Herzen fiel; zugleich aber betrachtete er das Mädchen mit seinem Rosen-
kränzchen genauer und sprach:

»Warum sagtest du: die Törin? und wer bist du? von woher
kommst du und was hast du vor?«

Die liebliche Jole richtete jetzt ihr dunkles Auge noch tiefer
zur Erde; sie beugte sich vornüber und eine hohe Schamröte
übergoß ihr Gesicht, da sie sich selbst der argen Dinge schämte,
die sie vor einem Manne zu sagen im Begriffe war.

»Ich bin«, sagte sie, »eine verstoßene Waise, die weder Vater
noch Mutter mehr hat. Dieser Teppich, diese Lampe und dieser Rosenstock sind die letzten Überbleibsel von meinem Er-
be, und damit habe ich mich hier niedergelassen, um das Leben zu beginnen, das jene verlassen hat, welche vor mir hier
wohnte!«

»Ei, so soll dich doch –!« rief der Mönch und schlug die Hände zusammen, »seht mir einmal an, wie fleißig der Teufel ist! Und dies harmlose Tierlein hier sagt das Ding so trocken daher, wie wenn ich nicht der Vitalis wäre! Nun, mein Kätzchen, was willst du tun? Sags doch noch einmal!«

»Ich will mich der Liebe weihen und den Männern dienen, solange diese Rose lebt!« sagte sie und zeigte flüchtig auf den Strauch; doch brachte sie die Worte kaum heraus und versank vor Scheu beinah in den Boden, so duckte sie sich zusammen, und diese natürliche Scham diente der Schelmin sehr gut, den Mönch zu überzeugen, daß er es hier mit einer kindlichen Unschuld zu tun habe, die nur vom Teufel besessen mit beiden Füßen in den Abgrund springen wolle. Er strich sich vor Vergnügen den Bart, einmal so zur rechten Zeit auf dem Platz erschienen zu sein, und um sein Behagen noch länger zu genießen, sagte er langsam und humoristisch:

»Und dann nachher, mein Täubchen?«

»Nachher will ich in die Hölle fahren als eine allerärmste Seele, wo die schöne Frau Venus ist, oder vielleicht auch, wenn ich einen guten Prediger finde, etwa später in ein Kloster gehen und Buße tun!«

»Gut so, immer besser!« rief er, »das ist ja ein ordentlicher Kriegsplan und gar nicht übel erraten! Denn was den Prediger betrifft, so ist er schon da, er steht vor dir, du schwarzäugiges Höllenbrätchen! Und das Kloster ist dir auch schon hergerichtet wie eine Mausfalle, nur daß man ungesündigt hineinspaziert, verstanden? Ungesündigt bis auf den sauberen Vorsatz, der indessen einen erklecklichen Reueknochen für dein ganzes Leben abgeben und nützlich sein mag; denn sonst wärst du kleine Hexe auch gar zu possierlich und scherzhaft für eine rechte Büßerin! Aber nun«, fuhr er mit ernster Stimme fort, »herunter vorerst mit den Rosen vom Kopf und dann aufmerksam zugehört!«

»Nein«, sagte Jole etwas kecker, »erst will ich zuhören und dann sehen, ob ich die Rosen herunternehme. Nachdem ich einmal mein weibliches Gefühl überwunden, genügen Worte

nicht mehr mich abzuhalten, eh ich die Sünde kenne, und
ohne Sünde werde ich keine Reue kennen, dies gebe ich dir
zu bedenken, ehe du dich bemühst! Aber immerhin will ich
dich anhören!«

Jetzt begann Vitalis seine schönste Predigt, die er je gehalten.
Das Mädchen hörte ihm anmutig und aufmerksam zu und
ihr Anblick übte einen erheblichen Einfluß auf die Wahl seiner
Worte, ohne daß er dessen inne ward, da die Schönheit und
Feinheit des zu bekehrenden Gegenstandes wie von selbst eine
erhöhte Beredsamkeit hervorrief. Allein da es ihr nicht im
mindesten ernst war mit dem, was sie frevelhafterweise vorgab, so konnte die Rede des Mönches sie auch nicht sehr er-
schüttern; ein liebliches Lachen schwebte vielmehr um ihren
Mund, und als er geendigt und sich erwartungsvoll den
Schweiß von der Stirne wischte, sagte Jole: »Ich bin nur halb
gerührt von deinen Worten und kann mich nicht entschließen,
mein Vorhaben aufzugeben; denn ich bin allzu neugierig, wie
es sich in Lust und Sünden lebe!«

Wie versteinert stand Vitalis da und wußte nicht ein einziges
Wort hervorzubringen. Es war das erstemal, daß ihm seine
Bekehrungskunst so rund fehlgeschlagen. Seufzend und nachsinnend ging er im Gemach auf und nieder und besah dann
wieder die kleine Höllenkandidatin. Die Kraft des Teufels
schien sich hier auf unheimliche Weise mit der Kraft der Unschuld zu verbinden, um ihm zu widerstehen. Aber umso lei-
denschaftlicher gedachte er dennoch obzusiegen.

»Ich geh nicht von der Stelle«, rief er endlich, »bis du bereust,
und sollt ich drei Tage und drei Nächte hier zubringen!«

»Das würde mich nur hartnäckiger machen«, erwiderte Jole,
»ich will mir aber Bedenkzeit nehmen und die kommende
Nacht dich wieder anhören. Jetzt bricht der Tag bald an, geh
deines Weges, indessen versprech ich, nichts in der Sache zu
tun und in meinem jetzigen Zustand zu verbleiben, wogegen
du versprechen mußt, nirgends meiner Person zu erwähnen
und nur in dunkler Nacht hieher zu kommen!«

»Es sei so!« rief Vitalis, machte sich fort und Jole schlüpfte rasch in ihr väterliches Haus zurück.

Sie schlief nur kurze Zeit und erwartete mit Ungeduld den Abend, weil ihr der Mönch, dem sie die Nacht durch so nahe gewesen, noch besser gefallen hatte, als sonst aus der Ferne. Sie sah jetzt, welch ein schwärmerisches Feuer in seinen Augen glühte und wie entschieden, trotz der geistlichen Kleidung, alle seine Bewegungen waren. Wenn sie sich dazu seine Selbstverleugnung vergegenwärtigte, seine Ausdauer in dem einmal Erwählten, so konnte sie nicht umhin, diese guten Eigenschaften zu ihrem eigenen Nutzen und Vergnügen verwendet zu wünschen, und zwar in Gestalt eines verliebten und getreuen Ehemannes. Ihre Aufgabe war demnach, aus einem wackeren Märtyrer einen noch besseren Ehemann zu machen.

In der kommenden Nacht fand sie Vitalis zeitig wieder auf ihrem Teppich, und er setzte seine Bemühungen um ihre Tugend mit unvermindertem Eifer fort. Er mußte fortwährend dazu stehen, wenn er nicht zu einem Gebete niederkniete. Jole dagegen machte es sich bequem; sie legte sich mit dem Oberleib auf den Teppich zurück, schlang die Arme um den Kopf und betrachtete aus halb geschlossenen Augen unverwandt den Mönch, der vor ihr stand und predigte. Einigemal schloß sie die Augen, wie vom Schlummer beschlichen, und sobald Vitalis das gewahrte, stieß er sie mit dem Fuße an, um sie zu wecken. Aber diese mürrische Maßregel fiel dennoch jedesmal milder aus, als er beabsichtigte; denn sobald der Fuß sich der schlanken Seite des Mädchens näherte, mäßigte er von selbst seine Schwere und berührte nur sanft die zarten Rippen, und dessen ungeachtet strömte dann eine gar seltsamliche Empfindung den ganzen langen Mönch hinauf, eine Empfindung, die sich bei allen den vielen schönen Sünderinnen, mit denen er bisher verkehrt, im entferntesten nie eingestellt hatte.

Jole nickte gegen Morgen immer häufiger ein; endlich rief Vitalis unwillig: »Kind, du hörst nicht, du bist nicht zu erwecken, du verharrst in Trägheit!«

»Nicht doch«, sagte sie, indem sie die Augen plötzlich aufschlug und ein süßes Lächeln über ihr Gesicht flog, gleichsam als wenn der nahende Tag schon darauf zu sehen wäre, »ich habe gut aufgemerkt, ich hasse jetzt jene elende Sünde, die mir umso widerwärtiger geworden, als sie dir Ärgernis erregt, lieber Mönch; denn nichts könnte mir mehr gefallen, was dir mißfällt!«

»Wirklich?« rief er voll Freuden, »so ist es mir doch gelungen? Jetzt komm nur gleich in das Kloster, damit wir deiner sicher sind. Wir wollen diesmal das Eisen schmieden, weil es noch warm ist!«

»Du verstehst mich nicht recht«, erwiderte Jole und schlug errötend die Augen wieder zur Erde, »ich bin in dich verliebt und habe eine zärtliche Neigung zu dir gefaßt!«

Vitalis empfand augenblicklich, wie wenn ihm eine Hand aufs Herz schlüge, ohne daß es ihn jedoch dünkte, weh zu tun. Beklemmt sperrte er die Augen und den Mund auf und stand da. Jole aber fuhr fort, indem sie noch röter wurde, und sagte leise und sanft: »Nun mußt du mir auch noch dies neue Unheil ausreden und verbannen, um mich gänzlich vom Übel zu befreien, und ich hoffe, daß es dir gelingen werde!«

Vitalis, ohne ein Wort zu sagen, machte kehrtum und rannte aus dem Hause. Er lief in den silbergrauen Morgen hinaus, statt sein Lager aufzusuchen, und überlegte, ob er diese verdächtige junge Person ein für allemal ihrem Schicksal überlassen oder versuchen solle, ihr diese letzte Grille auch noch auszutreiben, welche ihm die bedenklichste von allen und für ihn selbst nicht ganz ungefährlich schien. Doch eine zornige Schamröte stieg ihm ins Haupt bei dem Gedanken, daß dergleichen für ihn selbst gefährlich sein sollte; aber dann fiel ihm gleich wieder ein, der Teufel könnte ihm ein Netz gestellt haben, und wenn dem so wäre, so sei dieses am besten beizeiten zu fliehen. Aber feldflüchtig werden vor solchem federleichten Teufelsspuk? Und wenn das arme Geschöpfchen wirklich es gut meinte und durch einige kräftige grobe Worte von seiner letzten unzukömmlichen Phantasie zu heilen wäre? Kurz, Vitalis konnte nicht mit sich einig werden, und das umso weniger, als auf dem Grunde seines Herzens bereits ein dunkles Wogen das Schifflein seiner Vernunft zum Schaukeln brachte.

Er schlüpfte daher in seiner Bedrängnis in ein Gotteshäuschen, wo vor kurzem ein schönes altes Marmorbild der Göttin Juno, mit einem goldenen Heiligenschein versehen, als Marienbild aufgestellt worden war, um diese Gottesgabe der Kunst nicht umkommen zu lassen. Vor dieser Maria warf er sich nieder und trug ihr inbrünstig seinen Zweifel vor, und er bat seine Meisterin um ein Zeichen. Wenn sie mit dem Kopfe nicke, so wolle er die Bekehrung vollenden, wenn sie ihn schüttle, so wolle er davon abstehen.

Allein das Bild ließ ihn in der grausamsten Ungewißheit und tat keins von beiden, weder nickte es, noch schüttelte es den Kopf. Nur als ein rötlicher Schein vorüberziehender Frühwolken über den Marmor flog, schien das Gesicht auf das holdeste zu lächeln, mochte es nun sein, daß die alte Göttin, die Beschützerin ehelicher Zucht und Sitte, sich bemerklich machte, oder daß die neue über die Not ihres Verehrers lachen mußte; denn im Grunde waren beides Frauen und diese lächert es immer, wenn ein Liebeshandel im Anzug ist. Aber Vitalis wurde davon nicht klüger; im Gegenteil machte ihm die Schönheit des Anblickes noch wunderlicher zu Mut, ja merkwürdigerweise schien das Bild die Züge der errötenden Jole anzunehmen, welche ihn aufforderte, ihr die Liebe zu ihm aus dem Sinne zu treiben.

Indessen wandelte um die gleiche Zeit der Vater Joles unter den Zypressen seines Gartens umher; er hatte einige sehr schöne neue Steine erworben, deren Bildwerke ihn so früh auf die Beine gebracht. Entzückt betrachtete er dieselben, indem er sie in der aufgehenden Sonne spielen ließ. Da war ein nächtlicher Amethyst, worauf Luna ihren Wagen durch den Himmel führte, nicht ahnend, daß sich Amor hinten aufgehockt, während umherschwärmende Amoretten auf grie-

chisch ihr zuriefen: Es sitzt einer hintenauf! Ein prächtiger
Onyx zeigte Minerva, welche achtlos sinnend den Amor auf
dem Schoße hielt, der mit seiner Hand eifrig ihren Brusthar-
nisch polierte, um sich darin zu spiegeln. Auf einem Karneol
endlich tummelte sich Amor als ein Salamander in einem ve-
stalischen Feuer herum und setzte die Hüterin desselben in
Verwirrung und Schrecken.

Diese Szenen reizten den Alten zu einigen Distichen und er
besann sich, welches er zuerst in Angriff nehmen wolle, als
sein Töchterchen Jole blaß und überwacht durch den Garten
kam. Besorgt und verwundert rief er sie an und fragte, was
ihr den Schlaf geraubt habe? Ehe sie aber antworten konnte,
zeigte er ihr seine Kleinode und erklärte ihr den Sinn derselben.

Da tat sie einen tiefen Seufzer und sagte: »Ach, wenn alle
diese großen Mächte, die Keuschheit selbst, die Weisheit und
die Religion sich nicht vor der Liebe bewahren können, wie
soll ich armes unbedeutendes Geschöpf mich wider sie be-
festigen?«

Über diese Worte erstaunte der alte Herr nicht wenig. »Was
muß ich hören?« sagte er, »sollte dich das Geschoß des starken
Eros getroffen haben?«

»Es hat mich durchbohrt«, erwiderte sie, »und wenn ich nicht
binnen Tag und Nacht im Besitz des Mannes bin, welchen
ich liebe, so bin ich des Todes!«

Obgleich nun der Vater gewohnt war, ihr in allem zu will-
fahren, was sie begehrte, so war ihm diese Eile jetzt doch etwas zu heftig und er mahnte die Tochter zur Ruhe und Be-
sonnenheit. Letztere fehlte ihr aber keineswegs und sie
gebrauchte dieselbe so gut, daß der Alte ausrief: »So soll ich
denn die elendeste aller Vaterpflichten ausüben, indem ich
nach dem Erwählten, nach dem Männchen auslaufe und es
an der Nase zum Besten hinführe, was ich mein nenne, und
ihn bitte, doch ja Besitz davon zu nehmen? Hier ist ein
schmuckes Weibchen, lieber Herr, bitte, verschmäh es nicht!

Ich möchte dir zwar lieber einige Ohrfeigen geben, aber das Töchterchen will sterben und ich muß höflich sein! Also laß dirs doch in Gnaden belieben, genieße ums Himmels willen das Pastetchen, das sich dir bietet! Es ist trefflich gebacken und schmilzt dir auf der Zunge!«

»Alles das ist uns erspart«, sagte Jole, »denn wenn du es nur erlaubst, so hoffe ich ihn dazu zu bringen, daß er von selbst kommt und um mich anhält.«

»Und wenn er alsdann, den ich gar nicht kenne, ein Schlingel und ein Taugenichts ist?«

»Dann soll er mit Schimpf weggejagt werden! Er ist aber ein Heiliger!«

»So geh denn und überlaß mich den Musen!« sagte der gute Alte.

Als der Abend kam, folgte die Nacht nicht so schnell der Dämmerung, als Vitalis hinter Jole her im bekannten Häuschen erschien. Aber so war er noch nie hier eingetreten. Das Herz klopfte ihm und er mußte empfinden, was es heiße, ein Wesen wiederzusehen, das einen solchen Trumpf ausgespielt hat. Ein anderer Vitalis stieg die Treppe hinauf, als in der Frühe heruntergestiegen war, obschon er selbst am wenigsten davon verstand, da der arme Mädchenbekehrer und verrufene Mönch nicht einmal den Unterschied zwischen dem Lächeln einer Buhldirne und demjenigen einer ehrlichen Frau gekannt hatte.

Doch kam er immerhin in der guten Meinung und mit dem alten Vorsatze, dem Ungeheuerchen jetzt endlich alle unnützen Gedanken aus dem Köpfchen zu treiben; nur schwebte ihm vor, als ob er nach gelungenem Werke dann doch etwa eine Pause in seiner Märtyrertätigkeit sich erlauben möchte, zumal ihn diese sehr zu ermüden begann.

Aber es war ihm beschieden, daß in dieser verhexten Behausung stets neue Überraschungen seiner warteten. Als er jetzt das Gemach betrat, war es aufs anmutigste ausgeziert und mit allen Wohnlichkeiten versehen. Ein fein einschmeichelnder Blumenduft erfüllte den Raum und stimmte zu einer gewissen sittigen Weltlichkeit; auf einem blühweißen Ruhbett, an dessen Seide kein unordentliches Fältchen sichtbar war, saß Jole herrlich geschmückt, in süß bekümmerter Melancholie, gleich einem spintisierenden Engel. Unter dem schönfaltigen Brustkleide wogte es so rauh, wie der Sturm in einem Milchbecher, und so schön die weißen Arme erglänzten, die sie unter der Brust übereinandergelegt hatte, so sah doch all dieser Reiz so gesetzlich und erlaubt in die Welt, daß Vitalissens gewohnte Redekunst in seinem Halse steckenblieb.

»Du bist verwundert, schönster Mönch!« begann Jole, »diesen Staat und Putz hier zu finden! Wisse, dies ist der Abschied, den ich von der Welt zu nehmen gedenke, und damit will ich zugleich die Neigung ablegen, die ich leider zu dir empfinden muß. Allein dazu sollst du mir helfen nach deinem besten Vermögen und auf die Art, wie ich mir ausgedacht habe und wie ich von dir verlange. Wenn du nämlich in diesem Gewande und als geistlicher Mann zu mir sprichst, so ist das immer das gleiche, und das Gebaren eines Klerikers vermag mich nicht zu überzeugen, da ich der Welt angehöre. Ich kann nicht durch einen Mönch von der Liebe geheilt werden, da er sie nicht kennt und nicht weiß, von was er spricht. Ist es dir daher recht ernst, mir Ruhe zu geben und mich dem Himmel zuzuwenden, so geh in jenes Kämmerlein, wo weltliche Gewänder bereit liegen. Dort vertausche deinen Mönchshabit mit jenen, schmücke dich als Weltmann, setze dich nachher zu mir, um gemeinsam mit mir ein kleines Mahl einzunehmen, und in dieser weltlichen Lage biete alsdann all deinen Scharfsinn und Verstand auf, mich von dir ab- und der Gottseligkeit zuzudrängen!«

Vitalis erwiderte hierauf nichts, sondern besann sich eine Weile; sodann beschloß er, alle Beschwerde nun mit *einem* Schlage zu enden und den Weltteufel wirklich mit seinen eigenen Waffen zu Paaren zu treiben, indem er auf Joles eigensinnigen Vorschlag einging.

Er begab sich also wirklich in das anstoßende Gemach, wo ein paar Knechtlein mit prächtigen Gewändern in Linnen und Purpur seiner harrten. Kaum hatte er dieselben angezogen, so schien er um einen Kopf höher zu sein, und er schritt mit edlem Anstand zu Jolen zurück, welche mit den Augen an ihm hing und freudevoll in die Hände klatschte.

Nun geschah aber ein wahres Wunder und eine seltsame Umwandlung mit dem Mönch; denn kaum saß er in seinem weltlichen Staat neben dem anmutvollen Weibe, so war die nächste Vergangenheit wie weggeblasen aus seinem Gehirn, und er vergaß gänzlich seines Vorsatzes. Anstatt ein einziges Wort hervorzubringen, lauschte er begierig auf Joles Worte, welche seine Hand ergriffen hatte und ihm nun ihre wahre Geschichte erzählte, nämlich wer sie sei, wo sie wohne und wie es ihr sehnlichster Wunsch wäre, daß er seine eigentümliche Lebensweise verlassen und bei ihrem Vater sich um ihre Hand bewerben möchte, auf daß er ein guter und Gott gefälliger Ehemann würde. Sie sagte noch viele wundersame Dinge in den zierlichsten Worten über eine glückliche und tugendreiche Liebesgeschichte, schloß aber mit dem Seufzer, daß sie wohl einsehe, wie vergeblich ihre Sehnsucht sei, und daß er nun sich bemühen möge, ihr alle diese Dinge auszureden, aber nicht, bevor er sich durch Speise und Trank gehörig dazu gestärkt habe.

Nun trugen auf ihren Wink ihre Leute Trinkgefäße auf den Tisch nebst einem Körbchen mit Backwerk und Früchten. Jole mischte dem stillen Vitalis eine Schale Wein und reichte ihm liebevoll etwas zu essen, so daß er sich wie zu Hause fühlte und ihm fast seine Kinderjahre in den Sinn kamen, wo er als Knäbchen zärtlich von seiner Mutter gespeist worden. Er aß und trank, und als dies geschehen, da war es ihm, als ob er nun vorerst von langer Mühsal ausruhen möchte, und siehe da, mein Vitalis neigte sein Haupt zur Seite, nach Jolen hin, und schlief ohne Säumnis ein und bis die Sonne aufging.

Als er erwachte, war er allein und niemand weder zu sehen

noch zu hören. Heftig sprang er auf und erschrak über das glänzende Gewand, in dem er steckte; hastig stürmte er durch das Haus von oben bis unten, seine Mönchskutte zu suchen; aber nicht die kleinste Spur war davon zu finden, bis er in einem kleinen Höfchen einen Haufen Kohlen und Asche sah, auf welchem ein halb verbrannter Ärmel seines Priestergewandes lag, so daß er mit Recht vermutete, dasselbe sei hier feierlich verbrannt worden.

Er steckte nun vorsichtig den Kopf bald durch diese, bald durch jene Öffnung auf die Straße und zog sich jedesmal zurück, wenn jemand nahte. Endlich warf er sich auf das seidene Ruhbett, so bequem und lässig, als ob er nie auf einem harten Mönchslager geruht hätte; dann raffte er sich zusammen, ordnete das Gewand und schlich aufgeregt an die Haustüre. Dort zögerte er noch ein Weilchen; plötzlich aber riß er sie weit auf und ging mit Glanz und Würde ins Freie. Niemand erkannte ihn; alles hielt ihn für einen großen Herrn aus der Ferne, welcher sich hier zu Alexandria einige gute Tage mache.

Er sah indessen weder rechts noch links, sonst würde er Jole auf der Zinne ihres Hauses gesehen haben. So ging er denn geraden Weges nach seinem Kloster, wo aber sämtliche Mönche samt ihrem Vorsteher eben beschlossen hatten, ihn aus ihrer Mitte zu verstoßen, weil das Maß seiner Sünden nun voll sei und er nur zum Ärgernis und Schaden der Kirche gereiche. Als sie ihn gar in seinem weltlichen hoffärtigen Aufzuge ankommen sahen, stieß das dem Fasse ihrer Langmut vollends den Boden aus; sie besprengten und begossen ihn mit Wasser von allen Seiten und trieben ihn mit Kreuzen, Besen, Gabeln und Kochlöffeln aus dem Kloster.

Diese schnöde Behandlung wäre ihm zu anderer Zeit ein Hochgenuß und Triumph seines Märtyrtums gewesen. Jetzt lachte er zwar auch inwendig, aber in ziemlich anderem Sinne. Noch ging er einmal um die Ringmauern der Stadt herum und ließ seinen roten Mantel im Winde fliegen; eine herrliche

Luft wehte vom heiligen Lande her über das blitzende Meer, aber Vitalis wurde immer weltlicher im Gemüt und unversehens lenkte er seinen Gang wieder in die geräuschvollen Straßen der Stadt, suchte das Haus, wo Jole wohnte, und erfüllte deren Willen.

Er wurde jetzt ein ebenso trefflicher und vollkommener Weltmann und Gatte, als er ein Märtyrer gewesen war; die Kirche aber, als sie den wahren Tatbestand vernahm, war untröstlich über den Abgang eines solchen Heiligen und wendete alles an, den Flüchtigen wieder in ihren Schoß zu ziehen. Allein Jole hielt ihn fest und meinte, er sei bei ihr gut genug aufgehoben.

THEODOR FONTANE

Professor Lezius
oder
Wieder daheim

Der alte Professor Lezius, in seinen jüngeren Jahren Ober-
lehrer an einem Realgymnasium, hatte sich, trotzdem seine
Mittel nur unbedeutend waren, schon seit langer Zeit aus seinem Lehreramte zurückgezogen, wobei neben einem gewissen
Freiheitsdrange wohl auch der Wunsch mitgewirkt hatte,
seinen zwei Lieblingsstudien ausschließlicher leben zu können,
der Botanik und der Anthropologie. Letztere betrieb er, nach
seinem eigenen Zeugnis, nur als Dilettant; in der Botanik aber
war er Fachmann und arbeitete, seit er frei war, an einem
großen Werk über die nordeuropäischen Gentianaceen. Er
war dabei nicht ohne wissenschaftlichen Ehrgeiz, dem ein nun
schon weit zurückliegendes, in die vierziger Jahre fallendes
Ereignis eine ganz bestimmte Richtung, und zwar ins Ent-
deckerische, gegeben hatte. Damals nämlich, als er sich eines
Morgens bei seinem Freunde, dem Sternwartassistenten Johann Gottfried Galle, befunden hatte, war bei eben diesem
von Paris her ein Brief eingetroffen, in dem der berühmte
Leverrier an seinen Kollegen Galle folgende Worte richtete:
»Lieber Galle! Suchen Sie doch in der Uranusgegend weiter
nach. Ich habe herausgerechnet, daß dort ein Planet fehlt, und
er muß sich finden.« Und siehe da, keine drei Monate drauf
schrieb Galle von Berlin aus an Leverrier zurück: »Cher
Leverrier. Ich hab ihn.« Und wirklich, die Welt hatte von
dem Tag an einen Planeten mehr. Dies Erlebnis, wie schon

angedeutet, war für Lezius' Entwicklungsgang als Wissenschaftler entscheidend gewesen. Er suchte seitdem nach einer Brücke von Gentiana pannonica nach Gentiana asclepiadea hinüber, zwischen welchen beiden eine noch unentdeckte Spezies liegen mußte. Daß er sie finden und sich dadurch ebenbürtig neben seinen Freund Galle stellen würde, stand ihm so gut wie fest. Seine Frau und Tochter freilich, die beiläufig die etwas ungewöhnlichen Namen Judith und Mirjam führten, teilten diese Zuversicht nicht und gaben ihrem Zweifel auch Ausdruck, wodurch sich Lezius übrigens keinen Augenblick abhalten ließ, einerseits im Niederschreiben seines Manuskripts, andrerseits in seinen wissenschaftlichen Wanderungen fortzufahren. Auf diesen abwechselnd in die Karpathen und die Sudeten gehenden Studienreisen war er monatelang einsam und hatte während dieser Einsamkeitstage keinen andern geistigen Zuspruch als den, den ihm Bastians* Werke gewährten, von denen er immer den einen oder andern Band mit sich führte. »Sein Stil«, soviel gab er zu, »ist nicht immer leicht verständlich, aber ›leichtverständlich‹ – das kann schließlich jeder; Leichtverständlichkeit ist Kellnersache. Wer was Tiefes zu sagen hat, wird selber tief, und wer tief wird, wird dunkel.« Unter Exkursionen, wie die vorerwähnten, waren ihm viele Jahre vergangen, bis ihn häusliche Störungen (darunter auch persönliche Krankheit) fast ein Jahrzehnt lang an Fortsetzung der ihm ebenso zum Bedürfnis wie zur Gewohnheit gewordenen Ausflüge gehindert hatten. Erst ganz neuerdings, diesen letzten Sommer, war er nach wiederhergestellter Gesundheit zu seinem alten Programme zurückgekehrt und hatte seine Studienreisen in alter Lust und Liebe wieder aufgenommen, selbstverständlich ohne Gepäck, wenn man nicht ein zusammengerolltes, nur mit einem Minimum andrer Zutat beschwertes Plaid als solches gelten lassen wollte. *Mit*

* Adolf Bastian (1826–1905), Ethnologe und Forschungsreisender in ferne Länder, erster Direktor des Berliner Völkerkundemuseums, das ihm zu verdanken ist.

Gepäck aber traf er heute, nach siebenwöchiger Abwesenheit, wieder in Berlin ein, und zwar mit einer unterwegs erstandenen Weinkiste, darin er, von ein paar Nebensächlichkeiten abgesehen, den wissenschaftlichen Ertrag seiner diesmaligen Wanderung in Gestalt eines umfangreichen Herbariums untergebracht hatte.

Sechs Uhr sechs Minuten hielt der Zug in Bahnhof Friedrichstraße. Lezius liebte nicht, empfangen zu werden, und so war denn auch niemand da, was ihn sichtlich erfreute. Eine graue Filzmütze auf dem stark angegrauten Kopf, einen Spatenstock in der Hand und die Botanisiertrommel en bandoulière, so stieg er die Bahnhofstreppe hinunter und empfing unten von dem Schutzmann, an den er herantrat, die Blechmarke 1727. Diese samt Gepäckschein gab er ab, und eine Minute später rief auch schon der von ihm ins Vertrauen gezogene Kofferträger in die Droschkenwagenburg hinein: »17 ... 27 ... « – »Hier!« antwortete eine Hintergrundsstimme, deren Hintergrundscharakter sich durch natürliche Berliner Heiserkeit gesteigert sah. Und nun flog die Kiste auf die Droschke hinauf, Lezius kletterte nach, und fort ging es, erst in die Friedrich- und gleich danach mit scharfer Biegung in die Dorotheenstraße hinein.

Der alte Professor sah hier, so gut es ging, durch das erst nach langem Bemühen in seine Versenkung niedergleitende Fenster auf die Straße hinaus. Hm, das also war Berlin. Versteht sich, es mußt' es sein. Was da neben ihm hin- und herfuhr, das waren ja die Pferdebahnwagen, und an dem einen las er sogar: »Nach dem Kupfergraben.« Er nickte, wie wenn ihm nun erst alle Zweifel genommen wären, und eine kleine Weile, so sah er auch schon in eine Allee herbstlich gelber Bäume hinein, an deren Ende die Viktoria, deren Profil ihn immer an Fanny Lewald* erinnerte, golden aufragte. Die vergoldeten Kanonen darunter schossen noch immer in den

* Fanny Lewald (1811–1899), populäre Schriftstellerin, mit Fontane bekannt.

Himmel. Es war also alles richtig. Und nun kam auch das Tor und der Tattersall, und gleich dahinter der Bismarcksche Garten (»Wo er wohl jetzt ist?« brummelte Lezius vor sich hin), und zuletzt erschien auch der Potsdamer Platz mit dem reitenden Schutzmann und dem Café Bellevue, wo zu dieser Stunde mehr Kellner als Gäste waren. Ein Bekannter grüßte freundlich von einem der kleinen Tische. Dann bog die Droschke noch einmal rechts ab und hielt eine Minute später vor Lezius' Haus, das noch einen Vorgarten, ein sogenanntes »Erbbegräbnis«, hatte.

»Können Sie das Gepäck nach oben schaffen?«

»Ja, wenn Sie bei dem Schimmel bleiben wollen.«

»Versteht sich; ich werde bleiben.«

Und nun schob sich der Kutscher die Kiste, die seitens ihres Besitzers ziemlich euphemistisch als »Gepäck« bezeichnet worden war, auf die Schulter und schritt mit ihr auf das Haus zu, während Lezius, wie versprochen, neben den Schimmel trat, um sich durch Klopfen und Halsstreicheln der Gunst desselben zu versichern.

»Er hat nicht gemuckst.«

»Nein, er weiß Bescheid. Man bloß das Bimmeln kann er nich leiden.«

Damit brach das bei Rückkehr des Kutschers angeknüpfte Gespräch wieder ab. Lezius aber sah noch einmal in die Droschke hinein, ob er nicht etwas vergessen habe (was übrigens kaum möglich war), und stieg dann unter einer gewissen Verdrießlichkeit, weil ihm das Steigen schwer wurde, seine drei Treppen hinauf. Eine Girlande fehlte glücklicherweise, dafür aber stand die Tür weit auf, und in der Tür begrüßten ihn Frau und Tochter. Ida, das Mädchen, stand daneben.

Lezius küßte Frau und Tochter und gab Ida die Hand. Das vorderste Zimmer war neu tapeziert worden und roch nach Leim. Aber der Professor ignorierte das und sagte nur: »Ja, da bin ich nun mal wieder. Sehr hübsch; wirklich ... Habt ihr schon Kaffee getrunken?«

»Oh, schon lange. Es ist ja schon halb sieben.«

»Richtig. Eigentlich eine unglückliche Zeit, zu spät oder zu früh. Nun, dann möcht' ich wohl um etwas Sodawasser bitten. Ist doch da?«

»Versteht sich, Papa. Du trinkst ja immer gleich Sodawasser.«

»Ja, man hat so seine Gewohnheiten; jeder hat welche ... Na, wie geht es euch denn eigentlich? Nichts vorgefallen? Keine Alarmierung? ... Und Ida, Sie waren ja wohl in Drossen. Auch überschwemmt gewesen?«

»Nein, Herr Professor; wir haben eigentlich bloß Sumpf.«

»Desto besser. Ja, was ich sagen wollte, mitgebracht hab ich nichts. Was soll man am Ende auch mitbringen? Aber da fällt mir ein, eine Kiste mit Preiselbeeren, die hab ich doch mitgebracht, die wird noch nachkommen. Vielleicht morgen schon; die Leute sind übrigens ganz zuverlässig. Und das Liter bloß dreißig Pfennig.«

»Hier kosten sie funfzehn.«

»Ja, das sind die gewöhnlichen. Aber meine, das heißt die, die ich mitbringe, die sind dicht um Kirche Wang rum gepflückt. Und ich habe den beiden kleinen Mädchen auch noch ein Trinkgeld gegeben.«

»Da werden sie wohl glücklich gewesen sein.«

»Schien mir nicht so. Sie hatten wohl mehr erwartet. Aber da fällt mir ein, daß ich *doch* was für euch habe, nicht viel, aber doch was: ein Stehaufglas aus der Josephinenhütte und dann noch zwei Teegläser für dich und mich. Mirjam wird es nicht übelnehmen, daß es bloß zwei sind. Die Teegläser sind übrigens in der Botanisiertrommel. Ida, Sie können sie herausnehmen; aber nehmen Sie sich in acht. Wir wollen heute gleich daraus trinken und können dann auch anstoßen.«

Nach einer Stunde saß man beim Tee. »Kinder«, sagte Lezius, »euer Tee ist wirklich sehr gut, jedenfalls besser als im Gebirge. Tee ist sozusagen Kultursache, man erkennt die

Klasse daran. Überhaupt, ich finde es eigentlich ganz nett bei euch. Es hat doch auch seine Vorzüge, wieder zu Hause zu sein, und wenn ich recht höre, rufen sie grad ein Extrablatt aus. Gibt es denn noch immer welche?«

»Gewiß, Lezius. Aber es steht nie was drin; du wirst sehr enttäuscht sein.«

»Ganz unmöglich. Ich kann nicht enttäuscht sein. Ich will bloß mal wieder sehn, wie ein Extrablatt aussieht... Aber mißversteh mich nicht, wenn Ida keine Zeit hat...«

»Ich bitte dich, Lezius ... natürlich hat sie Zeit. Ida, gehen Sie nur und holen Sie das Blatt ... Übrigens ist der Schulrat Rönnekamp gestern gestorben, gestern abend.«

»Ist er? Schade. Tut mir leid. Und sehr alt kann er noch nicht gewesen sein. Er lief immer wie'n Wiesel, jeden Tag seine drei Stunden; ich bin ihm noch, eh' ich reiste, beim Neuen See begegnet. Aber das Rennen, soviel ich davon halte, es hilft auch nichts; wenn der Sand durch ist, ist er durch ... Und gestern abend erst, sagst du ... Na, Kinder, heut werd' ich auch nicht alt; ich weiß nicht recht, woran es liegt, aber es ist so – im Gebirge war ich immer frisch, ordentlich ein bißchen aufgeregt, natürlich nicht sehr, aber doch bemerkbar, und hier in Berlin bin ich gleich wieder matt und schlaff. Freilich, wo soll es auch herkommen! Ist denn noch Kunstausstellung?«

»Ach, Papa, die Kunstausstellung ist ja lange vorbei.«

»Na, das ist recht gut. Ohne Brille geht es nicht, und mit Brille strengt es an. Und eigentlich versteht man doch nichts davon. Das heißt, ein bißchen versteht man schon. Weißt du noch, was ich immer in Italien sagte: ›Judith, das hier, das ist was.‹ Und dann war es auch immer was.«

Lezius, wenn er von der Reise kam, soviel wußte seine Frau von alten Zeiten her, holte den im Gebirge versäumten Nachtschlaf tapfer nach; er schlief denn auch diesmal wieder bis in den hellen Tag hinein.

»Soll ich ihn wecken, Mama?« fragte Mirjam.

»Nein, Kind, er muß ausschlafen; da kommt er am ehesten wieder zu sich.«

»Also, Mama, du findest doch auch ...«

»Freilich find ich. Aber es hat nichts auf sich. Dein Vater war immer abhängig von dem, was ihn umgab. Ist er hier, so geht es ganz gut, oder doch beinah ganz gut, aber in einem wilden Lande verwildert er. Er ist ein bißchen verwildert.«

»Es ängstigt mich doch, Mama.«

»Nicht nötig. Du weißt das nicht so, weil er jetzt ein paar Jahre nicht fort war. Aber ich weiß Bescheid, ich kenn ihn, und wenn er erst wieder bei Huth war und seine ›Herren‹ getroffen und bis zwölf seinen Brauneberger getrunken hat, dann ist er bald wieder in Ordnung.«

Lezius kam sehr spät zum Kaffee.

»Sollen wir dir frischen machen?« fragte seine Frau.

»Nein, Judith, es ist nicht nötig. Er kann doch am Ende bloß kalt sein, und kalt schadet nichts; wenn er nur Kern hat. Auf den Kern kommt es an. Im Gebirge war er immer ohne Kern. Das ist das Gute, daß man sich draußen nicht verwöhnt ... Ist denn Virchow schon wieder zurück?«

»Ich glaube nicht.«

»Na, dann hab ich nichts versäumt. Ohne sein Präsidium ist keine Sitzung oder doch nicht leicht. Und nun will ich in den Tiergarten und sehen, ob noch alles beim alten ist ... Die Stühle stehen doch noch?«

»Gewiß, gewiß.«

Und damit erhob sich Lezius, um seinen Vormittagsspaziergang anzutreten. Als er nach geraumer Zeit wieder nach Hause kam, sah er, daß frische Blumen in der Blumenschale lagen; seine Frau saß auf dem Sofa, die Tochter neben ihr auf einer Fußbank. Sie hatten eben wieder über ihn gesprochen.

»Nun, Lezius, wie war es?«

»O ganz gut. Ich habe da, gerade wo der Weg zu Kroll führt, wohl eine Stunde lang gesessen. Alles für fünf Pfennig. Es ist doch wirklich sehr billig, fast noch billiger als in Schlesien.«

»Nun ja, billig ist es.«

»Und dann bin ich, auf Bellevue zu, die Zeltenstraße hinuntergegangen, wobei sich's glücklich traf, daß mir eine Semmelfrau begegnete. Denn ich hatte meine Semmel vergessen ...«

»Aber Lezius, du wirst doch keine Semmelfrau-Semmel essen!«

»Nein, nein, ich nicht. Es war ja nur, weil ich schon an meine Lieblinge dachte, oder wie man auch wohl sagt, meine Protegés. Und da bin ich denn auch gleich die Querallee hinauf bis an die Rousseauinsel gegangen, wo sie immer auf und ab schwimmen. Und als ich mich da gesetzt hatte, mußt' ich, ich weiß eigentlich nicht warum, gleich an die Große Teichbaude denken und auch an den Großen Teich.«

»Ja, daneben können wir freilich nicht bestehen, und am wenigsten die Rousseauinsel.«

»Eigentlich nicht. Aber dafür haben wir hier die Enten; die fehlen da. Und da hab ich denn auch gleich meine Semmel verfuttert und muß euch sagen, es war eigentlich das Hübscheste, was ich bis jetzt hier gesehen. Das Allerhübscheste aber war: neben mir stand ein kleines Mädchen, die konnte nicht weit genug werfen, und so kam es, daß ihre Semmelstücke nicht ins Wasser fielen, sondern immer auf den Uferrasen. Und da hättet ihr nun die Sperlinge sehen sollen, die gerade zu Häupten in einer alten Pappel saßen. Wie ein Wetter waren die darüber her und jagten sich die Krümel ab. Es ist doch merkwürdig, wie die Sperlinge hier alles beherrschen! Der Sperling ist wie der richtige Berliner, immer pickt er sich was weg und bleibt Sieger. An der Großen Teichbaude gab es, glaub ich, gar keine Sperlinge. Dafür standen da freilich die Gentianen wie ein Wald, alles blau und weiß ... Aber zuletzt, es geht hier auch ... Virchow, soviel hab ich im ›Boten aus dem Riesengebirge‹ gelesen, soll ja wieder allerhand Schädel ausgemessen haben, noch dazu Zwergenschädel aus Afrika ... Ja, das muß wahr sein, daß ich die Anthropologische habe, das ist doch was. Das hilft einem ein gut Stück weiter.«

»Aber Lezius, veranschlagst du uns denn gar nicht?«

»O versteht sich; versteht sich, veranschlag ich euch.«

Mutter und Tochter sahen einander an.

»Ihr glaubt es wohl nicht recht? Wahrhaftig, ich veranschlage euch ... Ich muß mich nur erst wieder zurechtfinden.«

OTTO JULIUS BIERBAUM

Der Steckenpferdpastor
oder
Das goldene Zeitalter

I

Herr van Spetekerke eilte auf seinen Schwiegersohn, Herrn
Cyprian Barballe, zu.

Ich sagte: er eilte. Damit habe ich mich einer Übertreibung
schuldig gemacht. Nein: er eilte nicht.

Zu eiliger Bewegung sind Korpulenzen von dem Umfange,
wie er diesen vortrefflichen Händler mit echten Tabaken und
Altertümern auszeichnete, nicht geschaffen. Ein Bauch ist ein
Ding, das man mit gelassener Würde vor sich herträgt, zumal, wenn er, wie im Falle des Herrn Spetekerke, das Produkt
einer konsequent und rationell durchgeführten Mehlspeise-
diät und der Lohn für das treue Ausharren bei jenen alten,
guten und gediegenen Geschäftsprinzipien ist, die eine Erwei-
terung des Kundenkreises immer erst dann gestatten, wenn
das ganze, probate und gründliche System von Erkundigun-
gen erschöpft erscheint, das dem sehr löblichen Zweck dient,
in diesen respektablen Kreis auch nicht den Schatten einer
Zahlungsunfähigkeit fallen zu lassen.

Herr Barballe seinerseits, obwohl er zwar nicht mit Leibes-
fülle ausgestattet war, nahm dennoch eine gleichfalls ruhe-
volle Lage ein. Er bediente sich zu diesem Zwecke eines
Schaukelstuhls, den er in behaglicher Horizontale ausfüllte.
So bildete er auf eine anmutige Manier den lebendigen Ab-
schluß eines Rasenbeetes, an dessen Rand er besagten Schaukelstuhl hatte stellen lassen, und das (wenn man bei Rasen-

beeten diese Partie namhaft machen darf) seinen Nabel mit einem ganzen Gebüsch prunkhaft leuchtender Begonien von dreifacher Füllung besteckt hatte.

Ungleich diesem Teile des Gartens hatte sich Herr Barballe nicht mit Blumen geschmückt. Seine vollen Lippen umfingen keine Rose, sondern eine Zigarre.

Auch seine Augen beschäftigten sich nicht mit Blumen. Die dreifach gefüllten Begonien schienen für ihn nicht da zu sein, wie auch der morgendliche Himmel sich seiner Aufmerksamkeit keineswegs zu erfreuen hatte, obwohl eine Sonne auf ihm prunkte gleich einem triumphierenden Hahne: mit einem Bauche von eitel Gold und feurigen, in Glutorange und Blau schimmernden Flügeln. Was diese hahnenmäßig feurige Sonne an Strahlen von sich gab, war ein wahres Kikeriki; aber auch dieses vermochte nicht das Interesse des Herrn Barballe zu erwecken; ebensowenig wie die Bemühungen eines kleinen Amors, der in der Nähe einer von Efeu umrankten Laube einem Schwan die Gurgel zusammenzupressen eifrig bestrebt war, aber damit nur erreichte, daß aus dem Schnabel dieses poetischen Vogels nicht etwa ein Sterbelied, sondern bloß ein Strählchen Wasser zum Vorschein kam.

Die Sonne hatte es sich aber offenbar in den Kopf gesetzt, die Gleichgültigkeit des Herrn Barballe mit Gewaltmitteln zu besiegen, und so veranstaltete sie schräg über ihm in einem Dachlukenfenster ein Prismenfeuerwerk von äußerst reichhaltigem Programm. Es kam darin sowohl das weiße Licht der Geyser auf Island, wie eine ganze Folge von Phosphoreszenzen der verschiedensten Schillerung vor, aber auch das Leuchten glimmenden Schwefels und majestätischer Purpurbrunst; und als Schlußeffekt gab es ein komplettes Feuerdrama von höchst phantastischer Erfindung. Es hatte nichts weniger zum Inhalte, als die Verbrennung eines ganzen Heeres kleiner, höchst beweglicher Könige in roten Mänteln, die, um ihrem heißen Schicksale zu entgehen, besagte Mäntel in der wabernden Lohe noch rasch loshakten, ehe sie selber von dannen waberten: den Rändern des Lukenfensters zu, aber von dort zurückgetrieben in den flammenden Tod.

Herr Barballe machte indessen alle Bemühungen des erfindungsreichen Tagesgestirns zu Schanden und schenkte seine Aufmerksamkeit lediglich einem großen Bogen Papier, der das krankhafte Weiß des Aussatzes an sich trug, dabei aber über und über von jenen Erinnerungsmalen übersät zu sein schien, die die fleißigen Sommerfliegen keinem Gegenstand ersparen, den sie mit ihrer unerwünschten Anwesenheit beehren.

Herr Barballe bewegte diesen Gegenstand, der von Ferne etwa wie schmutziger Gips aussah, gleich einer Fahne; bei welcher Übung der Wind, den man poetisch Zephyr nennt, ihm seine Unterstützung lieh. Herr van Spetekerke aber wohnte dem Schauspiel als stummer Zuschauer bei und war so in der Lage, zu beobachten, wie sein Schwiegersohn aus der Fahne, trotz ihres anfänglichen Widerstrebens, nacheinander eine regelrechte Figur aus zusammengesetzten Rauten, dann, auf sehr kunstreiche Manier, eine Art Tischtuch, dann ein halbes Tischtuch, dann eine Serviette und schließlich ein Taschentuch machte. In diesem Zustand führte Herr Barballe den Gegenstand seiner künstlerischen Bemühungen mit so, man möchte fast sagen: religiöser Andacht nahe an seine Augen, daß Herr van Spetekerke den Verdacht, den er ursprünglich gehabt und der ihn zu einem Vergleich mit einem in kinderreichen Familien häufigen verdächtigen Wäschestück geführt hatte, sofort aufgab und sich damit beschied, ganz einfach zu konstatieren, daß sich sein Schwiegersohn der Lektüre einer Zeitung widmete. Im Zusammenhang mit dieser Erkenntnis kam er zu der Überzeugung, daß für ihn weder als Schwiegervater noch als Kaufmann irgendwelche Nötigung, ja auch nur Ratsamkeit bestehe, diese Beschäftigung seines Schwiegersohnes durch plötzliches Erscheinen zu unterbrechen, und so mäßigte er denn die vorhin schon bereits gekennzeichnete Eile seines Ganges und machte überdies auch noch für eine Weile vor einer rot- und weißgefleckten Mohnblume halt, die sich Gott weiß wie stolz vor ihm im Sonnenschein brüstete und es dafür erleiden mußte, daß Herr van Spetekerke, ein zweiter Tarquinius, sie mit einem Schlage der flachen Hand köpfte.

Inzwischen aber brachte Herr Barballe die Zeitung so nahe an seine Augen, daß man hätte glauben können, er wäre plötzlich kurzsichtig geworden. Herr van Spetekerke mußte das auffällig finden und äußerte sein Erstaunen auf eine sehr vehemente Manier, indem er seinen Schritten plötzlich den Takt und Rhythmus verlieh, wie ihn sonst nur der Parademarsch preußischer Infanteristen, nicht aber die Gangart eines holländischen Zigarrenhändlers aufweist. Dieses taktmäßige, mit großer Entschiedenheit ausgeführte Vorschnellen der Beine brachte ihn mit Hurtigkeit in den Lichtkreis des Herrn Barballe, wo er nun aber sofort haltmachte, um ein kleines Stiefmütterchen zu pflücken, das mit allen seinen Augen neugierig hervorguckte und sich, vielleicht nur Herrn van Spetekerke ausgenommen, für seine ganze Umgebung mit der schönen Einfalt bunter Blumen höchlich interessierte.

Herr Barballe zeigte sich der plötzlich veränderten Situation durchaus gewachsen, indem er, ohne sich zu erheben, durch ein sehr geschicktes Aufstemmen auf den rechten Absatz seinem Schaukelstuhl derart eine Drehung gab, daß Herr van Spetekerke mit einem Schlage den Rücken seines Schwiegersohnes gleichsam wie eine Landschaft vor sich hatte, überzogen von zahllosen gelben Quadraten des Strohgeflechtes, darüber den Oberteil der Mütze und ein Stückchen vom Mützenschilde, sowie einen Streifen der Zeitung, die Herr Barballe noch immer mit Hingebung las.

Herr van Spetekerke fand kein Vergnügen an dieser Aussicht und lenkte daher seine Schritte zu einem unweit gelegenen Hühnerstall. Im Vorbeigehen aber pflückte er eine Handvoll kleiner Johannisbeeren und warf sie durch das Drahtgitter, hinter dem seine Küchenvögel gefangen waren. Die Folge war ein unendlich stürmisches Gegacker, das Pessimisten vermutlich als Äußerung des Kampfes ums Dasein beim Hühnervolk auslegen werden, während Optimisten geneigt sein dürften, in ihm den Beweis für die Dankbarkeit des Hühnergemütes zu erblicken: das dann also mit jenem Gegacker nur einen Lobgesang auf die Hand von sich gegeben hätte, die es ernährte.

Dem möge nun sein, wie ihm wolle: gleichviel, ob das Hühnervolk im Gefühle des Kampfes oder im Überschwange lobpreisenden Dankes gackerte, es bereitete damit den Ohren des Herrn Barballe eine keineswegs angenehme Musik. Es konnte vielmehr kein Zweifel sein, daß dieser Herr eben um des Lärmes willen seine Sitzbasis von seinem Schaukelstuhle entfernte, und zwar, wie es schien, ohne jedes Interesse für die graziöse Rhythmik, in die er dieses geschweifte Möbel dadurch versetzte. Er versenkte die Zeitung in eine Tasche seiner Hausjacke, während er seine Hände in der Hosentasche verschwinden ließ, und sodann begann er, eine große Malvenpflanze mit Tabakswolken einzuräuchern.

Nun hatte Herr van Spetekerke die unbehinderte Freiheit, die Rückenansicht seines Schwiegersohnes vollkommen unbeeinträchtigt zu genießen. Der koloristische Effekt: graue Mütze, blaue Hausjacke, weiße Hosen, rote Absätze an den Schuhen, war so übel nicht. Trotzdem betrachtete Herr van Spetekerke, gegen seinen Hühnerstall gelehnt, dieses Farbennebeneinander mit einem schmerzlichen Ausdrucke. So fern es seinem Schwiegervaterherzen lag, seinen Schwiegersohn zu verletzen, so klar war es ihm, daß er die Ursache einer gewissen Mißgestimmtheit der Seele des Herrn Barballe war. Nur konnte er sich durchaus nicht vorstellen: warum, inwiefern und wieso eigentlich, denn nach dem in Holland landesüblichen Tempo mußten zwei Monate Schwiegervaterschaft als eine zu geringe Spanne erscheinen, um diesen Effekt als an sich begreiflich zu erklären.

Was in aller Welt hatte den jungen, soliden Mann so aus dem Konzept gebracht?

In diesem Augenblicke schwiegerväterlichen Nachsinnens drehte sich Cyprian Barballe um, und zwar mit einem Rucke, mit einer so vollkommen in sich abgeschlossenen, durch nichts abgelenkten Bewegung, daß nicht einmal die Zigarre in Cyprians Mund zitterte und die Taschen seiner Jacke bewegungslos hängen blieben, als seien sie niemals von einer Himmelsrichtung in die andere befördert worden.

Es ist durchaus fraglich, ob es Momentapparate gibt, die im Stande gewesen wären, diese kreisförmige Bewegung des linken Beines Cyprians aufnehmen zu können.

War es diese Bewegungsökonomie, die Herr van Spetekerke applaudierte, oder möge es sonst gewesen sein, was es wollte, das ihn so beifallslustig stimmte: sicher ist, daß er in seine rosig fleischigen Hände klatschte und mit großer Geläufigkeit rief: »Guten Morgen, Herr Schwiegersohn, guten Morgen! Wie geht es Ihnen? Haben Sie gut geschlafen? Haben Sie nach Wunsch gefrühstückt?«

»Papchen!« sagte Herr Barballe, gleichsam ohne den Mund zu öffnen, und indem er geheimnisvoll mit einem sanften Schieben der Zunge die Zigarre aus dem einen Mundwinkel in den andern brachte.

»Papchen?! Papchen?! Was ist denn das: Papchen?! Was soll denn das heißen: Papchen?! Was bedeutet denn das: Papchen?! wenn ich bitten darf?« erwiderte der Händler in echten Altertümern und Zigarren; nicht ohne Beunruhigung, Verdrießlichkeit und Argwohn, denn es war ihm ganz, als sei seiner Respektstellung eben ein Stoß in die Magengegend versetzt worden.

Aber sein Schwiegersohn hatte ihm schon wieder seine Rückenansicht zugewandt, und zwar wiederum mit einer Bewegung, die nicht ohne Interesse war, so daß Herr van Spetekerke überlegte, in welche Bewegungsklasse sie wohl zu registrieren sei. Da er nun von Geschäfts wegen mit der Kunstgeschichte auf vertrautem Fuße lebte, so fiel es ihm nicht schwer, zu konstatieren, daß diese Drehung seines Schwiegersohnes am füglichsten als äginetisch zu bezeichnen wäre, und, wie er dies einmal festgestellt hatte, setzte er aus Stilgefühl sogleich das den Werken dieser Bildhauerepoche eigene Lächeln auf, hielt es treulich fest und knüpfte erst dann an seine Ansprache von vorhin an, indem er sie folgendermaßen variierte: »Guten Morgen, Herr Schwiegersohn! Darf man fragen, in was Sie heute früh getreten sind?«

Diesmal machte der Schwiegersohn eine etwas langsamere Schwenkung auf seinen Absätzen. Bei genauem Hinsehen würde Herr van Spetekerke bemerkt haben, daß diese Langsamkeit nicht ohne einen niederträchtigen Humor war; zumal die Biegung der rechten Kniekehle meckerte förmlich vor Hohn, und die linke Kniekehle grinste ganz ungeniert: ich habe durchaus keine Eile, die schwiegerväterliche Kniekehle zu erschauen. Der ganze schwiegersöhnliche Komplex aber sagte: »Würden Sie vielleicht die Gewogenheit haben, verehrtester Schwiegerpapa, mir zu sagen, auf was anders man bei Ihnen treten kann, als auf diesen Alleesand, der sich hier durch die Jahrhunderte fortpflanzt, in immer gleicher Mischung aus gestoßenen Ziegeln, versteinerten Korinthen und höchst sorgsam gesiebtem Meeresboden, aus dem man alle weißen Bestandteile mit allerhöchstem Fleiße ausscheidet?«

»Das ist des Landes so der Brauch, mein lieber Schwiegersohn; es war so, es ist so und es wird, wenn der Himmel nichts dagegen hat, auch künftig so sein. Was aber haben Sie mit dieser Malve da angefangen?«

»Ich? Nichts.«

»So, und das da?«

In der Tat befand sich in der Malvenblüte, eingebettet zwischen zusammengerollten rosigen Blättern, eine Biene, die das Zeitliche gesegnet hatte, weil sie den Tabaksqualm nicht vertragen konnte, mit dem diese Blume von Herrn Barballe allzudicht umwölkt worden war.

Herr van Spetekerke entnahm seiner Westentasche eine ganz kleine Zange und bemühte sich langsam und überlegen, das Insekt damit zu ergreifen und herauszuholen.

Als dies Herrn Cyprian Barballes Augen ersahen, hob er seine zwei Arme gen Himmel und suchte aufs neue seinen Schaukelstuhl auf, der sich noch immer demütig wiegte, ließ sich aufs neue in ihn hineinfallen und nahm aufs neue die Zeitung vor sein Angesicht.

Herr van Spetekerke aber, nachdem er die tote Biene glücklich ergriffen und zu Tage gefördert hatte, näherte sich ihm und sprach: »Cyprian, diese Malven sind wie ein Bild des Lebens. Noch leuchten sie am obersten Ende des Schaftes in blühender Lust, aber gegen die Mitte desselben Schaftes zu sind sie alle bereits verwelkt und runzlig. Wir aber können dabei nichts weiter tun, als unserer alten Gewohnheit zu huldigen und diese Merkmale der Vergänglichkeit des Daseins auszuscheiden, um nicht den fatalen Anblick toter Malven zwischen Salatköpfen zu haben. Sollten Sie indessen auch über diesen Punkt, wie über so viele andere, Anschauungen hegen, die sich mit den meinen nicht vollkommen decken, weil sie allzuviel Originalität enthüllen, so...«

Doch Cyprian biß nicht an, sondern vertiefte sich nur noch mehr in seine Lektüre. Welcher billig Denkende möchte es auffällig finden, daß Herr van Spetekerke jetzt ein seelisches Kribbeln empfand?

»Es scheint, daß Ihr Blatt wichtige Neuigkeiten enthält, lieber Schwiegersohn!?« fragte er nicht ohne einige Ironie.

Cyprian grinste: grinste auf eine durchaus unschickliche, invektive Manier und brach dann los: »Neuigkeiten! Neuigkeiten! Mein verehrtester Herr Schwiegerpapa! Dieses Blatt da ist in Paris am *achten* erschienen. Es enthält die Nachrichten vom *siebenten*. Damit angefüllt ist es am *neunten* in Belgien angekommen. Der neunte war aber ein Sonntag. Infolgedessen schickte man es nicht weiter, sondern ließ es in der Expedition lagern. Warum lagern? Damit es den Genuß der Glockenspiele habe und sich an dem sanften Schmelz der Glokken delektiere, mit denen sich diese fromme Rasse die Sonntage vertreibt. Am *elften* ist es in dieser Ihrer Stadt hier angekommen. Am *elften!* Um aber bis hierher in diese Ihre Villa zu gelangen, hat es einen ganzen Tag gebraucht, denn heute ist der *zwölfte.* Der zwölfte! Und unter diesen Umständen bringen Sie es über sich, das Wort Neuigkeiten auszusprechen, das in meinen Ohren wie der Hohn von hunderttausend Teufeln klingen muß!? Finden Sie das liebenswürdig, Schwiegerpapa?«

»Sie beschweren sich da über Dinge, an denen nur Sie selber schuld sind, mein lieber Schwiegersohn«, erwiderte durchaus milde der also Angeblasene. »Sie brauchten sich nur dazu herabzulassen, *meine* Zeitung zu lesen, und Sie würden Ihre Neuigkeiten, deren Sie so heftig zu bedürfen scheinen, immerhin etwas früher erhalten. Aber mein Blatt ist Ihnen wahrscheinlich nicht reichhaltig genug. Gut! Dann müßten Sie eben außerdem noch das Lokalblatt lesen, wo Sie pünktlich und prompt erfahren würden, wo es gebrannt hat. In Ihren Pariser Journalen aber könnten Sie, wenn Sie auch noch durchaus wissen müssen, was Ihre geistreichen Landsleute zu sagen haben, Ihre Belehrungen nachträglich suchen.«

»Warum Sie sich auch noch lustig über mich machen, Schwiegerpapa, ist mir ein Rätsel«, seufzte der Schwiegersohn aus Paris.

Es ist nicht ausgeschlossen, daß Herr van Spetekerke, obwohl er bisher ohne jede Leidenschaft gesprochen hatte, jetzt etwas derb geantwortet hätte, und Herr Cyprian Barballe würde darauf vermutlich, obwohl auch er bisher nicht eigentlich in Zorn geraten war, schon um der Balance willen in einer ähnlichen Tonart geantwortet haben: da durchschnitt ein Rhythmus von Nasallauten die Luft, der an die Musik des Herrn Audran erinnerte, aber noch eine gewisse eskimoartige Nuance aufwies, also etwa einen Klang, wie ein Musikstück dieses eminenten Tonmeisters, das von einem Eskimokapellmeister eskimonisiert worden wäre.

Es war ein Bauer, der singend vorüber ging. Die Sense auf seiner Schulter blinkerte unerträglich, und er marschierte mit vorgeneigtem Kopfe, wie wenn er blökend einer unsichtbaren Ceres folgte, die ihn an einem Nasenring hinter sich herzöge.

»Ein wahrer Bär!« murmelte Barballe.

»Das weiß Gott!« stimmte Herr van Spetekerke bei. »Ein absoluter Bär!«

Diese Zustimmung mußte den Schwiegersohn, wie es nicht anders sein kann, milde stimmen; indessen bewahrte er dennoch seine kalte Haltung weiter.

Herr van Spetekerke aber warf einen zweiten Köder aus.

»Mein Korrespondent in Bordeaux hat mir...«

»Hä? Was hat er...?«

»Eine kleine Statuette aus Ton geschickt. Er hält sie für gallisch-romanisch.«

»Das kann jeder!«

»Seine Meinung geht dahin, es sei eine von den Statuetten, die als Amphoren gedient haben. Sie sind ein bißchen primitiv, ja man könnte sagen: grob in der Form, inwendig hohl und haben alle als Merkmal ungemein betonte, höchst üppige Brüste. Sie dienten als Weinbehälter und waren auf dem Kopfe mit einer Art Helm bedeckt, und den hat er, nicht ganz stilgerecht, durch einen Korkstöpsel ersetzt. Ich denke aber wohl, daß unser Korrespondent in Limoges, der sich mit der Fabrikation dieser gallisch-romanischen Altertümer beschäftigt, einen derartigen Helm auftreiben wird, sei es in seiner eigenen Werkstätte, oder im Lager eines unserer Korrespondenten in St. Etienne oder Langres.«

»Und wenn nicht dort, so ganz sicher in Reims oder Epernay«, fügte mit Kennermiene Herr Barballe hinzu.

»Wollen Sie das Ding sehen, Schwiegersohn?« fragte Herr van Spetekerke.

»Aber mit Vergnügen«, antwortete Herr Barballe.

Darauf gingen die beiden Herren die Gartenallee hinunter bis zu einem kleinen Pavillon aus hellem, von glasierten Ziegeln unterbrochenem Holze, in dem Herr van Spetekerke die Statuette seinem Schwiegersohn vorstellte.

»Sie hat eine starke Ähnlichkeit mit einem Kürbis«, bemerkte Cyprian.

Herr van Spetekerke, statt auf diese archäologische Bemerkung einzugehen, ergriff ein Lexikon, beugte sich darüber, blätterte langsam darin herum und lachte dazu auf eine Manier, daß man keineswegs darauf schwören konnte, er lache über einen Artikel dieses Wörterbuches.

»Tortur!« murmelte Barballe.

Herr van Spetekerke tat, als wenn er sich verhört hätte, klingelte einer Magd, gab ihr auf holländisch einen Befehl und sprach, als sie mit einem Teller kleiner Törtchen zurückgekommen war:

»Bitte, bedienen Sie sich, mein Schwiegersohn; hier ist, was Sie gewünscht haben.«

Herr Barballe fühlte sich geschlagen und begann mit Wut zu essen.

Indessen betrachtete Herr van Spetekerke seine Erwerbung mit träumerischen Blicken und hätte gewiß von sich gegeben, wovon er träumte, wenn nicht eben die Magd wiedergekommen wäre und die Post gebracht hätte.

Es waren auch Zeitungen darunter, aber die beiden Männer taten, als sähen sie sie nicht, denn sie vermieden es gerne, an die kaum verrauchte Polemik erinnert zu werden.

Einen der Briefe aber las Herr van Spetekerke schnell durch, und als er damit fertig war, rief er aus: »Es ist doch wunderbar!«

»Was ist denn schon wieder wunderbar?«

»Das, was mir mein alter Freund Klumpkerkl da schreibt.«

»Und was schreibt Ihnen Ihr alter Freund Klumpkerkl?«

»Ich werde es Ihnen sofort vorlesen:

Mein lieber Freund!

Als Resultat langer Anstrengungen, tiefen Studiums, weit ausgesponnener Träumereien, mühsam angelegter und kühn entwickelter Hypothesen, innerer und äußerer Erfahrungen, unermüdlicher Naturforschungen und wohl auch einiger Gelehrtheit habe ich glücklich und endlich die Achillesferse der leidenden Menschheit entdeckt und das Pflaster dafür gefunden, indem ich, kurz und gut, das goldene Zeitalter etabliert habe. – Wo? – In meinem Dorfe. – Wie? – Das sollst Du Dir selber ansehen. Ja, Du sollst des Glückes teilhaftig werden, das goldene Zeitalter leibhaftig vor Dir zu schauen und Dir darüber Rechenschaft zu geben. Ich lade Dich ausdrücklich dazu ein: doch unter der Bedingung, daß Du mir versprichst, falls es nicht nach Deinem Geschmack ist, wenigstens den anderen den Geschmack daran zu lassen.

Wenn es wahr ist, was man mir gesagt hat, daß Du einen Schwiegersohn hast, so wäre das die passendste Gelegenheit, ihn mir zu zeigen.

Womit ich verbleibe, der ich war, bin und sein werde:

Dein sehr alter Freund
Klumpkerkl, Pastor.«

Van Spetekerke seufzte skeptisch: »Zu was die Nächstenliebe nicht alles führen kann! Na ja! Ich denke, wir sehen uns das goldene Zeitalter Klumpkerkls an. Oder sind Sie auch *darüber* anderer Meinung?«

»Durchaus nicht. Das goldene Zeitalter sieht man nicht alle Tage.«

»Dann werden wir uns also morgen aufmachen, es zu besuchen. Es liegt ganz in der Nähe. Zwei Stunden Eisenbahnfahrt, zwei Stunden Schiffahrt, und wir sind dort.«

»Na also!« sagte Cyprian. »Es ist doch mal was anderes.«

II

Als sie in Moelendael, dem Pfarrdorfe Klumpkerkls, angekommen waren, begaben sich Schwiegervater und Schwiegersohn, jeder ein kleines Handköfferchen tragend, nach einem hübschen kleinen Platze, der säuberlich mit Rasen bedeckt und in genauestem Abstande mit kleinen Bäumen umstellt war.

Was ihnen dort zuerst in die Augen fiel, waren zwei Gebilde

von verschiedener Art und Höhe, die nebeneinander parallel gen Himmel strebten; verschieden in der Höhe, aber hoch alle beide.

Das eine Gebilde war der Kirchturm von Moelendael, das andere ein langer Herr, der wie ein Appendix zu dem Kirchturm wirkte, sich aber sofort loslöste und mit raschen Schritten auf unsere Freunde zukam, als er deren ansichtig geworden war.

Herr Pastor Klumpkerkl war, wie es seinem Stande geziemt, durchaus in Schwarz gekleidet und überdies von einem feierlichen Staatsgebäude in schwarzer Seide überragt. Es war dem Winde ein Wohlgefallen, die Härchen dieses Zylinders zu glänzenden Windungen auf- und niederzubeugen gleich spielendem Gras auf der Weide. Durch ruhiges Hin- und Herbewegen eines Hirtenstabes von nicht besonders übermäßigen Dimensionen gab sich der Herr Pastor ein ausgeprägt friedliches und behagliches Ansehen. Als er aber vor seinen beiden Besuchern angelangt war, blieb er eine viertel Sekunde stehen, während welcher Zeit er sein Gesicht noch mit einem ausgesprochen gastfreundlichen Lächeln belebte und die drei Finger seiner Hand, die er nicht zum Halten seines Hirtenstabes benötigte, an den Hut führte.

Die Schwierigkeit, dazu auch noch das gastfreundliche Gesicht zu machen, war nicht gering, zumal, wenn man bedenkt, daß er ja eigentlich auch noch zweier Hände bedurfte, um damit zwei Gastfreunde zu begrüßen. Die Gastfreundlichkeit seines Ausdruckes wollte auch schon einem bedenklichen Schatten über den Augen weichen, als der Herr Pastor zu seiner Befriedigung bemerkte, daß auch Herr van Spetekerke und sein Schwiegersohn in der freien Verfügung ihrer Hände behindert waren. Zwar trug keiner von ihnen einen Hirtenstab in der Rechten, wohl aber einen einfachen Spazierstock, und sie hatten überdies, wie bereits bemerkt wurde, jeder einen Handkoffer bei sich, abgesehen von je einer Zigarre, die sie allerdings im Munde placieren konnten. Bei dieser Sachlage kam man stillschweigend miteinander überein, das Zeremoniell der eigentlichen manuellen Begrüßung noch eine Weile hinauszuschieben.

Herr Pastor Klumpkerkl bewahrte also seine freundschaftliche und, wenn auch nicht gerade korrekte, so doch feierliche Haltung noch über den Zeitraum hinweg, der für Herrn van Spetekerke und seinen Schwiegersohn nötig war, um ihre Handkoffer auf die Erde zu stellen, ihre fast ohnehin zuende gerauchten Zigarren wegzuwerfen und sich nun mit der Linken auf ihren Wanderstab zu stützen. Während dieser selben Zeit hatte Herr Pastor Klumpkerkl seinen gewaltigen Hut sowohl etwas gelüftet, wie auch wieder auf sein Haupt gesetzt, und zwar so, daß er ein wenig schief, und zwar mehr zum rechten, als zum linken Ohre, geneigt saß. Nun aber schob er seinen Schäferstab unter den Arm und geriet dadurch in die angenehme Lage, auf die herzlichste Manier von der Welt die eine Hand seinem alten Freund van Spetekerke entgegenzustrekken, während er die andere mit einer gewissen Zurückhaltung und auf eine nicht ganz so ausgesprochen verbindliche Art *(auch* äginetisch gewissermaßen) der zweiten Person nahe brachte, die ihm Herr van Spetekerke nun in aller Form vorstellte, indem er sprach: »Mein Schwiegersohn, Herr Barballe.«

Nachdem dies Zeremoniell beendigt war, konnte Herr Klumpkerkl, frei von jeder bedenklichen Perspektive, seinem Antlitz wieder den vollen Strahl des Wohlwollens und seiner Haltung ihre eigentliche Freiheit geben, während seine Freunde ihrerseits wiederum ihre Handkoffer an sich nahmen. Doch fiel dem Pastor auch ein, daß seine Gäste trotz ihrer vielfachen Belastung mit Reisegepäck und Wanderstab doch auch noch mit Zigarren im Munde angekommen waren, und so hielt er es für durchaus geboten, ihnen sein offenes Etui hinzuhalten, was nun zur Folge hatte, daß Herr van Spetekerke, ebenso wie Herr Barballe, seinen Koffer wieder niedersetzte und nicht eher wieder aufnahm, als bis beide wiederum brennende Zigarren im Munde hatten.

Da dies auch bei Pastor Klumpkerkl der Fall war, konnte es nicht anders sein, als daß die drei Männer anfangs ziemlich wortlos nebeneinander herschritten. Zuerst gelang Herrn van Spetekerke das Experiment, mit dem Stock in der Hand die Zigarre für einen Augenblick aus dem Munde zu nehmen und die höfliche Frage von sich zu geben: »Wie geht's, wie steht's?« Pastor Klumpkerkl, der es jetzt viel leichter hatte, da sein gewaltiger Hut nun positiv fest saß und ihm die eine Hand, die nicht damit beschäftigt war, den Schäferstab zu schwingen, zur freien Verfügung stand, antwortete heiter und freundlich: »Absolut gut, absolut gut.«

So schritten sie also der Pastorswohnung gemeinsam entgegen, einen leichten, duftenden Nebel holländischer Zigarren hinter sich lassend.

Wer war es nun aber, der oder die es nun bereits ganz genau und bestimmt wußte, daß zwei Freunde die Bannmeile von Moelendael überschritten hatten?

Das war Hanke, die Magd des Herrn Klumpkerkl, die mit scharfen Blicken die Hauptstraße bestrichen hatte, da es zu ihren Obliegenheiten auch sonst gehörte, ihrem Herrn über alles Mitteilung zu machen, was sich auf dieser Verkehrsader begab, während er sich in seiner Junggesellenstube seinen Tee kochte.

Und wer war es, der oder die bereits bestimmt und ganz genau wußte, daß diese beiden Fremdlinge niemand anders als Herr van Spetekerke und Herr Barballe waren?

Das war wiederum Hanke, die längst darauf vorbereitet worden war, daß sie heute das japanische Porzellan als Teeservice zur Geltung zu bringen habe.

Und wer hatte bereits die Haustür weit und gastlich geöffnet? Das war nochmals Hanke, die, in der Voraussicht besonderer Ereignisse, diese Handlung schon längst vorgenommen hatte, weil es ein Bestandteil ihres Ehrgeizes war, dafür zu sorgen, daß Herr Klumpkerkl niemals etwas erst zu befehlen hätte, was auch ohne Befehl geschehen konnte. So stand also die

Haustür weit offen, und Kannen, Tassen und Gläser waren handbereit gestellt, auf den leisesten Wink sofort zu erscheinen. Hanke selbst aber hielt sich verborgen, wie das Fatum, das im Hintergrunde der Weltgeschichte lauert, im entscheidenden Moment hervorzubrechen.

Herr Klumpkerkl trat mit seinen Gastfreunden ein und bot ihnen unverzüglich Erfrischungen an.

»Ihr Weinchen da ist noch immer so gut, wie es von jeher gewesen ist«, bemerkte Herr van Spetekerke, »aber ich denke, wir halten uns nicht bei ihm auf, sondern sehen uns sofort das goldene Zeitalter an.«

»Ich verstehe Ihre Ungeduld vollkommen, lieber Freund«, entgegnete Herr Klumpkerkl, »aber Sie können sich wohl denken, daß ich das goldene Zeitalter nicht in einer Schachtel bei mir habe. Das goldene Zeitalter ist eine große Sache. Dabei vielfältig, beweglich, mit einem Zug ins Allgemeine, sozusagen ätherisch; es schwimmt, es schwebt; aber in der Hosentasche trag ich es nicht bei mir.«

»Dennoch sehe ich es an Ihnen, lieber Freund«, sagte van Spetekerke. »Es glänzt auf Ihrem gesunden Antlitz.«

»Natürlich habe ich auch etwas davon abbekommen«, bemerkte Herr Klumpkerkl, »aber um das Ganze zu bewundern, müssen Sie schon eine Weile in Moelendael bleiben.«

»Sehr schön«, sagte Herr van Spetekerke, »aber wo sollen wir wohnen, wenn wir in Moelendael bleiben müssen?«

»Das ist die Frage, das ist die Frage!« rief Herr Klumpkerkl aus und lächelte. »Das ist die Frage!« wiederholte er und lachte. »Das ist die Frage!« wiederholte er nochmals laut und heftig und setzte seine schwarze Mütze schief auf den Kopf. »Das ist die Frage!« dröhnte er aufs neue und hängte sie auf die Lehne seines Schlummerstuhles. »Das ist die Frage!« sagte er zu sich selbst und betrachtete sich aufmerksam im Spiegel. »Das ist die Frage!« wiederholte er wie abwesend und setzte sich zu seiner schwarzen Mütze in den bereits genannten Stuhl. »Das ist die Frage!« erklärte er nochmals sehr betont und schlug sich abwechselnd auf jedes seiner Knie, indem er sich in den Schlummerstuhl zurücklegte, aber nur, um sich plötzlich wieder nach vorn zu neigen und nochmals: »Das ist die Frage!« auszurufen, diesmal aber in Begleitung eines grenzenlosen Gelächters, das seine in Stroh gehüllte Zimmerpalme in heftige Bewegung versetzte. Dieses gewaltige Lachen ließ die Fransen seiner Fenstervorhänge tanzen, brach sich an den gemalten Balken seines Plafonds, floh in hallenden Wellen die Zimmerwände hinab, beunruhigte seine Sammlung von Klassikern der Weltliteratur und setzte sich wie ein Schmetterling auf die Hand des Pastors, die eben eine Flasche gegen das Glas des Herrn van Spetekerke neigte, die Flasche nach vollendeter Handlung wieder aufrichtete und sie vor dem Glas des Herrn Barballe in einem Momente heiterer Erwartung wieder zur Neige brachte, bis auch dieses gefüllt war.

Dann aber brach das Lachen aufs neue los, prasselte auf die Beine seines Urhebers nieder, erschütterte die Hosenträger seines Urhebers, setzte die sonst unbewegliche Hängelampe seines Urhebers in Schwingungen und beruhigte sich nur langsam in leisen Wiederholungen des nun kindlich träumerisch werdenden Ausrufes: »Das ist die Frage!«

Da tat Herr van Spetekerke einen starken Zug aus seiner Zigarre und sprach: »Mein lieber Klumpkerkl, die Frage ist...«

Herr Klumpkerkl aber warf sich gegen die Lehne seines Schlummerstuhls mit einer so stürmischen Heftigkeit, daß diese in die Unendlichkeit gefahren wäre, hätte sie ihre Entstehung nicht solidester Handarbeit verdankt, und fiel seinem Freunde mit Majestät ins Wort: »Nein, die Frage ist *nicht!* Es *existiert* keine solche Frage, meine Freunde, denn *ich* habe Platz für Sie. Wohl aber würde sie in der Tat für jeden andern bestehen, denn in Moelendael kann niemand logieren: durchaus niemand!«

»Ausgezeichnet!« bemerkte Herr Barballe.

»Ausgezeichnet oder nicht«, erwiderte Klumpkerkl: »Die erste

Bedingung zur Etablierung des goldenen Zeitalters ist die chinesische Mauer. Wenn ich aber um Moelendael eine wirkliche chinesische Mauer hätte ziehen lassen wollen, so wäre das freilich mit einigen Schwierigkeiten verknüpft gewesen. Ich mußte mich gewissermaßen mit einer symbolischen chinesischen Mauer begnügen.«

»Ach? Und wie haben Sie das gemacht?« fragte der neugierige Pariser.

»Sehr einfach«, antwortete Herr Klumpkerkl: »Indem ich die Entstehung eines Hotels in diesem Orte nicht begünstigte. Den Fremden ist es zwar erlaubt, Moelendael zu passieren, nicht aber, hier zu wohnen. Auf diese Weise habe ich die Erfahrung isoliert.«

»Hm!« meinte Herr Barballe, »das läßt sich hören. Aber von da bis zum goldenen Zeitalter ist doch wohl noch ein Schritt.«

»Nicht bloß einer, mein Herr«, sagte mit Betonung Herr Klumpkerkl, »sondern eine ganze Anzahl. Aber Sie werden schon sehen.«

»Und wann?« seufzte Herr van Spetekerke, der, da sein Kopf ganz mit Altertümern erfüllt war, sich das goldene Zeitalter ungefähr wie eine etrurische Vase oder eine pompejanische Wandmalerei vorstellte.

»Nur Geduld«, erwiderte Herr Klumpkerkl: »wenn es so weit ist, wird es so weit sein. Augenblicklich arbeitet das Dorf; es rackert sich nicht ab, aber es arbeitet. Bis es damit fertig ist, können Sie nichts besseres tun, als davon überzeugt sein, daß Sie alles mit eigenen Augen sehen werden. Ich garantiere es Ihnen.« Und er schüttelte sich neuerdings vor Lachen.

Herr van Spetekerke und sein Schwiegersohn rauchten Zigarren. Als Herr Klumpkerkl sah, wie lebhaft sie sich bemühten, die bescheidene Höhe seines Wohnraumes mit blauen und grauen Ringen zu bevölkern, beschloß er, sich seinerseits mit besonderer Intensität daran zu beteiligen. Und so entnahm er einer Holzetagère, auf der sich eine ganze Garnitur aufrechtstehender Pfeifen nebeneinander befand, eine Tonpfeife von hervorragenden Qualitäten. Es war die Favoritin unter den Klumpkerklschen Pfeifen, was man schon daran erkennen konnte, daß ihr Kopf sich unter dem Schmiedefeuer, das ihr Herr in ihr zu erzeugen vermochte, vollständig geschwärzt hatte. Ein zierliches Drahtgitter diente dem Kopfe zum Dekkel, während das überaus lange Rohr seine schlanke Grazie in unverhüllter Nacktheit zeigte, eine Grazie, die so zart war, daß sie den Eindruck einer fortwährenden Gefahr hervorrief. Aber nicht nur zart war die Pfeife des Herrn Klumpkerkl, sondern auch stark, und sie war in den Händen eines geschickten Streiters, der in der Art, wie er sie führte, gleichfalls Stärke und Zartheit an den Tag legte.

Als sich so viel Rauch zusammengeballt hatte, daß man nur noch ganz allgemein die Gegend vermuten konnte, in der sich (wenn er nicht inzwischen fortgegangen war) Herr Klumpkerkl befinden mußte, ließ Herr van Spetekerke die Bemerkung im Nebel fallen, daß das goldene Zeitalter zweifellos sehr schön gewesen sei.

Ein Riß in den Wolken, und man sah ein von Malice leuchtendes Auge, in dem ein Blick des Herrn Klumpkerkl zu versichern schien: zweifellos. – Im übrigen äußerte sich der Pastor von Moelendael zu dieser Angelegenheit durch eine doppelte Ladung von Tabaksqualm, die sofort den Wolkenriß wieder stopfte.

»Ja«, so nahm Herr van Spetekerke seine Rede wieder auf, »es muß wirklich sehr schön gewesen sein. Im Vordergrunde stelle ich mir das dunkelblaue Meer vor, und zwar ganz angefüllt mit leuchtenden weißen Meerschäfchen, die von Tritonen gehütet wurden unter dem sanften Getön einer Instrumentalmusik, die ohne jede Leitung durch einen Kapellmeister vor sich ging. In diesem Orchester der Freiheit bliesen die Tritonen das Meermuschelhorn, während die Nereiden die süßesten Töne aus einer Art Flöte herauslockten, die aus unzerreißbarem Papyrus durch Umwicklung mit großen Meerwasserpflanzen hergestellt war. So setzte sich diese Musik zusammen aus den gegensätzlichen und doch harmonisch miteinander vermählten Rufen der Kraft und Zartheit. – O selige Zeit! O glückliche, gebenedeite Epoche, die man nicht genug bewundern kann. In den Feldern übten freundliche Tiger die Ackerpolizei aus, um mit Sanftmut und gütigem Zureden die Kaninchen davon fern zu halten, die sonst die Ernte hätten beeinträchtigen können. An jedem Dorfbrunnen befanden sich, wie ich mir habe sagen lassen, vier authentische vorgeschichtliche Steintöpfe, aus denen beim leisesten Druck auf einen Knopf Milch, Wein, Bier und der gute Branntwein floß, diese vier Marksteine menschlicher Kultur. Die Knöpfe, auf die man drückte, waren vermutlich schön bearbeitete Edelsteine, denn in dieser Zeit der Unschuld, wo alle Welt nur mit ein paar Juwelen bekleidet war, während man dieses edle Material in der Architektur geradezu verschwendete, wird man sicher auch zu diesem Zwecke nichts anderes als Rubine, Smaragde, Saphire und Türkise verwendet haben. – Ja, mein Herr Schwiegersohn, auch Sie wären mir als Kind des goldenen Zeitalters in einem ganz anderen Gewande erschienen, als es heute der Fall ist, und ich wäre Ihnen sicher einmal begegnet, wie Sie mit Efeu bekränzt und behangen mit dem Laube des Pfeifenkrautes einherwandelten, grün umwuchert wie eine ländliche Villa. Im übrigen hätte ich an Ihnen vielleicht nur noch das Fell eines Panthers wahrgenommen, das Sie sich natürlich durch die erlaubtesten Mittel verschafft hätten...«

»Vermutlich hätte es mir der Panther zu Weihnachten geschenkt«, warf Herr Barballe ein.

»Zu Weihnachten oder zu Neujahr: gleichviel«, entgegnete milde Herr van Spetekerke; »sicher ist das eine, daß der Panther damals ein sanftmütiges Tier war, das der weichherzige Mensch des goldenen Zeitalters zu erwürgen weder Veranlassung noch Neigung hatte. Übrigens brauchte er es Ihnen auch nicht gerade als Geschenk gegeben zu haben. Es könnte auch ein Tauschobjekt gewesen sein.«

»Könnten Sie mir vielleicht auch sagen, Schwiegerpapa, gegen was ich das Pantherfell etwa eingetauscht hätte?« fragte sehr ernsthaft Herr Barballe.

»Nein, das kann ich nicht«, erwiderte Herr van Spetekerke, »denn ich bin nicht dabei gewesen. Ich rede überhaupt nur im allgemeinen und gestützt auf Anschauungen gelehrter Meister. – Roland Savery hält in jener Zeit blaue Pferde nicht für ausgeschlossen, und Kranach ist offenbar fest davon überzeugt, daß man damals mit einem schönen roten Hute und einer goldenen Halskette bereits vollkommen und ausreichend bekleidet war.«

»Fabelwerk! Nichts als Fabelwerk!« erklang es dumpf und bestimmt aus den Wolken des Horeb herab, wo soeben ein frisch entzündetes Streichholz das Antlitz des Herrn Klumpkerkl illuminierte. »Heidnisches Fabelwerk, das durchaus nicht zur Sache gehört! Haben Sie vielleicht vorhin, als wir den Marktplatz von Moelendael überschritten, dort nackte Nymphen in anstößigen Tänzen gesehen, oder Chöre von Bocksbeinlern vernommen? Gott sei Dank, nein! Denn alles dies ist unanständiger Aberglaube. Was Sie uns da alles erzählt haben, mein Freund van Spetekerke, ist ein Lirumlarum von Phantasien aus einem goldenen Zeitalter, das mit wahrem Christentum nicht das mindeste zu tun hat und alle Schändlichkeiten italienischer Dekadence an sich trägt. Ich habe, um die Epoche vollkommener Glückseligkeit zu erneuern, mich von ganz anderen Traditionen inspirieren lassen.«

»Aber, bester Freund! Ich habe ja weiter keinen Wunsch, als es zu sehen«, entgegnete der also zurückgewiesene Antiquitätenhändler.

»Zu sehen! zu sehen!« wehrte Herr Klumpkerkl ab. »Habe ich Ihnen nicht bereits gesagt, daß es augenblicklich nicht zu sehen ist? Aber, wenn sich Ihre Ungeduld durchaus nicht zügeln lassen will, so bin ich bereit, Ihnen wenigstens einen Vorgeschmack zu geben. Gehen wir, bis das Mittagessen fertig ist, ein bißchen zusammen spazieren!«

Da das Mittagessen bei Herrn Klumpkerkl Punkt zwei Uhr

stattfand, so hatte man jetzt für den Spaziergang noch eine kleine Stunde übrig.

Der lange Pastor setzte sich seine schwarze Mütze auf und erhob sich. Dann entschwand er den Blicken seiner Gäste vollkommen in der dicken Wolkenwand, in die er sich zurückzog und wo er, wie man aus einigen leisen Geräuschen erraten konnte, seine Pfeife mit unendlicher Pietät weglegte. Als er sich davon überzeugt hatte, daß sie nicht zu leiden haben werde, weder durch eine Erkältung noch durch einen Stoß, ergriff er eine andere, kürzere, aus Holz gefertigte und stopfte sie. Ein Aufzischen, gefolgt von einer Art mattgoldenem Wetterleuchten inmitten des grauen Dampfes, ließ erraten, daß er sie in Brand gesteckt habe. Dann öffnete er die Türe.

Mit Vergnügen befand man sich bald darauf in der reinen und frischen Luft des Hausflures und nach wenigen Schritten wieder auf dem Marktplatz von Moelendael, wo man sich in der Tat davon überzeugen konnte, daß hier weder Tänze noch Chöre, noch andere abergläubische Handlungen verwandter Art exekutiert wurden.

Indessen fehlte es doch nicht an einem kleinen Ansatze zu etwas Ähnlichem. Der Marktplatz war, außer von einem Schwarm leicht fliegender Schwalben und einem halben Dutzend faul herumliegender, aber dennoch recht sympathisch wirkender Hunde, von etwa zwanzig kleinen Jungen heiter belebt und, wenn man will, geschmückt, die sich damit beschäftigten, je zwei und zwei die drei Stufen einer Treppe mit geschlossenen Füßen langsam und systematisch herabzuspringen, wobei sie durch lautes Gelächter deutlich zu erkennen gaben, daß sie diese Übung sehr vergnüglich fanden, weshalb sie sie auch immer wieder aufs neue begannen. Nur als Herr Klumpkerkl mit seinen beiden Freunden vorüberschritt, unterbrach die Jugend Moelendaels diese bewegte Handlung für einen Augenblick, um dem verehrten geistlichen Hirten und seinen Gästen einen freundschaftlichen und ehrerbietigen Gruß zu bieten. Kaum aber hatten sich die drei etwas vom Orte der Handlung entfernt, so begann diese sofort aufs neue.

Nun hob Herr Klumpkerkl an, vergleichbar einem Grundbesitzer, der Besuch auf seinem Gute hat, seinen Gastfreunden alle Sehenswürdigkeiten Moelendaels zu zeigen, nicht ohne sie mit Worten des Kenners auf alles Bemerkenswerte noch besonders aufmerksam zu machen.

So ließ er sie den guten Zustand der Hecken bewundern, die sorgfältig und nach der Linie gestutzt waren, sowie auch die Fülle reichlich vorhandener Blumentöpfe auf den sauberen Fensterbrettern. Mit besonderem Stolze aber wies er auf eine schöne Linde und auf eine wundervolle Buche hin, zwei Bäume, die ganz wie aus einem Märchen waren und mit vollem Rechte nicht bloß vom Pastor, sondern auch vom ganzen Dorfe in hohen Ehren gehalten wurden.

Ein kleines Kind, an einer Blume kauend, ging vorbei; Klumpkerkl erhaschte es, wie man eine Fliege fängt, und demonstrierte an seinen vollen Pausbacken die gute Gesundheit der braven und beschaulich dahinlebenden Jugend seines Dorfes. Dann stellte er seine Freunde bald da, bald dort an einem Kreuzwege auf, der wie mit Silber von schönen, alten Weiden eingefaßt und überdies ganz mit Pappeln beflaggt war, um ihnen Gelegenheit zu geben, die anmutige Lage Moelendaels in immer neuer Perspektive zu würdigen.

»Famos«, meinte Herr Barballe, »aber wo sind die Bewohner dieses Gemeinwesens?«

»Wo sollten sie anders sein«, entgegnete Herr Klumpkerkl, »als auf dem Felde? So und nicht anders gehört es sich im goldenen Zeitalter.«

Und mit diesen Worten führte er seine Gäste zum Mittagessen.

Indem sie nun aßen, hatten sie Gelegenheit, durch das Fenster hinausblickend, allerhand Beobachtungen zu machen. Da standen die Platanen regungslos, weil sie sich offenbar vor lauter Respekt vor dem geschickten Blätterschneider, der sie

à la Lenôtre gestutzt hatte, nicht zu rühren getrauten. Der
Wind aber hütete sich wohl, in ihre feierliche Unbeweglichkeit einen störenden Hauch zu werfen. Auf dem Rasen des
Marktes weideten, an einen Pfahl gebunden, ein paar Schafe
und blökten von Zeit zu Zeit. Leider war auch hier, wie es
nun einmal die Art des Blökens von Schafen an sich hat, eine
unendliche Melancholie in diesem Geblöke, die fast wie meta-
physisches Heimweh berührte, und das war schade, denn sonst
hätte man glauben können, sie blökten vor Freude über das
goldene Zeitalter. Die Hühner aber, die den Marktplatz jetzt
mitbelebten, suchten ihr Futter mit der Beschaulichkeit prak-
tischer Weltweiser und ohne jede latente Sehnsucht nach dem
Unbegreiflichen. Langsam, wie schon zu Zeiten Homers, zogen glattstirnige Rinder drehfüßig vorüber und sogen mit
Wollust die gesunde Luft in ihre breiten, feuchten Nasenlö-
cher: mit besonderer Wollust, weil dies hier ja nicht ihre gewöhnliche Weideluft, sondern eine Art Luxusluft war, die man
nicht jeden Augenblick zur Verfügung hat. – Kein Handwerks-
lärm durchbrach die große Stille, obwohl ein Balkenviereck,
bestimmt, das Ausschlagen der Pferde beim Hufbeschlagen
ungefährlich zu machen, sowie ein Pflug und ein altes Rad
anzuzeigen schienen, daß hier eine Hufschmiede war. Indessen schien das bloß so, und es war in Wahrheit zwar eine
Schmiede, aber kein Schmied da. Der Schmied hatte anderswo
besseres zu tun: er beugte sich über seine Gemüsepflanzungen.
Die Schule war leer und still. In der Ferne rollte, begleitet von
dem Tap-tap des trabenden Pferdes und einem leisen Glöck-
chengeläute, ein Wagen. Es war eine wonnevolle, gütige, klare
Stille, durchgossen von Sonne, wie ein großes, sanftes, heimli-
ches Farbenspiel. – Da begann es vom Kirchturm zu läuten.
Aber nicht etwa brüsk und herrisch, wie es sonst wohl die
Art frommer Glocken ist, sondern mit einem langgezogenen,
zaghaften, sehr geduldigen und weit, weither, langsam, langsam schwingenden Vibrieren. Die gute Glocke von Moelendael war sich des angenehmen Umstandes vollkommen bewußt,

daß sie keine Eile hatte und erst in einer Stunde wieder verpflichtet war, sich zum Lobe Gottes und der Bestimmung des Zeitfortschrittes zu schaukeln.

Während alledem entkorkte der Pastor von Moelendael ebenso langsam und frei von aller unanständigen Hast Flasche auf Flasche mit seinem Taschenkorkenzieher, den er, wie jeder kluge Mann von Grundsätzen, stets bei sich trug.

III

Nun ging es leise gegen Abend zu. Die Sonne war eben hinter langen, violetten Schleiern verschwunden, und die angenehmste Kühle lud mit freundlichem Fächeln zum Spaziergang ein.

Da fand Herr Klumpkerkl, daß die Zeit gekommen sei, den Anschauungsunterricht vom goldenen Zeitalter zu beginnen.

Es versteht sich, daß er zu diesem Zweck nicht seine kleine schwarze Mütze, sondern seinen großen, glänzenden Zylinder aufsetzte, und zwar genau auf den erprobten und einzig richtigen Platz ganz nahe dem rechten Ohre. Auch sein Schäferstab durfte keineswegs fehlen, sondern mußte, wie es sich gehört, sanft und regelmäßig in der Luft pendeln, wie wenn ein unsichtbares Räucherfäßchen an ihm hinge.

Als die drei Freunde so eine Weile fürbaß gegangen waren, stieß Herr Klumpkerkl eine Tür auf und lud seine Begleiter ein, in ein kleines primitives Bauernhäuschen einzutreten. Was darin zuerst auffiel, war das schauderhafte Blumenmuster der Tapete, sowie das waagerechte Röhrenwerk eines ungeheuren Ofens, das einen großen Teil des Raumes wurmartig durchmaß. Auf einem der alten Mahagonistühle saß eine Frau von sympathischem Äußeren, die sich sofort gastfreundlich erhob und, als ob ihre Besucher zu keinem anderen Zwecke bei ihr eingetreten wären, als um eine Bildergalerie zu bewundern, sich augenblicklich als Kustodin von Kunstschätzen gerierte, indem sie den Herren eine Reihe alter Öldruckbilder zeigte, die die Wände bedeckten. Da konnte man nun sehen, wie Kaiser Napoleon mit militärisch gelüftetem Dreimaster seinen Garden dankte, während daneben der lachende Jean sich höchst gefühllos gegenüber dem weinenden Jean aufführte, der von Wehmut schier zerrissen wurde. Es fehlte auch nicht der bekannte kleine Matrose, der zum ersten Male nach kühn überstandenen Stürmen und Schiffbrüchen aus fremden Landen in die heimatliche Hütte zurückkehrt und in einem bunten Taschentuche die Schätze Indiens und Südamerikas mit sich führt. Alle diese bunten Bilder waren sehr sauber mit Strohendchen eingerahmt und an den Ecken mit kirschfarbenen Bändchen verziert.

»Die gute Frau ist«, bemerkte Herr Klumpkerkl leise, aber doch noch deutlich genug, daß sie es hören konnte, »so gut wie blind, und dennoch gibt es niemand, der einen so guten Blick wie sie hätte, alte wertvolle Bilder zu entdecken und auf geschmackvolle Manier einzurahmen. Sehen Sie bloß hier den verlorenen Sohn! Ist das nicht wundervoll?«

Und er wies auf einen Öldruck hin, wo man diese biblische Figur erblickte, umrahmt von Bäumen, die genau wie Schwämme aussahen, melancholisch damit beschäftigt, kleine blaue Schweine zu hüten, die anilinrote Rüben fraßen.

»Ach Gott, ja, das ist wohl schön! Das ist wunderschön!« erklärte die gute Frau und wurde vor Freude fast so rot wie diese Rüben.

In einer Ecke stand ein Klöppelkissen.

»Sie klöppeln?« wandte sich Herr van Spetekerke an die Frau.

Herr Klumpkerkl antwortete statt ihrer. »Jawohl, Madame gibt sich ein bißchen damit ab, Spitzen zu erzeugen. Ihr eigentlicher Lebenszweck aber ist, wie ich schon bemerkt habe, das Auffinden und Einrahmen alter Bilder von Wert.«

Von diesem der Kunst der Malerei geweihten Orte führte Herr Klumpkerkl seine Gäste in ein anderes, etwas geräumigeres Haus, das, reinlich wie dieses, in der Hauptsache gleichfalls von einem horizontalen Ofenrohre ausgefüllt war. Hier hingen von dem grün gestrichenen Mittelbalken der Decke Bündel von Stricken herab, gut geflochtene derbe Seile für Arbeitswagen, Trensen und Zügel.

»Jean«, sagte Herr Klumpkerkl, »geben Sie uns ein Glas frisches Bier und zeigen Sie diesen Herren die schönen Stiefel, die Sie fabrizieren.«

Wie der Mann das Wort Stiefel vernahm, wurde sein Gesicht von einem großen Lächeln verklärt, und er holte hastig ein paar enorme Stiefel aus seinem Schranke. Wesentlich *länger* und *weiter* als normale Kanalräumerstiefel waren sie am Ende nicht, ihre *Höhe* aber wuchs über alles Menschliche hinaus, so daß man schon an das Märchen denken mußte, wollte man sich eine Verwendung dieser turmartigen Fußbekleidungsstükke vorstellen.

»Ich habe noch mehr«, versicherte Jean mit Selbstbewußtsein, und in der Tat beherbergte sein Schrank noch ein ganzes Vorratslager derartigen Schuhwerkes von Etagenhöhe, das für eine langbeinige Rasse bestimmt zu sein schien, die bisher auf unserem Planeten noch nicht entdeckt worden ist.

»Jean ist ein guter Sattler«, sagte Herr Klumpkerkl, »ja, ein ausgezeichneter Sattler; aber nur von Berufswegen; als Kunst betreibt er die Schusterei, und ich kann wohl sagen, daß zehn Meilen in der Runde keiner ist, der es ihm gleich täte.«

Herr Barballe nahm einen bewundernden Ton an, indem er auf Französisch die Frage an Herrn Klumpkerkl richtete: »Aber, du lieber Gott, an was für eine Kundschaft von Giganten wendet sich denn dieser Stiefeldilettant mit seinen Ungetümen?«

»An gar keine«, antwortete Herr Klumpkerkl, während der brave Jean sein glücklichstes Lächeln produzierte, weil er nur den Ton der Bewunderung, nicht aber den Sinn in der Frage des Herrn Barballe ergriffen hatte.

»Auch er selbst würde sie natürlich nicht tragen können«, fuhr der Pastor fort, »da er ja darin verschwände; aber: kommt es vielleicht darauf an? Die Hauptsache für den Menschen ist, glücklich zu sein, und Jean ist es zweifellos, wenigstens stets dann, wenn er, wie jetzt, das Werk seiner schuhkünstlerischen Hand betrachtet. Die heilige Katharina von Siena, um einen abergläubischen Vergleich heranzuziehen, kann die Wundmale des Herrn nicht mit größerer Verzückung und Seligkeit betrachtet haben, als Jean die Stiefel seiner begeisterten Mußestunden.«

Während sich die drei Freunde zum Gehen wandten, drang eine Art Tonleiter von heiseren Schluchzern in ihr Ohr; es war, wie wenn eine Brustkatarrhstimme in schmerzlichem Gesange ihre Leiden ausströmte.

»O Gott, was ist denn das«, fragte Herr von Spetekerke. »Hier röchelt etwas auf höchst jämmerliche Manier, das allem Anschein nach vom goldenen Zeitalter ausgeschlossen ist.«

Herr Klumpkerkl hatte für diese Bemerkung nur ein Lächeln der Überlegenheit, führte seine Gäste mit ein paar Schritten auf die Gegend zu, von wo die Klagelaute herklangen, und öffnete eine Gittertüre, hinter der man nun einen jungen Mann auf der Schwelle seines Hauses vor einem blühenden Kartoffelbeete sitzen sah, der mit Hingebung bemüht erschien, das Balgwerk einer Ziehharmonika zu bewältigen. Es war ein Konzert, um Steine zu erweichen. Als der junge Mann aber den Pastor und die zwei Herren erblickte, ließ er aus Höflichkeit das malträtierte Instrument sinken, doch gab ihm Herr Klumpkerkl ein aufmunterndes Zeichen, nur ruhig fortzufahren, und der Jüngling begann sofort aufs neue, die schöne blaue Donau in den versinkenden Tag hinaus zu lamentieren.

»Was ist nun der da?« fragte Herr Barballe.

»Der da ist nun eigentlich Schuster«, sagte Herr Klumpkerkl; »ich aber habe, um ihn glücklich zu sehen, den Trieb zur Musik in seine Seele gesenkt, indem ich ihm diese Ziehharmonika schenkte. Er gibt sich ihrem Studium, wie Sie bemerkt haben werden, ohne Zuhilfenahme eines Lehrers hin, und es ist, wie Sie gleichfalls bemerkt haben werden, keine Frage, daß ihm dieses Studium die Quelle eines wahrhaft ekstatischen Genusses ist.«

»Er macht ein Gesicht, als sähe er die heilige Cäcilia leibhaftig vor sich«, bemerkte Herr van Spetekerke.

»Ich will hoffen, daß er eine etwas weniger abergläubische Vision hat«, erwiderte Herr Klumpkerkl; »sicher ist jedenfalls, daß er in diesem Augenblick das vollkommenste Glück genießt, das auf Erden einem Sterblichen überhaupt beschieden sein kann.«

»Aber sein Lebensunterhalt, sein Lebensunterhalt!« rief Herr Barballe aus. »Womit verdient er sich seinen Lebensunterhalt?«

»Gott, er pflanzt ein bißchen Gemüse und wird seiner musikalischen Talente wegen von mir dazu verwendet, die Kirchenglocken zu läuten«, erklärte Herr Klumpkerkl.

»Dann hätten Sie ihm aber auch gleich die Orgel anvertrauen können«, meinte Herr van Spetekerke.

»Die ist schon besetzt, die spielt der Schreiner.«

»Oder den Gesang«, meinte Herr van Spetekerke.

»Nein, der wird vom Schlosser verübt«, erwiderte Herr Klumpkerkl; »jedem sein Vergnügen! – Und nun verstehen Sie wohl meine Theorie vom goldenen Zeitalter.«

»Ich gebe mir Mühe, sie zu ahnen«, erwiderte Herr van Spetekerke.

»Ist sie denn so dunkel?« fragte mit erstaunt emporgezogenen Augenbrauen der Pastor von Moelendael. »Und ist sie denn so neu? Ich für mein Teil bilde mir durchaus nicht ein, daß ich sie ganz allein und ohne Vorgänger erfunden habe. In einem Buche ist sie mir allerdings noch nicht begegnet. Ich mußte mich, um sie aufzufinden, ohne jeden gedruckten Führer in das weite Reich der Menschheitsgeschichte selber begeben, und da habe ich mein Prinzip nun am klarsten bei den Franzosen gefunden. (Hierbei lüftete Herr Klumpkerkl seinen ungeheuren Zylinderhut in der Richtung auf Herrn Barballe hin, setzte ihn aber sehr schnell wieder auf und fuhr fort:) Trotzdem hat keiner der berühmten Denker dieser Nation dieses Gesetz begriffen oder entwickelt, obwohl die französische Sprache ein Schlagwort dafür besitzt, welches lautet: Le violon d'Ingres*. Ich aber, meine Herren, ich habe es verstanden, und ich bin weiter gegangen: ich habe es angewendet.

Wo auch immer Menschen leben mögen, gleichviel von welcher Hautfarbe, welcher Haarbeschaffenheit, und was sie sonst von den übrigen Menschen auszeichnen mag – in der einen Eigentümlichkeit sind sich alle gleich: daß sie den Beruf, die Kunst, das Handwerk, die Geschicklichkeit, die Fähigkeit, die sie dank einer Begabung oder infolge sonst irgendwelchen Einflusses erlernt haben, um damit ihren Lebensunterhalt zu verdienen, mit Unlust betreiben. Es ist das ihre Hausmannskost, ihre Werkeltagsuppe, die Alletagekartoffel – aber das Glück ist es nicht. Das Glück wohnt im Irrtum, in der Einbildung, in der stolzen Verachtung des Alltäglichen. Darin ist es zu Hause, darin ganz allein; und das habe ich, Klumpkerkl, begriffen, erfaßt, systematisch angewendet. Lassen Sie mich um Gotteswillen zufrieden mit der kindlichen Hypothese Fouriers von der Harmonie durch die Liebe, von der Arbeit, die zum Genusse wird, indem sie dem persönlichen Geschmacksbedürfnis entspricht und so sich als eine persönliche Notwendigkeit begründet, als natürliche Begabung darstellt. Lassen Sie mich, bitte, zufrieden mit derartig ideologischen Konstruktionen. Die Wahrheit, meine Herren, ist wesentlich paradox, und dies ist der Grund, warum man sie wohl im Leben, aber nicht in den Büchern und Systemen findet. Die Bücher definieren z. B. einen Bankier als einen Menschen, der sich für Zins und Zinseszins wesentlich interessiert. Falsch, meine Herren! Ein Bankier ist ein Mensch, der Musik machen und hören will; ein Mensch, der Wert darauf legt, daß man seiner Meinung über die letzte Oper Wert beimißt. – Ein

---

* Unter violon d'Ingres verstehen die Franzosen das, was wir mit dem Ausdruck Steckenpferd bezeichnen, weil der berühmte Maler meinte, sein eigentliches Talent liege im Violinspielen.

krummbeiniger Professor der Grammatik steht vor Ihnen. Was ist das Ideal seines Lebens? Will er etwa seine grammatischen Fertigkeiten beweisen? Keine Spur: er will, daß alle Frauen sich in ihn verlieben, und kennt keinen lebhafteren Traum als den, sich als Don Juan aufzuspielen. – Sie sehen einen Modeherrn mit korrektem Äußeren seinen neuesten Anzug, das tadellose Werk des berühmtesten englischen Schneiders, spazieren führen. Darin beruht seine Begabung; das ist sein Beruf. Ganz richtig! Aber was ist sein Bestreben, worin empfindet er sein Glück? Darin, eine Meinung zu haben, Behauptungen aufzustellen – als ein Mensch von Geist genommen zu werden. – Haben Sie schon einmal einen Arzt gesehen, der sich nicht für einen großen Politiker gehalten hätte? – Und das weiß wohl ein jedes Kind, daß die Advokaten ihre eigentliche Bedeutung darin erblicken, die wandelnden Magazine der gesamten Philosophie aller Zeiten und Entwicklungsepochen zu sein.

Was wünscht der Zivilist? Armeen zu befehligen. Was will ein Offizier? Seinen Abschied nehmen und Horaz übersetzen. Und von der gleichen Sehnsucht werden akademisch gebildete Magistratsbeamte beherrscht. Was war der Traum Ludwigs XVI.? Ein Schlosser zu werden. Als was wünschte sich Robespierre zu betätigen? Als Gemütsmensch. Wonach strebte Bismarck? Seinen Kohl zu bauen und auf breiten Parkwegen große Hunde spazieren zu führen. Worin erblickte Thiers seinen Beruf? In der Tätigkeit eines Geschichtsschreibers. Was wollte der alte steifbeinige Herr Grévy? Billard spielen. Herr Gladstone? Bäume fällen. Herr Carnot? Mit Überlegenheit einen schwarzen Frack tragen. Und Herr Felix Faure? In einem roten Frack zur Jagd reiten. Weshalb entließ Wilhelm II. den Fürsten Bismarck? Weil er selber Bismarck spielen wollte. Und Sie, mein lieber van Spetekerke, was lieben Sie?«

»Den Burgunder«, antwortete der Gefragte, ohne auch nur eine Sekunde zu zögern.

»Sie weichen mir aus, alter Freund«, bemerkte mit Strenge

Herr Klumpkerkl, »aber Sie entschlüpfen mir nicht. Meine Frage bezieht sich keineswegs auf Weinsorten; das wissen Sie wohl. Meine Frage bezieht sich auf Ihre Ingres-Geige. Die sollen Sie mir bekennen, und wenn Sie es nicht freiwillig tun, so will ich Sie zu dem Bekenntnis interrogatorisch zwingen. Sie sind ein Geschäftsmann, und Ihr Name glänzt im Antiquitätenhandel. Ihre Mitbürger würden sich eine Ehre und ein Vergnügen daraus machen, Sie zum Bürgermeister zu ernennen. Lebten Sie in einem republikanischen Lande, so würden Sie so gut wie ein anderer einen vortrefflichen Präsidenten abgeben. Aber alles dies würde nicht Ihr Glück ausmachen. Ihr Glück empfinden Sie nur dann, wenn Sie auf Ihrem Steckenpferdchen sitzen. Sie haben eins, alter Freund, Sie haben eins, gestehen Sie es nur ruhig ein.«

»Nicht, daß ich wüßte«, erwiderte Herr van Spetekerke mit Überzeugung. »Höchstens, daß ich meinem Garten gerne einige Sorgfalt widme.«

»Nein, nein, nein«, wehrte Herr Klumpkerkl ab. »Darauf will ich auch nicht hinaus. Aber bitte, was treiben Sie abends zu Haus, wenn Sie Ihre Geschäfte beendigt haben?«

Herr van Spetekerke setzte seine ernsteste Miene auf und antwortete fast feierlich: »Abends? Abends befrage ich die großen Männer der Vergangenheit, aber ich tue es nicht aus oberflächlicher Neugierde, sondern aus dem Triebe nach tiefer Erkenntnis. Ist es so, Schwiegersohn, oder nicht?«

Der Schwiegersohn schwieg, aber Herr Klumpkerkl setzte sein Verhör fort: »Durch welches Mittel fragen Sie die großen Männer der Vergangenheit?«

»Durch kein anderes, als das allgemein übliche: einen runden Tisch von mittlerem Gewichte«, erklärte mit Festigkeit Herr van Spetekerke. Worauf Herr Klumpkerkl mit den Fingern schnippte und triumphierend ausrief: »Ergo! Da haben wir ja Ihre Ingres-Geige! In Ihrem Falle sieht sie aus wie ein runder Tisch von mittlerem Gewichte. Warum auch nicht? Sie kann jede nur mögliche Gestalt annehmen, und das Gewicht tut dabei überhaupt nichts zur Sache. Genug, wenn Sie nur eine Geige haben, in Ihren Mußestunden darauf zu spielen, um glücklich zu werden. Ja, mein lieber Herr van Spetekerke, es ist schon so: Sie, der Sie nach dem übereinstimmenden Urteile aller Sachverständigen, wie selten ein Zigarren- und Antiquitätenhändler, dazu berufen sind, Töpfe, Stühle, Schränke, Kannen, Manuskripte und was weiß ich sonst noch für Gegenstände der Vergangenheit zu beurteilen, Sie wollen der Vergangenheit selber ins Angesicht sehen. Sie wollen Historiker sein.«

»Na, und wenn schon!« bemerkte Herr van Spetekerke, indem er sein Kinn kriegerisch und auf alles vorbereitet etwas erhob: »was wäre denn Schlimmes dabei?«

»Habe ich jemals behauptet, daß irgendein Steckenpferd etwas Schlimmes sei?« entgegnete der Pastor von Moelendael beinahe ungeduldig und mit einem Tone gelinden Ärgers. »Habe ich mir erlaubt, den Ton irgendeiner Ingres-Geige übel zu finden? Habe ich mich nicht vielmehr heute den halben Tag damit beschäftigt, Ihnen klar zu machen, daß es kein schöneres und angenehmeres Instrument gibt, als das des großen Klassikers der französischen Malerei? Van Spetekerke, Ihre Augen leuchten in der Erinnerung an die herrlichen Stunden, die Sie im Steckenpferd-Sattel zugebracht haben, im Sattel oder die Geige am Kinne; es ist mir ganz gleichgültig, welches Bild Sie vorziehen. Es gibt nichts Beglückenderes, als dieses Reiten oder Fiedeln! Und darum habe ich, Klumpkerkl, der praktische Menschenfreund, soweit es in meinen Kräften steht, diese Geige jedem Menschen in die Hand gegeben, der in meiner Nähe ißt, trinkt, redet, atmet, sich schneuzt, schläft, schnarcht, und ich weiß, daß es die vernünftigste Tat meines Lebens gewesen ist, aus den Bewohnern von Moelendael eine Schwadron Steckenpferdreiter zu formieren, deren Exerzierplatz das Paradies ist, das ich auf diese Weise hier in diesem bescheidenen Dörfchen neuerdings etabliert habe. O, daß es doch das Schicksal gewollt hätte, mir ganz Europa zum Pfarrsprengel zu geben! Denn dann wäre ganz Europa glücklich und zufrieden. Sie können hier durch alle Häuser des Dorfes gehen, und Sie werden in jedem ein Menschenkind finden, das sich mit Hingebung einer Beschäftigung widmet, die es nichts angeht, wozu es nicht die geringste Begabung hat, wovon es absolut nichts versteht, und in der es eben darum das Glück, die Zufriedenheit mit sich selbst, ja die Selbstbewunderung gefunden hat, die nun die weiche und angenehme Grundlage seines ganzen Lebens bildet. Hier allein: bei mir in Moelendael, wird wirklich jeder auf seine Fasson selig. Einzelne Beispiele habe ich bereits die Ehre gehabt, Ihnen vorzuführen. Nun sollen Sie sich auch noch an etwas Allgemeinerem von der Richtigkeit meiner Theorie überzeugen. Das Haus, das wir hier vor uns sehen, ist die Schenke des Dorfes. Die Schenke eines Dorfes ist aber zugleich der Spiegel eines Dorfes. Treten wir in die Schenke ein! Sehen wir in den Spiegel!«

Die drei Männer sahen, als sie die Tür geöffnet hatten, einen großen, gähnend leeren Raum vor sich, in dem zwischen ein paar Stühlen einige Tische gelangweilt umherstanden. Der Saal war schmucklos und nüchtern, wie eine reformierte Kirche, es sei denn, man hätte eine Unzahl grellfarbiger Geschäftsplakate für einen Schmuck erklärt. Eine alte Frau brachte für die Besucher drei Stühle herbei, fragte aber mit keiner Silbe, ob sie etwas zu sich zu nehmen wünschten, sondern zog sich sofort zurück.

»Halt, Frauchen«, rief sie der Pastor an, »wir möchten gern ein Glas Bier, wenn es geht.«

»Gehen tuts schon«, erwiderte die Frau, »aber angenehmer wäre es mir, wenn die Herren mit Kaffee fürlieb nähmen. Ich habe gerade welchen für mich gemacht.«

»Wir möchten aber lieber Bier«, erklärte der Pastor.

»Ich habe schon noch ein Restchen«, sagte die Alte, »von dem, was wir selber trinken. Es wird nur freilich nicht mehr recht frisch sein.«

Jetzt mischte sich Herr van Spetekerke ins Gespräch und

fragte: »Ja, haben Sie denn kein Bier für Ihre Gäste, Frau Wirtin?«

»Gäste?« entgegnete die erstaunt, »was für Gäste? Bei uns wird Zwirn verkauft, oder auch Nadeln und Seife. Zum Trinken geht man nicht in das Gasthaus von Moelendael.«

»Und das scheint Ihnen ganz recht zu sein?« inquirierte Herr van Spetekerke.

»Aber freilich!« antwortete die Alte. »Auf diese Weise hat man doch wenigstens seine Ruhe.«

Herr Klumpkerkl triumphierte mit allen Muskeln seines Gesichts und sagte mit dem Tone eines Mannes, der die Quadratur des Zirkels soeben erfunden hat, nichts weiter als: »Na!?« – Dann fügte er hinzu: »Ich denke, wir erfrischen uns lieber bei mir zu Hause; auf Wiedersehen, Madame!«

»Auf Wiedersehen, meine Herren, ich bitte, mich bald wieder zu beehren.«

Herr Klumpkerkl hob seine Arme zum Himmel auf und rief: »Was sagen Sie nun?«

Herr van Spetekerke nahm eine weniger enthusiasmierte Pose ein, indem er etwas geschäftsmäßig erwiderte: »Einem Mann, der mitten im tätigen Leben steht und daran gewöhnt ist, sein Heil und den Fortschritt des Weltganzen in zielbewußter Berufsarbeit zu erblicken, fällt es schwer, die Wahrheit anzuerkennen, auf der Sie Ihr Experiment eines neuen goldenen Zeitalters begründet haben. Da ich aber nicht zu den Leuten gehöre, die sich gegen die Wahrheit sperren, so gebe ich Ihnen gerne zu, daß Ihnen das Experiment wenigstens für Ihr Dorf geglückt ist, und daß also Ihre Wahrheit eine Art von Bestätigung erfahren zu haben scheint, wiederum wenigstens für den Umkreis Ihres Dorfes. – Indessen würde sowohl Ihre Wahrheit wie Ihr goldenes Zeitalter eine klaffende Lücke aufweisen, wenn nicht auch der Pastor von Moelendael sein Steckenpferd ritte, seine Ingres-Geige striche. Wie steht es damit, Verehrtester?«

»Bei mir«, antwortete kühl Herr Klumpkerkl, »liegt die Sache doch wohl anders. Ich muß, eben um meines Experimentes willen, die Menschheit studieren, und das gehört schließlich auch zu meinem eigentlichen Berufe. Auch genügt es mir vollkommen. Ich für mein Teil treibe keine Allotria.«

»Hm«, grunzte Herr van Spetekerke, »so so? ... hm. Auch nicht, wenn die Tage kurz und die Abende lang werden?«

»Auch nicht, wenn die Tage kurz und die Abende lang werden«, wiederholte mit Entschiedenheit der Pastor von Moelendael. »Ich studiere die Menschheit, und damit basta!«

Herr van Spetekerke nahm das Aussehen eines Mannes an, der aus Höflichkeit schweigt, aber keineswegs vollkommen überzeugt ist.

In diesem Falle sekundierte ihm sein Schwiegersohn einmal.

IV

Nun war der Abend wirklich da. Wäre es nach dem Wunsche des Herrn Cyprian Barballe gegangen, so würde er seinen Schwiegervater und Herrn Klumpkerkl im Pastorhause allein gelassen und sich fortgemacht haben, in die langsam verdunkelnde Landschaft hinauszuschreiten, einzig begleitet von seiner heimlich glimmenden Zigarre. Auf den großen Weideplätzen, die das Dorf umgaben, würde es ihm wohl geworden sein in der angenehmen Kühle der allmählich heraufziehenden Nacht, neben sich kein lebendes Wesen, als die jetzt im Freien nächtigenden Pferde, die sich bei seinem Herankommen von ihren Grasbetten erhoben hätten, um den Fremdling zu beriechen. Dann wären auch die schwarzen, weißen und roten Kühe, die nicht weniger neugierig, aber viel langsamer sind, herangekommen und hätten ihn gleichfalls mit ihren feuchten Nasen begrüßt. Er würde diesen Gruß durch freundliches Tätscheln auf den feisten Nacken erwidert, nichtsdestoweniger aber auch den Laubfröschen gelauscht haben, die des Abends so wundervoll klagend tiefsinnig zu singen pflegen, accompagniert von dem leisen Rauschen der Pappeln und den langgezogenen Akkorden des Windes. Mit welchem Genuß würde er es verfolgt haben, wie die Ebene allmählich alles Licht verlor, das zuletzt nur noch in wenigen Fenstern aufgefunkelt hätte. Mit Vergnügen hätte er das goldene Zeitalter des allein seligmachenden Herrn Klumpkerkl vergessen, und sein Gehirn hätte sich von allen Spekulationen befreit in dem Gedanken: Es ist doch eine angenehme Sache, abends in der Umgebung eines Dorfes spazieren zu gehen, wenn mildes Wetter herrscht und alle Ziehharmonikas sich außer Hörweite befinden.

Herr Klumpkerkl war aber dieser Meinung nicht. Noch ehe Herr Barballe die Flucht hätte ergreifen können, war er sowohl wie sein Schwiegervater von dem gastfreundlichen Pastor in einen ausgepolsterten bequemen Sessel versenkt und mit Wein und Zigarren versehen worden, die nach des Pastors Erklärung zu den besten gehörten, die ein sterblicher Mensch überhaupt genießen könnte. So saßen die drei eine Weile schweigend beieinander, nur damit beschäftigt, ihre Flaschen zu leeren und ihre Zigarren in Dampf aufzulösen.

Als sie dies aber besorgt hatten, rief Herr Klumpkerkl seine Magd Hanke und wies sie an, etwas zu lüften. Hanke tat dies, indem sie die guillotineartigen Fenster in die Höhe schob, fragte, ob sie noch etwas zu besorgen habe, erhielt die Antwort, daß sie schlafen gehen könne, und entfernte sich.

»Welches Steckenpferd reitet eigentlich Hanke?« fragte Herr Barballe.

»Das haben Sie nicht bemerkt?« antwortete der Pastor.

»Nicht, daß ich wüßte«, entgegnete Herr Barballe.

»Diese Antwort gibt Ihnen die Höflichkeit ein«, lächelte Herr Klumpkerkl. »Unser Diner muß es Ihnen deutlich gezeigt haben, daß das Steckenpferd der guten Hanke das Kochen ist. Aber mich geniert eine etwas phantastische Küche gar nicht.«

»Ich fand unser Mittagessen so phantastisch nicht«, erklärte Herr van Spetekerke. »Ich fand es vielmehr gut und überlegt.«

»Nun, ich will es nicht leugnen«, erwiderte der Pastor, »ich habe ihr etwas helfen lassen. Im übrigen aber, wie gesagt, genügt mir persönlich vollkommen, was Hanke auf der Ingres-Geige kocht.«

Nach einer kleinen Pause gab sich Herr van Spetekerke einen Ruck und sagte: »Mein teurer Freund! Auf die Gefahr hin, Ihnen zudringlich, indiskret, unhöflich zu erscheinen, muß ich doch meine Frage wiederholen, auf welchem Steckenpferde Sie Ihrer seligen Gemeinde voranreiten?« Da brach der Pastor ganz unvermittelt in ein brüllendes Gelächter aus und rief: »Was!? *Ein* Steckenpferd? Das wäre noch schöner, wenn der Pastor von Moelendael bloß *ein* Steckenpferd hätte.«

Herr Barballe murmelte: »Eines davon besteht vermutlich in der Leidenschaft, abends ohne Licht zu bleiben.«

»Sehr richtig bemerkt«, erwiderte trockenen Tones Herr Klumpkerkl.

Herr van Spetekerke nahm sich seines Schwiegersohnes an und sagte: »Sie müssen bedenken, mein lieber Freund, daß mein Schwiegersohn erst seit kurzer Zeit sich in unserem Lande aufhält und daher mit unseren patriarchalischen Gewohnheiten noch nicht vollkommen vertraut ist. Infolgedessen hat er auch noch nicht begriffen, daß man ganz natürlicher Weise abends ohne Licht bleibt. Er ist eben ein Ausländer und hat die schlechten Angewohnheiten seiner Heimat noch nicht vollkommen von sich abgestreift. Er liest abends.«

»Und dazu braucht er Licht?« fragte mit erstauntem Tone Herr Klumpkerkl.

»Allerdings: dazu braucht er Licht«, sagte Cyprian Barballe spitzigen Tones. »Soviel ich weiß, ist das die einzige Manier, abends zu lesen.«

»Die einzige?« sagte Herr Klumpkerkl geheimnisvoll, ging aber doch als höflicher Mann zu einem Ecktisch und zündete dort eine kleine Nachtlampe an.

»Sie sind doch wahrhaftig der geborene Triumphator«, wandte sich Herr van Spetekerke zu seinem Schwiegersohn. »Selbst mein Freund, der Pastor, der niemals von seinen Gewohn-

heiten abweicht, unterwirft sich nun und zündet eine Lampe an. Ein verfluchter Tausendsassa sind Sie, Herr Barballe.«
Dieses Lob war Herrn Cyprian Barballe höchst unbequem, und so sagte er: »Aber ich bitte Sie, Herr Pastor, lassen Sie sich doch meinetwegen nicht in Ihren Gewohnheiten stören.«
»Ich tue meine Pflicht«, erwiderte Herr Klumpkerkl dumpf.
»Also, wie Sie wollen, Herr Pastor«, entgegnete Herr Barballe, »aber bleiben Sie sonst wirklich des Abends in einer vollständigen Finsternis?«
Der Pastor, immer noch in dumpfem Tone erwiderte: »Durchaus nicht. Ich lasse auf meinem Korridor eine Lampe brennen, und das Licht davon dringt unter der Türe auch in das Zimmer ein. Aber lassen wir das. Bitte, nehmen Sie noch eine Zigarre.«

Die drei feurigen Punkte leuchteten durch das Zimmer, das im übrigen noch dunkel genug geblieben war, weil Herr Klumpkerkl vor die Nachtlampe einen kleinen Schirm gestellt hatte.
Da wurden die Gäste des Herrn Klumpkerkl von einem seltsam streichelnden Gefühle angenehmen Staunens ergriffen über den ganz wunderbaren Wohlgeschmack, den die eben angezündeten Zigarren hatten. Der Duft, der von ihnen ausging, war ganz zauberhaft. Dabei erschien Herr Klumpkerkl von ihrem Glimmlichte wie bengalisch beleuchtet.
»Das sind mal gute Zigarren«, bemerkte Herr van Spetekerke.
»Das glaub ich! Ganz ausgezeichnete Zigarren!« erwiderte Herr Klumpkerkl.
»Und wie sie leuchten!« rief Herr Barballe erstaunt aus.
»Jawohl«, wiederholte Herr Klumpkerkl, »wie sie leuchten!«
»Wo haben Sie die denn her?« fragte Herr van Spetekerke.
»Aus Maransata in Ostindien«, antwortete Herr Klumpkerkl.
»Und die Firma?«
»Ein Freund von mir erzeugt sie und schenkt mir zuweilen einige. Sie kommen nicht in den Handel!«
»Was der tausend!« rief der Zigarrenhändler aus. »Zigarren,

die nicht in den Handel kommen? Das ist doch merkwürdig! Und es sind so vorzügliche Zigarren.«

»Und sie kommen durchaus nicht in den Handel«, wiederholte Herr Klumpkerkl mit fast gehässiger Bestimmtheit. Und, wie wenn er jede weitere Frage in dieser Angelegenheit verhindern wollte, lenkte er das Gespräch von den Zigarren ab und sagte: »Also, Herr Barballe hat unsere Gewohnheiten noch nicht alle angenommen?«

»Leider nein«, antwortete Herr van Spetekerke, »zumal unser protestantischer Begriff von der Würde des Familienoberhauptes stößt bei ihm auf einen beharrlichen und fatalen Widerstand.«

»Das nimmt mich wunder, van Spetekerke«, sagte mit Lebhaftigkeit Herr Klumpkerkl, »obgleich es ja immerhin sein kann, daß Ihre Leidenschaft, nächtlicherweile die Vergangenheit zu beschwören, den Ihren etwas wunderlich erscheinen mag und vielleicht auch imstande ist, Ihre Autorität ein klein wenig zu beeinträchtigen!«

»Ich nehme Ihren Ausspruch, der eines sanften Vorwurfes nicht entbehrt, mit der ganzen Ergebenheit an«, erwiderte Herr van Spetekerke, »die ich nicht bloß Ihnen, dem Freunde gegenüber, empfinde, sondern auch Ihrem geheiligten Stande entgegenbringe, der Sie gleich einem Brustpanzer der Autorität umgibt und Ihre Person allerdings gegen das leiseste Geprickel von Sticheleien feit, wie Sie sie gegen mich soeben anzuwenden die große Güte hatten. Aber meine kleinen Unterhaltungen mit der Vergangenheit sind es durchaus nicht, die meine Autorität untergraben. Sie können es schon deshalb nicht sein, weil ich meine Beschwörungen stets auf eigene Faust betreibe: denn mein Schwiegersohn (er wird nicht anstehen, es mir zu bestätigen) zeigt auch nicht die mindeste Neigung, mir dabei zu assistieren.«

Herr Barballe nickte und sprach: »Wie sollte ich auch, da ich gar keine Beziehungen zur Vergangenheit habe und durchaus aus der Gegenwart her bin?«

»So? Meinen Sie? Woher wissen Sie es denn, daß Sie aus der Gegenwart her sind, Herr Barballe?« inquirierte Herr Klumpkerkl.

»Du lieber Gott, ich habe die Empfindung so«, antwortete Herr Barballe.

Herr Klumpkerkl blies eine so gewaltige Wolke vor sich hin, daß die Zigarre knisterte und man hätte glauben können, sich in London zu befinden, wenn der dichte Nebel um die weißen Gasflammen kreist. Dann sagte er: »Meine Wenigkeit ist davon nicht so vollkommen überzeugt.«

Warum Herr van Spetekerke in diesem Augenblicke die Bemerkung machte: »Sapperlot, ist das eine gute Zigarre!« ist schwer zu entscheiden. Sicher ist, daß Herr Klumpkerkl diesen logischen Seitensprung mit Unzufriedenheit wahrnahm und ihn mit den Worten tadelte: »Darum handelt es sich jetzt nicht.«

Herr van Spetekerke fühlte, daß er sich gegen die guten Geister der Höflichkeit und Freundschaft vergangen hatte, und gab dies zu, indem er sprach: »Sie haben recht, ehrwürdiger Freund, Sie haben recht. Darum kann es sich nicht handeln in einem Augenblicke, wo wir davon überzeugt sein müssen, daß kein Zug mehr von Moelendael abgeht, und wir keine Ursache haben, darüber betrübt zu sein, da wir uns ja im Banne des goldenen Zeitalters befinden.«

Herr Klumpkerkl war augenblicklich besänftigt und drückte dies mit dem ganzen Takte seiner schönen Seele aus, indem er seinerseits sprach: »Nichts für ungut, alter Freund. Ich wollte nur sagen, daß es sich augenblicklich lediglich um das Problem handelt, die Harmonie in Ihrem Hause neuerdings auf der Autorität meines Freundes van Spetekerke als Familienoberhaupt zu stabilitieren. Gott weiß, daß ich Ihnen dazu mit all meiner Freundschaft helfen möchte, wie auch mit der Autorität, die Sie meinem geistlichen Stande beizumessen die große Freundlichkeit haben, vielleicht auch mit meiner

Ihnen heute bekannt gewordenen Methode der Ausfindig-
machung eines praktischen und bequemen Steckenpferdes für
Ihren Schwiegersohn.«

Statt diese Idee mit gebührendem Dank aufzunehmen, wie es
der Pastor wohl erwartet hatte, hob Herr van Spetekerke beide
Hände abwehrend empor und rief aus: »Ach du lieber Gott,
Ihre Methode! So vortrefflich sie sich bei den Einwohnern von
Moelendael auch bewährt haben mag: in meinem Hause ist
es gerade die Ingres-Geige, die eine Dissonanz in unserem
Familienkonzerte hervorgerufen hat.«

Herr Klumpkerkl war ein Bild des Erstaunens und richtete
sich in dem Nebel, der ihn umgab, empor, so daß sein Haupt
daraus hervorragte, wie der Gipfel einer alpinen Majestät aus
den Wolken, und rief: *Ganz* unmöglich!«

Herr van Spetekerke erschrak zwar über diese Entschiedenheit seines Gastfreundes, fand aber doch den Mut, ausdrücklich zu erklären: »Es ist so, wie ich sage. Mein Schwiegersohn
hat sich ein durchaus unpassendes Steckenpferd zugelegt. Er
bildet sich ein, etwas von Altertümern zu verstehen.«

»Da muß ich doch sehr bitten, Schwiegerpapa«, protestierte
Herr Barballe.

Herr van Spetekerke ließ sich aber keineswegs einschüchtern,
sondern begann einen heftigen Frontalangriff, indem er sich
im bestimmtesten Tone von der Welt zu seinem Schwiegersohn
wandte, wie folgt. »Mein lieber Cyprian, es gibt nur *eine* Art,
ein Kenner von Altertümern zu sein, und das ist die, der ich
meine Kapazität auf diesem Gebiete verdanke. Diese Art
nenne ich die positive, autoritative, auf dem festen Boden der
Erfahrung, aus der Tiefe des Instinktes, mit den Ergebnissen
direkter Forschung, von Gnaden angeborener Begabung aus-
geübte, kurz gesagt: die schöpferische. Ihre aber, Herr Barballe, ist eine schlechte, ungenügende und ganz belanglose
Abart. Denn sie gründet sich lediglich auf Lektüre. Niemals,
Herr Schwiegersohn, werden Sie auf diese Weise auch nur
den Schatten eines Rufes erwerben, wie ich ihn besitze.«

»Ganz Holland ist voll davon«, bestätigte Herr Klumpkerkl.

»Nicht bloß ganz Holland!« erklärte Herr van Spetekerke. »Mein Ruf ist international. In Paris, Rue Richelieu, gegenüber der Bibliothek, in Berlin, Unter den Linden, nahe den Museen, in München im Museum selbst, in Vichy, Tarascon, Evian, Karlsbad, Kolberg, Neapel – überall, wo ich meine sichtbaren oder unsichtbaren Filialen habe, lebt und webt und wirkt mein Ruf.«

»Nicht auch in Belgien?« fragte Herr Klumpkerkl.

»Schweigen Sie mir von diesem Lande!« rief Herr van Spetekerke aus. »Das ist kein Land für ehrliche Antiquitätenhändler. Dort blüht der phantastische Schwindel. Ein Land, in dem Muscheln, mit Bildern drauf, verkauft werden! Ein Land, wo man die Frechheit hat, Muscheln zum Kauf anzubieten, die altvlämischen Dialekt reden sollen, wenn man sie an das Ohr hält! Ich perhorresziere dieses Land!«

»Also schön, reden wir nicht von Belgien«, suchte Herr Klumpkerkl zu begütigen.

»Oh, es ist haarsträubend, welchen Beleidigungen ich jetzt in meinem Hause ausgesetzt bin«, schluchzte Herr van Spetekerke. »Hat nicht dieser mein Schwiegersohn da, angesichts einer alten Delfter Platte zu behaupten gewagt, sie sei nicht authentisch? Und hat nicht seine Frau, meine Tochter, so sehr alle Kindespflicht vergessen, daß sie seiner Meinung ausdrücklich beipflichtete? Und hat nicht, was noch schlimmer ist, seine Schwiegermutter, meine eigene Frau, die Ruchlosigkeit gehabt, gleichfalls in dieses Konzert boshaften Widerspruchs einzustimmen, so daß ich in meinem eigenen Hause in die Minorität gebracht, ja im eigentlichen Sinne an die Wand, in die Ecke gedrückt worden bin? Und alles dies, obwohl ich selbst diese Platte (ich kann Ihnen die Rechnung noch zeigen) in Delft nach einem sehr alten und schönen Muster habe machen lassen und persönlich das Geäder von Sprüngen, die das Alter gewährleisten, hineingemacht habe?«

»Was? Kann man denn das?« fragte Herr Klumpkerkl.

»Natürlich kann man das«, erklärte mit Bestimmtheit Herr van Spetekerke, »vorausgesetzt, daß man ein schöpferischer Antiquar ist und nicht bloß ein Mensch, der seine Wissenschaft aus den Büchern her hat. Man stellt die Platte in eine Ecke, verschafft sich eine Spinne und läßt diese ihr Netz darüber weben. Dann kommt man ihr mit einer Säure zu Hülfe und erhält so allen Staub der Vergangenheit, alle Linien, die die Hand der Zeit nur immer auf einem Gegenstand hat einzeichnen können. – Was ist es, was ein Ding alt macht? Etwa die Zeit? Unsinn! Die Zeichen der Zeit! Ist denn ein Topf, der in der Vitrine eines Museums ohne jede Spur von Alter unverschämt neu erglänzt, eine Antiquität, bloß weil er zufällig vor zweihundert Jahren gemacht worden ist? Nein! Die Erzeugnisse meines Genies sind die einzigen wahrhaft guten und wahrhaft schönen Altertümer, denn der Geist des Alters ist ihnen eingeprägt. Ich für meine Person pfeife auf jede wirkliche Antike, die nicht antik aussieht. Und ich bin stolz darauf, daß ich Antiquitäten herstelle, die die Stimmung der Vergangenheit in sich tragen und ausstrahlen. Diese Art produktiver, positiver Kennerschaft und Schöpferkraft auf dem Gebiete des Antiquitätenhandels ist wohl ein bißchen mehr wert, Herr Barballe, als Ihr pedantisches Herumschnüffeln in allen Stilen mit Hilfe der Krücken einer Büchergelehrsamkeit aus zweiter Hand.«

Herr Klumpkerkl empfand wiederum das Bedürfnis, den Strom des Gespräches in ein anderes Bett zu lenken, und fragte: »Wie machen Sie eigentlich das mit den Spinnennetzen?«

»Was soll ich machen? Ich mache gar nichts. Ich lasse die Spinne machen«, antwortete Herr van Spetekerke.

»Sehr schön«, erwiderte Herr Klumpkerkl. »Daß Sie die Spinnenfäden nicht selbst a posteriori hervorbringen, konnte ich mir wohl denken. Aber wie halten Sie sie dann in Form jener Rißäderungen auf den Poterien fest?«

»Damit verhält es sich, mein sehr verehrter Freund«, antwortete Herr van Spetekerke, »wie mit der Herkunft gewisser Zigarren, die nicht im Handel sind. Auch meine Methode ist nicht im Handel und wird als Geschäftsgeheimnis betrachtet.«

»Seh' mal einer an! Ein Geheimnis«, sagte Herr Klumpkerkl und lächelte. »Da könnten wir vielleicht einen kleinen Tauschhandel machen. Ich sage Ihnen das Geheimnis mit meinen Zigarren, und Sie sagen mir das Ihre mit Ihren Spinnen.«

Herr van Spetekerke lehnte aber ganz kurz und kühl ab: »Lieber Freund, ich finde die Zigarren vortrefflich und rauche sie sehr gern bei Ihnen, doch gelüstet es mich gar nicht, das Geheimnis zu lüften, das ihre Herkunft verhüllt. Man muß nicht Mitwisser aller Dinge sein. Es ist besser für die Nerven.«

»Wie Sie wollen, Herr van Spetekerke«, sagte Herr Klumpkerkl, ohne weiter in seinen Freund zu dringen.

Es war kein Zweifel, daß die Wendung, die das Gespräch genommen, allerseits mit Mißbehagen empfunden wurde. Klumpkerkl sagte nichts, van Spetekerke sagte nichts, und Barballe konnte nichts sagen, weil er eingenickt war. Das Schweigen dauerte gut zwei Minuten. Plötzlich wurde es durch die seltsame Bemerkung van Spetekerkes unterbrochen, die er mit der ganzen Autorität eines im Verkehr mit Geistern erfahrenen Mannes abgab: »Klumpkerkl, soeben hat ein Geist den Schirm von Ihrer Nachtlampe weggerückt.«

»Das muß ein dummer Teufel von einem Geist gewesen sein«, erwiderte trocken der Pastor von Moelendael.

»Klumpkerkl, mein teurer Freund, ich bitte Sie dringend, mir zu erlauben, daß ich an Ihren Tisch komme«, fuhr Herr van Spetekerke fort.

Herr Klumpkerkl aber entschied recht entschieden: »Bleiben Sie, bitte, wo Sie sind, und lassen Sie mich mit Ihren abergläubischen Geschichten zufrieden!«

Trotzdem sprang der ganz aufgeregte Herr van Spetekerke

auf und tastete sich durch den Zigarrendampf zu dem Tisch. Kaum daß er aber in dessen Nähe gekommen war, erklang eine dünne Stimme: »Tolpatsch! Können Sie nicht ein bißchen Obacht geben? Sie gehen auf meinen Hühneraugen spazieren!«

Van Spetekerke retirierte eiligst zu seinem Lehnstuhl, in den er sich wie gebrochen fallen ließ.

Mit einer Stimme voller Zweifel und Angst sagte er: »Klumpkerkl, das können doch nicht Sie gewesen sein, der mich eben so angefahren hat?«

Klumpkerkl antwortete: »Ich pflege mich höflicher auszudrücken.«

Van Spetekerkes Stimme wurde noch bänglicher: »Wer also war es, der mir diesen Rüffel erteilt hat? Ich muß es erfahren; ich werde ein Zündholz anstreichen.«

Daß ihm dieses Wort zur Hälfte im Mund stecken blieb, daran war eine schallende Ohrfeige die Ursache, die auf sein Antlitz niedersauste und deutlich im ganzen Zimmer vernommen wurde.

»Das geht zu weit, Klumpkerkl!« erklärte mit Empörung der Händler in echten Antiquitäten und Tabaken.

Herr Barballe reinigte aber den Pastor sofort von dem schmerzlichen Verdacht, seinem Gastfreunde eine Backpfeife versetzt zu haben, indem er sehr ruhig und bestimmt erklärte: »Daß Sie soeben eine Ohrfeige gekriegt haben, lieber Schwiegervater, ist über jeden Zweifel erhaben, aber ebenso sicher ist, daß nicht Herr Klumpkerkl es war, der sie Ihnen verabreicht hat, denn er hat sich ganz gewiß nicht aus seinem Schlummerstuhl erhoben.«

»Umso nötiger ist es, daß ich Licht mache«, erklärte Herr van Spetekerke und rieb in demselben Augenblick ein Wachszündholz an, in dessen Licht er seinen Freund tatsächlich in friedlichster Pose dasitzen sah, ebenso wie seinen Schwiegersohn. Außer Zigarrenqualm füllte nur noch die absoluteste Stille den kleinen Raum.

»Dort funkelt Gold! Was ist das?« fragte Herr van Spetekerke.

»Das ist eine Sammlung Klassiker«, antwortete Herr Klumpkerkl, »denen ich, ihrem inneren Wert entsprechend, vergol-
dete Rückenschilder habe aufkleben lassen.«

Herr van Spetekerke war offenbar außer sich, und so fuhr er
ganz unvermittelt mit den Worten auf seinen alten Freund
los: »Wenn unsere alte Freundschaft jetzt einen fühlbaren
Stoß bekommen hat, so weise ich jede Verantwortung deswegen von mir. Nur Sie sind Schuld daran.«

»Ich?« rief Herr Klumpkerkl aus, »ich? Was habe ich denn
auf dem Gewissen? Ich habe Ihnen nicht sagen wollen, woher
ich meine Zigarren habe. Das ist alles. Ist das aber ein Grund,
in Raserei zu geraten?«

»Und warum verweigern Sie mir die Auskunft?« fragte mit
bebender Stimme Herr van Spetekerke.

»Sie haben mir eine andere ja auch verweigert«, erwiderte
Herr Klumpkerkl.

Jetzt fühlte Herr Barballe den Augenblick gekommen, seine
guten Dienste als Vermittler anzubieten, und er sprach:
»Meine Herren! Es ist ganz ausgeschlossen, daß zwei Bieder-
männer, wie Sie, die dazu bestimmt sind, einander zu verstehen, zu schätzen und zu lieben, auf die Dauer miteinander
verzwistet sein sollten. Vernunft und Gefühl verlangen es
gleichermaßen gebieterisch, daß die alte Harmonie wieder hergestellt wird. Zum Glück gibt es ein Mittel dafür, das keinem
von Ihnen schwer fallen kann: Sie brauchten bloß ein jeder
sein Geheimnis aufzugeben.«

Kaum hatte Herr Barballe diese wohlgesetzte Rede beendet,
da lehnte sich Herr Klumpkerkl, wie wenn er lauschte, ein
wenig in seinem Lehnsessel vor und rief zweimal hintereinander: »Spinne! Spinne!« Dabei wuchs seine Stimme gewaltig
und strömte baritonisch empor zum Plafond und klang nicht
mehr wie die Stimme eines einzelnen, sondern wie die Stimme
der antiken Chöre, die Minerva anriefen, daß sie erscheinen

möge, um zu sehen, was in dem Palast des Königs vor sich gehe. Und: »Spinne!« wiederholte der Pastor von Moelendael. »Darf ich sprechen? Erlaubst Du mir, zu reden, obwohl ein Schändlicher hier zugegen ist, der sich erdreistet, Deine hohen Künste zur Aufbesserung seiner Finanzen zu mißbrauchen!? O, Spinne, göttliche Spinne, deren Tempel der weite Himmel ist, der Baum, der Busch und der Balken, Spinne, deren Anfang, Mittelpunkt und Ende überall und nirgends ist, die Du Deine Verstecke in dem Himmel hast und das Feld Deiner Tätigkeit in allen Winkeln, vergibst Du ihm sein Verbrechen? Wenn es so ist, so teile es mir mit in Gestalt der Hausspinnen, die mein niederes Dach mit ihrer Gegenwart verschönen.«

Herr Klumpkerkl erhob beschwörend seine beiden Arme und stieß eine gewaltige Rauchwolke von sich. Blasse Spitzen Dampfes rollten und zackten sich im Dunkeln auf, während kleine Wölkchen durch ein paar Lücken der Läden und über die Schwelle her das Zimmer durchfuhren.

»Ja!« erscholl es im höchsten Diskante, »und zum Zeichen dafür werde ich die Nachtlampe auslöschen.«

Jetzt erschien das Zimmer ganz dunkel bis auf einen unendlich blassen Streifen Mondlicht, der durch die Läden flimmerte.

Aber da entzündete sich am Plafond ein kleiner heller Schein, zuckte hin und her, griff wie mit kleinen Ärmchen um sich, rundete sich kugelig ab und ward zu einer niedlichen kleinen Frau in einem rosaroten Plüschleibchen mit sehr langen mageren Armen, die von der Decke herabschwebte und eine Flasche mitbrachte, die wie ein rosig angehauchter Diamant schimmerte.

Klumpkerkl erhob sich feierlich, holte fünf Gläser und füllte sie aus der Flasche.

Die kleine Dame hatte sich mittlerweile gesetzt. Man konnte ihr glänzendes Leibchen deutlich sehen; ihr Gesicht aber, das wie aus schwarzer Gaze gemacht schien, die mit zwei Stahlperlen besetzt war, konnte man nur ganz undeutlich erblicken.

»Jetzt haben Sie mich wohl gesehen, meine Herren«, sagte die kleine Dame, »nun will ich aber auch meine große Schwester holen und außerdem die Bedienung übernehmen.«

Mit diesen Worten erhob sie sich, trippelte durch das Zimmer, schien plötzlich irgendwo hinaufzuklettern, irgendwoher wieder herabzusteigen, und alles dies dem Anschein nach zu dem Zwecke, überall im Zimmer kleine glänzende Punkte zu entzünden, von denen der eben noch ganz mit Dampf erfüllte Raum allmählich heller und heller wurde, so daß man deutlich sehen konnte, wie sich aus einer Ecke eine große, graue majestätische Gestalt erhob, die langsam ins volle Licht kam, sich zu den übrigen setzte, ihr Glas ergriff und es leerte, indem sie sprach: »Prosit allerseits!«

Nun kam aber auch die Kleine im rosa Leibchen wieder herbeigelaufen und nahm gleichfalls ihr Glas. In dem hellen Lichte war es Herrn van Spetekerke und seinem Schwiegersohn jetzt möglich, ihr Äußeres genauer zu unterscheiden. Das Gesicht, das vorhin wie schwarze Gaze ausgesehen hatte, erfreute sich in Wirklichkeit eines sehr rosigen und munteren Teints, von dem sich das blanke Schwarz höchst lustiger Augen auf das lebhafteste abhob, ebenso, wie zu ihrem rosa Mieder der rauchfarbene Rock stark abstach. Der Teint der Großen, die von einem eckigen und dürren Körperbau war, spielte deutlich ins Gelbliche, und ihre grauen Augen hatten etwas Trokkenes und Hartes, wie denn ihr ganzes Wesen den Eindruck von grauer Trockenheit machte.

Eine Weile geschah nichts, als daß man schweigend den blaßrosafarbenen Wein trank. Dabei nahm die Luft des Zimmers eine an Punsch erinnernde Feuerfarbe an, in der Herr Barballe und van Spetekerke gespensterhaft bleich erschienen, während Herr Klumpkerkl nur um so frischer und rosiger aussah.

Der Pastor von Moelendael schien überhaupt seine gute Laune vollkommen wiedererlangt zu haben.

»Sehen Sie«, sagte er, »diese zwei weiblichen Wesen da ... aber ich will Ihnen doch lieber erst die gewünschte Auskunft geben, van Spetekerke! Was Sie da rauchen, ist nicht aus Tabakblättern gedreht, sondern Kraut der ›Königin der Nacht‹, untermischt mit Victoria regia und Blütenblättern einer ganz winzig kleinen, ganz sanft rosafarbenen Erika, die ausschließlich in Meniagkaban, im Lande der Malayen, wächst. Der Samenstaub des heiligen Lotos verbindet diese Kräuter gleich einem Puder, und so ergibt das Ganze die Essenz der Träume, dank einem Rezepte, das hindostanische Priester und arabische Propheten gemeinsam entdeckt haben, als sie sich im Archipel begegneten, dessen jetzt leider europäisch übertünchte Eingangspforte Batavia ist. – Nun wird es Ihnen wohl klar sein, warum diese Zigarren bei uns nicht im Handel sind, und warum ich mich nicht sogleich entschlossen habe, ihre Herkunft zu enthüllen. – Jetzt aber zu den zwei Damen, denen ich Sie vorzustellen die Ehre habe! Es sind meine zwei geduldig vereinten, geduldig gehegten, geduldig gewärmten Seelen. Bisher habe ich nur sie aus mir herausgezogen. Aber in diesem Ofen sehen Sie Unterlagen genug zu weiteren zukünftigen Materialisationen in Gestalt ganzer Bündel von Spinneweben, die auch noch einmal Leben annehmen sollen.«

Die eckige, graue, trockene Dame erklärte mit einer etwas barschen Altstimme: »Das glaube ich nicht.«

»So, das glaubst Du nicht?« wandte sich Herr Klumpkerkl zu ihr. »Hast Du vielleicht früher geglaubt, aus mir geboren zu werden, Theologie? Nein, Du hast es nicht, und darum ersuche ich Dich, nicht schon im voraus Deine bescheidenen Schwestern mit Deinem Spotte zu verfolgen, die ich Dir noch zu geben gedenke.«

Jetzt mischte sich auch die Kleine im rosa Leibchen ins Gespräch, indem sie Herrn Klumpkerkl beistimmte: »Bescheiden, o ja, sehr, sehr bescheiden.« – Darauf schwenkte sie sich etwas im Kreise und zog, man konnte durchaus nicht merken, woher, eine rosig leuchtende Flasche hervor.

»Es ist genug mit dem Getränke, Amphore«, protestierte der barsche Alt der Eckigen.

Aber Herr Klumpkerkl war der Meinung des roten Leibchens und entschied: »O nein, Theologie, es ist noch nicht genug, denn, wie Du siehst, sind meine Freunde noch nicht rubinfarben.«

Die Eckige remonstrierte: »So schenke wenigstens bloß halbe Gläser ein!«

»Nein: volle!« entschied Herr Klumpkerkl. »Ich denke nicht daran, mich Freunden gegenüber lumpen zu lassen.«

Herr van Spetekerke, als Mann von Gefühl und Höflichkeit, erhob sich und drückte Herrn Klumpkerkl sehr fest die Hand, indem er sprach: »Dank für dieses Freundschaftswort! Herzlichen, aufrichtigen Dank! Es ehrt und erquickt mich in tiefster Seele.«

Herr Klumpkerkl seinerseits erwiderte den Händedruck mannhaft und gefühlvoll und gab ihn an Herrn Barballe weiter.

Dann aber sprach er: »So sind Sie denn also eingeweiht in den Inhalt meiner Nachtwachen, deren Resultat Sie vor sich haben, oder, um mich Ihrer heiteren Ausdrucksweise zu bedienen: Sie hören die Musik, die ich auf meiner Ingres-Geige erzeuge. – Wieso ich dazu kam? Nun: Sie werden es sehr begreiflich finden, daß ich, nachdem ich das goldene Zeitalter in meinem Pfarrsprengel etabliert hatte, auf die Idee kommen mußte, auch mir darin einen kleinen Fleck zu sichern. Mein persönliches Glück war allerdings nicht so leicht zu konstruieren, wie das meiner guten Moelendaeler, denn ich kann wohl sagen, daß eine ziemliche Portion Intellektualität zu ihm gehört, und zwar eine Intellektualität, die ihr Maß nicht außer sich, sondern nur in sich selber findet ... Wir sind unter uns, und so will ich es Ihnen nicht verheimlichen, daß ich ein ziemlich differenziertes Wesen bin, ein Klumpkerkl, in dem zwei Klumpkerkl stecken. – Den einen glauben Sie zu kennen; wenigstens sehen Sie ihn; aber es gibt noch einen andern, den man nicht so ohne weiteres erblickt, obwohl auch er Ihr Freund ist. Wenn Sie die Gefälligkeit haben wollen, sich etwas zu mir herüberzuneigen, so werden Sie ihn etwas oberhalb meines rechten Augenlides ziemlich deutlich unterscheiden können. Es ist dies, wie ich hinzufüge, nur des Abends und nur in dieser Art Helligkeit möglich, die eine rein geistige Helligkeit ist. – Bitte, genieren Sie sich gar nicht, neigen Sie sich nur ganz nahe her zu mir und sehen Sie den Punkt an, den ich Ihnen bezeichnet habe.«

»Wahrhaftig!« erklärte Herr Barballe. Und: »Wahrhaftig«, pflichtete Herr van Spetekerke bei; »es ist wie eine Art Miniaturausgabe, eine sehr verkleinerte Medaille Ihres Selbst!«

Herr Barballe, der auch in diesem feierlichen Augenblick seine boshafte Seele nicht verhehlen konnte, bemerkte: »Da können Sie mit Ihrer Tischklopferei nicht 'ran, verehrtester Schwiegerpapa!«

»Sie sind und bleiben doch ewig der Gleiche«, erwiderte Herr van Spetekerke. »Nichts auf der Welt kann geschehen, das Ihnen nicht sofort einen Dolch in die Hände drücke, ihn mir ins Herz zu stoßen. Es ist das eine Charaktereigenschaft, die ich weder bewundere, noch um die ich Sie beneide. Aber ich gebe gerne zu, daß mein Freund Klumpkerkl mit dieser Leistung alles übertroffen hat, dessen ich selbst mich jemals auch nur wünschend getraut habe.«

»Ich sehe noch was!« rief mit ungeheucheltem Erstaunen Herr Barballe aus. »Auf der anderen Seite der Stirne des Herrn Klumpkerkl bemerke ich ganz deutlich, wenn auch in flüchtigen Umrissen, das Porträt der beiden reizenden Personen, deren Gegenwart uns die Freundlichkeit des Herrn Pastors beschert hat.«

»Aber ohne die Füße, nicht wahr«, fragte Herr Klumpkerkl.

»Welche Füße?« fragten die beiden.

Herr Klumpkerkl murmelte etwas Unverständliches von Spinnenfüßen und nahm dann rasch einen kleinen Handspiegel zur Hand.

»Nein«, erklärte er, »es sind keine Runzeln; man sieht die Füße noch nicht. Das hat aber seine gute Bewandtnis. Sie dürfen ihre Füße noch nicht dort anbringen, weil sie den Anderen noch Platz machen müssen, die noch geboren werden sollen. Gott weiß wann, denn dies alles braucht Zeit. Würden sie jetzt schon ihre Füße ausstrecken und sich nach Wohlgefallen auf der ganzen linken Oberfläche meiner Stirn ausbreiten wollen (denn auf der rechten haben sie kein Recht, da dort ein für allemal die Spiegelung meines zweifachen Innern etabliert ist), so könnte ich die anderen Spinnenschöpfungen, die ich bereits vorbereite, wenn sie einmal fertig sein würden, nicht mehr logieren, und das wäre ebenso bedauerlich für mich, wie vor allem für das Dorf.«

»Wieso für das Dorf?« fragte van Spetekerke.

»Weil ich die Hoffnung hege«, antwortete Herr Klumpkerkl, »es von meinen Erfindungen eines Tages profitieren zu lassen.«

»Sie wollen also, wenn ich Sie recht verstehe«, fragte Herr van Spetekerke, »einige von Ihren Spinnen – abgeben?«

»Ich denke nicht daran«, erklärte der Pastor; »suum cuique, d. h. jedem seine Spinne. Aber ich habe vor, meine Entdeckung zu veröffentlichen und so zu illustrieren, daß ein jeder aus dem Gewebe seiner eigenen Spinnennetze imstande sein soll, seine eigenste und persönlichste Spinne zu entwickeln. So, wie ich selber diese hier entwickelt habe. – Für die Kleine im rosa Leibchen habe ich sorgfältig die Spinnennetze gesammelt, mit denen im Keller meine Weinflaschen sich umgeben haben, und ich habe diese liebenswürdige Kleine (Amphore ist ihr Name) ohne viele Mühe zustande gebracht. Ein paar Beulen am Kopfe hat es mich ja gekostet, wenn ich ohne Licht in den Weinkeller hinunterstieg, um sie Faden für Faden zu sammeln, aber es war doch immerhin leichter als die Erzeugung der anderen, der Theologie, die ich mir in langen Geduldsproben aus den Spinneweben auf meinen alten Bibeln zusammensuchen mußte. Es steht zu vermuten, daß ich auch heute noch nicht fertig damit wäre, wenn mir nicht meine kleine Amphore eines Abends den Rat gegeben hätte, meine alten Bibeln in den Weinkeller zu tragen.«

»Das weiß Gott, Herr Klumpkerkl«, grollte die Eckige, »daß Sie vor meiner Geburt etwelche Zwiegespräche mit Amphore gepflegt haben. Ich habe es wohl bemerkt aus allerlei Andeutungen in Ihren Unterhaltungen, die Sie auch in meiner Gegenwart oft und gerne fortsetzen.«

»Aber meine teure Theologie! ...« warf mit betrübtem Tone Herr Klumpkerkl ein.

Herr van Spetekerke aber rief heftig aus: »Ich für mein Teil begreife vollkommen, welches Vergnügen Sie in den Unterhaltungen mit dieser niedlichen Amphore im rosa Leibchen empfinden. Wenn es nach mir ginge, würden auch wir uns jetzt hauptsächlich mit ihr unterhalten.«

Amphore errötete, soweit es bei ihrer ohnehin rosigen Hautfarbe noch möglich war, vor Vergnügen, und erklärte mit schneller Bereitwilligkeit: »Ich stehe ganz zu Ihrer Verfügung mein Herr, und bin immer bereit, wenn es sich darum handelt, liebenswürdige Herren einzuspinnen, ihnen die Gegenwart so rosig zu färben, als es nur irgendwie möglich ist.« Mit diesen Worten zog sie wiederum, und wiederum, ohne daß man wußte, woher, eine leuchtende, granatfarbige Flasche aus dem Nichts.

Madame Theologie aber erhob sich mit einem eckigen Ruck und erklärte: »Herr Klumpkerkl! Ich ziehe mich zurück! Amphore ist ja in der Tat die Ältere, aber allgemein genommen und von Rechts wegen ist sie, wie Sie nicht werden leugnen wollen, die Jüngere von uns beiden, und ich kann es nicht mit ansehen, wie sie sich hier aufführt.«

»Euer Zwist zerreißt mir mein Herz«, rief Klumpkerkl aus und sank in seinen Schlummerstuhl zurück. Herr Barballe aber bemerkte mit einem Seitenblick auf seinen Schwiegervater zur Theologie: »Ich begreife, Madame, daß Sie sich verletzt fühlen, aber gehen sollten Sie deswegen doch nicht. Ich für mein Teil werde, wenn ich mich mit Fräulein Amphore unterhalte, leise sprechen.«

Herr van Spetekerke murmelte: »Weiß der Himmel, für welche Sünden ich mit einem Schwiegersohn bestraft worden bin, der immer und ewig gegen mich Partei nehmen muß!« Dann wandte er sich gleichfalls zur Theologie und sagte mit Höflichkeit: »Ich bitte tausendmal um Verzeihung, wenn ich Madame beleidigt haben sollte. Auf alle Fälle wird mein Schwiegersohn alles wieder gut machen, indem er sich ausschließlich mit Ihnen unterhalten wird.«

Aber weder die Worte des Schwiegersohnes, noch die Worte des Schwiegervaters waren imstande, die Theologie in ihrem einmal gefaßten Entschlusse zu beeinflussen. Sie machte eine eckige Verbeugung und sprach: »Ich gehe! Auf Wiedersehen, Herr Pastor!«

Und sie zerschmolz.

»Sie wird morgen ganz böse und unausstehlich sein«, erklärte Herr Klumpkerkl, wie sie weg war. Amphore aber streichelte dem Pastor die Wangen und sagte: »Nur keine Angst, Klumpkerkelchen. Ich werde sie schon zur Vernunft bringen. Zwar bliebe ich viel lieber noch eine Weile bei Euch, aber die Hauptsache ist, daß ich sie noch einhole. Ein paar Flaschen will ich aber doch noch vorher herbeischaffen.«

Und sie produzierte wiederum aus dem punschfarbenen Lichte des Zimmers eine Reihe rubinfarbener Flaschen.

Dann zerschmolz auch sie.

»Das muß man sagen, Klumpkerkl«, erklärte Herr van Spetekerke, »langweilen tun Sie sich nicht.«

»Nicht eine Minute«, erwiderte Herr Klumpkerkl kurz.

»Aber sagen Sie mal, Herr Pastor«, fragte Herr Barballe, »was für ein wunderbarer Wein ist das?«

»Er ist *gut*, meine ich«, erwiderte Herr Klumpkerkl.

»Ausgezeichnet«, bestätigten Schwiegervater und Schwiegersohn.

»Dann vergessen Sie ja nicht, sich von Hanke das Rezept geben zu lassen«, sagte Herr Klumpkerkl. »Sie macht ihn aus den Johannisbeeren meines Gartens. Es ist das Steckenpferd meiner Johannisbeeren, zu Wein zu werden. – Wie ich schon gesagt habe, und wie ich zu sagen nie aufhören werde: die Ingres-Geige, das ist die ganze Frage.«

Das Eisenbahnunglück

Etwas erzählen? Aber ich weiß nichts. Gut, also ich werde etwas erzählen.

Einmal, es ist schon zwei Jahre her, habe ich ein Eisenbahnunglück mitgemacht, – alle Einzelheiten stehen mir klar vor Augen.

Es war keines vom ersten Range, keine allgemeine Harmonika mit »unkenntlichen Massen« und so weiter, das nicht. Aber es war doch ein ganz richtiges Eisenbahnunglück mit Zubehör und obendrein zu nächtlicher Stunde. Nicht jeder hat das erlebt, und darum will ich es zum besten geben.

Ich fuhr damals nach Dresden, eingeladen von Förderern der Literatur. Eine Kunst- und Virtuosenfahrt also, wie ich sie von Zeit zu Zeit nicht ungern unternehme. Man repräsentiert, man tritt auf, man zeigt sich der jauchzenden Menge; man ist nicht umsonst ein Untertan Wilhelms II. Auch ist Dresden ja schön (besonders der Zwinger), und nachher wollte ich auf zehn, vierzehn Tage zum ›Weißen Hirsch‹ hinauf, um mich ein wenig zu pflegen und, wenn, vermöge der ›Applikationen‹, der Geist über mich käme, auch wohl zu arbeiten. Zu diesem Behufe hatte ich mein Manuskript zuunterst in meinen Koffer gelegt, zusammen mit dem Notizenmaterial, ein stattliches Konvolut, in braunes Packpapier geschlagen und mit starkem Spagat in den bayrischen Farben umwunden.

Ich reise gern mit Komfort, besonders, wenn man es mir bezahlt. Ich benützte also den Schlafwagen, hatte mir tags zuvor ein Abteil erster Klasse gesichert und war geborgen.

Trotzdem hatte ich Fieber, wie immer bei solchen Gelegenheiten, denn eine Abreise bleibt ein Abenteuer, und nie werde ich in Verkehrsdingen die rechte Abgebrühtheit gewinnen. Ich weiß ganz gut, daß der Nachtzug nach Dresden gewohnheitsmäßig jeden Abend vom Münchener Hauptbahnhof abfährt und jeden Morgen in Dresden ist. Aber wenn ich selber mitfahre und mein bedeutsames Schicksal mit dem seinen verbinde, so ist das eben doch eine große Sache. Ich kann mich dann der Vorstellung nicht entschlagen, als führe er einzig heute und meinetwegen, und dieser unvernünftige Irrtum hat natürlich eine stille, tiefe Erregung zur Folge, die mich nicht eher verläßt, als bis ich alle Umständlichkeiten der Abreise, das Kofferpacken, die Fahrt mit der belasteten Droschke zum Bahnhof, die Ankunft dortselbst, die Aufgabe des Gepäcks hinter mir habe und mich endgültig untergebracht und in Sicherheit weiß. Dann freilich tritt eine wohlige Abspannung ein, der Geist wendet sich neuen Dingen zu, die große Fremde eröffnet sich dort hinter dem Bogen des Glasgewölbes, und freudige Erwartung beschäftigt das Gemüt.

So war es auch diesmal. Ich hatte den Träger meines Handgepäcks reich belohnt, so daß er die Mütze gezogen und mir angenehme Reise gewünscht hatte, und stand mit meiner Abendzigarre an einem Gangfenster des Schlafwagens, um das Treiben auf dem Perron zu betrachten. Da war Zischen und Rollen, Hasten, Abschiednehmen und das singende Ausrufen der Zeitungs- und Erfrischungsverkäufer, und über allem glühten die großen elektrischen Monde im Nebel des Oktoberabends. Zwei rüstige Männer zogen einen Handkarren mit großem Gepäck den Zug entlang nach vorn zum Gepäckwagen. Ich erkannte wohl, an gewissen vertrauten Merkmalen, meinen eigenen Koffer. Da lag er, ein Stück unter vielen, und auf seinem Grunde ruhte das kostbare Konvolut. Nun, dachte ich, keine Besorgnis, es ist in guten Händen! Sieh diesen Schaffner an mit dem Lederbandelier, dem gewaltigen Wachtmeisterschnauzbart und dem unwirsch wachsamen Blick.

Sieh, wie er die alte Frau in der fadenscheinigen schwarzen Mantille anherrscht, weil sie um ein Haar in die zweite Klasse gestiegen wäre. Das ist der Staat, unser Vater, die Autorität und die Sicherheit. Man verkehrt nicht gern mit ihm, er ist streng, er ist wohl gar rauh, aber Verlaß, Verlaß ist auf ihn, und dein Koffer ist aufgehoben wie in Abrahams Schoß.

Ein Herr lustwandelt auf dem Perron, in Gamaschen und gelbem Herbstpaletot, einen Hund an der Leine führend. Nie sah ich ein hübscheres Hündchen. Es ist eine gedrungene Dogge, blank, muskulös, schwarz gefleckt und so gepflegt und drollig wie die Hündchen, die man zuweilen im Zirkus sieht und die das Publikum belustigen, indem sie aus allen Kräften ihres kleinen Leibes um die Manege rennen. Der Hund trägt ein silbernes Halsband, und die Schnur, daran er geführt wird, ist aus farbig geflochtenem Leder. Aber das alles kann nicht wundernehmen angesichts seines Herrn, des Herrn in Gamaschen, der sicher von edelster Abkunft ist. Er trägt ein Glas im Auge, was seine Miene verschärft, ohne sie zu verzerren, und sein Schnurrbart ist trotzig aufgesetzt, wodurch seine Mundwinkel wie sein Kinn einen verachtungsvollen und willensstarken Ausdruck gewinnen. Er richtet eine Frage an den martialischen Schaffner, und der schlichte Mann, der deutlich fühlt, mit wem er es zu tun hat, antwortet ihm, die Hand an der Mütze. Da wandelt der Herr weiter, zufrieden mit der Wirkung seiner Person. Er wandelt sicher in seinen Gamaschen, sein Antlitz ist kalt, scharf faßt er Menschen und Dinge ins Auge. Er ist weit entfernt vom Reisefieber, das sieht man klar, für ihn ist etwas so Gewöhnliches wie eine Abreise kein Abenteuer. Er ist zu Hause im Leben und ohne Scheu vor seinen Einrichtungen und Gewalten, er selbst gehört zu diesen Gewalten, mit einem Worte: ein Herr. Ich kann mich nicht satt an ihm sehen.

Als es ihn an der Zeit dünkt, steigt er ein (der Schaffner wandte gerade den Rücken). Er geht im Korridor hinter mir vorbei, und obgleich er mich anstößt, sagt er nicht »Pardon!«.

Was für ein Herr! Aber das ist nichts gegen das Weitere, was nun folgt: Der Herr nimmt, ohne mit der Wimper zu zucken, seinen Hund mit sich in sein Schlafkabinett hinein! Das ist zweifellos verboten. Wie würde ich mich vermessen, einen Hund mit in den Schlafwagen zu nehmen. Er aber tut es kraft seines Herrenrechtes im Leben und zieht die Tür hinter sich zu.

Es pfiff, die Lokomotive antwortete, der Zug setzte sich sanft in Bewegung. Ich blieb noch ein wenig am Fenster stehen, sah die zurückbleibenden winkenden Menschen, sah die eiserne Brücke, sah Lichter schweben und wandern ... Dann zog ich mich ins Innere des Wagens zurück.

Der Schlafwagen war nicht übermäßig besetzt; ein Abteil neben dem meinen war leer, war nicht zum Schlafen eingerichtet, und ich beschloß, es mir auf eine friedliche Lesestunde darin bequem zu machen. Ich holte also mein Buch und richtete mich ein. Das Sofa ist mit seidigem lachsfarbenen Stoff überzogen, auf dem Klapptischchen steht der Aschenbecher, das Gas brennt hell. Und rauchend las ich.

Der Schlafwagenkondukteur kommt dienstlich herein, er ersucht mich um mein Fahrscheinheft für die Nacht, und ich übergebe es seinen schwärzlichen Händen. Er redet höflich, aber rein amtlich, er spart sich den »Gute-Nacht!«-Gruß von Mensch zu Mensch und geht, um an das anstoßende Kabinett zu klopfen. Aber das hätte er lassen sollen, denn dort wohnte der Herr mit den Gamaschen, und sei es nun, daß der Herr seinen Hund nicht sehen lassen wollte oder daß er bereits zu Bette gegangen war, kurz, er wurde furchtbar zornig, weil man es unternahm, ihn zu stören, ja, trotz dem Rollen des Zuges vernahm ich durch die dünne Wand den unmittelbaren und elementaren Ausbruch seines Grimmes. »Was ist denn?!« schrie er. »Lassen Sie mich in Ruhe – Affenschwanz!!« Er gebrauchte den Ausdruck »Affenschwanz«, – ein Herrenausdruck, ein Reiter- und Kavaliersausdruck, herzstärkend anzuhören. Aber der Schlafwagenkondukteur legte sich aufs Unterhandeln, denn er mußte den Fahrschein des Herrn wohl wirklich haben, und da ich auf den Gang trat, um alles genau zu verfolgen, so sah ich mit an, wie schließlich die Tür des Herrn mit kurzem Ruck ein wenig geöffnet wurde und das Fahrscheinheft dem Kondukteur ins Gesicht flog, hart und heftig gerade ins Gesicht. Er fing es mit beiden Armen auf, und obgleich er die eine Ecke ins Auge bekommen hatte, so daß es tränte, zog er die Beine zusammen und dankte, die Hand an der Mütze. Erschüttert kehrte ich zu meinem Buch zurück.

Ich erwäge, was etwa dagegen sprechen könnte, noch eine Zigarre zu rauchen, und finde, daß es so gut wie nichts ist. Ich rauche also noch eine im Rollen und Lesen und fühle mich wohl und gedankenreich. Die Zeit vergeht, es wird zehn Uhr, halb elf Uhr oder mehr, die Insassen des Schlafwagens sind alle zur Ruhe gegangen, und schließlich komme ich mit mir überein, ein Gleiches zu tun.

Ich erhebe mich also und gehe in mein Schlafkabinett. Ein richtiges, luxuriöses Schlafzimmerchen, mit gepreßter Ledertapete, mit Kleiderhaken und vernickeltem Waschbecken. Das untere Bett ist schneeig bereitet, die Decke einladend zurückgeschlagen. O große Neuzeit! denke ich. Man legt sich in dieses Bett wie zu Hause, es bebt ein wenig die Nacht hindurch, und das hat zur Folge, daß man am Morgen in Dresden ist. Ich nahm meine Handtasche aus dem Netz, um etwas Toilette zu machen. Mit ausgestreckten Armen hielt ich sie über meinem Kopfe.

In diesem Augenblick geschieht das Eisenbahnunglück. Ich weiß es wie heute.

Es gab einen Stoß, – aber mit ›Stoß‹ ist wenig gesagt. Es war ein Stoß, der sich sofort als unbedingt bösartig kennzeichnete, ein in sich abscheulich krachender Stoß und von solcher Gewalt, daß mir die Handtasche, ich weiß nicht, wohin, aus den Händen flog und ich selbst mit der Schulter schmerzhaft gegen die Wand geschleudert wurde. Dabei war keine Zeit zur Besinnung. Aber was folgte, war ein entsetzliches Schlenkern des Wagens, und während seiner Dauer hatte man Muße, sich zu ängstigen. Ein Eisenbahnwagen schlenkert wohl, bei Weichen, bei scharfen Kurven, das kennt man. Aber dies war ein Schlenkern, daß man nicht stehen konnte, daß man von einer Wand zur andern geworfen wurde und dem Kentern des Wagens entgegensah. Ich dachte etwas sehr Einfaches, aber ich dachte es konzentriert und ausschließlich. Ich dachte: ›Das geht nicht gut, das geht nicht gut, das geht keinesfalls gut.‹ Wörtlich so. Außerdem dachte ich: ›Halt! Halt! Halt!‹ Denn ich wußte, daß, wenn der Zug erst stünde, sehr viel gewonnen sein würde. Und siehe, auf dieses mein stilles und inbrünstiges Kommando stand der Zug.

Bisher hatte Totenstille im Schlafwagen geherrscht. Nun kam der Schrecken zum Ausbruch. Schrille Damenschreie mischen sich mit den dumpfen Bestürzungsrufen von Männern. Neben mir höre ich »Hilfe!« rufen, und kein Zweifel, es ist die Stimme, die sich vorhin des Ausdrucks »Affenschwanz« bediente, die Stimme des Herrn in Gamaschen, seine von Angst entstellte Stimme. »Hilfe!« ruft er, und in dem Augenblick, wo ich den Gang betrete, auf dem die Fahrgäste zusammenlaufen, bricht er in seidenem Schlafanzug aus seinem Abteil hervor und steht da mit irren Blicken. »Großer Gott!« sagt er, »Allmächtiger Gott!« Und um sich gänzlich zu demütigen und so vielleicht seine Vernichtung abzuwenden, sagt er auch noch in bittendem Tone: »Lieber Gott …« Aber plötzlich besinnt er sich eines andern und greift zur Selbsthilfe. Er wirft sich auf das Wandschränkchen, in welchem für alle Fälle ein Beil und eine Säge hängen, schlägt mit der Faust die Glasscheibe entzwei, läßt aber, da er nicht gleich dazu gelangen kann, das Werkzeug in Ruh', bahnt sich mit wilden Püffen einen Weg durch die versammelten Fahrgäste, so daß die halbnackten Damen aufs neue kreischen, und springt ins Freie.

Das war das Werk eines Augenblicks. Ich spürte erst jetzt meinen Schrecken: eine gewisse Schwäche im Rücken, eine vorübergehende Unfähigkeit, hinunterzuschlucken. Alles umdrängte den schwarzhändigen Schlafwagenbeamten, der mit roten Augen ebenfalls herbeigekommen war; die Damen, mit bloßen Armen und Schultern, rangen die Hände.

Das sei eine Entgleisung, erklärte der Mann, wir seien entgleist. Was nicht zutraf, wie sich später erwies. Aber siehe, der Mann war gesprächig unter diesen Umständen, er ließ seine amtliche Sachlichkeit dahinfahren, die großen Ereignisse lösten seine Zunge, und er sprach intim von seiner Frau. »Ich hab' noch zu meiner Frau gesagt: Frau, sag' ich, mir ist ganz, als ob heut' was passieren müßt'!« Na, und ob nun vielleicht nichts passiert sei. Ja, darin gaben alle ihm recht. Rauch entwickelte sich im Wagen, dichter Qualm, man wußte nicht, woher, und nun zogen wir alle es vor, uns in die Nacht hinauszubegeben.

Das war nur mittelst eines ziemlich hohen Sprunges vom Trittbrett auf den Bahnkörper möglich, denn es war kein Perron vorhanden, und zudem stand unser Schlafwagen bemerkbar schief, auf die andere Seite geneigt. Aber die Damen, die eilig ihre Blößen bedeckt hatten, sprangen verzweifelt, und bald standen wir alle zwischen den Schienensträngen.

Es war fast finster, aber man sah doch, daß bei uns hinten den Wagen eigentlich nichts fehlte, obgleich sie schief standen. Aber vorn – fünfzehn oder zwanzig Schritte weiter vorn! Nicht umsonst hatte der Stoß in sich so abscheulich gekracht. Dort war eine Trümmerwüste, – man sah ihre Ränder, wenn man sich näherte, und die kleinen Laternen der Schaffner irrten darüber hin.

Nachrichten kamen von dort, aufgeregte Leute, die Meldungen über die Lage brachten. Wir befanden uns dicht bei einer kleinen Station, nicht weit hinter Regensburg, und durch Schuld einer defekten Weiche war unser Schnellzug auf ein falsches Geleise geraten und in voller Fahrt einem Güterzug, der dort hielt, in den Rücken gefahren, hatte ihn aus der Station hinausgeworfen, seinen hinteren Teil zermalmt und selbst schwer gelitten. Die große Schnellzugsmaschine von Maffei in München war hin und entzwei. Preis siebzigtausend Mark. Und in den vorderen Wagen, die beinahe auf der Seite lagen, waren zum Teil die Bänke ineinandergeschoben. Nein, Menschenverluste waren, gottlob, wohl nicht zu beklagen. Man sprach von einer alten Frau, die »herausgezogen« worden sei, aber niemand hatte sie gesehen. Jedenfalls waren die Leute durcheinandergeworfen worden, Kinder hatten unter Gepäck vergraben gelegen, und das Entsetzen war groß. Der Gepäckwagen war zertrümmert. Wie war das mit dem Gepäckwagen? Er war zertrümmert.

Da stand ich ...

Ein Beamter läuft ohne Mütze den Zug entlang, es ist der Stationschef, und wild und weinerlich erteilt er Befehle an die Passagiere, um sie in Zucht zu halten und von den Geleisen in die Wagen zu schicken. Aber niemand achtet sein, da er ohne Mütze und Haltung ist. Beklagenswerter Mann! Ihn traf wohl die Verantwortung. Vielleicht war seine Laufbahn zu Ende, sein Leben zerstört. Es wäre nicht taktvoll gewesen, ihn nach dem großen Gepäck zu fragen.

Ein anderer Beamter kommt daher, – er *hinkt* daher, und ich erkenne ihn an seinem Wachtmeisterschnauzbart. Es ist der Schaffner, der unwirsch wachsame Schaffner von heute abend, der Staat, unser Vater. Er hinkt gebückt, die eine Hand auf sein Knie gestützt, und kümmert sich um nichts als um dieses sein Knie. »Ach, ach!« sagt er. »Ach!« – »Nun, nun, was ist denn?« – »Ach, mein Herr, ich steckte ja dazwischen, es ging mir ja gegen die Brust, ich bin ja über das Dach entkommen, ach, ach!« – Dieses »über das Dach entkommen« schmeckte nach Zeitungsbericht, der Mann brauchte bestimmt in der Regel nicht das Wort »entkommen«, er hatte nicht sowohl sein Unglück, als vielmehr einen Zeitungsbericht über sein Unglück erlebt, aber was half mir das? Er war nicht in dem Zustande, mir Auskunft über mein Manuskript zu geben. Und ich fragte einen jungen Menschen, der frisch, wichtig und angeregt von der Trümmerwüste kam, nach dem großen Gepäck.

»Ja, mein Herr, das weiß niemand nicht, wie es da ausschaut!« Und sein Ton bedeutete mir, daß ich froh sein solle, mit heilen Gliedern davongekommen zu sein. »Da liegt alles durcheinander. Damenschuhe ...«, sagte er mit einer wilden Vernichtungsgebärde und zog die Nase kraus. »Die Räumungsarbeiten müssen es zeigen. Damenschuhe ...«

Da stand ich. Ganz für mich allein stand ich in der Nacht zwischen den Schienensträngen und prüfte mein Herz. Räumungsarbeiten. Es sollten Räumungsarbeiten mit meinem Manuskript vorgenommen werden. Zerstört also, zerfetzt, zerquetscht wahrscheinlich. Mein Bienenstock, mein Kunstgespinst, mein kluger Fuchsbau, mein Stolz und Mühsal, das Beste von mir. Was würde ich tun, wenn es sich so verhielt? Ich hatte keine Abschrift von dem, was schon dastand, schon fertig gefügt und geschmiedet war, schon lebte und klang, – zu schweigen von meinen Notizen und Studien, meinem ganzen in Jahren zusammengetragenen, erworbenen, erhorchten, erschlichenen, erlittenen Hamsterschatz von Material. Was würde ich also tun? Ich prüfte mich genau, und ich erkannte, daß ich von vorn beginnen würde. Ja, mit tierischer Geduld, mit der Zähigkeit eines tiefstehenden Lebewesens, dem man das wunderliche und komplizierte Werk seines kleinen Scharfsinnes und Fleißes zerstört hat, würde ich nach einem Augenblick der Verwirrung und Ratlosigkeit das Ganze wieder von vorn beginnen, und vielleicht würde es diesmal ein wenig leichter gehen ...

Aber unterdessen war Feuerwehr eingetroffen, mit Fackeln, die rotes Licht über die Trümmerwüste warfen, und als ich nach vorn ging, um nach dem Gepäckwagen zu sehen, da zeigte es sich, daß er fast heil war und daß den Koffern nichts fehlte. Die Dinge und Waren, die dort verstreut lagen, stammten aus dem Güterzuge, eine unzählige Menge Spagatknäuel zumal, ein Meer von Spagatknäueln, das weithin den Boden bedeckte.

Da ward mir leicht, und ich mischte mich unter die Leute, die standen und schwatzten und sich anfreundeten gelegentlich ihres Mißgeschickes und aufschnitten und sich wichtig machten. Soviel schien sicher, daß der Zugführer sich brav benommen und großem Unglück vorgebeugt hatte, indem er im letzten Augenblick die Notbremse gezogen. Sonst, sagte man, hätte es unweigerlich eine allgemeine Harmonika gegeben, und der Zug wäre wohl auch die ziemlich hohe Böschung zur Linken hinabgestürzt. Preiswürd'ger Zugführer! Er war nicht sichtbar, niemand hatte ihn gesehen. Aber sein Ruhm verbreitete sich den ganzen Zug entlang, und wir alle lobten ihn in seiner Abwesenheit. »Der Mann«, sagte ein Herr und wies mit der ausgestreckten Hand irgendwohin in die Nacht, »der Mann hat uns alle gerettet.« Und jeder nickte dazu.

Aber unser Zug stand auf einem Geleise, das ihm nicht zukam, und darum galt es, ihn nach hinten zu sichern, damit ihm kein anderer in den Rücken fahre. So stellten sich Feuerwehrleute mit Pechfackeln am letzten Wagen auf, und auch der angeregte junge Mann, der mich so sehr mit seinen Damenstiefeln geängstigt, hatte eine Fackel ergriffen und schwenkte sie signalisierend, obgleich in aller Weite kein Zug zu sehen war.

Und mehr und mehr kam etwas wie Ordnung in die Sache, und der Staat, unser Vater, gewann wieder Haltung und Ansehen. Man hatte telegraphiert und alle Schritte getan, ein Hilfszug aus Regensburg dampfte behutsam in die Station, und große Gasleuchtapparate mit Reflektoren wurden an der Trümmerstätte aufgestellt. Wir Passagiere wurden nun ausquartiert und angewiesen, im Stationshäuschen unserer Weiterbeförderung zu harren. Beladen mit unserem Handgepäck und zum Teil mit verbundenen Köpfen zogen wir durch ein Spalier von neugierigen Eingeborenen in das Warteräumchen ein, wo wir uns, wie es gehen wollte, zusammenpferchten. Und abermals nach einer Stunde war alles aufs Geratewohl in einem Extrazuge verstaut.

Ich hatte einen Fahrschein erster Klasse (weil man mir die Reise bezahlte), aber das half mir gar nichts, denn jedermann gab der ersten Klasse den Vorzug, und diese Abteile waren noch voller als die anderen. Jedoch, wie ich eben mein Plätzchen gefunden, wen gewahre ich mir schräg gegenüber, in eine Ecke gedrängt? Den Herrn mit den Gamaschen und den Reiterausdrücken, meinen Helden. Er hat sein Hündchen nicht bei sich, man hat es ihm genommen, es sitzt, allen Herrenrechten zuwider, in einem finsteren Verlies gleich hinter der Lokomotive und heult. Der Herr hat auch einen gelben Fahrschein, der ihm nichts nützt, und er murrt, er macht einen Versuch, sich aufzulehnen gegen den Kommunismus, gegen den großen Ausgleich vor der Majestät des Unglücks. Aber ein Mann antwortet ihm mit biederer Stimme: »San S' froh, daß Sie sitzen!« Und sauer lächelnd ergibt sich der Herr in die tolle Lage.

Wer kommt herein, gestützt auf zwei Feuerwehrmänner? Eine kleine Alte, ein Mütterchen in zerschlissener Mantille, dasselbe, das in München um ein Haar in die zweite Klasse gestiegen wäre. »Ist dies die erste Klasse?« fragt sie immer wieder. »Ist dies auch wirklich die erste Klasse?« Und als man es ihr versichert und ihr Platz macht, sinkt sie mit einem »Gottlob!« auf das Plüschkissen nieder, als ob sie erst jetzt gerettet sei.

In Hof war es fünf Uhr und hell. Dort gab es Frühstück, und dort nahm ein Schnellzug mich auf, der mich und das Meine mit dreistündiger Verspätung nach Dresden brachte.

Ja, das war das Eisenbahnunglück, das ich erlebte. Einmal mußte es ja wohl sein. Und obgleich die Logiker Einwände machen, glaube ich nun doch gute Chancen zu haben, daß mir sobald nicht wieder dergleichen begegnet.

HEINRICH MANN

Jungfrauen

Die letzten Gäste kamen fröstelnd herein. Sie schalten über
die erfrorenen Blüten, den Sturmhimmel, die Schwärze des
Sees. Auf dem Monte Baldo hatte es geschneit! Italien erfüllte
alle mit Bitterkeit.

»Ich dachte überhaupt, hier sei immer blauer Himmel!«

»Seien Sie nur zufrieden! Wir haben wenigstens einen anständigen deutschen Ofen. Tiefer im Land hört einfach alle
Kultur auf, und man kriegt Frostbeulen.«

Der alte Bucklige entschuldigte alles, im Namen der Schönheit.
Die drei aus verschiedenen Himmelsrichtungen zusammengereisten Töchter redeten schon wieder, über ihre eingeschrumpf-
te Mutter hinweg, sehr laut von Konzerten, die sie gegeben,
von Bildern, die sie ausgestellt hatten. Die Mama der beiden
kleinen Mädchen sprach nur von ihnen. Die Frau Geheimrat
rühmte das Nachtleben von Berlin. »Mein Mann kennt alles«,
wiederholte sie und bedachte nicht, in welche Verlegenheit
man sie setzen konnte mit der einfachen Frage, was er denn
kenne. Der alte Bucklige stellte nur fest, daß auch in Wien
nachts manches los sei.

»Das ist nicht wahr!« rief die Geheimrätin. Und obwohl der
Bucklige vor Empörung beinahe flehte: »Wie können Sie mir
das sagen!« behauptete sie nochmals: »Das ist nicht wahr!«

Der Redakteur aus Augsburg erklärte die Säule mit dem
Markuslöwen am Strande für ein recht anmutiges Werkchen;
und Claire und Ada beobachteten, wie er bei dem Wort
»Werkchen« die Zähne fletschte.

Alles machte ihnen Erstaunen: die schlechte Erziehung der Frau Geheimrat und das übrige. Sie waren fünfzehn und sechzehn Jahre, noch nie vorher von ihrem Landgut heruntergekommen und hielten der unbekannten Welt ihre hellen Augen groß als Spiegel hin. Niemand sah sehr lange hinein; man schien den Spiegel unzart zu finden und wenig vorteilhaft. Und wenn ihnen ein Blick auswich, lächelten sie einander zu, ohne recht zu wissen, warum.

Am meisten wunderte sie, daß die Mutter sie den Leuten rühmte, und zwar wegen der natürlichsten Dinge, die daheim noch nie erwähnt worden waren. Daß sie sich gegenseitig eine Strafarbeit abnahmen oder einander einen Spaziergang abtraten: das unterhielt nun die ganze Gesellschaft, und es war genauso, als hätte man ausführlich darüber verhandelt, daß sie Ada und Claire hießen. Die beiden Namen ließen sich nur zusammen aussprechen; einer ohne den anderen hätte einen ganz leeren Klang gegeben. Und so hatten sie selbst nie einen Schritt getan und kein Gefühl gehegt, es sei denn gemeinsam. Jede setzte die andere für sich; und als neulich die Erzieherin, die von ihnen ging, zu Claire gesagt hatte: »Wirst du mich nicht vergessen?«, da hatte Claire geantwortet: »Nein, gewiß nicht, Fräulein. Ada wird Sie doch nicht vergessen!« Weil die Schwester so gut war, fühlte die Schwester sich vertrauenswürdig und voll Güte. Und ein Mensch, den die größere, blühende Ada liebhatte, durfte glauben, ihn liebe auch die blasse kleine Claire.

Da ging mit einem Ruck die Tür auf, und plötzlich stand mitten im Zimmer ein neuer Herr, als sei eine ganze Garbe von Sonnenstrahlen hereingefallen. Er stand mannhaft aufgereckt. In seinem bis an den Hals zugeknöpften wollenen Schoßrock war seine Brust breit, und seine Hüften waren schmal. Er führte ein sieghaftes Lächeln über die Köpfe der Gäste hin. Sein großer goldblonder Bart mit den weißen Zähnen darin lächelte geradeso wie seine blitzenden Augen. Auf einmal streckte er eine große schöne, goldig behaarte Hand aus

und eilte auf den alten Buckligen zu. »Mein lieber Herr
Hermes!«

Der Große umarmte den Kleinen und verkündete mit prächtiger, metallischer Stimme, wo sie sich früher schon getroffen
hätten. Herr Hermes stellte vor: »Herr Schumann«; und der
Ankömmling sah allen nacheinander fest in die Augen. Bei
der Geheimrätin sagte er: »Sehr angenehm«, und es dauerte
etwas länger. Mit den beiden kleinen Mädchen ward er am
raschesten fertig.

Kaum saß er nun mit am Tisch, gab er in allem den Ausschlag.
Die drei zusammengereisten Schwestern sprachen weniger
und leiser und sahen ihn dabei fast zaghaft an. Er vermittelte
auch zwischen dem Nachtleben von Berlin und dem von Wien;
während er Herrn Hermes vollkommen zu trösten wußte,
gab er doch dem von Berlin den Preis und verbeugte sich dabei vor der Geheimrätin, die schmachtend dankte. Unvermittelt rief der alte Bucklige, stolz auf seinen großen Freund:
»Und Ihre Stimme! Er kann auch singen!«

Sofort wollten alle ihn hören; und er ließ sich nicht bitten.
Die Musikkünstlerin unter den Zusammengereisten setzte sich
ans Klavier. Herr Schumann trat aufgereckt neben sie und
sang. Doch brach er sogleich ab und verlangte, die Tür nach
dem Strande zu öffnen. Es blies kalt herein, aber man nahm
es hin; denn schon wußte man, was er vermochte. Sein Gesang durchtobte die Stille, wie ein rechter Held auf einem
Schlachtfeld, wo schon alle tot sind. Als er geendet hatte,
äußerte jeder ein Wort der Anerkennung; nur Claire und Ada
hingen stumm mit großen Augen an seinem nun geschlossenen
Munde. Die Geheimrätin sagte: »Das muß wahr sein, Ihre
Stimme ist erstklassig.«

Und dankbar, mit einem Anflug von Untertänigkeit, zog er
seinen Stuhl neben ihren. Sie flüsterte ihm etwas zu, und darauf nickte er, voll überlegener Freundlichkeit, nach den beiden kleinen Mädchen hinüber. Sie erröteten und sagten sich,
zueinander zurückgekehrt, mit den Augen ihre große Bewun-

derung des neuen Herrn. Während er sang, war es jeder von ihnen gewesen, als höbe es sie auf und wirble sie, atemlos, aus der offenen Tür in die blühende und stürmende Nacht, über den See und wer weiß wohin. Es war sehr merkwürdig: die eine hatte die andere aus dem Sinn verloren und war mit sich selbst allein und mit Herrn Schumanns Stimme. Sie waren froh, einander nun wiederzufinden und zu merken, daß sie beide dasselbe empfunden hatten. Sie faßten unter dem Tischtuch nach ihren Händen.

Aber in der Nacht träumte Claire, sie gehe in der Dunkelheit am See hin, und ihr zur Seite Herr Schumann, der, über sie gebeugt, schallend sang, so daß sie in seine Stimme und seinen Atem ganz eingeschlossen war und heftig bebte. Plötzlich ward es hell, und er zog sich einen Stuhl neben sie, ebenso beflissen und voll Einverständnis, wie er sich neben die Geheimrätin gesetzt hatte. Und Claire warf sich im Schlaf herum, vor Furcht, die Geheimrätin könne dazwischenkommen; oder auch Ada. Eine Wallung von Haß bewegte sie – Haß gegen die Geheimrätin und gegen Ada. Da wachte sie auf und erschrak. Adas Atem ging ruhig durch das dunkle Zimmer. Claire verstand nicht, was geschehen war; sie schluchzte auf. Wie gern wäre sie hingeschlichen und hätte Ada geküßt. Wenn aber Ada die Augen öffnete: was sollte sie ihr sagen? Noch lange saß sie aufgestützt und lauschte hinüber. Nun war ihr etwas geschehen, das Ada nicht geschehen war und das sie Ada nicht sagen konnte.

Am Morgen war sie zum erstenmal mit Überlegung liebevoll gegen Ada. Sie war es so sehr, daß Ada fragte: »Was hast du eigentlich?« Wie sie sich zum Mittagessen anzogen, half sie der Schwester und riet ihr von einer Schleife ab und zu einer anderen, die ihr besser stehe. Ada zögerte aber, blickte Claire forschend an, wie eine Fremde: »Wirklich?« Claire sah erschrocken weg, und Ada errötete tief. Gleich darauf fielen sie einander wortlos in die Arme.

Herr Schumann begrüßte sie mit flüchtigem Wohlwollen, und

dann sah er während der ganzen Mahlzeit nicht mehr herüber; die Geheimrätin beschäftigte ihn vollauf. Claire und Ada liefen nach Tisch hinaus, fühlten sich seltsam erleichtert und plauderten, umschlungen, stundenlang von daheim und ihren eigensten Dingen. Am Abend aber, wie sie harmlos eintraten, kam Herr Schumann auf Ada los und sagte: »Fräulein, Ihre Bluse ist ein Gedicht!«

»Es ist noch dieselbe wie heute mittag«, versetzte sie; und dann erst merkte sie, daß dies ein Vorwurf war, weil er sie mittags nicht angesehen hatte. Sie färbte sich dunkel und sah angstvoll zur Seite. Da stand Claire und machte ein tief unglückliches Gesicht.

»So?« entgegnete Herr Schumann, besann sich noch etwas und ging weiter, ohne mehr gefunden zu haben.

Aber nun sollte er singen. Herr Hermes öffnete eigenhändig die Tür, und die Geheimrätin sagte: »Für die Kunst frieren wir gern.«

»Luft ist das erste«, erklärte Herr Schumann. »Die alten Germanen, unsere Väter, sangen im Walde und auf dem Schlachtfeld.«

Als er mit seinem Liede fertig war, hatte Ada eine schreckliche Minute zu überstehen; denn ein unerbittliches Pflichtgefühl verlangte von ihr, daß sie sage: »Das war wunderschön.« Gern wäre sie weit weg und still in ihrem Bett gewesen; aber sie mußte sprechen; und sie tat es, unter aller Blicken, heiß und kalt. Darauf lächelte ihr Herr Schumann so stark in die Augen, daß sie sie senkte, betäubt und glücklich. Erst als niemand mehr sich mit ihr beschäftigte, fühlte sie neben sich Claires Schweigen, und ihr ward es beklommen.

Sie löschten rasch ihre Kerzen und sprachen vor dem Einschlafen kein Wort mehr.

Als Ada erwachte, war Claire schon fort; Ada konnte sich denken, wohin, und ging ihr nach, den Weg gegen Nago hinauf. Da stand Claire, vor dem Sonnenaufgang über dem See. Die Bergkulissen öffneten sich weit dem Endlosen, und in ein

Blau, das an schöne Morgenträume erinnerte, rannen ein Rot und ein Gold, bei denen man an das Glück dachte.

Ada ging rascher; sie mochte Claire dort nicht stehen sehen. Nicht Claire war von Herrn Schumann angesprochen worden, sondern Ada. Nur Ada hatte ihm gesagt, daß er wunderschön singe, und ihm dadurch gefallen. Claire aber hatte etwas voraus, weil sie vor diesem Himmel stand und ihre Gedanken dachte. Und zuletzt kam Ada ins Laufen, als fürchtete sie, Herr Schumann möchte ihr zuvorkommen und Claire dort stehen sehen.

Sie sagte, noch atemlos: »Findest du das denn so schön? Ich nicht!«

Claires Antwort kam langsam; und das peinigte Ada.

»Du weißt wohl nicht, was du sagst«, meinte Claire; und Ada: »Oh, sehr gut.«

Dann gingen sie schweigend zurück, Ada immer einen halben Schritt voraus. Als aber die Frühstücksveranda vor ihnen lag und man sie sehen konnte, machten sie gleichzeitig dieselbe Bewegung und breiteten einander die Arme um die Hüften. Und sie plauderten auf einmal lebhaft.

»Ein überaus anmutiges Schwesternpaar«, bemerkte, als sie eintraten, der Redakteur aus Augsburg; und die Geheimrätin erklärte: »Sie stehen sich gut.«

Herr Schumann war nicht anwesend. Er kam erst, als die Geheimrätin schon fort war. Auch mittags verließ er den Speisesaal nicht mehr an ihrer Seite, und während sie die vorigen Tage gemeinsam und unermüdlich den Strand entlangspaziert waren, schloß jetzt die Geheimrätin sich den drei zusammengereisten Schwestern an, und Herr Schumann suchte die Gesellschaft des Herrn Hermes. Manchmal gönnte er Claire ein Wort und dann wieder Ada eins. Bald aber zog er sich zurück; auch die Geheimrätin war schon verschwunden.

Dann wanderten Ada und Claire ins Land hinein, in dem feindlichen Drang, miteinander allein zu sein. Ein blendendschöner Tag war dahingegangen, inmitten der Regenwoche;

sie erstiegen die Terrassen, auf denen übereinander die Ölbäume grauten. Die Laubschleier schlugen gelind zusammen über der Tiefe des Tales, und sanft und klar durchströmte sie der Ton einer entfernten Turmuhr.

Claire sagte: »Du bist schrecklich kokett mit Herrn Schumann. Ich weiß nicht, ich möchte so nicht sein.«

Ada erwiderte spitz: »Wirklich nicht?« Und nach einer kleinen, bedeutsamen Pause: »Fräulein sagte einmal, du seiest nicht hübsch.«

Darauf sahen sie beide erschreckt geradeaus. Denn sie hatten gespürt, wie es sie auseinanderriß. Es stellte sich heraus, daß die Leute der einen von der anderen so gesprochen hatten wie von einer Rivalin. Die Schwester, merkte nun die Schwester, sah sie anders, als sie selbst sich sah. Und Erinnerungen wurden aufgedeckt, die jede, ungeahnt, für sich allein hatte und die aus einer der anderen feindlichen Welt stammten.

Vor den Bergen drüben hing ein purpurvioletter Vorhang aus Luft: das war eine traurige Pracht, einschüchternd und drükkend. Ada und Claire wären gern umgekehrt – und stiegen doch immer höher; sie konnten nicht anders. Über einer grauen Mauer bröckelte eine graue Kapelle. Das Bild war von Efeu darin eingeschlossen; und Claire und Ada fühlten ein Grauen im Nacken, weil sie nicht wußten, welch ein Gesicht ihnen, in der großen Stille, aus der Kapelle nachsah.

Endlich stellte sich ihnen ein verlassenes Haus entgegen, vor zwei Felswänden, die im Winkel zusammenstießen. In dem Dreieck des Himmels dazwischen stieg auf einmal ein großer grüner Stern herauf und öffnete sich, wie ein böses Auge. Da machten sie, zusammenfahrend, kehrt. Sie merkten plötzlich, daß der Himmel voll von Sternen war und das Tal grau, mit Scharen von Lichtern an seinen Rändern und mit einzelnen, hinter dem Schwarm zurückgebliebenen, im Lande verlorenen.

Claire sah von einem zum andern und dachte, unbestimmt traurig, daß jedes, jedes für sich allein brenne und erlösche.

Sie sann auch: ›Warum gehe ich gerade hier? Man kann auf tausend Straßen gehen. Alles ist so weit und vergeblich.‹

Ada dachte an ihr gemeinsames Puppentheater daheim und daran, daß die Papierfiguren bald mit Claires Stimme gesprochen hatten und bald mit ihrer eigenen. Herr Schumann aber sollte nur ihr seine Lieder singen. Und darüber, daß sie es nicht anders ertragen konnte, verlor sie sich in ein ängstliches Staunen.

Am nächsten Tag stürmte es wieder, und aus dem Feuerwerk, das drüben beim Fort abgebrannt werden sollte, konnte schwerlich etwas werden. Trotzdem lud Herr Schumann, sobald es dunkel war, die Damen ins Boot ein, zum Hinüberfahren. Die Geheimrätin nahm Claire und Ada an ihre beiden Seiten, reichte jeder einen Arm, und so folgten sie Herrn Schumann. Er arbeitete lange, bis er das Boot losgemacht hatte, denn die Wellen rissen ihm die Kette immer wieder aus der Hand; und als er es endlich unter das Bollwerk des kleinen Hafens herangezogen hatte, machte es Sprünge, und die Geheimrätin konnte den Zeitpunkt des Einsteigens nicht finden.

»Geben Sie mir die Hand!«

Aber Herr Schumann saß und hielt sich selbst fest.

»Es ist doch etwas ängstlich«, meinte sie. Herr Schumann schwor, er habe ganz andere Wellen gebändigt, aber sie entgegnete und lachte geringschätzig: »Da verlasse ich mich doch lieber auf Ihren Kehlkopf.«

Herr Schumann hatte plötzlich das Gleichgewicht, stand aufgereckt im Boot und reichte Ada und Claire seine beiden Hände. »Dann fahre ich also mit meinen jungen Freundinnen. Nur rasch, meine Damen, ehe das Boot wieder abgestoßen wird!«

Sie waren drin, und er hatte noch nicht ausgesprochen. Fast hätten sie sich ins Wasser gestoßen, so eilig hatten sie es. »Verhalten Sie sich ruhig!« rief Herr Schumann mit ganz unbekannter Stimme. »Wir wären beinahe umgeschlagen!« Und gleich darauf, sehr wohltönend: »Haben Sie denn auch Mut, Fräulein Claire? Und Sie, Fräulein Ada?«

»Claire verträgt es nicht; sie soll lieber dableiben«, sagte Ada.

Claire wollte sich empört widersetzen, aber ein starker Stoß warf Herrn Schumann auf die Knie; sein großer Bart strich ihr kühl über das ganze Gesicht; und sie konnte nicht mehr sprechen.

Er entschuldigte sich gar nicht. Er redete, und die Worte liefen ihm davon. »Wir sind schon aus dem Hafen heraus, wir werden vom Lande abgetrieben. Das geht doch nicht!« Und ohne Umschweife, wild bei der Sache: »Helfen Sie mal mit! Ich habe keine Lust zu ertrinken!«

Sie arbeiteten im Dunkeln. Schwarzes Wasser spritzte ihnen ins Gesicht, und Herr Schumann keuchte wütend. Sobald sie sich aber um den Steindamm zurückgewunden hatten, bekam er milde Überlegenheit. »Ich hätte es vor Ihrer Mutter nicht verantworten können. Mit Ihrem Leben dürfen Sie nicht spielen, liebe Freundinnen ... Nun steigen Sie einmal aus. Ich bleibe bis zuletzt im Boot. Das ist meine Pflicht als Kapitän.«

Claire setzte hinter Ada den Fuß auf die Stufe. Sie taumelte; und innerlich hatte sie gar den Boden verloren. Ihr Gesicht, das Herrn Schumanns kühler Bart gestreift hatte, brannte nun. Ihr stilles Herz öffnete alle seine Verstecke. Alle Gesetze fühlte sie umgestoßen, die Welt schwindelnd emporgehoben, im Dunkeln etwas Großes wild aufgeblüht. Sie meinte zu rufen: »Mein Leben, Herr Schumann! Wie gern gäb ich es Ihnen!«

Aber sie hatte nur geflüstert; der Wind trug ihre Worte nach vorn, in Adas Richtung; und Herr Schumann fragte: »Wie? Sie sind wohl noch etwas schwach von der Angst? Das gibt sich; stützen Sie sich auf mich!«

Er machte noch das Boot fest. Ada und Claire gingen voraus. Und plötzlich beugte Ada sich über Claire. »Ich habe ganz gut gehört, was du zu Herrn Schumann gesagt hast«, versetzte sie, zischend. Claire antwortete nicht; aber beide fingen an, ganz rasch zu atmen. Sie wandten die Gesichter weg, in der schrecklichen Gewißheit, daß sie, hätten sie sich erblickt, übereinander hergefallen wären. So gingen sie durch eine lange, ganz finstere Laube.

Drüben bei der ersten Laterne wartete die Geheimrätin. Wo sie denn Herrn Schumann hätten. Er kam; und sie lachte wieder. »Sie sind blaß... Am See wehte es unanständig: wenn Sie meinen, ich will mich erkälten...«

»Singen Sie lieber«, sagte die Geheimrätin, »das hätten Sie gleich tun können.« Herr Schumann war bereit; er wartete nur, bis man die Tür öffnete. Die Geheimrätin tat es nicht mehr selbst; sie erklärte es heute sogar für albern. Aber Herr Hermes bediente seinen großen Freund. »Er braucht Luft.«

Ada und Claire saßen zwischen dem Ofen, der geheizt war, und der offenen Tür. Jede hatte Lust, sich ihren Mantel zu holen, aber keine mochte die andere allein lassen in dem Zimmer, worin Herrn Schumanns Stimme stieg und fiel. Die drei zusammengereisten Schwestern redeten auf sie ein. Sie sähen schlecht aus. Sie müßten sich auf dem See überanstrengt haben; und nun säßen sie in der Zugluft. Wenn ihre Mama zugegen wäre, würde sie es ihnen verbieten. Sie sollten zu Bett gehen. Aber sie saßen da, bis Herr Schumann gegangen war, und bevor sie nicht in ihrem Schlafzimmer waren, wichen sie, wortlos, nicht voneinander.

Am Morgen hatten sie Halsschmerzen und schwere Köpfe. Gegen Abend ging das Fieber an. Es stieg heftig, und in der Nacht redeten sie und warfen sich umher. Claire sah Ada mit Herrn Schumann auf den See hinausfahren. Sie selbst stand machtlos am Ufer und schrie gegen den Sturm: »Du hast mich immer betrogen! Du sollst nicht hübscher sein als ich!« Der Drang, ihrer Feindin nach, krampfte sie zusammen, erstickte sie. Aber da, auf einmal, war sie befreit und konnte laufen, über das Wasser laufen, die andere töten, sie töten!

– In diesem Augenblick hörte sie Ada schreien. Ada schrie und schlug gegen die Wand; sie röchelte.

Claire fuhr empor, starrte und wußte nicht: was hatte sie getan? Hatte sie etwas getan? Sie hatte Ada getötet! Sie wand sich, das Gesicht im Kissen. Von fern, in allem Sausen, hörte sie Ada: »Ich will nicht sterben! Du sollst sterben!«

... Als Claire zu sich kam, war Adas Bett leer. Claire begriff: ›Ada ist tot!‹ Und langsam fand sie sich zurück: ›Ich habe es gewünscht!‹ Aber wie das hatte geschehen können und durch welche zerrissenen Wege sie zu dem argen Wunsch gelangt war: das hatte sie für immer verloren. Herr Schumann lag, merkwürdig verblaßt, dahinten, als sei er einmal vorzeiten ein wunderschönes Spielzeug gewesen, um das sie sich mit Ada gestritten und das sie im Streit zerrissen hatten. Das war gleichgültig; denn viel Wichtigeres war nun verdorben, da Ada tot war. Und jedesmal, wenn Claire dessen gedachte, würde sie hinzudenken müssen, daß sie es gewünscht habe. Adas Tod und Claires Wunsch waren so gut Brüder, wie Claire und Ada Schwestern gewesen waren. Und blieben es ewig. Claire lag und staunte, daß sich so viel tragen lasse; daß sie weiterlebe, nur müde sei und am liebsten nichts gewußt hätte.

Dann ward sie aus dem Bett gehoben, eingehüllt und, ohne daß sie gesprochen hätte, in die Veranda geführt. Wie sie, die Sonne auf ihren blassen Händen, im Sessel lehnte, stürzte Ada herein, die Augen wirr und ratlos, und machte, unter verhaltenem Weinen, tonlose Bewegungen mit den Lippen. In ihren Händen, die sie, vor Claire hingeworfen, um Claires Hände wand, fühlte die Schwester die Angst der Schwester, ihr könne nicht verziehen werden. Da ließen sie ihre Tränen ausbrechen und küßten einander.

Nun waren alle mit Italien zufrieden; es war blau und gelind, es sang, fächelte und plätscherte mit seinem See, seiner Luft und seinen Menschen. Die drei zusammengereisten Schwestern malten alles mit Herablassung ab, sich bewußt, daß der Süden doch nur billige Wirkungen biete. Der Redakteur aus Augsburg genoß alles mit Kennerschaft. Herr Hermes ruderte auf dem glatten Wasser, und sein Buckel durchsägte den Morgendunst.

Hinter dem Haus, im großen Gemüsegarten, hing Claires Hängematte zwischen zwei blühenden Apfelbäumen. Ada saß vor ihr im Gras, schaukelte sie und las manchmal einige Sätze aus Andersens Märchen. Aber sie hörte immer wieder auf und sah in die Luft, die von Schwalben durchstrichen war. Eine Magd kam vorbei und riet den Fräulein, in den Schatten zu gehen; es werde heiß. Ada und Claire fanden es so mild und so leicht zu leben, als lösten sie sich auf in den Frühling. So mild, als wären sie vorher durch Feuer gegangen.

Auf einmal hörten sie drüben beim Gartenhaus Herrn Schumanns Stimme. Sie konnten, ohne sich zu rühren, durch die Johannisbeerhecken spähen und die Geheimrätin erkennen, die sich in Herrn Schumanns Armen umherwand. Ihr Hund mißverstand sie und fuhr Herrn Schumann an die Beine, der im Schreck wegsprang. Die Geheimrätin rief: »Kusch!«, und Herr Schumann faßte wieder Vertrauen. Ada hatte das Gesicht in Claires Kleid gedrückt und hielt verzweifelt den Atem an. Es war die höchste Zeit, daß Herr Schumann und die Geheimrätin in das Gartenhaus verschwanden, denn Claire und Ada konnten das Lachen keine Sekunde mehr halten. Sie umarmten sich und lachten fassungslos. Davon wurden sie müde, vergaßen das Paar im Gartenhaus und kehrten zurück zu den Märchen.

Erst bei Tisch erinnerten sie sich wieder. Was dieser Herr Schumann für Pickel im Gesicht hatte! Die Geheimrätin machte heute eine matte Piepstimme: zu komisch. Herr Schumann sah immer alle der Reihe nach an, als sei er die Sonne selbst und frage: ›Na, seid ihr nun glücklich, weil ich euch bescheine? Ada und Claire stießen sich an; jetzt kamen sie dran. Und richtig, er trank ihnen zu, seinen kleinen Freundinnen.

Sie platzten aus, es ging nicht anders; doch blieb er sonnig und unberührt. Die Geheimrätin fragte, unruhig: »Was haben sie nur?«

Aber Claire und Ada hatten sich gefaßt und hielten der unbekannten Welt ihre hellen Augen groß als Spiegel hin. Niemand sah sehr lange hinein; man schien den Spiegel unzart zu finden und wenig vorteilhaft. Und wenn ihnen ein Blick auswich, lächelten sie einander zu, ohne recht zu wissen, warum.

HEIMITO VON DODERER

Sie verkauft sich

Eines Tages – nachdem er seit längerem immer spärlicher sich
um sie bekümmert hatte – erklärte sie, nicht ohne einen gewissen feierlichen moralischen Aufschwung, daß fürderhin nur
ein Weg für ihn sei zu ihrem Besitze, nämlich der Weg über
den Traualtar. Sie ertrage diese ›Liebe von Fall zu Fall‹ nicht
mehr. Entweder getrennt, oder wirklich und gänzlich vereint! Ein Mittelding gäbe es nicht, und so gehe es nicht weiter.
Damit entzog sie sich ihm, das heißt, sie warf ihn hinaus. Er
ging, worüber sie bitter weinte. Aber es blieb dabei, und ein
halbes Jahr verfloß, ohne daß er sie wiedergesehen hätte. Er
sehnte sich mitunter sehr nach ihr. Aber ihr plötzliches und
pathetisches Heldentum der Legitimität stieß ihn zugleich
ab, wenn er an sie dachte. –
Eines Tages stand sie in seinem Zimmer. Sah aus, mit ihrem
steinernen Gesichtsausdruck und der in jeder Hinsicht be-
trächtlichen hohen Gestalt, wie eine tragische Heldin aus einem Drama des Euripides.
Sie sei im Begriffe, ein furchtbares Opfer zu bringen.
Ihrem Bruder.
Der habe Schulden, die seine Existenz und Ehre in Frage
stellten, und müsse bis morgen durch tausend Mark gerettet
werden.
Ob er Rat wüßte.
Und sie sei zu jeder Gegenleistung bereit.
Er hatte, märchenhafter Weise, zwei Tausender im Kasten,
und in bezug auf diese den unerschütterlichen Entschluß im

Busen, daß er sie zu allem anderen eher verwenden wollte, als um seine eigenen Schulden zu bezahlen. Wohl aber in einem solchen Falle die eines anderen.

Er sperrte auf, und nahm den einen Tausendmarkschein heraus. Das hatte sie nun nicht erwartet. Sie hatte sich vorgestellt, er würde ihr das Geld irgendwie beschaffen helfen. Seine Augen funkelten.

Jedoch, für den Menschen gibt es kaum eine höhere Lust, als die am eigenen Wert. Er überreichte ihr also die Note mit der tadelnden Bemerkung, was sie denn wohl eigentlich von ihm glaube, und für ihn sei die Angelegenheit erledigt.

»Dann nehme ich das Geld nicht«, sagte sie.

Sie möge es ruhig hinnehmen, meinte er, denn er gebe es ihr auf jeden Fall, das sei die Erfüllung einer selbstverständlichen Freundespflicht von seiner Seite; und was sie nachher und im übrigen täte, das täte sie freiwillig und das sei ihre Sache. Dabei möge sie sich beruhigen. –

Beide ab durch die Mitte.

*

Gespräch nach Verlauf von zwei Stunden:

»Wenn ich zum Beispiel das Geld nicht gehabt hätte – oder wenn es mir nicht gelungen wäre, es dir zu beschaffen, dann –?«

»Dann hätte ich dieses furchtbare Opfer umsonst gebracht!«

»Warum ›furchtbares Opfer‹? Du bist doch ganz freiwillig hier und machst mich glücklich! Du hättest doch gehen können.«

»Nein. Es war meine Ehrenpflicht, zu bleiben.«

»An dieser Auffassung bin ich ganz unschuldig. Ich habe dich zu nichts gezwungen.«

»Schon hierher zu gehen und dich zu bitten, kostete mich ungeheure Überwindung. Aber jetzt bin ich ruhiger. Ich habe sozusagen auch das meinige geleistet. Es mußte sein. Ich mußte dieses Opfer für meinen Bruder bringen.«

»Willst du mich neuerlich beleidigen? Habe ich dir nicht klar gemacht, daß diese schönen Stunden hier mit dem Gelde überhaupt nichts zu tun haben?«

»Doch, sie haben damit zu tun. Aber es mußte sein. Mein Gewissen ist ruhig. Ich war mein Leben lang altruistisch. Und meinen Bruder verzweifeln lassen? Nein, das wäre meine Art nicht.«

»Erlaube mal«, sagte er, schon ungeduldig, »wir wollen doch bei der Sache bleiben! Dein Besuch und die Art deiner Anwesenheit im gegenwärtigen Augenblick, sind doch gar nicht anders zu werten, als wenn du einfach, einer dich anwandelnden Sehnsucht nachgebend, zu mir gekommen wärest mit den Worten: ›noch immer hab' ich dich lieb, laß uns glücklich und unbekümmert sein und für Stunden alles vergessen. Ich konnte es nicht mehr ertragen, ich sehnte mich so sehr nach dir – hier bin ich.‹ – Das ist für mich die einzig richtige Auffassung für unser jetziges Beisammensein. Du hattest Verlangen nach mir, und deshalb bist du da – einfach deinem Gefühle folgend. Nicht deiner Vernunft. Denn dein Opfer war ja ganz überflüssig. Ich erfüllte ja deinen Wunsch auch ohnedem. Du hättest dich ja ruhig wegbegeben können –«

»Nein!« schrie sie, plötzlich wütend, und sprang auf die Beine, »das ist unwahr! Woher nimmst du die Vermessenheit, mir egoistische Motive bei einer Handlung zuzumuten, die ich nur aus Selbstlosigkeit auszuführen fähig war! Das ist so die Art von euch Männern! Nach eurem gemeinen Maße meßt ihr das Herz einer Frau! Pfui –!«

Kurz: Donner und Blitz, und plötzlich flog ihm der Tausendmarkschein in's Gesicht (»da hast du dein Schandgeld!«), sie brauste davon, und war in gar keiner Weise zurückzuhalten gewesen.

*

Er aber wurde besorgt; wegen des Bruders nämlich. Nun ja, wenn er die Tausend schon hatte – warum sollten dem jungen Manne, den er als einen sympathischen und jedenfalls anständigen Menschen kannte, üble Folgen erwachsen? Zudem war er mit diesem Bruder einst im gleichen Regiment gestanden: also Kameradschaftspflicht. Unverständlich war nur, wie dieser Mensch zu Schulden kommen konnte. Es paßte in keiner Weise zu ihm, zu jenem Bilde der Korrektheit und des Spießertums, das da im Gedächtnis geblieben war. Übrigens, wie war das anzustellen, daß man dem Jüngling die tausend Mark in die Hand spielte, ohne zu verraten, daß seine Schwester geplaudert hatte? Nun, wenn den Kerl der Schuh wirklich drückte, würde er, auf ein paar Fragen nach seinem werten Befinden hin, schon damit irgendwie herausrücken. Wollen ihn also einmal ganz zwanglos und leichthin besuchen!

Er geht also zu dem Bruder in dessen Geschäft. Man kann hier alles kaufen was zur Ausrüstung gewisser Nebenräumlichkeiten gehört, wie Badezimmer und so weiter. Unser Mann entdeckt bei dieser Gelegenheit einen Bedarf, und da er sich soweit kaufkräftig fühlt, beschließt er, ihn zu befriedigen: er will eine gerippte Einlage aus Gummi kaufen, um sie auf den Boden seiner Badewanne zu legen, in der man beim Stehen leicht ausgleitet; erst gestern hat er einen bösen Sturz nur knapp vermieden. Der gefundene Vorwand gibt ihm mehr Sicherheit bei seiner Absicht, den Bruder ein wenig auszuforschen. Während er jetzt, wartend, lange Reihen rundlicher Henkelgefäße betrachtet, die hier in allen Formen, Farben und Ausführungen zu haben sind, kommt der Angestellte zurück, der seinem Chef den Besuch gemeldet hat, und bittet ihn, in das Büro einzutreten.

Es ist ein Büro wie eben andere auch. Rückwärts, in einem zweiten Zimmer, klappert eine Schreibmaschine. Sie begrüßen einander und fragen, beide fast gleichzeitig, »wie geht es dir immer?« Alex (so heißt der Bruder) macht einen etwas käsigen Eindruck, aber so hat er immer ausgesehen, und im übrigen scheint er ganz zufrieden und vergnügt. (Jedoch, das heutige Leben ist eine Schule der Verstellung, und man darf sich nichts weismachen lassen!) – Nun kommt die Angelegenheit mit der

Badewanne. Ja, diesen Artikel führe man. Ein Druck auf den Knopf, und der erscheinende Diener erhält den Auftrag, aus dem Magazin einige Muster herbeizubringen.

Dann hat man Gelegenheit, die Fühler auszustrecken. Ja, die Schwierigkeit der wirtschaftlichen Lage! Ja, der Geldmangel, auf allen Seiten, die geringe Kaufkraft. Nein, Kapital aufzutreiben, sei fast unmöglich.

»Du mußt doch wohl auch deinen Kredit stark angespannt haben, damals vor sechs Jahren, als du dieses Geschäft begannst!? Wie? Ich denke, das muß schwer sein, dann wieder in's Gleichgewicht zu kommen. Umso schwerer, als die krisenhafte Verschärfung der Gesamtlage 1929 ja jüngeren Datums war und sozusagen noch obendrein kam?«

»Ja, das stimmt. Ich habe mich böse gerackert. Aber ich denke, seit einem Jahr etwa haben wir's hier geschafft und sind übern Berg. Ich kann sagen – im Vergleich zu anderen Betrieben – hier geht's verhältnismäßig noch gut.«

»Du hast also nicht direkten, dringenden Geldbedarf, wie man das jetzt häufig sehen kann – die Leute kämpfen oft darum, nur ihre Angestellten pünktlich bezahlen zu können.«

»Nein, gottlob, so scharf um die Ecke geht es bei uns hier nicht mehr.« –

Schön. Aber das heutige Leben ist eben eine Schule der Verstellung, und sie wird schon gewußt haben, warum sie so dringlich kam, mit ihrem ›Opfer‹. – Inzwischen erscheint der Mann mit den Mustern. Das Betrachten der einzelnen Ausführungen gibt Zeit zur Überlegung. Man kauft, läßt einpakken und die Adresse notieren und man bezahlt gleich bar. Aber man hat noch immer nicht die gute Idee, die richtige, die man haben müßte, um hinter diese ganze Sache zu kommen.

Aber plötzlich ist sie da, diese Idee, geboren aus dem unbedingten Willen, sich Gewißheit zu verschaffen, ganze und volle Gewißheit.

»Da du mich gut kennst, mein Junge«, sagte er, als sie wieder allein sind, »könntest du mir einen großen Dienst erweisen. Ich brauche für vier Wochen tausend Mark, zu angemessener Verzinsung. Kannst du mir das verschaffen?«

Nachdem die in solchen Fällen gewöhnliche Entgleisung der Gesichtszüge bei Alex wieder geglättet war, und er seine Weichen auf's geschäftliche Geleise umgestellt hatte, sagte er freundlich:

»Das kann ich sogar selbst mit dir abmachen, zufällig kam heute ein größerer Ausstand herein. Du bist so freundlich und gibst mir als Sicherheit ...«

Und so weiter. Sie erledigten dies in aller Form und Alex sperrte die eiserne Kasse auf. Der glatte Tausender fand, als er in die Brieftasche geschoben wurde, bereits einen Standesgenossen vor, der aber stark zerknittert war. Dieser Standesgenosse ragte zu einem großen Teile aus dem Portefeuille heraus, und wurde zweifellos von Alex bemerkt, dessen Miene aber nichts davon verriet.

Sie rauchten noch eine Zigarette zusammen. –

Jedoch, dann konnte der Chauffeur nicht schnell genug fahren: zu ihr, natürlich.

In welche Situationen brachte einen dieses Frauenzimmer! Am meisten ärgerte er sich darüber, daß Alex den zweiten Tausender bemerkt hatte – obwohl doch gerade dies ziemlich belanglos war. Er hatte die Note gestern nach dem Krakeel mit der Schwester nicht wieder eingeschlossen, sondern eben in die Brieftasche geschoben. –

»Was wünschest du von mir?« fragte sie hoheitsvoll, als er eintrat.

»Ich wünschte von dir zu wissen«, antwortete er genau und ohne Umschweife, »wozu du die tausend Mark nötig hattest, um welche du mich gestern ersuchtest.«

»Ich?! Du weißt sehr gut, daß ich sie nicht für *mich* verlangt habe. Und *wozu* ich sie benötigte, das heißt nämlich für wen, das weißt du auch.«

»Du bedurftest des Geldes also nicht für dich. Das wollte ich noch einmal hören. Es hätte mich auch nicht wenig gewundert. Du bist staatliche Beamtin, was allein schon bedeutet, daß deine Verhältnisse gesichert sind. Außerdem bist du, soviel ich weiß, erstens nicht arm und zweitens höchst sparsam.«

»Nun, und?«

»Ich möchte also gern erfahren, wozu du die tausend Mark nötig hattest.«

»Das ist doch empörend! Willst du deinen Spott mit mir treiben? Du weißt doch alles!«

»Ich weiß gar nichts. Aber ich bin gekommen, um dir diesen Tausendmarkschein noch einmal anzubieten« (und er legte den glatten Tausender auf den Tisch).

»Was heißt das? Ich bedarf dieses Geldes nicht. Ich brauche nichts von dir.«

Er entnahm nunmehr seiner Brieftasche den zweiten, zerknitterten Tausender und legte ihn neben den ersten.

»Diesen zweiten verdrückten Tausender hast du mir gestern in's Gesicht geschmissen.«

»Ich weiß das sehr gut. Du verdientest auch nichts anderes.«

»So. Und wie steht es jetzt mit deinem Bruder?«

Sie sah wieder versteint vor sich hin, wie eine tragische Maske aus einem Trauerspiel des Euripides.

»Das weiß Gott allein«, sagte sie pathetisch.

»O nein. Das weiß sogar ich. Es geht ihm sehr gut. Ich habe ihn nämlich vor einer halben Stunde um tausend Mark angepumpt. Hier liegen sie« (und er wies auf den glatten Tausender).

Ihr Kopf sank langsam herab. »Wozu brauchtest du das Geld?« fragte er eindringlich. Und er sah in ihr Gesicht, das sie jetzt wieder aufhob. Es war ganz weich geworden. Die Augen schwammen in Nässe. Jedoch lächelte sie jetzt, stumm und vielsagend. Dann machte sie einen Schritt gegen ihn.

»Wozu?« fragte er noch einmal und trat zurück.

»Aber zu gar nichts«, sagte sie, und in ihren Blick kam ein Ausdruck gänzlicher Ergebung. »Ich wollte nur –«

»Nun? Du wolltest – Was wolltest du?«

»Zu dir«, hauchte sie und hob ihm die Arme entgegen, wie um ihn an sich zu ziehen und in einer Umarmung diese ganze dumme Geschichte zu vergessen, eine dumme Geschichte, die ihren Zweck ja längst erfüllt hatte. Wozu darüber reden? so ungefähr stand das in ihrem Antlitz.

Aber bei ihm kam sie jetzt übel an mit diesen zarten Liebestönen:

»Und dazu brauchtest du einen heroischen Vorwand, um zu mir zu kommen? Das ging wohl nicht so einfach schlichthin und mit der Wahrheit? Du glaubtest den ganzen Unsinn, den du da erfunden hattest, wohl zeitweilig selbst? Du redetest dich hinein? Wie? So bist du. Das sieht dir ähnlich. Das war mir immer ekelhaft an dir. Wie du nur aufbraustest, als ich dir klar machen wollte, daß von einem ›Opfer‹ eigentlich gar keine Rede sein könne! Ich sehe dich noch vor mir! Ja, an ihr ›Opfer‹, ihr heiliges ›Opfer‹, ja, da ließ sie nicht dran rühren! Ich kann dir sagen, ich finde diese ganze Komödie erbärmlich –«

Er ereiferte sich noch des längeren. Sie weinte heftig. Ihr ganzes Gesicht war naß, und das sah nicht sehr hübsch aus, denn im Weinen war der Ausdruck dieses Gesichtes noch um einen Grad beschränkter und eigensinniger als sonst. Allmählich aber weinte sie sich in Wut hinein. Und jetzt brach diese Wut aus:

»Was?!« schrie sie, »*das* ist der Lohn für die glücklichen Stunden, die ich dir geschenkt habe, daß du mich jetzt gemein beschimpfst? Wie? Gestern hast du anders geredet! Pfui Teufel! *Das* ist der Dank? Das ist vielleicht ritterlich?! Das ist dein Dank, daß ich jetzt weinen muß?! O ihr Männer, ihr Schufte! Ob einer, auch nur *einer* von euch je eine Frau verstehen würde...!«

Sie ereiferte sich nun ihrerseits noch des längeren. Er ließ nichts auf sich sitzen. Sie stritten heftig, und die ältesten Vorwürfe wurden auf beiden Seiten ausgegraben. Man kann sich denken, daß es besonders ihr an Stoff nicht fehlte. Zum Schlusse warf sie ihn hinaus.

Und die beiden haben sich dann wirklich nicht wiedergesehen; bis auf weiteres nämlich.

Joseph Roth

Die Legende vom heiligen Trinker

I

An einem Frühlingsabend des Jahres 1934 stieg ein Herr gesetzten Alters die steinernen Stufen hinunter, die von einer der Brücken über die Seine zu deren Ufern führen. Dort pflegen, wie fast aller Welt bekannt ist und was dennoch bei dieser Gelegenheit in das Gedächtnis der Menschen zurückgerufen zu werden verdient, die Obdachlosen von Paris zu schlafen, oder besser gesagt: zu lagern.

Einer dieser Obdachlosen nun kam dem Herrn gesetzten Alters, der übrigens wohlgekleidet war und den Eindruck eines Reisenden machte, der die Sehenswürdigkeiten fremder Städte in Augenschein zu nehmen gesonnen war, von ungefähr entgegen. Dieser Obdachlose sah zwar genauso verwahrlost und erbarmungswürdig aus wie alle die anderen, mit denen er sein Leben teilte, aber er schien dem wohlgekleideten Herrn gesetzten Alters einer besonderen Aufmerksamkeit würdig; warum wissen wir nicht.

Es war, wie gesagt, bereits Abend, und unter den Brücken, an den Ufern des Flusses, dunkelte es stärker als oben, auf dem Kai und auf den Brücken. Der obdachlose und sichtlich verwahrloste Mann schwankte ein wenig. Er schien den älteren wohlangezogenen Herrn nicht zu bemerken. Dieser aber, der gar nicht schwankte, sondern sicher und geradewegs seine Schritte dahinlenkte, hatte schon offenbar von weitem den Schwankenden bemerkt. Der Herr gesetzten Alters vertrat geradezu dem verwahrlosten Mann den Weg. Beide blieben sie einander gegenüber stehen.

»Wohin gehen Sie, Bruder?« – fragte der ältere wohlgekleidete Herr.

Der andere sah ihn einen Augenblick an, dann sagte er: »Ich wüßte nicht, daß ich einen Bruder hätte, und ich weiß nicht, wo mich der Weg hinführt.«

»Ich werde versuchen, Ihnen den Weg zu zeigen« – sagte der Herr. »Aber Sie sollen mir nicht böse sein, wenn ich Sie um einen ungewöhnlichen Gefallen bitte.«

»Ich bin zu jedem Dienst bereit« – antwortete der Verwahrloste.

»Ich sehe zwar, daß Sie manche Fehler haben. Aber Gott schickt Sie mir in den Weg. Gewiß brauchen Sie Geld, nehmen Sie mir diesen Satz nicht übel! Ich habe zuviel. Wollen Sie mir aufrichtig sagen, wieviel Sie brauchen? Wenigstens für den Augenblick?«

Der andere dachte ein paar Sekunden nach, dann sagte er: »Zwanzig Francs.«

»Das ist gewiß zu wenig« – erwiderte der Herr. »Sie brauchen sicherlich zweihundert.«

Der Verwahrloste trat einen Schritt zurück, und es sah aus, als ob er fallen sollte, aber er blieb dennoch aufrecht, wenn auch schwankend. Dann sagte er: »Gewiß sind mir zweihundert Francs lieber als zwanzig, aber ich bin ein Mann von Ehre. Sie scheinen mich zu verkennen. Ich kann das Geld, das Sie mir anbieten, nicht annehmen, und zwar aus folgenden Gründen: erstens, weil ich nicht die Freude habe, Sie zu kennen; zweitens, weil ich nicht weiß, wie und wann ich es Ihnen zurückgeben könnte; drittens, weil Sie auch nicht die Möglichkeit haben, mich zu mahnen. Denn ich habe keine Adresse. Ich wohne fast jeden Tag unter einer anderen Brücke dieses Flusses. Dennoch bin ich, wie ich schon einmal betont habe, ein Mann von Ehre, wenn auch ohne Adresse.«

»Auch ich habe keine Adresse«, antwortete der Herr gesetzten Alters, »auch ich wohne jeden Tag unter einer anderen Brücke, und ich bitte Sie dennoch, die zweihundert Francs –

eine lächerliche Summe übrigens für einen Mann wie Sie – freundlich anzunehmen. Was nun die Rückzahlung betrifft, so muß ich weiter ausholen, um Ihnen erklärlich zu machen, weshalb ich Ihnen etwa keine Bank angeben kann, wo Sie das Geld zurückgeben könnten. Ich bin nämlich ein Christ geworden, weil ich die Geschichte der kleinen heiligen Therese von Lisieux gelesen habe. Und nun verehre ich insbesondere jene kleine Statue der Heiligen, die sich in der Kapelle Ste Marie des Batignolles befindet und die Sie leicht sehen werden. Sobald Sie also die armseligen zweihundert Francs haben und Ihr Gewissen Sie zwingt, diese lächerliche Summe nicht schuldig zu bleiben, gehen Sie, bitte, in die Ste Marie des Batignolles und hinterlegen Sie dort zu Händen des Priesters, der die Messe gerade gelesen hat, dieses Geld. Wenn Sie es überhaupt jemandem schulden, so ist es die kleine heilige Therese. Aber vergessen Sie nicht: in der Ste Marie des Batignolles.«

»Ich sehe« – sagte da der Verwahrloste – »daß Sie mich und meine Ehrenhaftigkeit vollkommen begriffen haben. Ich gebe Ihnen mein Wort, daß ich mein Wort halten werde. Aber ich kann nur sonntags in die Messe gehen.«

»Bitte, sonntags«, sagte der ältere Herr. Er zog zweihundert Francs aus der Brieftasche, gab sie dem Schwankenden und sagte: »Ich danke Ihnen!«

»Es war mir ein Vergnügen« – antwortete dieser und verschwand alsbald in der tiefen Dunkelheit.

Denn es war inzwischen unten finster geworden, indes oben, auf den Brücken und an den Kais, sich die silbernen Laternen entzündeten, um die fröhliche Nacht von Paris zu verkünden.

II

Auch der wohlgekleidete Herr verschwand in der Finsternis. Ihm war in der Tat das Wunder der Bekehrung zuteil geworden. Und er hatte beschlossen, das Leben der Ärmsten zu führen. Und er wohnte deshalb unter der Brücke.

Aber was den anderen betrifft, so war er ein Trinker, geradezu ein Säufer. Er hieß Andreas. Und er lebte von Zufällen,
wie viele Trinker. Lange war es her, daß er zweihundert
Francs besessen hatte. Und vielleicht deshalb, weil es so lange
her war, zog er beim kümmerlichen Schein einer der seltenen
Laternen unter einer der Brücken ein Stückchen Papier hervor
und den Stumpf von einem Bleistift und schrieb sich die Adresse der kleinen heiligen Therese auf und die Summe von zweihundert Francs, die er ihr von dieser Stunde an schuldete. Er
ging eine der Treppen hinauf, die von den Ufern der Seine
zu den Kais hinaufführen. Dort, das wußte er, gab es ein
Restaurant. Und er trat ein, und er aß und trank reichlich
und er gab viel Geld aus, und er nahm noch eine ganze Flasche mit, für die Nacht, die er unter der Brücke zu verbringen
gedachte, wie gewöhnlich. Ja, er klaubte sich sogar noch eine
Zeitung aus einem Papierkorb auf. Aber nicht, um in ihr zu
lesen, sondern um sich mit ihr zuzudecken. Denn Zeitungen
halten warm, das wissen alle Obdachlosen.

III

Am nächsten Morgen stand Andreas früher auf, als er gewohnt war, denn er hatte ungewöhnlich gut geschlafen. Er
erinnerte sich nach langer Überlegung, daß er gestern ein Wunder erlebt hatte, ein Wunder. Und, da er in dieser letzten warmen Nacht, zugedeckt von der Zeitung, besonders gut geschlafen zu haben glaubte, wie seit langem nicht, beschloß er auch,
sich zu waschen, was er seit vielen Monaten, nämlich in der
kälteren Jahreszeit, nicht getan hatte. Bevor er aber seine Kleider ablegte, griff er noch einmal in die innere linke Rocktta-
sche, wo, seiner Erinnerung nach, der greifbare Rest des Wunders sich befinden mußte. Nun suchte er eine besonders abgelegene Stelle an der Böschung der Seine, um sich zumindest
Gesicht und Hals zu waschen. Da es ihm aber schien, daß überall Menschen, armselige Menschen seiner Art eben (verkom-

men, wie er sie auf einmal selbst im stillen nannte), seiner Waschung zusehen könnten, verzichtete er schließlich auf sein Vorhaben und begnügte sich damit, nur die Hände ins Wasser zu tauchen. Hierauf zog er sich den Rock wieder an, griff noch einmal nach dem Schein in der linken inneren Tasche und kam sich vollständig gesäubert und geradezu verwandelt vor.

Er ging in den Tag hinein, in einen seiner Tage, die er seit undenklichen Zeiten zu vertun gewohnt war, entschlossen, sich auch heute in die gewohnte Rue des Quatre Vents zu begeben, wo sich das russisch-armenische Restaurant Tari-Bari befand und wo er das kärgliche Geld, das ihm der tägliche Zufall beschied, in billigen Getränken anlegte.

Allein an dem ersten Zeitungskiosk, an dem er vorbeikam, blieb er stehen, angezogen von den Illustrationen mancher Wochenschriften, aber auch plötzlich von der Neugier erfaßt, zu wissen, welcher Tag heute sei, welches Datum und welchen Namen dieser Tag trage. Er kaufte also eine Zeitung und sah, daß es ein Donnerstag war, und erinnerte sich plötzlich, daß er an einem Donnerstag geboren worden war, und ohne nach dem Datum zu sehen, beschloß er, *diesen* Donnerstag gerade für seinen Geburtstag zu halten. Und da er schon von einer kindlichen Feiertagsfreude ergriffen war, zögerte er auch nicht mehr einen Augenblick, sich guten, ja edlen Vorsätzen hinzugeben und nicht in das Tari-Bari einzutreten, sondern, die Zeitung in der Hand, in eine bessere Taverne, um dort einen Kaffee, allerdings mit Rum arrosiert, zu nehmen und ein Butterbrot zu essen.

Er ging also, selbstbewußt, trotz seiner zerlumpten Kleidung, in ein bürgerliches Bistro, setzte sich an einen Tisch, er, der seit so langer Zeit nur an der Theke zu stehen gewohnt war, das heißt: an ihr zu lehnen. Er setzte sich also. Und da sich seinem Sitz gegenüber ein Spiegel befand, konnte er auch nicht umhin, sein Angesicht zu betrachten, und es war ihm, als machte er jetzt aufs neue mit sich selbst Bekanntschaft. Da erschrak er allerdings. Er wußte auch zugleich, weshalb er sich in den letzten Jahren vor Spiegeln so gefürchtet hatte. Denn es war nicht gut, die eigene Verkommenheit mit eigenen Augen zu sehen. Und solange man es nicht anschaun mußte, war es beinahe so, als hätte man entweder überhaupt kein Angesicht, oder noch das alte, das herstammte aus der Zeit *vor* der Verkommenheit.

Jetzt aber erschrak er, wie gesagt, insbesondere, da er seine Physiognomie mit jenen der wohlanständigen Männer verglich, die in seiner Nachbarschaft saßen. Vor acht Tagen hatte er sich rasieren lassen, schlecht und recht, wie es eben ging, von einem seiner Schicksalsgenossen, die hie und da bereit waren, einen Bruder zu rasieren, gegen ein geringes Entgelt. Jetzt aber galt es, da man beschlossen hatte, ein neues Leben zu beginnen, sich wirklich, sich endgültig rasieren zu lassen. Er beschloß, in einen richtigen Friseurladen zu gehen, bevor er noch etwas bestellte.

Gedacht, getan – und er ging in einen Friseurladen.

Als er in die Taverne zurückkam, war der Platz, den er vorher eingenommen hatte, besetzt, und er konnte sich also nur von ferne im Spiegel sehn. Aber es reichte vollkommen, damit er erkenne, daß er verändert sei, verjüngt und verschönt. Ja, es war, als ginge von seinem Angesicht ein Glanz aus, der die Zerlumptheit der Kleider unbedeutend machte und die sichtlich zerschlissene Hemdbrust – und die rotweiß gestreifte Krawatte, geschlungen um den Kragen mit rissigem Rand.

Also setzte er sich, unser Andreas, und im Bewußtsein seiner Erneuerung bestellte er mit jener sicheren Stimme, die er dereinst besessen hatte und die ihm jetzt wieder, wie eine alte liebe Freundin, zurückgekommen schien, einen »café, arrosé rhum«. Diesen bekam er auch, und, wie er zu bemerken glaubte, mit allem gehörigen Respekt, wie er sonst von Kellnern ehrwürdigen Gästen gegenüber bezeugt wird. Dies schmeichelte unserm Andreas besonders, es erhöhte ihn auch, und es bestätigte ihm seine Annahme, daß er gerade heute Geburtstag habe.

Ein Herr, der allein in der Nähe des Obdachlosen saß, betrachtete ihn längere Zeit, wandte sich um und sagte: »Wollen Sie Geld verdienen? Sie können bei mir arbeiten. Ich übersiedle nämlich morgen. Sie könnten meiner Frau und auch den Möbelpackern helfen. Mir scheint, Sie sind kräftig genug. Sie können doch? Sie wollen doch?«

»Gewiß will ich«, antwortete Andreas.

»Und was verlangen Sie«, fragte der Herr, »für eine Arbeit von zwei Tagen? Morgen und Samstag? Denn ich habe eine ziemlich große Wohnung, müssen Sie wissen, und ich beziehe eine noch größere. Und viele Möbel habe ich auch. Und ich selbst habe in meinem Geschäft zu tun.«

»Bitte, ich bin dabei!« – sagte der Obdachlose.

»Trinken Sie?« – fragte der Herr.

Und er bestellte zwei Pernods, und sie stießen an, der Herr und der Andreas, und sie wurden miteinander auch über den Preis einig: er betrug zweihundert Francs.

»Trinken wir noch einen?« – fragte der Herr, nachdem er den ersten Pernod geleert hatte.

»Aber jetzt werde ich zahlen«, sagte der obdachlose Andreas. »Denn Sie kennen mich nicht: ich bin ein Ehrenmann. Ein ehrlicher Arbeiter. Sehen Sie meine Hände!« – Und er zeigte seine Hände her. – »Es sind schmutzige, schwielige, aber ehrliche Arbeiterhände.«

»Das hab' ich gern!« – sagte der Herr. Er hatte funkelnde Augen, ein rosa Kindergesicht und genau in der Mitte einen schwarzen kleinen Schnurrbart. Es war, im ganzen genommen, ein ziemlich freundlicher Mann, und Andreas gefiel er gut.

Sie tranken also zusammen, und Andreas zahlte die zweite Runde. Und als sich der Herr mit dem Kindergesicht erhob, sah Andreas, daß er sehr dick war. Er zog seine Visitenkarte aus der Brieftasche und schrieb seine Adresse darauf. Und hierauf zog er noch einen Hundertfrancsschein aus der gleichen Brieftasche, überreichte beides dem Andreas und sagte dazu: »Damit Sie auch sicher morgen kommen! Morgen früh um acht! Vergessen Sie nicht! Und den Rest bekommen Sie! Und nach der Arbeit trinken wir wieder einen Apéritif zusammen. Auf Wiedersehn! lieber Freund!« – Damit ging der Herr, der dicke, mit dem Kindergesicht, und den Andreas verwunderte nichts mehr als dies, daß der dicke Mann die Adresse aus der gleichen Tasche gezogen hatte wie das Geld.

Nun, da er Geld besaß und noch Aussicht hatte, mehr zu verdienen, beschloß er, sich ebenfalls eine Brieftasche anzuschaffen. Zu diesem Zweck begab er sich auf die Suche nach einem Lederwaren-Laden. In dem ersten, der auf seinem Wege lag, stand eine junge Verkäuferin. Sie erschien ihm sehr hübsch, wie sie so hinter dem Ladentisch stand, in einem strengen schwarzen Kleid, ein weißes Lätzchen über der Brust, mit Löckchen am Kopf und einem schweren Goldreifen am rechten Handgelenk. Er nahm den Hut vor ihr ab und sagte heiter: »Ich suche eine Brieftasche.« Das Mädchen warf einen flüchtigen Blick auf seine schlechte Kleidung, aber es war nichts Böses in ihrem Blick, sondern sie hatte den Kunden nur einfach abschätzen wollen. Denn es befanden sich in ihrem Laden teure, mittelteure und ganz billige Brieftaschen. Um überflüssige Fragen zu ersparen, stieg sie sofort eine Leiter hinauf und holte eine Schachtel aus der höchsten Etagere. Dort lagerten nämlich die Brieftaschen, die manche Kunden zurückgebracht hatten, um sie gegen andere einzutauschen. Hierbei sah Andreas, daß dieses Mädchen sehr schöne Beine und sehr schlanke Halbschuhe hatte, und er erinnerte sich jener halbvergessenen Zeiten, in denen er selbst solche Waden gestreichelt, solche Füße geküßt hatte; aber der Gesichter erinnerte er sich nicht mehr, der Gesichter der Frauen; mit Ausnahme eines einzigen, nämlich jenes, für das er im Gefängnis gesessen hatte.

Indessen stieg das Mädchen von der Leiter, öffnete die Schachtel, und er wählte eine der Brieftaschen, die zuoberst lagen, ohne sie näher anzusehen. Er zahlte und setzte den Hut wieder auf und lächelte dem Mädchen zu, und das Mädchen lächelte wieder. Zerstreut steckte er die neue Brieftasche ein, aber das Geld ließ er daneben liegen. Ohne Sinn erschien ihm plötzlich die Brieftasche. Hingegen beschäftigte er sich mit der Leiter, mit den Beinen, mit den Füßen des Mädchens. Deshalb ging er in die Richtung des Montmartre, jene Stätten zu suchen, an denen er früher Lust genossen hatte. In einem steilen und engen Gäßchen fand er auch die Taverne mit den Mädchen. Er setzte sich mit mehreren an einen Tisch, bezahlte eine Runde und wählte eines von den Mädchen, und zwar jenes, das ihm am nächsten saß. Hierauf ging er zu ihr. Und obwohl es erst Nachmittag war, schlief er bis in den grauenden Morgen – und weil die Wirte gutmütig waren, ließen sie ihn schlafen.

Am nächsten Morgen, am Freitag also, ging er zu der Arbeit, zu dem dicken Herrn. Dort galt es, der Hausfrau beim Einpacken zu helfen, und obwohl die Möbelpacker bereits ihr Werk verrichteten, blieben für Andreas noch genug schwierige und weniger harte Hilfeleistungen übrig. Doch spürte er im Laufe des Tages die Kraft in seine Muskeln zurückkehren und freute sich der Arbeit. Denn bei der Arbeit war er aufgewachsen, ein Kohlenarbeiter, wie sein Vater, und noch ein wenig ein Bauer, wie sein Großvater. Hätte ihn nur die Frau des Hauses nicht so aufgeregt, die ihm sinnlose Befehle erteilte und ihn mit einem einzigen Atemzug hierhin und dorthin beorderte, so daß er nicht wußte, wo ihm der Kopf stand. Aber sie selbst war aufgeregt, er sah es ein. Es konnte auch ihr nicht leichtfallen, so mir nichts, dir nichts, zu übersiedeln, und vielleicht hatte sie auch Angst vor dem neuen Haus. Sie stand angezogen, im Mantel, mit Hut und Handschuhen, Täschchen und Regenschirm, obwohl sie doch hätte wissen müssen, daß sie noch einen Tag und eine Nacht und auch morgen noch im Hause verbleiben müsse. Von Zeit zu Zeit mußte sie sich die Lippen schminken, Andreas begriff es vortrefflich. Denn sie war eine Dame.

Andreas arbeitete den ganzen Tag. Als er fertig war, sagte die Frau des Hauses zu ihm: »Kommen Sie morgen pünktlich, um sieben Uhr früh.« Sie zog ein Beutelchen aus ihrem Täschchen, Silbermünzen lagen darin. Sie suchte lange, ergriff ein Zehnfrancsstück, ließ es aber wieder ruhen, dann entschloß sie sich, fünf Francs hervorzuziehen. »Hier ein Trinkgeld!« – sagte sie. »Aber« – so fügte sie hinzu – »vertrinken Sie's nicht ganz und seien Sie pünktlich morgen hier!«

Andreas dankte, ging, vertrank das Trinkgeld, aber nicht mehr. Er verschlief diese Nacht in einem kleinen Hotel.

Man weckte ihn um sechs Uhr morgens. Und er ging frisch an seine Arbeit.

IV

So kam er am nächsten Morgen, früher noch als die Möbelpacker. Und wie am vorigen Tage stand die Frau des Hauses schon da, angekleidet, mit Hut und Handschuhen, als hätte sie sich gar nicht schlafen gelegt, und sagte zu ihm freundlich: »Ich sehe also, daß Sie gestern meiner Mahnung gefolgt sind und wirklich nicht alles Geld vertrunken haben.«

Nun machte sich Andreas an die Arbeit. Und er begleitete noch die Frau in das neue Haus, in das sie übersiedelten, und wartete, bis der freundliche, dicke Mann kam, und der bezahlte ihm den versprochenen Lohn.

»Ich lade Sie noch auf einen Trunk ein«, sagte der dicke Herr. »Kommen Sie mit.«

Aber die Frau des Hauses verhinderte es, denn sie trat dazwischen und verstellte geradezu ihrem Mann den Weg und sagte: »Wir müssen gleich essen.« Also ging Andreas allein weg, trank allein und aß allein an diesem Abend und trat noch in zwei Tavernen ein, um an den Theken zu trinken. Er trank viel, aber er betrank sich nicht und gab acht, daß er nicht zuviel Geld ausgäbe, denn er wollte morgen, eingedenk seines Versprechens, in die Kapelle Ste Marie des Batignolles gehen, um wenigstens einen Teil seiner Schuld an die kleine heilige Therese abzustatten. Allerdings trank er gerade so viel, daß er nicht mehr mit einem ganz sicheren Auge und mit dem Instinkt, den nur die Armut verleiht, das allerbilligste Hotel jener Gegend finden konnte.

Also fand er ein etwas teureres Hotel und auch hier zahlte er im voraus, weil er zerschlissene Kleider und kein Gepäck hatte. Aber er machte sich gar nichts daraus und schlief ruhig, ja, bis in den Tag hinein. Er erwachte durch das Dröhnen der Glocken einer nahen Kirche und wußte sofort, was heute für ein wichtiger Tag sei: ein Sonntag; und daß er zur kleinen heiligen Therese müsse, um ihr seine Schuld zurückzuzahlen. Flugs fuhr er nun in die Kleider und begab sich schnellen Schrittes zu dem Platz, wo sich die Kapelle befand. Er kam aber dennoch nicht rechtzeitig zur Zehn-Uhr-Messe an, die Leute strömten ihm gerade aus der Kirche entgegen. Er fragte, wann die nächste Messe beginne, und man sagte ihm, sie fände um zwölf Uhr statt. Er wurde ein wenig ratlos, wie er so vor dem Eingang der Kapelle stand. Er hatte noch eine Stunde Zeit, und diese wollte er keineswegs auf der Straße verbringen. Er sah sich also um, wo er am besten warten könne, und erblickte rechts schräg gegenüber der Kapelle ein Bistro, und dorthin ging er und beschloß, die Stunde, die ihm übrigblieb, abzuwarten.

Mit der Sicherheit eines Menschen, der Geld in seiner Tasche weiß, bestellte er einen Pernod, und er trank ihn auch mit der Sicherheit eines Menschen, der schon viele in seinem Leben getrunken hatte. Er trank noch einen zweiten und einen dritten, und er schüttete immer weniger Wasser in sein Glas nach. Und als gar der vierte kam, wußte er nicht mehr, ob er zwei, fünf oder sechs Gläser getrunken hatte. Auch erinnerte er sich nicht mehr, weshalb er in dieses Café und an diesen Ort geraten sei. Er wußte lediglich noch, daß er hier einer Pflicht, einer Ehrenpflicht, zu gehorchen hatte, und er zahlte, erhob sich, ging, immerhin noch sicheren Schrittes, zur Tür hinaus, erblickte die Kapelle schräg links gegenüber und wußte sofort wiederum, wo, warum und wozu er sich hier befinde. Eben wollte er den ersten Schritt in die Richtung der Kapelle len-

ken, als er plötzlich seinen Namen rufen hörte. »Andreas!« –
rief eine Stimme, eine Frauenstimme. Sie kam aus verschütte-
ten Zeiten. Er hielt inne und wandte den Kopf nach rechts,
woher die Stimme gekommen war. Und er erkannte sofort
das Gesicht, dessentwegen er im Gefängnis gesessen war. Es
war Karoline.
Karoline! Zwar trug sie Hut und Kleider, die er nie an ihr
gekannt hatte, aber es war doch ihr Gesicht, und also zögerte
er nicht, ihr in die Arme zu fallen, die sie im Nu ausgebreitet
hatte. »Welch eine Begegnung«, sagte sie. Und es war wahrhaftig ihre Stimme, die Stimme der Karoline. »Bist du allein?«
– fragte sie.
»Ja«, sagte er, »ich bin allein.«
»Komm, wir wollen uns aussprechen«, sagte sie.
»Aber, aber«, erwiderte er, »ich bin verabredet.«
»Mit einem Frauenzimmer?« – fragte sie.
»Ja« – sagte er furchtsam.
»Mit wem?«
»Mit der kleinen Therese« – antwortete er.
»Sie hat nichts zu bedeuten« – sagte Karoline.
In diesem Augenblick fuhr ein Taxi vorbei, und Karoline hielt
es mit ihrem Regenschirm auf. Und schon sagte sie eine Adres-
se dem Chauffeur, und ehe sich es noch Andreas versehen hat-
te, saß er drinnen im Wagen neben Karoline, und schon roll-
ten sie, schon rasten sie dahin, wie es Andreas schien, durch
teils bekannte, teils unbekannte Straßen, weiß Gott, in welche
Gefilde!
Jetzt kamen sie in eine Gegend außerhalb der Stadt; lichtgrün,
vorfrühlingsgrün war die Landschaft, in der sie hielten, das
heißt der Garten, hinter dessen spärlichen Bäumen sich ein
verschwiegenes Restaurant verbarg.
Karoline stieg zuerst aus; mit dem Sturmesschritt, den er an
ihr gewohnt war, stieg sie zuerst aus, über seine Knie hinweg.
Sie zahlte, und er folgte ihr. Und sie gingen ins Restaurant
und saßen nebeneinander auf einer Banquette aus grünem

Plüsch, wie einst in jungen Zeiten, vor dem Kriminal. Sie bestellte das Essen, wie immer, und sie sah ihn an, und er wagte nicht, sie anzusehen.

»Wo bist du die ganze Zeit gewesen?« – fragte sie.

»Überall, nirgends« – sagte er. »Ich arbeite erst seit zwei Tagen wieder. Die ganze Zeit, seitdem wir uns nicht wiedergesehen haben, habe ich getrunken, und ich habe unter den Brücken geschlafen, wie alle unsereins, und du hast wahrscheinlich ein besseres Leben geführt. – Mit Männern«, fügte er nach einiger Zeit hinzu.

»Und du?« fragte sie. »Mittendrin, wo du versoffen bist und ohne Arbeit und wo du unter den Brücken schläfst, hast du noch Zeit und Gelegenheit, eine Therese kennenzulernen. Und wenn ich nicht gekommen wäre, zufällig, wärest du wirklich zu ihr hingegangen.«

Er antwortete nicht, er schwieg, bis sie beide das Fleisch gegessen hatten und der Käse kam und das Obst. Und wie er den letzten Schluck Wein aus seinem Glase getrunken hatte, überfiel ihn aufs neue jener plötzliche Schrecken, den er vor langen Jahren, während der Zeit seines Zusammenlebens mit Karoline, so oft gefühlt hatte. Und er wollte ihr wieder einmal entfliehen, und er rief: »Kellner, zahlen!« Sie aber fuhr ihm dazwischen: »Das ist meine Sache, Kellner!« Der Kellner, es war ein gereifter Mann mit erfahrenen Augen, sagte: »Der Herr hat zuerst gerufen.« Andreas war es also auch, der zahlte. Bei dieser Gelegenheit hatte er das ganze Geld aus der linken inneren Rocktasche hervorgeholt, und nachdem er gezahlt hatte, sah er mit einigem, allerdings durch Weingenuß gemildertem Schrecken, daß er nicht mehr die ganze Summe besaß, die er der kleinen Heiligen schuldete. »Aber es geschehen«, sagte er sich im stillen, »mir heutzutage so viele Wunder hintereinander, daß ich wohl sicherlich die nächste Woche noch das schuldige Geld aufbringen und zurückzahlen werde.«

»Du bist also ein reicher Mann«, sagte Karoline auf der Straße. »Von dieser kleinen Therese läßt du dich wohl aushalten.«

Er erwiderte nichts, und also war sie dessen sicher, daß sie recht hatte. Sie verlangte, ins Kino geführt zu werden. Und er ging mit ihr ins Kino. Nach langer Zeit sah er wieder ein Filmstück. Aber es war schon so lange her, daß er eines gesehen hatte, daß er dieses kaum mehr verstand und an der Schulter der Karoline einschlief. Hierauf gingen sie in ein Tanzlokal, wo man Ziehharmonika spielte, und es war schon so lange her, seitdem er zuletzt getanzt hatte, daß er gar nicht mehr recht tanzen konnte, als er es mit Karoline versuchte. Also nahmen sie ihm andere Tänzer weg, sie war immer noch recht frisch und begehrenswert. Er saß allein am Tisch und trank wieder Pernod, und es war ihm wie in alten Zeiten, wo Karoline auch mit anderen getanzt und er allein am Tisch getrunken hatte. Infolgedessen holte er sie auch plötzlich und gewaltsam aus den Armen eines Tänzers weg und sagte: »Wir gehen nach Hause!« Faßte sie am Nacken und ließ sie nicht mehr los, zahlte und ging mit ihr nach Hause. Sie wohnte in der Nähe.

Und so war alles wie in alten Zeiten, in den Zeiten vor dem Kriminal.

V

Sehr früh am Morgen erwachte er. Karoline schlief noch. Ein einzelner Vogel zwitscherte vor dem offenen Fenster. Eine Zeitlang blieb er mit offenen Augen liegen und nicht länger als ein paar Minuten. In diesen wenigen Minuten dachte er nach. Es kam ihm vor, daß ihm seit langer Zeit nicht so viel Merkwürdiges passiert sei wie in dieser einzigen Woche. Auf einmal wandte er sein Gesicht um und sah Karoline zu seiner Rechten. Was er gestern bei der Begegnung mit ihr nicht gesehen hatte, bemerkte er jetzt: sie war alt geworden: blaß, aufgedunsen und schwer atmend schlief sie den Morgenschlaf alternder Frauen. Er erkannte den Wandel der Zeiten, die an ihm selbst vorbeigegangen waren. Und er erkannte auch den Wandel seiner selbst, und er beschloß, sofort aufzustehen, ohne

Karoline zu wecken, und ebenso zufällig, oder besser gesagt, schicksalshaft wegzugehen, so wie sie beide, Karoline und er, gestern zusammengekommen waren. Verstohlen zog er sich an und ging davon, in einen neuen Tag hinein, in einen seiner gewohnten neuen Tage.

Das heißt, eigentlich in einen seiner ungewohnten. Denn als er in die linke Brusttasche griff, wo er das erst seit einiger Zeit erworbene oder gefundene Geld aufzuheben gewohnt war, bemerkte er, daß ihm nur noch mehr ein Schein von fünfzig Francs verblieben war und ein paar kleine Münzen dazu. Und er, der schon seit langen Jahren nicht gewußt hatte, was Geld bedeute, und auf dessen Bedeutung keineswegs mehr achtgegeben hatte, erschrak nunmehr, so wie einer zu erschrekken pflegt, der gewohnt ist, immer Geld in der Tasche zu haben, und auf einmal in die Verlegenheit gerät, sehr wenig noch in ihr zu finden. Auf einmal schien es ihm, inmitten der morgengrauen, verlassenen Gasse, daß er, der seit unzähligen Monaten Geldlose, plötzlich arm geworden sei, weil er nicht mehr so viele Scheine in der Tasche verspürte, wie er sie in den letzten Tagen besessen hatte. Und es kam ihm vor, daß die Zeit seiner Geldlosigkeit sehr, sehr weit hinter ihm zurück läge, und daß er eigentlich den Betrag, welcher den ihm gebührenden Lebensstandard aufrechterhalten sollte, übermütiger sowie auch leichtfertiger Weise für Karoline ausgegeben hatte.

Er war also böse auf Karoline. Und auf einmal begann er, der niemals auf Geldbesitz Wert gelegt hatte, den Wert des Geldes zu schätzen. Auf einmal fand er, daß der Besitz eines Fünfzig-Francs-Scheines lächerlich sei für einen Mann von solchem Wert und daß er überhaupt, um auch nur über den Wert seiner Persönlichkeit sich selber klarzuwerden, es unbedingt nötig habe, über sich selbst in Ruhe bei einem Glas Pernod nachzudenken.

Nun suchte er sich unter den nächstliegenden Gaststätten eine aus, die ihm am gefälligsten schien, setzte sich dorthin und bestellte einen Pernod. Während er ihn trank, erinnerte er sich daran, daß er eigentlich ohne Aufenthaltserlaubnis in Paris lebte, und er sah seine Papiere nach. Und hierauf fand er, daß er eigentlich ausgewiesen sei, denn er war als Kohlenarbeiter nach Frankreich gekommen, und er stammte aus Olschowice, aus dem polnischen Schlesien.

VI

Hierauf, während er seine halbzerfetzten Papiere vor sich auf dem Tisch ausbreitete, erinnerte er sich daran, daß er eines Tages, vor vielen Jahren, hierher gekommen war, weil man in der Zeitung kundgemacht hatte, daß man in Frankreich Kohlenarbeiter suche. Und er hatte sich sein Lebtag nach einem fernen Lande gesehnt. Und er hatte in den Gruben von Quebecque gearbeitet und er war einquartiert gewesen bei seinen Landsleuten, dem Ehepaar Schebiec. Und er liebte die Frau, und da der Mann sie eines Tages zu Tode schlagen wollte, schlug er, Andreas, den Mann tot. Dann saß er zwei Jahre im Kriminal.
Diese Frau war eben Karoline.
Und dieses alles dachte Andreas im Betrachten seiner bereits ungültig gewordenen Papiere. Und hierauf bestellte er noch einen Pernod, denn er war ganz unglücklich.
Als er sich endlich erhob, verspürte er zwar eine Art von Hunger, aber nur jenen, von dem lediglich Trinker befallen werden können. Es ist dies nämlich eine besondere Art von Begehrlichkeit (nicht nach Nahrung), die lediglich ein paar Augenblicke dauert und sofort gestillt wird, sobald derjenige, der sie verspürt, sich ein bestimmtes Getränk vorstellt, das ihm in diesem bestimmten Moment zu behagen scheint.
Lange schon hatte Andreas vergessen, wie er mit Vatersnamen hieß. Jetzt aber, nachdem er soeben seine ungültigen Papiere noch einmal gesehen hatte, erinnerte er sich daran, daß er Kartak hieße: Andreas Kartak. Und es war ihm, als entdeckte er sich selbst erst seit langen Jahren wieder.

Immerhin grollte er einigermaßen dem Schicksal, das ihm nicht wieder, wie das letztemal, einen dicken, schnurrbärtigen, kindergesichtigen Mann in dieses Caféhaus geschickt hatte, der es ihm möglich gemacht hätte, neues Geld zu verdienen. Denn an nichts gewöhnen sich die Menschen so leicht wie an Wunder, wenn sie ihnen ein-, zwei-, dreimal widerfahren sind. Ja! Die Natur der Menschen ist derart, daß sie sogar böse werden, wenn ihnen nicht unaufhörlich all jenes zuteil wird, was ihnen ein zufälliges und vorübergehendes Geschick versprochen zu haben scheint. So sind die Menschen – – und was wollten wir anderes von Andreas erwarten? Den Rest des Tages verbrachte er also in verschiedenen anderen Tavernen, und er gab sich bereits damit zufrieden, daß die Zeit der Wunder, die er erlebt hatte, vorbei sei; endgültig vorbei sei, und seine alte Zeit nun wieder begonnen habe. Und zu jenem langsamen Untergang entschlossen, zu dem Trinker immer bereit sind – Nüchterne werden das nie erfahren! –, begab sich Andreas wieder an die Ufer der Seine, unter die Brücken.

Er schlief dort, halb bei Tag und halb bei Nacht, so wie er es gewohnt gewesen war seit einem Jahr, hier und dort eine Flasche Schnaps ausleihend bei dem und jenem seiner Schicksalsgenossen – – bis zur Nacht des Donnerstags auf Freitag.

In jener Nacht nämlich träumte ihm, daß die kleine Therese in der Gestalt eines blondgelockten Mädchens zu ihm käme und ihm sagte: »Warum bist du letzten Sonntag nicht bei mir gewesen?« Und die kleine Heilige sah genauso aus, wie er sich vor vielen Jahren seine eigene Tochter vorgestellt hatte. Und er hatte gar keine Tochter! Und im Traum sagte er zu der kleinen Therese: »Wie sprichst du zu mir? Hast du vergessen, daß ich dein Vater bin?« Die Kleine antwortete: »Verzeih, Vater, aber tu mir den Gefallen und komm übermorgen, Sonntag, zu mir in die Ste Marie des Batignolles.«

Nach dieser Nacht, in der er diesen Traum geträumt hatte, erhob er sich erfrischt und wie vor einer Woche, als ihm noch die Wunder geschehen waren, so als nähme er den Traum für ein wahres Wunder. Noch einmal wollte er sich am Flusse waschen. Aber bevor er seinen Rock zu diesem Zweck ablegte, griff er in die linke Brusttasche, in der vagen Hoffnung, es könnte sich dort noch irgend etwas Geld vorfinden, von dem er vielleicht gar nichts gewußt hätte. Er griff in die linke innere Brusttasche seines Rockes, und seine Hand fand dort zwar keinen Geldschein, wohl aber jene lederne Brieftasche, die er vor ein paar Tagen gekauft hatte. Diese zog er hervor. Es war eine äußerst billige, bereits verbrauchte, umgetauschte, wie nicht anders zu erwarten. Spaltleder. Rindsleder. Er betrachtete sie, weil er sich nicht mehr erinnerte, daß, wo und wann er sie gekauft hatte. Wie kommt das zu mir? fragte er sich. Schließlich öffnete er das Ding und sah, daß es zwei Fächer hatte. Neugierig sah er in beide hinein, und in einem von ihnen war ein Geldschein. Und er zog ihn hervor, es war ein Tausend-Francs-Schein.

Hierauf steckte er die tausend Francs in die Hosentasche und ging an das Ufer der Seine, und ohne sich um seine Unheilsgenossen zu kümmern, wusch er sich Gesicht und den Hals sogar, und dies beinahe fröhlich. Hierauf zog er sich den Rock wieder an und ging in den Tag hinein, und er begann den Tag damit, daß er in ein Tabac eintrat, um Zigaretten zu kaufen.

Nun hatte er zwar Kleingeld genug, um die Zigaretten bezahlen zu können, aber er wußte nicht, bei welcher Gelegenheit er den Tausend-Francs-Schein, den er so wunderbarerweise in der Brieftasche gefunden hatte, wechseln könnte. Denn soviel Welterfahrung besaß er schon, daß er ahnte, es bestünde in den Augen der Welt, das heißt, in den Augen der maßgebenden Welt, ein bedeutender Gegensatz zwischen seiner Kleidung, seinem Aussehen und einem Schein von tausend Francs. Immerhin beschloß er, mutig, wie er durch das erneuerte Wunder geworden war, die Banknote zu zeigen. Allerdings, den Rest der Klugheit noch gebrauchend, der ihm verblieben war, um dem Herrn an der Kasse des Tabacs zu

sagen: »Bitte, wenn Sie tausend Francs nicht wechseln können, gebe ich Ihnen auch Kleingeld. Ich möchte sie aber gerne
gewechselt haben.«
Zum Erstaunen Andreas' sagte der Herr vom Tabac: »Im Gegenteil! Ich brauche einen Tausend-Francs-Schein, Sie kommen mir sehr gelegen.« Und der Besitzer wechselte den Tausend-Francs-Schein. Hierauf blieb Andreas ein wenig an der
Theke stehen und trank drei Gläser Weißwein; gewissermaßen
aus Dankbarkeit gegenüber dem Schicksal.

VII

Indes er so an der Theke stand, fiel ihm eine eingerahmte
Zeichnung auf, die hinter dem breiten Rücken des Wirtes an
der Wand hing, und diese Zeichnung erinnerte ihn an einen
alten Schulkameraden aus Olschowice. Er fragte den Wirt:
»Wer ist das? Den kenne ich, glaube ich.« Darauf brachen
sowohl der Wirt, als auch sämtliche Gäste, die an der Theke
standen, in ein ungeheures Gelächter aus. Und sie riefen alle:
»Wie, er kennt ihn nicht!«
Denn es war in der Tat der große Fußballspieler, Kanjak,
schlesischer Abkunft, allen normalen Menschen wohlbekannt.
Aber woher sollten ihn Alkoholiker, die unter den Seine-
Brücken schliefen, kennen, und wie, zum Beispiel, unser Andreas? Da er sich aber schämte, und insbesondere deshalb, weil
er soeben einen Tausend-Francs-Schein gewechselt hatte, sagte Andreas: »Oh, natürlich kenne ich ihn, und es ist sogar
mein Freund. Aber die Zeichnung schien mir mißraten.« Hierauf, und damit man ihn nicht weiter frage, zahlte er schnell
und ging.
Jetzt verspürte er Hunger. Er suchte also das nächste Gasthaus
auf und aß und trank einen roten Wein und nach dem Käse
einen Kaffee und beschloß, den Nachmittag in einem Kino
zu verbringen. Er wußte nur noch nicht, in welchem. Er begab sich also im Bewußtsein dessen, daß er im Augenblick so

viel Geld besäße, wie jeder der wohlhabenden Männer, die ihm auf der Straße entgegenkommen mochten, auf die großen Boulevards. Zwischen der Oper und dem Boulevard des Capucines suchte er nach einem Film, der ihm wohl gefallen möchte, und schließlich fand er einen. Das Plakat, das diesen Film ankündigte, stellte nämlich einen Mann dar, der in einem fernen Abenteuer offenbar unterzugehen gedachte. Er schlich, wie das Plakat vorgab, durch eine erbarmungslose, sonnverbrannte Wüste. In dieses Kino trat nun Andreas ein. Er sah den Film vom Mann, der durch die sonnverbrannte Wüste geht. Und schon war Andreas im Begriffe, den Helden des Films sympathisch und ihn sich selbst verwandt zu fühlen, als plötzlich das Kinostück eine unerwartet glückliche Wendung nahm und der Mann in der Wüste von einer vorbeiziehenden, wissenschaftlichen Karawane gerettet und in den Schoß der europäischen Zivilisation zurückgeführt wurde. Hierauf verlor Andreas jede Sympathie für den Helden des Films. Und schon war er im Begriff, sich zu erheben, als auf der Leinwand das Bild jenes Schulkameraden erschien, dessen Zeichnung er vor einer Weile, an der Theke stehend, hinter dem Rücken des Wirtes der Taverne gesehen hatte. Es war der große Fußballspieler Kanjak. Hierauf erinnerte sich Andreas, daß er einmal, vor zwanzig Jahren, mit Kanjak zusammen in der gleichen Schulbank gesessen hatte, und er beschloß, sich morgen sofort zu erkundigen, ob sein alter Schulkollege sich in Paris aufhielte.

Denn er hatte, unser Andreas, nicht weniger als neunhundertachtzig Francs in der Tasche.

Und dies ist nicht wenig.

VIII

Bevor er aber das Kino verließ, fiel es ihm ein, daß er es gar nicht nötig hätte, bis morgen früh auf die Adresse seines Freundes und Schulkameraden zu warten; insbesondere in

Anbetracht der ziemlich hohen Summe, die er in der Tasche liegen hatte.

Er war jetzt, in Anbetracht des Geldes, das ihm verblieb, so mutig geworden, daß er beschloß, sich an der Kasse nach der Adresse seines Freundes zu erkundigen, des berühmten Fußballspielers Kanjak. Er hatte gedacht, man müßte zu diesem Zweck den Direktor des Kinos persönlich fragen. Aber nein! Wer war in ganz Paris so bekannt wie der Fußballspieler Kanjak? Der Türsteher schon kannte seine Adresse. Er wohnte in einem Hotel in den Champs Elysées. Der Türsteher sagte ihm auch den Namen des Hotels; und sofort begab sich unser Andreas auf den Weg dorthin.

Es war ein vornehmes, kleines und stilles Hotel, gerade eines jener Hotels, in denen Fußballspieler und Boxer, die Elite unserer Zeit, zu wohnen pflegen. Andreas kam sich in der Vorhalle etwas fremd vor, und auch den Angestellten des Hotels kam er etwas fremd vor. Immerhin sagten sie, der berühmte Fußballspieler Kanjak sei zu Hause und bereit, jeden Moment in die Vorhalle zu kommen.

Nach ein paar Minuten kam er auch herunter, und sie erkannten sich beide sofort. Und sie tauschten im Stehen noch alte Schulerinnerungen aus, und hierauf gingen sie zusammen essen, und es herrschte große Fröhlichkeit zwischen beiden. Sie gingen zusammen essen, und es ergab sich also infolgedessen, daß der berühmte Fußballspieler seinen verkommenen Freund folgendes fragte:

»Warum schaust du so verkommen aus, was trägst du überhaupt für Lumpen an deinem Leib?«

»Es wäre schrecklich« – antwortete Andreas – »wenn ich erzählen wollte, wie das alles gekommen ist. Und es würde auch die Freude an unserem glücklichen Zusammentreffen bedeutsam stören. Laß uns darüber lieber kein Wort verlieren. Reden wir von was Heiterem.«

»Ich habe viele Anzüge« – sagte der berühmte Fußballspieler Kanjak. »Und es wird mir eine Freude sein, dir den einen oder den anderen davon abzugeben. Du hast neben mir in der Schulbank gesessen, und du hast mich abschreiben lassen. Was bedeutet schon ein Anzug für mich! Wo soll ich ihn dir hinschicken?«

»Das kannst du nicht«, erwiderte Andreas – »und zwar einfach deshalb, weil ich keine Adresse habe. Ich wohne nämlich seit einiger Zeit unter den Brücken an der Seine.«

»So werde ich dir also« – sagte der Fußballspieler Kanjak – »ein Zimmer mieten, einfach zu dem Zweck, dir einen Anzug schenken zu können. Komm!«

Nachdem sie gegessen hatten, gingen sie hin, und der Fußballspieler Kanjak mietete ein Zimmer, und dieses kostete fünfundzwanzig Francs pro Tag und war gelegen in der Nähe der großartigen Kirche von Paris, die unter dem Namen »Madeleine« bekannt ist.

IX

Das Zimmer war im fünften Stock gelegen, und Andreas und der Fußballspieler mußten den Lift benützen. Andreas besaß selbstverständlich kein Gepäck. Aber weder der Portier noch der Liftboy noch sonst irgendeiner von dem Personal des Hotels verwunderte sich darüber. Denn es war einfach ein Wunder, und innerhalb des Wunders gibt es nichts Verwunderliches. Als sie beide im Zimmer oben standen, sagte der Fußballspieler Kanjak zu seinem Schulbankgenossen Andreas: »Du brauchst wahrscheinlich eine Seife.«

»Unsereins« – erwiderte Andreas – »kann auch ohne Seife leben. Ich gedenke hier acht Tage ohne Seife zu wohnen, und ich werde mich trotzdem waschen. Ich möchte aber, daß wir uns zur Ehre dieses Zimmers sofort etwas zum Trinken bestellen.«

Und der Fußballspieler bestellte eine Flasche Kognak. Diese tranken sie bis zur Neige. Hierauf verließen sie das Zimmer und nahmen ein Taxi und fuhren auf den Montmartre, und zwar in jenes Café, wo die Mädchen saßen und wo Andreas erst ein paar Tage vorher gewesen war. Nachdem sie dort zwei Stunden gesessen und Erinnerungen aus der Schulzeit ausgetauscht hatten, führte der Fußballspieler Andreas nach Hause, das heißt, in das Hotelzimmer, das er ihm gemietet hatte, und sagte zu ihm: »Jetzt ist es spät. Ich lasse dich allein. Ich schicke dir morgen zwei Anzüge. Und – brauchst du Geld?«

»Nein« – sagte Andreas – »ich habe neunhundertachtzig Francs, und das ist nicht wenig. Geh nach Hause!«

»Ich komme in zwei oder drei Tagen« – sagte der Freund, der Fußballspieler.

X

Das Hotelzimmer, in dem Andreas nunmehr wohnte, hatte die Nummer: neunundachtzig. Sobald Andreas sich allein in diesem Zimmer befand, setzte er sich in den bequemen Lehnstuhl, der mit rosa Rips überzogen war, und begann, sich umzusehn. Er sah zuerst die rotseidene Tapete, unterbrochen von zartgoldenen Papageienköpfen, an den Wänden drei elfenbeinerne Knöpfe, rechts an der Türleiste und in der Nähe des Bettes den Nachttisch und die Lampe darüber mit dunkelgrünem Schirm und ferner eine Tür mit einem weißen Knauf, hinter der sich etwas Geheimnisvolles, jedenfalls für Andreas Geheimnisvolles zu verbergen schien. Ferner gab es in der Nähe des Bettes ein schwarzes Telephon, dermaßen angebracht, daß auch ein im Bett Liegender das Hörrohr ganz leicht mit der rechten Hand erfassen kann.

Andreas, nachdem er lange das Zimmer betrachtet hatte und darauf bedacht gewesen war, sich auch mit ihm vertraut zu machen, wurde plötzlich neugierig. Denn die Tür mit dem weißen Knauf irritierte ihn, und trotz seiner Angst und obwohl er der Hotelzimmer ungewohnt war, erhob er sich und beschloß nachzusehen, wohin die Tür führe. Er hatte gedacht, sie sei selbstverständlich geschlossen. Aber wie groß war sein Erstaunen, als sie sich freiwillig, beinahe zuvorkommend, öffnete!

Er sah nunmehr, daß es ein Badezimmer war, mit glänzenden Kacheln und mit einer Badewanne, schimmernd und weiß, und mit einer Toilette, und kurz und gut, das, was man in seinen Kreisen eine Bedürfnisanstalt hätte nennen können.

In diesem Augenblick auch verspürte er das Bedürfnis, sich zu waschen, und er ließ heißes und kaltes Wasser aus den beiden Hähnen in die Wanne rinnen. Und wie er sich auszog, um in sie hineinzusteigen, bedauerte er auch, daß er keine Hemden habe, denn wie er sich das Hemd auszog, sah er, daß es sehr schmutzig war, und von vornherein schon hatte er Angst vor dem Augenblick, in dem er wieder aus dem Bad gestiegen und dieses Hemd anziehen müßte.

Er stieg in das Bad, er wußte wohl, daß es eine lange Zeit her war, seitdem er sich gewaschen hatte. Er badete geradezu mit Wollust, erhob sich, zog sich wieder an und wußte nun nicht mehr, was er mit sich anfangen sollte.

Mehr aus Ratlosigkeit als aus Neugier öffnete er die Tür des Zimmers, trat in den Korridor und erblickte hier eine junge Frau, die aus ihrem Zimmer gerade herauskam, wie er eben selbst. Sie war schön und jung, wie ihm schien. Ja, sie erinnerte ihn an die Verkäuferin in dem Laden, wo er die Brieftasche erstanden hatte, und ein bißchen auch an Karoline, und infolgedessen verneigte er sich leicht vor ihr und grüßte sie, und da sie ihm antwortete, mit einem Kopfnicken, faßte er sich ein Herz und sagte ihr geradewegs: »Sie sind schön.«

»Auch Sie gefallen mir« – antwortete sie – »einen Augenblick! Vielleicht sehen wir uns morgen.« – Und sie ging dahin im Dunkel des Korridors. Er aber, liebebedürftig, wie er plötzlich geworden war, sah nach der Nummer ihrer Tür, hinter der sie wohnte.

Und es war die Nummer: siebenundachtzig. Diese merkte er sich in seinem Herzen.

XI

Er kehrte wieder in sein Zimmer zurück, wartete, lauschte und war schon entschlossen, nicht erst den Morgen abzuwarten, um mit dem schönen Mädchen zusammenzukommen. Denn, obwohl er durch die fast ununterbrochene Reihe der Wunder in den letzten Tagen bereits überzeugt war, daß sich die Gnade auf ihn niedergelassen hatte, glaubte er doch gerade deswegen, zu einer Art Übermut berechtigt zu sein, und er nahm an, daß er gewissermaßen aus Höflichkeit der Gnade noch zuvorkommen müßte, ohne sie im geringsten zu kränken. Wie er nun also die leisen Schritte des Mädchens von Nummer siebenundachtzig zu vernehmen glaubte, öffnete er vorsichtig die Tür seines Zimmers einen Spalt breit und sah, daß sie es wirklich war, die in ihr Zimmer zurückkehrte. Was er aber freilich infolge seiner langjährigen Unerfahrenheit nicht bemerkte, war der nicht geringzuschätzende Umstand, daß auch das schöne Mädchen sein Spähen bemerkt hatte. Infolgedessen machte sie, wie sie es Beruf und Gewohnheit gelehrt hatten, hastig und hurtig eine scheinbare Ordnung in ihrem Zimmer und löschte die Deckenlampe aus und legte sich aufs Bett und nahm beim Schein der Nachttischlampe ein Buch in die Hand und las darin; aber es war ein Buch, das sie bereits längst gelesen hatte.

Eine Weile später klopfte es auch zage an ihrer Tür, wie sie es auch erwartet hatte, und Andreas trat ein. Er blieb an der Schwelle stehen, obwohl er bereits die Gewißheit hatte, daß er im nächsten Augenblick die Einladung bekommen würde, näherzutreten. Denn das hübsche Mädchen rührte sich nicht aus ihrer Stellung, sie legte nicht einmal das Buch aus der Hand, sie fragte nur: »Und was wünschen Sie?«

Andreas, sicher geworden durch Bad, Seife, Lehnstuhl, Tapete, Papageienköpfe und Anzug, erwiderte: »Ich kann nicht bis morgen warten, Gnädige.« Das Mädchen schwieg.

Andreas trat näher an sie heran, fragte sie, was sie lese, und sagte aufrichtig: »Ich interessiere mich nicht für Bücher.«

»Ich bin nur vorübergehend hier« – sagte das Mädchen auf dem Bett – »ich bleibe nur bis Sonntag hier. Am Montag muß ich nämlich in Cannes wieder auftreten.«

»Als was?« – fragte Andreas.

»Ich tanze im Kasino. Ich heiße Gabby. Haben Sie den Namen noch nie gehört?«

»Gewiß, ich kenne ihn aus den Zeitungen« – log Andreas – und er wollte hinzufügen: »mit denen ich mich zudecke.« Aber er vermied es.

Er setzte sich an den Rand des Bettes, und das schöne Mädchen hatte nichts dagegen. Sie legte sogar das Buch aus der Hand, und Andreas blieb bis zum Morgen in Zimmer siebenundachtzig.

XII

Am Samstagmorgen erwachte er mit dem festen Entschluß, sich von dem schönen Mädchen bis zu ihrer Abreise nicht mehr zu trennen. Ja, in ihm blühte sogar der zarte Gedanke an eine Reise mit der jungen Frau nach Cannes, denn er war, wie alle armen Menschen, geneigt, kleine Summen, die er in der Tasche hatte (und insbesondere die trinkenden armen Menschen neigen dazu), für große zu halten. Er zählte also am Morgen seine neunhundertachtzig Francs noch einmal nach. Und da sie in einer Brieftasche lagen, und da diese Brieftasche in einem neuen Anzug steckte, hielt er die Summe um das Zehnfache vergrößert. Infolgedessen war er auch keineswegs erregt, als eine Stunde später, nachdem er es verlassen hatte, das schöne Mädchen bei ihm eintrat, ohne anzuklopfen, und da sie ihn fragte, wie sie beide den Samstag zu verbringen hätten, vor ihrer Abreise nach Cannes, sagte er aufs Geratewohl: »Fontainebleau.« Irgendwo, halb im Traum, hatte er es vielleicht gehört. Er wußte jedenfalls nicht mehr, warum und wieso ihm dieser Ortsname auf die Zunge gekommen war.

Sie mieteten also ein Taxi, und sie fuhren nach Fontainebleau, und dort erwies es sich, daß das schöne Mädchen ein gutes Restaurant kannte, in dem man gute Speisen speisen und guten Trank trinken konnte. Und auch den Kellner kannte sie, und sie nannte ihn beim Vornamen. Und wenn unser Andreas eifersüchtig von Natur gewesen wäre, so hätte er wohl auch böse werden können. Aber er war nicht eifersüchtig, und also wurde er auch nicht böse. Sie verbrachten eine Zeitlang beim Essen und Trinken und fuhren hierauf, noch einmal im Taxi, zurück nach Paris, und auf einmal lag der strahlende Abend von Paris vor ihnen, und sie wußten nichts mit ihm anzufangen, eben wie Menschen nicht wissen, die nicht zueinander gehören und die nur zufällig zueinander gestoßen sind. Die Nacht breitete sich vor ihnen aus wie eine allzu lichte Wüste.

Und sie wußten nicht mehr, was miteinander anzufangen, nachdem sie leichtfertigerweise das wesentliche Erlebnis vergeudet hatten, das Mann und Frau gegeben ist. Also beschlossen sie, was den Menschen unserer Zeit vorbehalten bleibt, sobald sie nicht wissen, was anzufangen, ins Kino zu gehen. Und sie saßen da, und es war keine Finsternis, nicht einmal ein Dunkel, und knapp konnte man es noch ein Halbdunkel nennen. Und sie drückten einander die Hände, das Mädchen und unser Freund Andreas. Aber sein Händedruck war gleichgültig, und er litt selber darunter. Er selbst. Hierauf, als die Pause kam, beschloß er, mit dem schönen Mädchen in die Halle zu gehen und zu trinken, und sie gingen auch beide hin, und sie tranken. Und das Kino interessierte ihn keineswegs mehr. Sie gingen in einer ziemlichen Beklommenheit ins Hotel.

Am nächsten Morgen, es war Sonntag, erwachte Andreas in dem Bewußtsein seiner Pflicht, daß er das Geld zurückzahlen müsse. Er erhob sich schneller als am letzten Tag und so schnell, daß das schöne Mädchen aus dem Schlaf aufschrak und ihn fragte: »Warum so schnell, Andreas?«

»Ich muß eine Schuld bezahlen«, sagte Andreas.

»Wie? Heute am Sonntag?« – fragte das schöne Mädchen.

»Ja, heute am Sonntag« – erwiderte Andreas.

»Ist es eine Frau oder ein Mann, dem du das Geld schuldig bist?«

»Eine Frau« – sagte Andreas zögernd.

»Wie heißt sie?«

»Therese.«

Daraufhin sprang das schöne Mädchen aus dem Bett, ballte die Fäuste und schlug sie auch beide Andreas ins Gesicht.

Und daraufhin floh er aus dem Zimmer, und er verließ das Hotel. Und ohne sich weiter umzusehn, ging er in die Richtung der Ste Marie des Batignolles, in dem sicheren Bewußtsein, daß er heute endlich der kleinen Therese die zweihundert Francs zurückzahlen könnte.

XIII

Nun wollte es die Vorsehung – oder wie weniger gläubige Menschen sagen würden: der Zufall –, daß Andreas wieder einmal knapp nach der Zehn-Uhr-Messe ankam. Und es war selbstverständlich, daß er in der Nähe der Kirche das Bistro erblickte, in dem er zuletzt getrunken hatte, und dort trat er auch wieder ein.

Er bestellte also zu trinken. Aber vorsichtig, wie er war und wie es alle Armen dieser Welt sind, selbst wenn sie Wunder über Wunder erlebt haben, sah er zuerst nach, ob er wirklich auch Geld genug besäße, und er zog seine Brieftasche heraus. Und da sah er, daß von seinen neunhundertachtzig Francs kaum noch mehr etwas übrig war.

Es blieben ihm nämlich nur zweihundertfünfzig. Er dachte nach und erkannte, daß ihm das schöne Mädchen im Hotel das Geld genommen hatte. Aber unser Andreas machte sich gar nichts daraus. Er sagte sich, daß er für jede Lust zu zahlen habe, und er hatte Lust genossen, und er hatte also auch zu bezahlen.

Er wollte hier abwarten, so lange bis die Glocken läuteten, die Glocken der nahen Kapelle, um zur Messe zu gehen und um dort endlich die Schuld der kleinen Heiligen abzustatten. Inzwischen wollte er trinken, und er bestellte zu trinken. Er trank. Die Glocken, die zur Messe riefen, begannen zu dröhnen, und er rief: »Zahlen, Kellner!«, zahlte, erhob sich, ging hinaus und stieß knapp vor der Tür mit einem sehr großen, breitschultrigen Mann zusammen. Den nannte er sofort: »Woitech.« Und dieser rief zu gleicher Zeit: »Andreas!« Sie sanken einander in die Arme, denn sie waren beide zusammen Kohlenarbeiter gewesen in Quebecque, zusammen beide in einer Grube.

»Wenn du mich hier erwarten willst« – sagte Andreas – »zwanzig Minuten nur, so lange, wie die Messe dauert, nicht einen Moment länger!«

»Grad nicht« – sagte Woitech. – »Seit wann gehst du überhaupt in die Messe? Ich kann die Pfaffen nicht leiden und noch weniger die Leute, die zu den Pfaffen gehn.«

»Aber ich gehe zur kleinen Therese« – sagte Andreas – »ich bin ihr Geld schuldig.«

»Meinst du die kleine heilige Therese?« – fragte Woitech.

»Ja, die meine ich« – erwiderte Andreas.

»Wieviel schuldest du ihr?« – fragte Woitech.

»Zweihundert Francs!« – sagte Andreas.

»Dann begleite ich dich!« – sagte Woitech.

Die Glocken dröhnten immer noch. Sie gingen in die Kirche, und wie sie drinnen standen und die Messe gerade begonnen hatte, sagte Woitech mit flüsternder Stimme: »Gib mir sofort hundert Francs! Ich erinnere mich eben, daß mich drüben einer erwartet, ich komme sonst ins Kriminal!«

Unverzüglich gab ihm Andreas die ganzen zwei Hundert-Francs-Scheine, die er noch besaß, und sagte: »Ich komme sofort nach.«

Und wie er nun einsah, daß er kein Geld mehr hatte, um es der Therese zurückzuzahlen, hielt er es auch für sinnlos, noch länger der Messe beizuwohnen. Nur aus Anstand wartete er noch fünf Minuten und ging dann hinüber, in das Bistro, wo Woitech auf ihn wartete.

Von nun ab blieben sie Kumpane, denn das versprachen sie einander gegenseitig.

Freilich hatte Woitech keinen Freund gehabt, dem er Geld schuldig gewesen wäre. Den einen Hundert-Francs-Schein, den ihm Andreas geborgt hatte, verbarg er sorgfältig im Taschentuch und machte einen Knoten darum. Für die andern hundert Francs lud er Andreas ein, zu trinken und noch einmal zu trinken, und noch einmal zu trinken, und in der Nacht gingen sie in jenes Haus, wo die gefälligen Mädchen saßen, und dort blieben sie auch alle beide drei Tage, und als sie wieder herauskamen, war es Dienstag und Woitech trennte sich von Andreas mit den Worten: »Sonntag sehen wir uns wieder, um dieselbe Zeit und an der gleichen Stelle und am selben Ort.«

»Servus!« – sagte Andreas.

»Servus!« – sagte Woitech und verschwand.

XIV

Es war ein regnerischer Dienstagnachmittag, und es regnete so dicht, daß Woitech im nächsten Augenblick tatsächlich verschwunden war. Jedenfalls schien es Andreas also.

Es schien ihm, daß sein Freund verlorengegangen war im Regen, genauso, wie er ihn zufällig getroffen hatte, und da er kein Geld mehr in der Tasche besaß, ausgenommen fünfunddreißig Francs, und verwöhnt vom Schicksal, wie er sich glaubte, und der Wunder sicher, die ihm gewiß noch geschehen würden, beschloß er, wie alle Armen und des Trunkes Gewohnten es tun, sich wieder dem Gott anzuvertrauen, dem einzigen, an den er glaubte. Also ging er zur Seine und die gewohnte Treppe hinunter, die zu der Heimstätte der Obdachlosen führt.

Hier stieß er auf einen Mann, der eben im Begriffe war, die Treppe hinaufzusteigen, und der ihm sehr bekannt vorkam. Infolgedessen grüßte Andreas ihn höflich. Es war ein etwas älterer, gepflegt aussehender Herr, der stehenblieb, Andreas genau betrachtete und schließlich fragte: »Brauchen Sie Geld, lieber Herr?«

An der Stimme erkannte Andreas, daß es jener Herr war, den er drei Wochen vorher getroffen hatte. Also sagte er: »Ich erinnere mich wohl, daß ich Ihnen noch Geld schuldig bin, ich sollte es der heiligen Therese zurückbringen. Aber es ist allerhand dazwischengekommen, wissen Sie. Und ich bin schon das drittemal daran verhindert gewesen, das Geld zurückzugeben.«

»Sie irren sich« – sagte der ältere, wohlangezogene Herr – »ich habe nicht die Ehre, Sie zu kennen. Sie verwechseln mich offenbar, aber es scheint mir, daß Sie in einer Verlegenheit sind. Und, was die heilige Therese betrifft, von der Sie eben gesprochen haben, bin ich ihr dermaßen menschlich verbunden, daß ich selbstverständlich bereit bin, Ihnen das Geld vorzustrecken, das Sie ihr schuldig sind. Wieviel macht es denn?«

»Zweihundert Francs« – erwiderte Andreas – »aber verzeihen Sie, Sie kennen mich ja nicht! Ich bin ein Ehrenmann, und Sie können mich kaum mahnen. Ich habe nämlich wohl meine Ehre, aber keine Adresse. Ich schlafe unter einer dieser Brücken.«

»Oh, das macht nichts!« – sagte der Herr – »Auch ich pflege da zu schlafen. Und Sie erweisen mir geradezu einen Gefallen, für den ich nicht genug dankbar sein kann, wenn Sie mir das Geld abnehmen. Denn auch ich bin der kleinen Therese so viel schuldig!«

»Dann« – sagte Andreas – »allerdings, stehe ich zu Ihrer Verfügung.«

Er nahm das Geld, wartete eine Weile, bis der Herr die Stufen hinaufgeschritten war, und ging dann selber die gleichen Stufen hinauf und geradewegs in die Rue des Quatre Vents

in sein altes Restaurant, in das russisch-armenische Tari-Bari,
und dort blieb er bis zum Samstagabend. Und da erinnerte
er sich, daß morgen Sonntag sei und daß er in die Kapelle
Ste Marie des Batignolles zu gehen habe.

XV

Im Tari-Bari waren viele Leute, denn manche schliefen dort,
die kein Obdach hatten, tagelang, nächtelang, des Tags hinter
der Theke und des Nachts auf den Banquetten. Andreas erhob
sich am Sonntag sehr früh, nicht sosehr wegen der Messe, die
er zu versäumen gefürchtet hätte, wie aus Angst vor dem
Wirt, der ihn mahnen würde, Trank und Speise und Quartier
für so viele Tage zu bezahlen.
Er irrte sich aber, denn der Wirt war bereits viel früher aufgestanden als er. Denn der Wirt kannte ihn schon seit langem
und wußte, daß unser Andreas dazu neigte, jede Gelegenheit
wahrzunehmen, um Zahlungen auszuweichen. Infolgedessen
mußte unser Andreas bezahlen, von Dienstag bis Sonntag,
reichlich Speise und Getränke und viel mehr noch, als er gegessen und getrunken hatte. Denn der Wirt vom Tari-Bari
wußte zu unterscheiden, welche von seinen Kunden rechnen
konnten und welche nicht. Aber unser Andreas gehörte zu
jenen, die nicht rechnen konnten, wie viele Trinker. Andreas
zahlte also einen großen Teil des Geldes, das er bei sich hatte,
und begab sich dennoch in die Richtung der Kapelle Ste Marie
des Batignolles. Aber er wußte wohl schon, daß er nicht mehr
genügend Geld hatte, um der heiligen Therese alles zurückzuzahlen. Und er dachte ebenso an seinen Freund Woitech,
mit dem er sich verabredet hatte, genau in dem gleichen Maße,
wie an seine kleine Gläubigerin.
Nun also kam er in der Nähe der Kapelle an, und es war
wieder leider nach der Zehn-Uhr-Messe, und noch einmal
strömten ihm die Menschen entgegen, und wie er so gewohnt
den Weg zum Bistro einschlug, hörte er hinter sich rufen, und

plötzlich fühlte er eine derbe Hand auf seiner Schulter. Und wie er sich umwandte, war es ein Polizist.

Unser Andreas, der, wie wir wissen, keine Papiere hatte, wie so viele seinesgleichen, erschrak und griff schon in die Tasche, einfach um sich den Anschein zu geben, er hätte etwelche Papiere, die richtig seien. Der Polizist aber sagte: »Ich weiß schon, was Sie suchen. In der Tasche suchen Sie es vergeblich! Ihre Brieftasche haben Sie eben verloren. Hier ist sie, und« – so fügte er noch scherzhaft hinzu – »das kommt davon, wenn man Sonntag am frühen Vormittag schon so viele Apéritifs getrunken hat! ...«

Andreas ergriff schnell die Brieftasche, hatte kaum Gelassenheit genug, den Hut zu lüften, und ging stracks ins Bistro hinüber.

Dort fand er den Woitech bereits vor und erkannte ihn nicht auf den ersten Blick, sondern erst nach einer längeren Weile. Dann aber begrüßte ihn unser Andreas um so herzlicher. Und sie konnten gar nicht aufhören, beide einander wechselseitig einzuladen, und Woitech, höflich, wie die meisten Menschen es sind, stand von der Banquette auf und bot Andreas den Ehrenplatz an und ging, so schwankend er auch war, um den Tisch herum, setzte sich gegenüber auf einen Stuhl und redete Höflichkeiten. Sie tranken lediglich Pernod.

»Mir ist wieder etwas Merkwürdiges geschehen«, sagte Andreas. »Wie ich da zu unserem Rendezvous herübergehen will, faßt mich ein Polizist an der Schulter und sagt: ›Sie haben Ihre Brieftasche verloren.‹ Und gibt mir eine, die mir gar nicht gehört, und ich stecke sie ein, und jetzt will ich nachschauen, was es eigentlich ist.«

Und damit zieht er die Brieftasche heraus und sieht nach, und es liegen darin mancherlei Papiere, die ihn nicht das geringste angehen, und er sieht auch Geld darin und zählt die Scheine, und es sind genau zweihundert Francs. Und da sagt Andreas: »Siehst du! Das ist ein Zeichen Gottes. Jetzt gehe ich hinüber und zahle endlich mein Geld!«

»Dazu«, antwortete Woitech, »hast du ja Zeit, bis die Messe zu Ende ist. Wozu brauchst du denn die Messe? Während der Messe kannst du nichts zurückzahlen. Nach der Messe gehst du in die Sakristei, und inzwischen trinken wir!«

»Natürlich, wie du willst«, antwortete Andreas.

In diesem Augenblick tat sich die Tür auf, und während Andreas ein unheimliches Herzweh verspürte und eine große Schwäche im Kopf, sah er, daß ein junges Mädchen hereinkam und sich genau ihm gegenüber auf die Banquette setzte. Sie war sehr jung, so jung, wie er noch nie ein Mädchen gesehen zu haben glaubte, und sie war ganz himmelblau angezogen. Sie war nämlich blau, wie nur der Himmel blau sein kann, an manchen Tagen, und auch nur an gesegneten.

So schwankte er also hinüber, verbeugte sich und sagte zu dem jungen Kind: »Was machen Sie hier?«

»Ich warte auf meine Eltern, die eben aus der Messe kommen; die wollen mich hier abholen. Jeden vierten Sonntag«, sagte sie und war ganz verschüchtert vor dem älteren Mann, der sie so plötzlich angesprochen hatte. Sie fürchtete sich ein wenig vor ihm.

Andreas fragte darauf: »Wie heißen Sie?«

»Therese« – sagte sie.

»Ah«, rief Andreas darauf, »das ist reizend! Ich habe nicht gedacht, daß eine so große, eine so kleine Heilige, eine so große und so kleine Gläubigerin mir die Ehre erweist, mich aufzusuchen, nachdem ich so lange nicht zu ihr gekommen war.«

»Ich verstehe nicht, was Sie reden« – sagte das kleine Fräulein ziemlich verwirrt.

»Das ist nur Ihre Feinheit«, erwiderte hier Andreas. »Das ist nur Ihre Feinheit, aber ich weiß sie zu schätzen. Ich bin Ihnen seit langem zweihundert Francs schuldig, und ich bin nicht mehr dazu gekommen, sie Ihnen zurückzugeben, heiliges Fräulein!«

»Sie sind mir kein Geld schuldig, aber ich habe welches im

Täschchen, hier, nehmen Sie und gehen Sie. Denn meine Eltern kommen bald.«

Und somit gab sie ihm einen Hundert-Francs-Schein aus ihrem Täschchen.

All dies sah Woitech im Spiegel, und er schwankte auf aus seinem Sessel und bestellte zwei Pernods und wollte eben unseren Andreas an die Theke schleppen, damit er mittrinke. Aber, wie Andreas sich eben anschickt, an die Theke zu treten, fällt er um wie ein Sack, und alle Menschen im Bistro erschrekken und Woitech auch. Und am meisten das Mädchen, das Therese heißt. Und man schleppt ihn, weil in der Nähe kein Arzt und keine Apotheke ist, in die Kapelle, und zwar in die Sakristei, weil Priester doch etwas von Sterben und Tod verstehen, wie die ungläubigen Kellner trotzdem glaubten; und das Fräulein, das Therese heißt, kann nicht umhin und geht mit.

Man bringt also unsern armen Andreas in die Sakristei, und er kann leider nichts mehr reden, er macht nur eine Bewegung, als wollte er in die linke innere Rocktasche greifen, wo das Geld, das er der kleinen Gläubigerin schuldig ist, liegt, und er sagt: »Fräulein Therese!« – und tut seinen letzten Seufzer und stirbt.

Gebe Gott uns allen, uns Trinkern, einen so leichten und so schönen Tod!

WOLFGANG HILDESHEIMER

Ich trage eine Eule nach Athen

Heute ist es ein Jahr her, daß ich abends auf der Akropolis
stand und, mit einem Gefühl tiefer Erfüllung, eine Eule ent-
flattern ließ, die ich nach Athen getragen hatte.
Der Entschluß zu dieser Tat war eines Nachts in mir gereift,
als ich nicht schlafen konnte. In solchen dunklen Stunden
fasse ich Entschlüsse, die ich dann, wenn die Umstände es
auch nur irgendwie erlauben, unmittelbar in die Tat umsetze.
Dieser neue und bis dahin vielleicht kühnste Entschluß ließ
sich nun zwar nicht ohne weiteres verwirklichen, wohl aber
konnte seine Ausführung sofort vorbereitet werden. Ich kleidete mich an und machte mich auf den Weg zu meinem Vogelhändler. Sein Laden ist selbstverständlich nachts geschlossen,
Stammkunden bedienen sich einer versteckten Nachtglocke.
Ich läutete und stand bald darauf zwischen tuchbedeckten
Käfigen in der nächtlich-trüben Vogelhandlung. Der Händler
fragte mich, was es sein dürfe.
»Eine Eule, bitte«, sagte ich.
»Aha«, sagte er und zwinkerte mit den Augen, als behage
ihm die gewiegte Kennerschaft seines Gegenübers; »Sie sind
ein Kenner. Die meisten Kunden machen den Fehler, sich ihre
Eulen bei Tageslicht auszusuchen. – Soll sie ein Geschenk
sein?«
»Nein. Sie ist für mich. Ich möchte sie nach Athen tragen.«
»Nach Athen – aha!« Der Vogelhändler führte Daumen und
Zeigefinger langsam über sein Kinn, daß die Stoppeln knirsch-
ten, und sagte: »Da würde ich Ihnen zu einem Steinkauz

raten. Ich fürchte, Waldohr- oder Schleiereulen sind den Strapazen einer längeren Reise nicht gewachsen. Ein Steinkauz dagegen ist zäh und hat übrigens auch ein handlicheres Format.« –

»Einen Kauz nach Athen tragen – – ?« sagte ich langsam, mit stillem Zweifel diese Vorstellung prüfend. Schon allein der Rhythmus sagte mir nicht zu.

»Dieselbe Familie«, meinte der Händler. Ich schwieg. »Nachtraubvögel«, fügte er hinzu, von der Beharrlichkeit meines Schweigens angestachelt. Offensichtlich war ihm das Wesen meiner Bedenken unbekannt.

Vielleicht wird mancher Leser ein ähnliches Dilemma schon erfahren haben und daher meine Zweifel verstehen. Jedenfalls – ich will es gestehen – siegte praktische Vernunft über philosophische Deutelei: ich kaufte den Kauz. Die allzu pedantische Widerlegung einer den Gipfel des Absurden darstellenden antiken Zumutung schien es nicht wert zu sein, die Gefahr einer kurz vor dem Ziele verendenden Eule auf sich zu nehmen. Vor allem aber wollte ich die Eulenseele nicht vergewaltigen, indem ich ihren Träger zum Opfer seiner klassischen Assoziation machte. Der Mensch weiß, daß ihn Gott nach seinem Ebenbild geschaffen hat, und er trägt mitunter schwer an dieser Bürde. Dem Tier indessen sind Gleichnis und Vergleich fremd, und meiner Meinung nach gewinnt seine animalische Würde aus eben der Tatsache, daß es noch nicht einmal die einfältigste Fabel über sich selbst kennt. Entlang dieser Bahn liefen meine Überlegungen, als ich mit dem Kauz im Messingkäfig und einem großen Paket mit Brenzels Eulenfutter beladen, durch die stillen Straßen nach Hause ging. Denn die Gedanken über Wesen und Sein, über Mensch und Tier, kommen mir nur – wenn überhaupt – innerhalb dieser dunklen, ahnungsschwangeren Zeitgrenze zwischen Nacht und Morgen, zu welcher Stunde selbst ein Steinkauz über seine irdische Gestalt hinauswächst. Ich trug sozusagen ein Symbol im Käfig: das Tier schlechthin.

Andrerseits verursachte mir mein philologisches Verantwortungsbewußtsein ein ungutes Gefühl, dem zu entwischen ich mich vergeblich bemühte. Es war und blieb ein Kauz, was ich da im Käfig trug, ein Vogel also, der ganz und gar andere Gedankenbilder hervorruft als eine Eule. Mochten ihn auch alle Nicht-Zoologen für eine Eule halten: ich würde bis an mein Lebensende wissen, daß ich einen Steinkauz nach Athen getragen hätte. Im Morgengrauen besah ich den schlafenden Vogel, der von meinen Bedenken und von seiner Legendenumwobenheit nichts wußte: ahnte das gute, harmlose Tier ja noch nicht einmal, daß es ein Steinkauz und keine Eule war. Ich weiß nicht, warum dieser letztere Gedanke mich rührte – vielleicht verspüre ich in diesen Stunden zartere Regungen, die mich der Kreatur näher bringen –, jedenfalls beschloß ich, komme, was da wolle, dieses Tier nach Athen zu tragen.

Und mein Entschluß wurde belohnt. Ein morgendlicher Blick in ›Brehms Tierleben‹ belehrte mich, daß ich mit der Wahl des Kauzes, wider besserem Wissen, das Rechte getroffen hatte. Denn während die Schleiereule auf den zoologischen Namen »Strix flammea« hört, die Waldohreule dagegen »Otis vulgaris« heißt (welch letzteres Adjektiv übrigens das hübsche Tier meiner Überzeugung nach zu Unrecht trägt) heißt der Steinkauz »Athene noctua«, und bei Ansicht der Abbildung wurde mir nunmehr klar, daß dieser tatsächlich der Vogel antiker Darstellung war. Hier hatte ich ihn, schwarz auf weiß, und ich durfte sein lebendiges Ebenbild getrost nach Athen tragen.

Wenige Tage später bestieg ich den Orient-Expreß. Mein Abteilgefährte war ein Herr, dessen Aussehen den Gelehrten verriet. Offensichtlich fuhr auch er nach Athen, wenn auch natürlich in anderer Mission. Mit verhaltener Spannung sah er mir zu, während ich den Käfig im Gepäcknetz verstaute, und noch als ich mich setzte und den Pausanias aus der Tasche zog, hing sein Blick an dem Vogel, der ruhig schlafend auf seiner Stange saß.

»Eine Eule«, bestätigte ich, ohne von meinem Buch aufzusehen, in tiefer, von allen Zweifeln erlöster Seelenruhe.

»Ein Kauz«, meinte er.

»Wenn Sie so wollen«, sagte ich und sah nun doch von meinem Buch auf. »Jedenfalls entspricht das Tier genau dem Zweck, den ich verfolge.«

»Beabsichtigen Sie etwa«, fragte der Herr lauernd, »diesen Vogel nach Athen zu tragen?«

»Das ist in der Tat meine Absicht.«

Jetzt lächelte der Herr. Er schob ein Lesezeichen in sein Buch, klappte es zu, legte es beiseite und machte es sich in seiner Ecke bequem, als bereite er sich auf die längere Erörterung eines interessanten Streitpunktes vor.

»Sie haben, junger Freund«, so hub er an, »Ihren Aristophanes unaufmerksam gelesen oder falsch verstanden!« Hier setzte er zunächst einmal ab, als wolle er mich vernichtet der Wahl zwischen diesen beiden Möglichkeiten überlassen. Aber ich wählte nicht – die Anschuldigungen treffen nicht zu –, sondern entgegnete lässig, bevor er Gelegenheit hatte fortzufahren: »Ich weiß, ich weiß. Es gilt als Inbegriff der Überflüssigkeit, Eulen nach Athen zu tragen. Diese Auffassung ist mir bekannt. Dennoch bin ich, wie Sie sehen, soeben dabei, eine solche nach Athen zu tragen.«

»Einen Kauz, meinen Sie«, sagte der Gelehrte etwas spitzig, wie mir schien, als nehme er mir die Abweichung von der Konvention, den Vogel der Athene – sei er nun Kauz oder Eule – nach Athen zu tragen, richtig übel.

Lässig, mit der linken Hand, spielte ich den Trumpf aus: »Athenes Eule war bekanntlich ein Steinkauz. Die Übersetzung des Wortes »glaukoopis« mit »eulenäugig« ist eine philologische Ungenauigkeit, die auszumerzen ich mich berufen fühle.« Damit hatte ich ihn der Möglichkeit einer Entgegnung beraubt.

Und so entgegnete mir der Herr denn auch nichts mehr. Offensichtlich war er Philologe, und sein Anteil an der übernommenen Schuld ließ ihn verstummen. Er nahm die Lektüre wieder auf und tat von diesem Punkt an – wir passierten soeben den Bahnhof von Großhesselohe – als existiere der Kauz nicht. Mit keinem Worte mehr hat er ihn erwähnt, keines Blickes mehr gewürdigt, und dafür wiederum muß ich ihm dankbar sein, denn das Tier tat immerhin einiges, was rückblickend vielleicht nicht mehr erwähnenswert ist, wohl aber in der Gegenwart von vielen Reisenden als störend, wenn nicht gar als unpassend empfunden werden mag.

Hier nun einige kurze Ratschläge für solche, die, von meinem Beispiel angespornt, beschlossen haben, ihm zu folgen: Eulen sind in der Liste der zollpflichtigen Gegenstände nicht enthalten, daher man eventuellen Zahlungsforderungen von seiten der Beamten energisch entgegentreten darf. Käfige dagegen sind zwar an sich zollpflichtig, aber nur fabrikneue Stücke, und ein von einem Steinkauz bewohnter Käfig ist nach kurzer Zeit nicht mehr neu. Trinkgelder sind empfehlenswert. Mit Verständnis von seiten des ständig wechselnden Zugpersonals sollte nicht gerechnet werden: wer also die Sprache und Gestikulationen der Durchgangsländer nicht beherrscht, beraubt sich der Möglichkeit wirkungsvoller Verteidigung. Im ganzen – das sei zugegeben – ist ein Eulentransport nach Athen mit kleineren Mühen verbunden, aber ich wäre ein Lügner, wollte ich leugnen, daß er dieser Mühe wert ist. Wer sich von Handlungen wie etwa »Holz in den Wald tragen« oder »Wasser in den Brunnen gießen« eine ähnliche Genugtuung erhofft, der wird sich – so fürchte ich – bitter getäuscht sehen. Gewiß: der Mangel an ideellem und materiellem Aufwand solcher letzterwähnter Aktionen ist bestechend und verlockt zur Durchführung; aber der geringe Vorteil ihrer Einfachheit wird bei der von mir vollbrachten Tat durch die tiefe Befriedigung vom Ziel reichlich wettgemacht.

Denn als ich gegen Abend meines ersten Tages in Athen mit meinem Eulenkäfig zur Akropolis hinanstieg, da überkam mich das Gefühl inbrünstiger Zufriedenheit. Hier vollzog sich eine Handlung, die nicht, wie so viele Experimente von heute, darauf angelegt war, die Thesen der Erzieher und Weltverbesserer von gestern zu widerlegen, sondern die sie – im Gegenteil – bestätigte. Ich war dabei, mich selbst zu überzeugen, wie müßig es wirklich war, Eulen nach Athen zu tragen; nicht etwa, weil es dort so viele gibt – weder habe ich, noch hat irgendein mir bekannter Athener dort jemals auch nur eine einzige Eule gesehen – nein: die Tat war müßig, weil Eulen dort, wie letzten Endes auch bei uns, unbrauchbar sind. Mein Glücksgefühl wird daher ein jeder verstehen, der, wie ich, am liebsten solchen Beschäftigungen nachgeht, deren Konzeption bereits von vornherein verrät, daß sie zu nichts führen können, deren Ausübung daher reiner, seliger Selbstzweck ist.

Ich löste meine Eintrittskarte, durchschritt die Propyläen und stellte mich vor den Parthenon. Mit zitternden Fingern öffnete ich den Käfig. Es war ein großer Moment. Die Eule hob sich in die Lüfte und flatterte empor, zum Giebel des Tempels, wo sie zunächst sitzen blieb.

Ein klassischer Anblick! Gegen den blauen attischen Nachthimmel, der das Weiß des Marmors hervorhob und ihn, gespenstisch schön, wie porösen Samt erscheinen ließ, hob sich mein Steinkauz ab, Lebewesen und Symbol zugleich. Ich und kein anderer hatte ihn nach Athen getragen!

»Siehst du, Selma«, hörte ich einen Mann neben mir sagen, »die Bestätigung des klassischen Wortes, daß es unnötig sei, Eulen nach Athen zu tragen? Sogar auf dem Parthenon sitzen sie.«

»Es ist ein Kauz«, erwiderte die Frau. Der Mann schwieg, wahrscheinlich betreten. Auch er war wohl Humanist, und sein Humanismus hatte sich bei ihm, wie es öfters geschieht, auf Kosten seiner Zoologie gebildet. Indessen, dem Mann konnte geholfen werden. Ich wandte mich den beiden zu, die ich unschwer als ein Paar auf der Hochzeitsreise erkannte, und sprach: »Es ist ein Steinkauz: der wahre Vogel der Göttin Pallas Athene. Heute wissen das die meisten Menschen noch nicht. Aber sie werden es bald wissen!« Mit dieser zuversichtlichen Äußerung schritt ich davon, der Wirkung meiner Worte gewiß. Ich hatte einem Hochzeitspaar zu einem vollkommeneren Bild antiker Wirklichkeit verholfen, oder doch zumindest den Keim zu einer Korrektur gelegt.

Den Käfig verkaufte ich bei einem Altmetallhändler und trat am nächsten Tag die Heinreise an. Ich bin ein vielbeschäftigter Mann und muß meine Zeit genauestens einteilen. Selbstdisziplin verbietet es mir, derartige Eskapaden vom Alltag beliebig auszudehnen.

Wenige Wochen später traf auch der Steinkauz wieder bei meinem Vogelhändler ein. Zahme Nachtraubvögel entwikkeln eine große Anhänglichkeit an ihre Besitzer; eine Eigenart, die durchaus zu den zoologischen Merkwürdigkeiten zu zählen ist. Die Natur ist voller wunderbarer Geheimnisse, und es bedarf oft nur des glücklichen Zufalls, ein kleines davon zu ergründen.

Wolfdietrich Schnurre

Ohne Einsatz kein Spiel

So mit der unangenehmste Besuch, den sich die Mukrowskijs seit dieser Sache mit Eppers Spielwarenmagazin nur denken konnten, war der von Kriminalkommissar Löffler gewesen; und ausgerechnet der saß jetzt, mit diesem bebrillten Menschen von Assistenten zusammen in ihrer Wohnküche herum.

»'n Schnaps?« fragte Mukrowskij, der Ältere.

»Gott ja –, warum nich.« Der Kommissar sah gelangweilt an ihm vorbei.

Frau Mukrowskij schlurfte zur Anrichte und holte die Gläser, und Mukrowskij, der Jüngere, goß ein; seine Hand zitterte ein bißchen dabei.

»Tja«, sagte sein Bruder; »denn prost, was?« Er blickte den Kommissar über das erhobene Glas weg mißtrauisch an; aber der Kommissar achtete nicht auf ihn, er blinzelte wohlwollend zum Großvater hinüber, der mit Heini am Herd saß und angestrengt so tat, als spielte er mit den Kaninchen.

»Alles, was recht is, Chef.« Der Kriminalassistent leckte sich schmatzend die Lippen. »Toll, schick gemacht haben die sich's hier, seit wir's letzte Mal zu Besuch warn.«

Frau Mukrowskij räusperte sich. »Nu ja«, sagte sie; »was hat man denn auch schon außer seinen vier Wänden, stimmt's?« Sie schob die Vase mit den Papierblumen auf den Fleck in der Wachstuchdecke und fingerte an ihrem Haarknoten herum.

»Wieviel seid ihr eigentlich«, fragte der Kommissar.

406

»Vier«, sagte Mukrowskij, der Ältere, schnell.

»Nanu; und der Opa?«

»Der rechnet nich«, sagte Mukrowskij, der Jüngere. »Noch einen?«

»Immer gieß zu.«

»Schließlich, er nimmt ja auch kaum Platz weg«, sagte Frau Mukrowskij; »so'n alter schwachsinniger Mann. 'n ganzen Tag hockt er da bei den Karnickeln.«

»Und nachts?« fragte der Kriminalassistent.

»Was – ?« fragte Mukrowskij, der Ältere.

»*Is* er eigentlich so betütert oder *tut* er bloß so«, fragte der Kommissar.

»Also, nee, wirklich, Chef –« Mukrowskij, der Ältere, zog mit eingefallenen Backen an seiner Zigarette; »er taugt schon seit Jahren nischt mehr.«

»Wie geht's Opa?« fragte der Kriminalassistent sehr laut.

»Mhmhmhmhmhmhmhmh«, machte der Großvater und sah, als geniere er sich, auf seine Zebrasocken hernieder. Darauf bückte er sich und gab, einfältig lächelnd, der Zippe Rosenohr ein Stück Zeitungspapier zu fressen.

»Großvater geht's gut«, sagte Heini, der neben ihm saß, wütend.

»Was quatscht 'n eigentlich die Rotznase dazwischen, hm?« Mukrowskij, der Ältere, zog mißbilligend die Brauen zusammen.

»Hör mal, Häschen«, sagte Frau Mukrowskij zu Heini, »hier mußte hübsch deinen Rand halten, wenn de nich gefragt wirst, haste gehört?«

»Was ich nie kapiern werd«, sagte der Kommissar und hielt anzüglich das leere Schnapsglas gegen das Licht und kniff ein Auge zu und starrte blinzelnd durch das Glas und zur Decke: »warum gerade *ihr* den Bengel habt adoptiern müssen.«

»Also, nu wern Se mal nich ulkig, Chef«, sagte Mukrowskij, der Ältere. »Ihr und euer Sozialamt, ich mein, ihr solltet uns da doch wohl zu allererst dankbar sein, oder – ?«

»Richtig«, sagte Mukrowskij, der Jüngere, so bedächtig er konnte und goß dem Kommissar noch einen Schnaps ein.
»Außerdem – er wär euch ja doch wieder durch die Lappen gegangen. Die Tante von der Jugendfürsorge, die is uns ja bald um den Hals gefalln, als wir 'n holten.«
»Na, und wie er sich erst geˈreut hat, als wir 'n haben wollten«, sagte Mukrowskij, der Ältere, finster; »gar nich fassen hat er sich können.«
»Und warum?« Frau Mukrowskij versuchte, den Kommissar einen Moment lang anzusehen, aber es mißlang. »Weil er bei euch keine Liebe nich hat.«
Mukrowskij, der Jüngere, nickte übertrieben bedächtig. »Genauso sieht's aus.«
»Na, denn sag mal, Heini: Wie geht's?« Der Kommissar stand auf, nahm das Küchenhandtuch vom Haken und wischte Heini die Nase.
»Wirste mal den Jungen zufrieden lassen!« kreischte der Großvater und hob drohend einen seiner Filzlatschen auf.
»Schimpf nich, Opa.« Der Kommissar nahm ihm den Latschen ab und zog ihn ihm ächzend wieder über den Fuß. »Soviel steht fest«, sagte er dann und setzte sich wieder: »allein dürft ihr 'n in *dem* Zustand aber nu nich mehr rumtapern lassen.«
»Großvater is schlauer wie ihr alle zusammen«, sagte Heini gekränkt.
»Das heißt ›als‹«, sagte Mukrowskij, der Ältere.
»Deswegen stimmt's *doch*«, sagte Heini.
»Heini, mein Kind«, sagte Frau Mukrowskij, »ich hab's dir schon -zig mal gesagt: man hält die Klappe, wenn die Erwachsenen reden.«
»Prost, Chef«, sagte Mukrowskij, der Jüngere, und goß dem Kommissar wieder das Glas voll. »Weg mit; so jung kommen wir nich mehr zusammen.«
Der Kommissar trank aus und betrachtete seufzend die Decke.
»Besonders, wenn ich an euern Opa denk.«

»Was Sie wolln«, sagte Mukrowskij, der Ältere, mürrisch. »Der Bengel, der paßt ja schon dauernd auf'n Großvater auf; dafür ham wir'n doch adoptiert, euern Bankert.«

»Siehste, siehste.« Der Kriminalassistent wischte sich fröhlich die Brillengläser blank. »Jetzt kommen wir der Sache schon näher.«

»Trotzdem – «, sagte der Kommissar; »Heini allein, das is 'n bißchen zu wenig für Opas Begleitung. Nu denkt doch bloß mal, was so alles passiern kann. Zum Beispiel – nachts.«

»Wann?« fragte Mukrowskij, der Jüngere, blinzelnd.

»Nachts«, sagte der Kriminalassistent freundlich.

»Nachts«, sagte Frau Mukrowskij, »da schläft der Opa hier auf der Holzbank.«

»Immer?« fragte der Kommissar. »Ich mein: könnt ihr 'n denn sehn?« Frau Mukrowskij nickte so heftig, daß sich eine ihrer Haarnadeln löste. »Wir lassen extra die Schlafzimmertür auf. Und ich kuck auch oft noch mal rein. Opa, nich?«

»Mhmhmhmhmhmhmh«, machte der Großvater. Er lächelte einfältig und kraulte verschämt der Zippe Rosenohr im Genick.

»Na, und denn«, sagte Mukrowskij, der Jüngere, »is er ja auch viel zu taprig, um abzuhaun. Orje, hab ich recht.«

»Logisch«, sagte der Bruder.

»Und wieso«, fragte der Kommissar, »hat ihn da neulich, drei Uhr fuffzehn, der Wächter von Karlmann gesehn?«

»Wen.« Mukrowskij, der Ältere, ballte die Faust in der Tasche. »Hier, unsern Opa?«

Der Kriminalassistent nickte herzlich.

»Er trug 'n Sack«, sagte der Kommissar, »und soll ganz schön forsch abgewalzt sein, unser Tapergreis. Dumm bloß, daß der Nachtwächter die Bescherung bei Karlmann, Lebensmittel en gros, erst 'ne Minute später entdeckte.«

»Der Einbruch bei Karlmann«, sagte Frau Mukrowskij mit der Stimme einer Grammophonplatte, die einen Sprung hat, »der war in der Nacht vom vierten zum fünften, stand in der

Zeitung. Da ham wir die ganze Nacht Siebzehnundvier gespielt. Wenn ihr Opas Alibi wollt – ?«

»Arschklar, daß wir das lückenlos kriegen.« Der Kommissar drehte sein Glas zwischen Zeigefinger und Daumen und versuchte, in dem schaukelnden Schnapsrest sein Spiegelbild zu erkennen.

»Los, gieß ihm man noch einen zu, Hanne«, sagte Mukrowskij, der Ältere. »Wie is 'n das«, fragte er dann; »ich denk, der das Ding bei Karlmann gedreht hat, den habt ihr schon längst.«

»'ne Finte.« Der Assistent wischte sich zwinkernd die Brillengläser blank. »Arbeitet sich besser, wenn de den Leuten so was erzählst.« – »Na, und dann«, sagte der Kommissar und schloß die Augen und sog mit einem tiefen Atemzug den Schnapsduft ein, »waren das zweie bei Karlmann, nich einer.« Er kippte mit einer knappen Handgelenkdrehung den Schnaps in die Kehle. »Schön«, sagte er schmatzend, »einer, da is gar nischt gegen zu sagen, der hat ordentlich, wie sich das gehört, mit Handschuhen gearbeitet –.«

»Und der andre – ?« Mukrowskij, der Ältere, drückte an der Herdkante seine Zigarette aus; er mußte sehr fest auf sie drücken, der Nagel wurde ganz weiß.

»Der andre – ?« Der Kommissar seufzte. »Der andre war 'n Kind.«

»Nanu«, sagte Frau Mukrowskij und räusperte sich.

»Nich«, sagte der Assistent; »komisch?«

»Wie wollt ihr 'n das wissen«, fragte Mukrowskij, der Jüngere, heiser, »habt ihr Abdrücke?«

»'n Witz«, sagte der Kommissar. »Wißt ihr, woher?«

»Na – ?«

»Vom Bonbonbehälter.«

»Ähnlich wie neulich die Sache mit Eppers«, sagte der Assistent und goß sich mit ruhiger Hand noch einen Schnaps ein.

»Eppers – Eppers –« Mukrowskij, der Jüngere, legte nichtssagend die Stirn in Falten.

»Dies Spielwarenmagazin«, sagte der Assistent zuvorkommend.
»Ach das. Na, da habt ihr doch sicher auch noch keinen Anhaltspunkt, oder – ?«
»Bis auf die fehlenden Kasperleköppe«, sagte der Kommissar.
»*Was* hat gefehlt?« Mukrowskij, der Ältere, beugte sich schwerhörig über die Wachstuchdecke.
»Kasperleköppe«, sagte der Assistent freundlich.
»Also wirklich, Heini«, sagte Frau Mukrowskij gereizt, »wenn de weiter nischt zu tun hast, als bloß an der Karnickelbucht rumzufummeln, denn kannste auch ebenso gut runtergehn, Holz hacken. Oder solln wir verfriern.«
»Nich doch«, sagte der Assistent und goß sich noch einen ein; »der Schnaps hier, der wärmt doch tadellos.«
»Wie is 'n das«, fragte der Kommissar Heini, »spielste eigentlich gern mit Kasperles und so 'm Kram?«
»Mhmhmhmhmhmhmhmhmhm«, machte der Großvater, der immer noch die Zippe Rosenohr auf dem Schoß hatte und stieß Heini wie durch Zufall mit dem Ellenbogen an.
»Mit Kasperles?« Heini verzog geringschätzig den Mund; »bin doch nicht kindisch.«
»Nochmal«, sagte Mukrowskij, der Ältere, als erwachte er aus einem Traum; »*was* hat gefehlt: Kasperleköppe – ?«
Der Kommissar nickte. »Der Wächter war mit 'm Schlagring zusammengewichst, die Kasse geknackt und zwei Kasperleköppe fehlten.«
»'n Zufall«, sagte Mukrowskij, der Jüngere, schluckend. »Schließlich, wer klaut 'n schon Kasperleköppe.«
»Ja, *wer* wohl«, seufzte der Kommissar. Er trank sein Glas leer und trat an die Karnickelbucht. »Also, denn nischt für ungut, ihr beiden.« Er fuhr Heini über den Kopf, nickte dem Großvater zu und ging zur Tür.
Der Kriminalassistent goß sich schnell noch einen ein. »Prost, Leute«, sagte er aufgekratzt.
Frau Mukrowskij begleitete die beiden über den Flur. »Nett, daß ihr da wart. Laßt euch mal wieder sehn.«

411

Der Kommissar tippte an seinen Hut.

»Gemacht, Frau«, sagte der Assistent.

Dann krachte die Wohnungstür zu.

»Unser Opa – !« Der Kommissar wiegte verträumt den Kopf hin und her. »Sozusagen ferngesteuert, die beiden.«

»Und wie«, fragte der Assistent und wischte sich zwinkernd die Brillengläser blank, »und wie überführn wir sie jetzt?«

»Ruhig mal – !« sagte der Kommissar.

Aus Mukrowskijs Wohnung drangen Lärm und Geschrei.

Der Lärm war so laut, daß der Kommissar sich mit seinem Dietrich gar nicht mal sonderlich vorzusehen brauchte.

Die Tür knarrte ein bißchen. Sie schlossen sie behutsam von innen und schlichen den Korridor entlang. Der Assistent kroch in den Kleiderschrank, der Kommissar trat hinter den Besenvorhang.

In der Wohnküche ging es hoch her. Heini heulte, der Groß-vater tobte, die beiden Mukrowskijs schrien und Frau Mu-krowskij versuchte, allerdings ebenfalls schreiend, zu vermit-teln.

»Hättste mal besser aufgepaßt!« schrie Mukrowskij, der Ältere.

»Hättste, hättste!« schrie der Großvater zurück; »konnt ich wissen, daß er Bonbons klaut?!«

»Wo ich doch nie was Süßes krieg!« heulte Heini.

»Da haste was Süßes!« schrie Mukrowskij, der Jüngere.

Man hörte es klatschen; Heinis Geheul verdoppelte sich.

»Wirste den Jungen loslassen!« brüllte der Großvater.

Etwas krachte gegen die Tür. Der Kommissar tippte, daß es einer von Großvaters Filzlatschen war.

»Warte, Alter!« schrie Mukrowskij, der Jüngere, der sich ge-bückt haben mußte.

Es rumpelte drin, ein paar Stühle kippten um.

»Auauauauauauauau!« schrie der Großvater.

»Die Karnickel!« schrie Heini.

»Diebsgesindel!« schrie Frau Mukrowskij dazwischen; »Klau-igel! Bonbonfresser!«

»Laiengesocks! Stümperpack! Anfänger!« grölte Mukrowskij, der Ältere, mit sich überschlagender Stimme! »Bonbons und Kasperleköppe könnt ihr krampfen, aber wenn's mal –.« Sein Grölen verlor sich in einem röchelnden Gurgeln.

Der Kommissar seufzte. Er schob sich den Hut aus der Stirn und zog ein paar Handschellen aus der Tasche. »Na, denn«, sagte er schlechtgelaunt und kam hinter seiner Gardine hervor.

Der Assistent wischte sich zwinkernd die Brillengläser blank und schloß sorgfältig den Schrank hinter sich.

Als sie die Küchentür öffneten, kam mit angelegten Ohren die Zippe Rosenohr rausgefegt.

HEINRICH BÖLL

Schicksal einer henkellosen Tasse

In diesem Augenblick stehe ich draußen auf der Fensterbank
und fülle mich langsam mit Schnee; der Strohhalm ist in der
Seifenlauge festgefroren, Spatzen hüpfen um mich herum,
rauhe Vögel, die sich um die Brösel balgen, die man ihnen
hingestreut hat, und ich zittere um mein Leben, um das ich
schon so oft zittern mußte; wenn einer von diesen fetten
Spatzen mich umstößt, falle ich von der Fensterbank auf den
Betonstreifen unten – die Seifenlauge wird als gefrorenes
ovales Etwas liegenbleiben, der Strohhalm wird knicken – und
meine Scherben wird man in den Müllkasten werfen.
Matt nur sehe ich die Lichter des Weihnachtsbaumes durch die
beschlagenen Scheiben schimmern, leise nur höre ich das Lied,
das drinnen gesungen wird: das Schimpfen der Spatzen über-
tönt alles.
Niemand von denen da drinnen weiß natürlich, daß ich vor
genau fünfundzwanzig Jahren unter einem Weihnachtsbaum
geboren wurde und daß fünfundzwanzig Lebensjahre ein er-
staunlich hohes Alter für eine simple Kaffeetasse sind: die
Geschöpfe unserer Rasse, die unbenutzt in Vitrinen dahin-
dämmern, leben bedeutend länger als wir einfachen Tassen.
Doch bin ich sicher, daß von meiner Familie keiner mehr lebt:
daß meine Eltern, meine Geschwister, sogar meine Kinder
längst gestorben sind, während ich auf einem Fenstersims in
Hamburg meinen fünfundzwanzigsten Geburtstag in der Gesellschaft schimpfender Spatzen verbringen muß.
Mein Vater war ein Kuchenteller und meine Mutter eine ehr-

bare Butterdose; ich hatte fünf Geschwister: zwei Tassen und drei Untertassen, doch blieb unsere Familie nur wenige Wochen vereint; die meisten Tassen sterben jung und plötzlich, und so wurden zwei meiner Brüder und eine meiner lieben Schwestern schon am zweiten Weihnachtstag vom Tisch gestoßen. Sehr bald auch mußten wir uns von unserem lieben Vater trennen: in Gesellschaft meiner Schwester Josephine, einer Untertasse, begleitet von meiner Mutter, reiste ich südwärts; in Zeitungspapier verpackt, zwischen einem Schlafanzug und einem Frottiertuch, fuhren wir nach Rom, um dort dem Sohn unseres Besitzers zu dienen, der sich dem Studium der Archäologie ergeben hatte.

Dieser Lebensabschnitt – ich nenne ihn meine römischen Jahre – war für mich hochinteressant: erst nahm mich Julius – so hieß der Student – täglich mit in die Thermen des Caracalla, dieses Restgemäuer einer riesigen Badeanstalt; dort in den Thermen freundete ich mich sehr mit einer Thermosflasche an, die mich und meinen Herrn zur Arbeit begleitete. Die Thermosflasche hieß Hulda, oft lagen wir stundenlang zusammen im Grase, wenn Julius mit dem Spaten arbeitete; ich verlobte mich später mit Hulda, heiratete sie in meinem zweiten römischen Jahr, obwohl ich heftige Vorwürfe meiner Mutter zu hören bekam, die die Ehe mit einer Thermosflasche als meiner unwürdig empfand. Meine Mutter wurde überhaupt seltsam: sie fühlte sich gedemütigt, weil sie als Tabakdose Verwendung fand, wie es meine liebe Schwester Josephine als äußerste Kränkung empfand, zum Aschenbecher erniedrigt worden zu sein.

Ich verlebte glückliche Monate mit Hulda, meiner Frau; zusammen lernten wir alles kennen, was auch Julius kennenlernte: das Grab des Augustus, die Via Appia, das Forum Romanum – doch blieb mir letzteres in trauriger Erinnerung, weil hier Hulda, meine geliebte Frau, durch den Steinwurf eines römischen Straßenjungen zerstört wurde. Sie starb durch ein faustgroßes Stück Marmor aus einer Statue der Göttin Venus.

Dem Leser, der geneigt ist, weiterhin meinen Gedanken zu folgen, der Herz genug hat, auch einer henkellosen Tasse Schmerz und Lebensweisheit zuzugestehen – diesem kann ich jetzt melden, daß die Spatzen längst die Brösel weggepickt haben, so daß keine unmittelbare Lebensgefahr mehr für mich besteht, auch ist inzwischen auf der beschlagenen Scheibe eine blanke Stelle von der Größe eines Suppentellers entstanden und ich sehe den Baum drinnen deutlich, sehe auch das Gesicht meines Freundes Walter, der seine Nase an der Scheibe plattdrückt und mir zulächelt; Walter hat noch vor drei Stunden, bevor die Bescherung anfing, Seifenblasen gemacht, jetzt deutet er mit dem Finger auf mich, sein Vater schüttelt den Kopf, deutet mit seinem Finger auf die nagelneue Eisenbahn, die Walter bekommen hat, aber Walter schüttelt den Kopf – und ich weiß, während die Scheibe sich wieder beschlägt, daß ich spätestens in einer halben Stunde im warmen Zimmer sein werde ...

Die Freude am Genuß der römischen Jahre wurde nicht nur durch den Tod meiner Frau, mehr noch durch die Absonderlichkeiten meiner Mutter und die Unzufriedenheit meiner Schwester getrübt, die sich abends, wenn wir beisammen im Schrank saßen, heftig bei mir über die Verkennung ihrer Bestimmung beklagten. Doch standen auch mir Erniedrigungen bevor, die eine selbstbewußte Tasse nur mit Mühe ertragen kann: Julius trank Schnaps aus mir! Von einer Tasse sagen: »aus der ist schon Schnaps getrunken worden«, bedeutet dasselbe, als wenn man von einem Menschen sagt: »der ist in schlechter Gesellschaft gewesen!« Und es wurde sehr viel Schnaps aus mir getrunken.

Es waren erniedrigende Zeiten für mich. Sie währten so lange, bis in Begleitung eines Kuchens und eines Hemdes einer meiner Vettern, ein Eierbecher, aus München nach Rom geschickt wurde: von diesem Tag an wurde der Schnaps aus meinem Vetter getrunken, und ich wurde von Julius an eine Dame verschenkt, die mit demselben Ziel wie Julius nach Rom gekommen war.

Hatte ich drei Jahre lang vom Fenstersims unserer römischen Wohnung auf das Grab des Augustus blicken können, so zog ich nun um und blickte die beiden nächsten Jahre von meiner neuen Wohnung auf die Kirche Santa Maria Maggiore: in meiner neuen Lebenslage war ich zwar von meiner Mutter getrennt, doch diente ich wieder meinem eigentlichen Lebenszweck: es wurde Kaffee aus mir getrunken, ich wurde täglich zweimal gesäubert und stand in einem hübschen, kleinen Schränkchen.

Doch blieben mir auch hier Erniedrigungen nicht erspart: meine Gesellschaft in jenem hübschen Schränkchen war eine Hurz! Die ganze Nacht und viele, viele Stunden des Tages – und dies zwei Jahre hindurch – mußte ich die Gesellschaft der Hurz ertragen. Die Hurz war aus dem Geschlecht derer von Hurlewang, ihre Wiege hatte im Stammschloß der Hurlewang in Hürzenich an der Hürze gestanden, und sie war neunzig Jahre alt. Doch hatte sie in ihren neunzig Jahren wenig erlebt.

Meine Frage, warum sie immer im Schrank stünde, beantwortete sie hochnäsig: »Aus einer Hurz trinkt man doch nicht!«

Die Hurz war schön, sie war von einem zarten Grauweiß, hatte winzige grüne Pünktchen aufgemalt, und jedesmal, wenn ich sie schockierte, wurde sie blaß, daß die grünen Pünktchen ganz deutlich zu sehen waren. Ohne jede böse Absicht schockierte ich sie oft: zunächst durch einen Heiratsantrag. Sie wurde, als ich ihr Herz und Hand antrug, so blaß, daß ich um ihr Leben bangte; es dauerte einige Minuten, bis sie wieder etwas Farbe bekam, dann flüsterte sie: »Bitte, sprechen Sie nie wieder davon; mein Bräutigam steht in Erlangen in einer Vitrine und wartet auf mich.«

»Wie lange schon?« fragte ich.

»Seit zwanzig Jahren«, sagte sie; »wir haben uns im Frühjahr 1914 verlobt – doch wurden wir jäh getrennt. Ich verlebte den Krieg im Safe der Sicherheitsbank in Frankfurt, er im Keller unseres Hauses in Erlangen. Nach dem Krieg kam ich infolge von Erbstreitigkeiten in eine Vitrine nach München, er, infolge der gleichen Erbstreitigkeiten, in eine Vitrine nach Erlangen. Unsere einzige Hoffnung ist die, daß Diana« – so hieß unsere Herrin – »sich mit Wolfgang, dem Sohn der Dame in Erlangen, in deren Vitrine mein Bräutigam steht, verheiratet, dann werden wir in der Erlanger Vitrine wieder vereint sein.« Ich schwieg, um sie nicht wieder zu kränken, denn ich hatte natürlich längst gemerkt, daß Julius und Diana einander nähergekommen waren. Diana hatte zu Julius während einer Exkursion nach Pompeji gesagt: »Ach, wissen Sie, ich habe zwar eine Tasse, aber so eine, aus der man nicht trinken darf.« »Ach«, hatte Julius gesagt, »ich darf Ihnen doch aus dieser Verlegenheit helfen?«

Später, da ich sie nie mehr um ihre Hand bat, verstand ich mich mit der Hurz ganz gut. Wenn wir abends zusammen im Schrank standen, sagte sie immer: »Ach, erzählen Sie mir doch etwas, aber bitte nicht ganz so ordinär, wenn es geht.«

Daß aus mir Kaffee, Kakao, Milch, Wein und Wasser getrunken worden waren, fand sie schon reichlich merkwürdig, aber als ich davon erzählte, daß Julius aus mir Schnaps getrunken hatte, bekam sie wieder einen Ohnmachtsanfall und erlaubte sich die (meiner bescheidenen Meinung nach) unberechtigte Äußerung: »Hoffentlich fällt Diana nicht auf diesen ordinären Burschen herein.«

Doch alles sah so aus, als ob Diana auf den ordinären Burschen hereinfallen würde: die Bücher in Dianas Zimmer verstaubten, wochenlang blieb in der Schreibmaschine ein einziger Bogen eingespannt, auf den nur ein halber Satz geschrieben war: »Als Winckelmann in Rom...«

Ich wurde nur noch hastig gesäubert, und selbst die weltfremde Hurz begann zu ahnen, daß ihr Wiedersehen mit dem Verlobten in Erlangen immer unwahrscheinlicher wurde, denn Diana bekam zwar Briefe aus Erlangen, ließ diese Briefe aber unbeantwortet liegen. Diana wurde seltsam: sie trank – nur zögernd gebe ich dies zu Protokoll – Wein aus mir, und als ich dieses der Hurz abends erzählte, kippte sie fast um und sagte, als sie wieder zu sich kam: »Ich kann unmöglich im Besitz einer Dame bleiben, die es fertigbringt, Wein aus einer Tasse zu trinken.«

Sie wußte nicht, die gute Hurz, wie bald sich ihr Wunsch erfüllen würde: die Hurz wanderte zu einem Pfandleiher, und Diana nahm den Bogen mit dem angefangenen Satz »Als Winckelmann in Rom...« aus der Maschine und schrieb an Wolfgang.

Später kam ein Brief von Wolfgang, den Diana, während sie aus mir Milch trank, beim Frühstück las, und ich hörte sie flüstern: »Es ging ihm also nicht um mich, nur um die blöde Hurz.« Ich sah noch, daß sie den Pfandschein aus dem Buch »Einführung in die Archäologie« nahm, ihn in einen Briefumschlag steckte – und so darf ich annehmen, daß die gute Hurz inzwischen in Erlangen mit ihrem Bräutigam vereint in der Vitrine steht, und ich bin sicher, daß Wolfgang eine würdige Frau gefunden hat.

Für mich folgten merkwürdige Jahre: ich fuhr, zusammen mit Julius und Diana, nach Deutschland zurück. Sie hatten beide kein Geld, und ich galt ihnen als kostbarer Besitz, weil man aus mir Wasser trinken konnte, klares, schönes Wasser, wie man es aus dem Brunnen der Bahnhöfe trinken kann. Wir fuhren weder nach Erlangen noch nach Frankfurt, sondern nach Hamburg, wo Julius eine Anstellung bei einem Bankhaus angenommen hatte.

Diana war schöner geworden. Julius war blaß – ich aber war wieder mit meiner Mutter und meiner Schwester vereint, und die beiden waren Gott sei Dank etwas zufriedener. Meine Mutter pflegte, wenn wir abends auf dem Küchenherd beieinanderstanden, zu sagen: »Na ja, immerhin Margarine...«, und meine Schwester wurde sogar ein wenig hochnäsig, weil sie als Wurstteller diente; mein Vetter aber, der Eierbecher, machte eine Karriere, wie sie selten einem Eierbecher beschieden ist: er diente als Blumenvase. Gänseblümchen, Butterblumen, winzigen Margeriten diente er als Aufenthalt, und wenn

Diana und Julius Eier aßen, stellte sie sie an den Rand der Untertasse.

Julius wurde ruhiger, Diana wurde Mutter – ein Krieg kam, und ich dachte oft an die Hurz, die sicher wieder im Safe einer Bank lag, und obwohl sie mich oft gekränkt hatte, so hoffte ich doch, sie möge auch im Banksafe mit ihrem Mann vereint sein. Zusammen mit Diana und dem ältesten Kind Johanna verbrachte ich den Krieg in der Lüneburger Heide, und oft hatte ich Gelegenheit, Julius' nachdenkliches Gesicht zu betrachten, wenn er auf Urlaub kam und lange in mir rührte. Diana erschrak oft, wenn Julius so lange im Kaffee rührte, und sie rief: »Was hast du nur – du rührst ja stundenlang im Kaffee.« Merkwürdig genug, daß sowohl Diana wie Julius vergessen zu haben scheinen, wie lange ich schon bei ihnen bin: sie lassen es zu, daß ich hier draußen friere, nun von einer herumstreunenden Katze wieder gefährdet werde – während drinnen Walter nach mir weint. Walter liebt mich, er hat mir sogar einen Namen gegeben, nennt mich »Trink-wie-Iwans« – ich diene ihm nicht nur als Seifenblasenbasis, diene auch als Futterkrippe für seine Tiere, als Badewanne für seine winzigen Holzpuppen, ich diene ihm zum Anrühren von Farbe, von Kleister ... Und ich bin sicher, daß er versuchen wird, mich mit dem neuen Zug, den er geschenkt bekam, zu transportieren.

Walter weint heftig, ich höre ihn, und ich bange um den Familienfrieden, den ich an diesem Abend gewährleistet haben möchte – und doch betrübt es mich, zu erfahren, wie schnell die Menschen alt werden: weiß Julius denn nicht mehr, daß eine henkellose Tasse wichtiger und wertvoller sein kann als eine nagelneue Eisenbahn? Er hat es vergessen: hartnäckig verweigert er Walter, mich wieder hereinzuholen – ich höre ihn schimpfen, höre nicht nur Walter, sondern auch Diana weinen, und daß Diana weint, ist mir schlimm: ich liebe Diana.

Sie war es zwar, die mir den Henkel abbrach; als sie mich einpackte beim Umzug von der Lüneburger Heide nach Hamburg, vergaß sie, mich genügend zu polstern, und so verlor ich meinen Henkel, doch blieb ich wertvoll: damals war selbst eine Tasse ohne Henkel noch wertvoll, und merkwürdig, als es wieder Tassen zu kaufen gab, war es Julius, der mich wegwerfen wollte, aber Diana sagte: »Julius, du willst wirklich die Tasse wegwerfen – diese Tasse?«

Julius errötete, er sagte »Verzeih!« – und so blieb ich am Leben, diente bittere Jahre lang als Topf für Rasierseife, und wir Tassen hassen es, als Rasiertopf zu enden.

Ich ging spät noch eine zweite Ehe ein mit einer Haarnadelbüchse aus Porzellan; diese meine zweite Frau hieß Gertrud, sie war gut zu mir und war weise, und wir standen zwei ganze Jahre lang nebeneinander auf dem Glasbord im Badezimmer.

Es ist dunkel geworden, sehr plötzlich; immer noch weint Walter drinnen, und ich höre, wie Julius von Undankbarkeit spricht – ich kann nur den Kopf schütteln: wie töricht doch diese Menschen sind! Es ist still hier draußen: Schnee fällt – längst ist die Katze weggeschlichen, doch nun erschrecke ich: das Fenster wird aufgerissen, Julius ergreift mich, und am Griff seiner Hände spüre ich, wie zornig er ist: wird er mich zerschmettern?

Man muß eine Tasse sein, um zu wissen, wie schrecklich solche Augenblicke sind, wo man ahnt, daß man an die Wand, auf den Boden geworfen werden soll. Doch Diana rettete mich im letzten Augenblick, sie nahm mich aus Julius' Hand, schüttelte den Kopf und sagte leise: »Diese Tasse willst du...« Und Julius lächelte plötzlich, sagte: »Verzeih, ich bin so aufgeregt...«

Längst hat Walter aufgehört zu weinen, längst sitzt Julius mit seiner Zeitung am Ofen, und Walter beobachtet von Julius Schoß aus, wie die gefrorene Seifenlauge in mir auftaut, er hat den Strohhalm schon herausgezogen – und nun stehe ich, ohne Henkel, fleckig und alt, mitten im Zimmer zwischen den vielen nagelneuen Sachen, und es erfüllt mich mit Stolz, daß ich es war, die den Frieden wiederhergestellt hat, obwohl ich mir wohl Vorwürfe machen müßte, die gewesen zu sein, die ihn störte. Aber ist es meine Schuld, daß Walter mich mehr liebt als seine neue Eisenbahn?

Ich wünsche nur, Gertrud, die vor einem Jahr starb, lebte noch, um Julius' Gesicht zu sehen: es sieht so aus, als habe er etwas begriffen...

Nachbemerkung

Die Auswahl der in diesem Band versammelten Geschichten ist vor allem nach zwei Gesichtspunkten vorgenommen worden. Zum einen wurden nur abgeschlossene Kunstwerke aufgenommen, so daß Autoren fehlen, die, wie beispielsweise Jean Paul, innerhalb größerer Werke sehr wohl kostbare Kapitel heiteren oder heiter-melancholischen Charakters geschrieben haben. Es wurde versucht, dem Leser dennoch eine heitere Reise durch die literarische Landschaft dreier Jahrhunderte zu bieten. Zum anderen ging es bei der Auswahl um eine Abgrenzung des Begriffs Heiterkeit. Und der Untertitel gibt darauf schon einen Hinweis: Heiterkeit scheint der Melancholie viel näher verwandt als Jux, Groteske oder auch das, was man mit dem weiträumigen Wort Humor bezeichnet. Dennoch spielt alles dies hinein in die Geschichten, wenn auch nur am Rande. Die Achse, um die sich alles dreht, ist wissende Heiterkeit. Und zu wissen, ist meistens eine melancholische Angelegenheit, die wiederum niemanden abhalten soll, sich dieser Geschichten zu erfreuen, zusammengestellt zum bedachtsamen Vergnügen des Lesers.

Der bio-bibliographische Anhang gibt einige Stichworte. Bei der Aufzählung der Werke konnte nur eine Auswahl geboten werden. Die Jahreszahlen bezeichnen im allgemeinen das erste Erscheinen der Werke in Buchform.

H. A. N.

Bio-bibliographischer Anhang

HEINRICH VON KLEIST: Die Hunde und der Vogel

Erstdruck im Märzheft des *Phöbus* (1808)
Mit Genehmigung des Carl Hanser Verlags München, aus: Heinrich
von Kleist, *Sämtliche Werke und Briefe,* herausgegeben von Helmut
Sembdner, 1961
Heinrich von Kleist wurde 1777 in Frankfurt an der Oder geboren, er nahm sich 1811 am Wannsee das Leben. Kleist lebte von
1787 an in Berlin, trat 1792 in die preußische Armee ein. 1799 Aufgabe der Offizierslaufbahn. Studium der Philosophie, Physik und
Mathematik in Frankfurt an der Oder; ab 1800 in Berlin. 1801
Reise nach Paris. 1802 in Bern (Begegnung mit Zschokke). Winter
1802/03 in Weimar (Begegnungen mit Goethe, Schiller, Wieland).
1803 neuerlich Reise in die Schweiz und nach Paris. Dort verbrann-
te Kleist seine Aufzeichnungen und das *Guiskard*-Manuskript; er
plante, den Truppen Napoleons im Krieg gegen England beizu-
treten, wurde aber nach Deutschland zurücktransportiert. 1804
Eintritt in Staatsdienste, an der Königsberger Domänenkammer.
Anfang 1807 verließ er Königsberg, wurde vor Berlin von den
Franzosen als Spion verhaftet und bis Juli 1807 auf Fort de Joux
inhaftiert. Danach Reise über Berlin nach Dresden (Begegnungen
mit Adam Müller, Tieck, Körner, Varnhagen), gab in Berlin die
Zeitschrift *Phöbus* heraus. 1809 Aufenthalt in Prag und Rückkehr
nach Berlin. Mitherausgeber der *Berliner Abendblätter,* die unter
dem Druck der Zensur nach kurzem Erfolg eingestellt werden
mußten.
Wichtige Werke: *Die Familie Schroffenstein,* Trauerspiel (1803);
Amphitryon, Lustspiel (1807); *Penthesilea,* Trauerspiel (1808); *Der*
zerbrochene Krug, Lustspiel (1808); *Robert Guiskard,* Trauerspiel-

Fragment (1808); *Das Käthchen von Heilbronn oder Die Feuer-probe,* Historisches Ritter-Schauspiel (1808); *Erzählungen* (1810/11) darunter: *Michael Kohlhaas, Die Marquise von O, Das Erd-beben von Chili, Die Verlobung von St. Domingo.*

GOTTHOLD EPHRAIM LESSING: Die Erscheinung. Die junge Schwalbe. Die Maus

Erstdruck wahrscheinlich 1759
Mit Genehmigung des Carl Hanser Verlags, München, aus: Gott-hold Ephraim Lessing, *Gesammelte Werke,* herausgegeben von W. Stammler, 1959
Gotthold Ephraim Lessing wurde 1729 in Kamenz/Oberlausitz geboren, er starb 1781 in Braunschweig. 1741–46 Besuch der Für-stenschule St. Afra in Meißen. Ab 1746 Studium der Medizin und Theologie in Leipzig. Theaterbesuche, vor allem bei der Truppe der *Neuberin.* Von 1748 an freier Schriftsteller und Journalist in Ber-lin, Mitarbeit an der *Vossischen Zeitung;* Freundschaft mit Fried-rich Nicolai und Moses Mendelssohn. Nach Aufenthalten in Wit-tenberg, Potsdam, Leipzig als Reisebegleiter eines jungen Leipziger Kaufmanns über Hamburg und Bremen nach Amsterdam. Bei Aus-bruch des Siebenjährigen Krieges Rückkehr nach Leipzig. 1758–1760 in Berlin Herausgebertätigkeit. 1760–1765 Sekretär des Ge-nerals von Tauentzien in Breslau. 1767 als Kritiker an das Na-tionaltheater in Hamburg, 1770 Leiter der Bibliothek in Wolfenbüt-tel. 1775 Reise nach Wien und Italien. 1777 Beginn der Fehde mit dem Hauptpastor Goeze, die Lessing mit der Veröffentlichung der nicht von ihm selbst stammenden und radikal aufklärerischen *Frag-menten eines Ungenannten* heraufbeschwor.
Wichtige Werke: *Der junge Gelehrte,* Lustspiel (1748); *Miss Sara Sampson,* Bürgerliches Trauerspiel (1755); *Laokoon oder Über die Grenzen der Malerei und Poesie* (1766); *Minna von Barnhelm oder Das Soldatenglück, Lustspiel (1767); Hamburgische Drama-turgie (1767/69); Emilia Galotti,* Trauerspiel (1772); *Anti-Goeze,* Streitschrift (1778); *Nathan der Weise,* Dramatisches Gedicht (1779).

CHRISTOPH MARTIN WIELAND: Diana und Endymion

Erstdruck in: *Komische Erzählungen (1762)*
Mit Genehmigung des Winkler-Verlags, München, aus: Christoph
Martin Wieland, *Epen und Verserzählungen,* herausgegeben von
Friedrich Beißner *(Dünndruck-Bibliothek der Weltliteratur),* 1964
Christoph Martin Wieland wurde 1733 in Oberholzheim bei Biberach geboren, er starb 1813 in Weimar. 1749 Studium der Philosophie in Erfurt, 1750 Jurastudium in Tübingen, literarische Studien. 1752–54 Gast in Bodmers Züricher Haus. 1760 Kanzleidirek-
tor in Biberach. 1769 Professor der Philosophie in Erfurt. 1772 auf
Grund seines Erziehungs- und Staatsromans *Der goldene Spiegel*
als Prinzenerzieher für Carl August nach Weimar berufen. Ab 1775
lebte er mit Pension als Schriftsteller in Weimar bzw. auf seinem
Gut Oßmannstedt bei Weimar. Verbindungen zu Goethe, Herder
und Schiller. Die erste wirklich bedeutende deutsche literarische
Zeitschrift *Der teutsche Merkur* gab er von 1773–1810 heraus. Der
besonders vielseitige Dichter des Rokoko übersetzte auch Shakespeare, Horaz, Aristophanes, Euripides u. a.
Wichtige Werke: *Die Natur der Dinge,* Gedichte (1752); *Der ge-
prüfte Abraham,* Epos (1753) *Die Geschichte des Agathon (1766/
67); Musarion oder die Philosophie der Grazien,* Verserzählungen
(1768) *Der goldene Spiegel oder Die Könige von Scheschian,* Roman (1772); *Alceste,* Singspiel (1773); *Die Abderiten, eine sehr
wahrscheinliche Geschichte,* Roman (1774/80); *Oberon,* Epos (1780);
Aristipp und einige seiner Zeitgenossen, Roman in Briefform,
4 Bände (1800/02).

GEORG CHRISTOPH LICHTENBERG: Gnädigstes Sendschreiben der
Erde an den Mond

Erstdruck im *Göttingischen Magazin der Wissenschaften und Litte-
ratur* (1781)
Aus: Georg Christoph Lichtenberg, *Werke,* Stuttgart 1924
Georg Christoph Lichtenberg wurde 1742 in Oberramstadt bei
Darmstadt geboren, er starb 1799 in Göttingen. Durch einen Unfall
war er von Kind an bucklig. 1763-66 Studium der Mathematik und
der Naturwissenschaften in Göttingen. 1770 Professor für Experi-

mentalphysik in Göttingen. Redigierte ab 1778 den *Göttinger Ta-schenkalender*. Er schrieb eine große Zahl wissenschaftlicher und populär-philosophischer Aufsätze. 1780 Mitbegründer des *Göttin-ger Magazins*. Lebte in seinen letzten Lebensjahren ganz zurück-gezogen.

Wichtige Werke: *Über Physiognomik, wider die Physiognomen* (1778); *Ausführliche Erklärung der Hogarthschen Kupferstiche* (1794–1799); *Vermischte Schriften* (1800–1806), 9 Bände, darin *Bemerkungen vermischten Inhalts*, Aphorismen.

HEINRICH ZSCHOKKE: Das Bein

Erstdruck in *Erheiterungen* (1811)
Aus: Heinrich Zschokke, *Der zerbrochene Krug und andere Er-zählungen*, Halle o. J.
Heinrich Daniel Zschokke wurde 1771 in Magdeburg geboren, er starb 1848 in Aarau. 1782–92 Studium der Theologie, Jura, Philo-sophie und Geschichte in Frankfurt an der Oder, nachdem er Haus-lehrer und Theaterdichter einer Wandertruppe gewesen war. 1792–95 Privatdozent für Philosophie in Frankfurt an der Oder, 1796 Leiter der Erziehungsanstalt in Reichenau/Graubünden. 1798–1801 Regierungsämter in der Schweiz (z. B. Statthalter verschiedener Orte). 1801/02 in Bern Begegnungen mit Pestalozzi, Kleist und Ludwig Wieland. In einer Art literarischen Wettstreits wurde nach einem Kupferstich der Stoff des *Zerbrochenen Krugs* von Zschok-ke (als Erzählung), von Kleist (als Lustspiel) und von Ludwig Wieland (als Satire) behandelt. Zschokke schrieb Erzählungen und Räuberromane, übersetzte u. a. Molière ins Deutsche.
Wichtige Werke sind: *Aballino, der große Bandit*, Roman (1793); *Des Schweizerlands Geschichten* (1822); *Ährenlese*, 4 Bände (1844 f.).

JOHANN PETER HEBEL: Der Wasserträger

Erstdruck in *Erzählungen des Rheinländischen Hausfreundes* (1812)
Mit Genehmigung des Insel Verlags, Frankfurt am Main, aus: Johann Peter Hebel, *Werke und Briefe*, 1943
Johann Peter Hebel wurde 1760 in Basel geboren, er starb 1826 in Schwetzingen. 1778–1780 Studium der Theologie in Erlangen.

427

1780 Hauslehrer und Vikar in Hertingen. Von 1791 an Gymnasiallehrer, später Direktor in Karlsruhe. 1819 evangelischer Prälat, gehörte 1819–21 dem badischen Landtag an. Seine *Alemannischen Gedichte* gaben der Mundartdichtung neuen Auftrieb.

Wichtige Werke: *Alemannische Gedichte* (1803); *Schatzkästlein des Rheinischen Hausfreundes*, Erzählungen (1811); *Rheinischer Hausfreund oder Neuer Kalender mit lehrreichen Nachrichten und lustigen Erzählungen* (1813–1815).

CLEMENS BRENTANO: Die mehreren Wehmüller und ungarischen Nationalgesichter

Erstdruck in Gubitz' Zeitschrift *Der Gesellschafter oder Blätter für Geist und Herz*, vom 24. September bis 13. Oktober 1817

Mit Genehmigung des Carl Hanser Verlags, München, aus: Clemens Brentano, *Werke*, herausgegeben von Friedrich Kemp, 1963

Clemens Brentano wurde 1778 in Ehrenbreitstein geboren, er starb 1842 in Aschaffenburg. 1797 Literaturstudium in Halle und Jena. Ab 1804 lebte er in Heidelberg. Er gehörte mit Achim von Arnim und Joseph Görres zum *Heidelberger Kreis* der Romantik, zur *jüngeren Romantik,* gab zusammen mit Arnim die Volksliedersammlung *Des Knaben Wunderhorn* (1806–1808) heraus. Gleichzeitig Mitherausgeber der *Zeitung für Einsiedler.* 1809–1818 lebte er meistens in Berlin. 1817 Rückkehr zum strengen Katholizismus. Von 1819–1824 besuchte er häufig in Dülmen die stigmatisierte Nonne Anna Katharina Emmerich, zeichnete deren Visionen auf und gab eine Bearbeitung als Andachtsbuch heraus. Nach dem Tod der Nonne unstetes Wandern zwischen mehreren Orten. 1825–1832 blieb er in Koblenz, ab 1832 folgten als Wohnsitze Regensburg und München.

Wichtige Werke neben Brentanos Lyrik: *Godwi oder Das steinerne Bild der Mutter. Ein verwilderter Roman von Maria* (1800); *Ponce de Leon,* Lustspiel (1801); *Aus der Chronika eines fahrenden Schülers* (1802); *Romanzen vom Rosenkranz* (1810 ff); *Die Geschichte vom braven Kasperl und schönen Annerl* (1817); *Gockel, Hinkel, Gackeleia,* Märchen (1838); *Gesammelte Schriften* (1852/55) u. a. die erste vollständige Sammlung von Brentanos Lyrik.

LUDWIG BÖRNE: Der Eßkünstler

Erstdruck im *Morgenblatt* vom 8. März 1822
Aus: Ludwig Börne, *Humoristische Schriften,* Leipzig 1883
Ludwig Börne (Pseudonym für Löb Baruch) wurde 1786 in Frankfurt am Main geboren, er starb 1837 in Paris. Studium der Medizin in Berlin und Halle, der Staatswissenschaften in Heidelberg und Gießen. Polizeiaktuar in Frankfurt am Main. 1814 entlassen, weil er Jude war. 1818 Übertritt zum Protestantismus. Er gehörte dem Kreis der *Jungdeutschen* an. Vertrat seine Meinung in eigenen Zeitschriften: *Zeitschwinge* (1817), *Die Waage* (1821), später im *Morgenblatt für gebildete Stände* des Verlegers Cotta. Lebte als Journalist seit 1822 meistens und ab 1830 endgültig in Paris.
Auswahl aus den Werken: *Briefe aus Paris* (1832/34); *Menzel, der Franzosenfresser* (1836); *Französische Schriften* (1847).

HEINRICH HEINE: Der Tee

Erstdruck in *Wesernymphe,* Sammelband von Novellen und Erzählungen (1831)
Mit Genehmigung des Kindler Verlags, München, aus: Heinrich Heine, *Sämtliche Werke,* Band VII, 1964
Heinrich Heine wurde 1797 in Düsseldorf geboren, er starb 1856 in Paris. 1815 Kaufmännischer Lehrling in Frankfurt am Main, ab Sommer 1816 im Bankhaus seines Onkels in Hamburg. Studium der Philosophie, Literatur und Jura in Bonn, Göttingen und Berlin (Philosophie bei Hegel). Verkehrte im Salon Rahel Varnhagens. 1823 in Lüneburg, Cuxhaven, Helgoland und Hamburg. 1824 Fußwanderung durch den Harz nach Thüringen, Besuch bei Goethe. 1825 Übertritt zum Protestantismus, im selben Jahr Promotion zum Dr. jur. 1831 Übersiedlung nach Paris. Verkehr mit Meyerbeer, Victor Hugo, Dumas, Börne, George Sand und Balzac. Seit 1848 war er durch ein Rückenmarksleiden ständig bettlägerig.
Wichtige Werke: *Die Harzreise* (1826); *Das Buch der Lieder,* Gedichte (1827), darunter Liebesgedichte und Balladen wie *Belsazar, Auf Flügeln des Gesanges, Du bist wie eine Blume. Reisebilder* (1831); *Französische Zustände* (1833); *Der Rabbi von Bacharach,* Romanfragment (1840); *Deutschland. Ein Wintermärchen* (1844); *Der Romanzero,* Gedichtsammlung (1851).

Ludwig Tieck: Des Lebens Überfluß

Erstdruck in der *Urania für 1839*
Mit Genehmigung des Winkler Verlags, München, aus: Ludwig
Tieck, *Novellen*, (Dünndruck-Bibliothek der Weltliteratur), 1965
Johann Ludwig Tieck wurde 1773 in Berlin geboren, er starb 1853
ebenda. 1792–95 Studium der Theologie, Philosophie, der Litera-
tur, besonders der englischen, und der Geschichte in Halle und
Göttingen. Freundschaft mit Wackenroder. 1799 in Jena, Verbindung zu den Brüdern Schlegel, zu Brentano, Schelling, Fichte, zu
Goethe und Schiller. 1802 in Dresden, wohin er nach Reisen durch
Italien, England und Frankreich endgültig zurückkehrte. Drama-
turg des Hoftheaters. 1841 Ruf nach Berlin, Vorleser von Friedrich Wilhelm IV., Hofrat und Berater der Königlichen Schauspiele.
Neben seinen Dichtungen waren Tiecks Übersetzungen (Shakespeare, Cervantes) bahnbrechend, ebenso wie seine literarischen Anregungen (z. B. Herausgabe der Werke von Novalis, Kleist und Lenz)
und seine Theaterinszenierungen.
Wichtige Werke: *Geschichte des Herrn William Lovell*, Brief-
roman (1795/96); *Volksmärchen* (1797); *Franz Sternbalds Wanderungen*, Roman-Fragment (1798); *Kaiser Octavianus*, Lustspiel
1804); *Phantasus*, Sammlung von Märchenerzählungen und Mär-
chendramen (1812/17), darunter: *Der blonde Eckbert, Die schöne
Magelone, Ritter Blaubart, Der gestiefelte Kater. Vittoria Accorom-
bona*, Historischer Roman (1840).

Adalbert Stifter: Die drei Schmiede ihres Schicksals

Erstdruck in *Wiener Zeitschrift für Kunst, Literatur, Theater und
Mode* (1844)
Mit Genehmigung des Winkler Verlags, München, aus: Adalbert
Stifter, *Bunte Steine und Erzählungen*, (Dünndruck-Bibliothek der
Weltliteratur), 1951
Adalbert Stifter wurde 1805 in Oberplan/Böhmen geboren, er
nahm sich 1868 in Linz das Leben. Ab 1826 Studium in Wien, zu-
nächst Jura, dann Malerei, Mathematik, Naturwissenschaften und
Geschichte. Lebensunterhalt durch Privatunterricht in Wiener Adels-
häuser (z. B. beim Fürsten Metternich). Verbindung zu Grillparzer

und Lenau. Bestand nur den schriftlichen Teil des Staatsexamens, da er aus Prüfungsangst nicht zum mündlichen Examen erschien.
Frühe Anerkennung seiner Erzählungen. 1848 Übersiedlung nach Linz, 1850 Schulrat und Inspektor der Oberösterreichischen Volksschulen. Von 1865 an als Hofrat im Ruhestand, von 1863 an war Stifter unheilbar krank.
Wichtige Werke: *Die Mappe meines Urgroßvaters*, Erzählung (1841/42); *Studien*, Erzählungen (1844/50), darunter: *Der Hochwald, Brigitta, der Hagestolz. Bunte Steine*, Erzählungen (1853) mit der berühmten programmatischen Vorrede über Großes und Kleines. *Der Nachsommer*, Roman (1857); *Wittiko*, Roman (1865/67).

FRIEDRICH HEBBEL: Der Schneidermeister Nepomuk Schlägel auf der Freudenjagd

Erstdruck in *Der Salon* ... (1847)
Aus: *Hebbels Werke*, Bibliographisches Institut, Leipzig o. J.

Christian Friedrich Hebbel wurde 1813 in Wesselburen/Dithmarschen geboren, er starb 1863 in Wien. Mit 14 Jahren Schreiber des Kirchspielvogts. 1835 in Hamburg autodidaktische Vorbereitung auf das Studium, unterstützt von Gönnern, insbesondere durch die Putzmacherin und Näherin Elise Lensing. Studium, zunächst Jura, später Geschichte, Literaturwissenschaft und Philosophie in Heidelberg und München. Verschiedene Stipendien für Reisen nach Paris, Rom und Neapel. 1845 in Wien, enge Verbindung zum Burgtheater.
Wichtige Werke: *Judith*, Trauerspiel (1840); *Gedichte* (1842); *Genoveva*, Trauerspiel (1843); *Maria Magdalena*, Bürgerliches Trauerspiel (1844); *Agnes Bernauer. Ein deutsches Trauerspiel* (1852); *Erzählungen und Novellen* (1855); *Gyges und sein Ring*, Trauerspiel (1856); *Gedichte*, Gesamtausgabe (1857), die Ausgabe enthält *Lieder, Balladen und Verwandtes; Vermischte Gedichte; Dem Schmerz sein Recht; Des Dichters Testament; Sonette, Epigramme und Verwandtes. Die Nibelungen. Ein Deutsches Trauerspiel* (1861); *Demetrius*, Trauerspiel-Fragment (1864).

WILHELM HEINRICH RIEHL: Die vierzehn Nothelfer

Erste Buchausgabe in *Aus der Ecke. 7 Novellen*. Erste Auflage
wahrscheinlich 1872, zweite Auflage 1875
Mit Genehmigung des Verlags Philipp Reclam jun., Stuttgart.
Wilhelm Heinrich Riehl wurde 1823 in Biebrich am Rhein geboren, er starb 1897 in München. Nach Studium der Theologie, Philosophie und Musik in Göttingen und Gießen, der Kulturgeschichte in Bonn, ab 1844 Journalist in Frankfurt am Main, Karlsruhe
und Wiesbaden. Mitglied des Frankfurter Parlaments. 1854 Professor der Staatswissenschaften in München, ab 1859 Ordinarius
für Kulturgeschichte, 1885 Direktor des Nationalmuseums. Riehl
war ein bedeutender Kulturhistoriker.
Wichtige Werke: *Geschichte von Eisele und Beisele*, Roman (1848);
Die bürgerliche Gesellschaft (1851); *Musikalische Charakterköpfe*,
Skizzen (1853–56); *Kulturgeschichtliche Novellen* (1856); *Kultur-
studien aus drei Jahrhunderten* (1859); *Ein ganzer Mann*, Roman
(1897).

GOTTFRIED KELLER: Der schlimm-heilige Vitalis

Erste Buchveröffentlichung in *Sieben Legenden* (1872)
Mit Genehmigung des Carl Hanser Verlags, München, aus: Gottfried Keller, *Sämtliche Werke und ausgewählte Briefe*, herausgegeben von Clemens Heselhaus, 1958
Gottfried Keller wurde 1819 in Zürich geboren, er starb 1890 ebenda. 1824 Armenschule, 1831 Landknabeninstitut. Autodidakt. 1840
nach München, mit dem Plan, Maler zu werden. 1842 Rückkehr
nach Zürich, Zweifel am malerischen Talent, Beginn schriftstelleri-
scher Arbeit. Teilnahme an der Freischärlerbewegung gegen Luzern,
Begegnung mit Freiligrath und Herwegh. 1848 nach Erscheinen
seiner Gedichte Stipendium des Kantons Zürich, Studium der Philosophie, Literatur und Geschichte in Heidelberg, 1850–55 in Berlin. 1855 als freier Schriftsteller in Zürich. 1861–75 Stadtschreiber
von Zürich. Die letzten 15 Jahre seines Lebens blieb er als freier
Schriftsteller in Zürich.
Wichtige Werke: *Gedichte* (1846); *Neuere Gedichte* (1851), darunter: *Winternacht, Abendlied*, der Zyklus der *Waldlieder*. *Der grün-*

ne Heinrich, Roman (1854/55), Neufassung 1879/80; *Die Leute von Seldwyla,* Novellen (1856 und 1874), darunter: *Spiegel, das Kätzchen, Kleider machen Leute. Sieben Legenden (1872),* darunter: *Eugenia, Die Jungfrau und der Teufel, Das Tanzlegendchen.*
Züricher Novellen, Historische Novellen (1878), darunter: *Hadlaub, Das Fähnlein der sieben Aufrechten, Ursula. Das Sinngedicht,* Novellen-Zyklus (1881); *Martin Salander,* Roman (1886).

THEODOR FONTANE: Professor Lezius oder Wieder daheim

Erste Veröffentlichung in Buchform in *Von vor und nach der Reise, Plaudereien und kleine Geschichten* (1894)
Mit Genehmigung des Verlags Philipp Reclam jun., Stuttgart, aus: Theodor Fontane, *Tuch und Locke,* herausgegeben von Walter Keitel
Theodor Fontane wurde 1819 in Neuruppin geboren, er starb 1898 in Berlin. Apothekerlehre, Militärdienst, Staatsexamen in Berlin. Frühzeitig kam er mit literarischen Kreisen Berlins in Verbindung, wurde Mitglied des *Tunnels über der Spree.* 1849 gab er den Apothekerberuf auf und lebte als freier Schriftsteller und Journalist. 1855–1859 Berichte aus England, 1864, 1866 und 1870 Berichterstattung von Kriegsschauplätzen. 1870–1890 Theaterkritiker der *Vossischen Zeitung.* Mitarbeit bei verschiedenen Berliner Zeitungen. Sein Romanwerk begann Fontane erst spät, beinahe sechzigjährig, nachdem vorher Balladen, Berichte über die Kriege und die ersten Teile der *Wanderungen durch die Mark* erschienen waren.
Wichtige Werke: *Gedichte* (1851); *Wanderungen durch die Mark Brandenburg* (1862–1882); *Vor dem Sturm,* Roman (1878); *L'-Adultera,* Roman (1882); Schach von Wuthenow, Roman (1883); *Cécile,* Novelle (1887); *Irrungen, Wirrungen,* Novelle (1888); *Stine,* Novelle (1890); *Unwiederbringlich,* Roman (1891); *Frau Jenny Treibel oder Wo sich Herz zu Herzen find't,* Roman (1892); *Effi Briest,* Roman (1894); *Die Poggenpuhls,* Novelle (1896); *Der Stechlin,* Roman (1898).

OTTO JULIUS BIERBAUM: Der Steckenpferdpastor oder Das goldene Zeitalter

Die zweite Geschichte aus *Drei Niederländer Phantasiestücke. Frei nach Gustav Kahn*. In: *Sonderbare Geschichten*, München (1908) Zitiert aus der Erstausgabe.

Otto Julius Bierbaum wurde 1865 in Grüneberg/Schlesien geboren, er starb 1910 in Dresden. Studium der Philosophie, Jura und der chinesischen Sprache in Zürich, München und Berlin. Ab 1893 Redakteur der *Freien Bühne* in Berlin. 1894 gründete er die Zeitschrift *Pan*, 1899 Mitbegründer der Zeitschrift *Die Insel*, aus der 1901 der Inselverlag hervorging, und Mitbegründer des *Überbrettl* in München. Seine *Überbrettl-Lieder* waren große Erfolge.

Auswahl aus den Werken: *Erlebte Gedichte* (1892); *Stilpe. Ein Roman aus der Froschperspektive* (1897); *Irrgarten der Liebe*, Überbrettl-Lieder (1901); *Prinz Kuckuck. Leben, Taten, Meinungen und Höllenfahrt eines Wollüstlings*, Roman in 3 Bänden (1906); *Sonderbare Geschichten* (1908).

THOMAS MANN: Das Eisenbahnunglück

Erstdruck in *Der kleine Herr Friedemann und andere Novellen*, S. Fischer Verlag, Berlin (1909)
Mit Genehmigung des S. Fischer Verlags, Frankfurt am Main, aus: Thomas Mann, *Erzählungen*, (c) 1958 Katharina Mann
Thomas Mann wurde 1875 in Lübeck geboren, er starb 1955 in Kilchberg bei Zürich. 1893, nach dem Tod des Vaters, Übersiedlung nach München, Volontär bei einer Versicherungsgesellschaft. 1894 Mitarbeiter am *Simplizissimus*, Gasthörer literarischer, historischer und volkswirtschaftlicher Vorlesungen. 1895–97 Italienaufenthalt mit seinem Bruder Heinrich. 1899 Redakteur am *Simplizissimus*, darauf lebte er als freier Schriftsteller. 1929 Nobelpreis für *Die Buddenbrooks*. 1933 kehrte er von einer Vortragsreise in der Schweiz nicht mehr nach Deutschland zurück, blieb in der Emigration, zunächst in der Schweiz, und ging 1939 in die USA. Gastprofessor an der Princeton University in New Jersey, lebte dann in Kalifornien. 1944 erhielt Thomas Mann die amerikanische Staats-

bürgerschaft. 1952 Rückkehr nach Europa. Die letzten Jahre seines Lebens verbrachte er in Kilchberg bei Zürich.

Wichtige Werke: *Der kleine Herr Friedemann*, Novelle (1897); *Die Buddenbrooks*, Roman (1901); *Tonio Kröger*, Novelle (1903); *Königliche Hoheit*, Roman (1909); *Der Tod in Venedig*, Novelle (1913); *Betrachtungen eines Unpolitischen* (1918); *Der Zauberberg*, Roman (1924); *Joseph und seine Brüder* (1933–1942); *Leiden und Größe der Meister*, Essays (1935); *Lotte in Weimar*, Roman (1939); *Deutsche Hörer!*, Rundfunkansprachen (1944); *Adel des Geistes*, Essays (1945); *Doktor Faustus*, Roman (1947); *Der Erwählte*, Roman (1951); *Die Bekenntnisse des Hochstaplers Felix Krull*, Roman (1954, Neufassung und Weiterführung des Fragments von 1922); *Versuch über Schiller* (1955).

HEINRICH MANN: Jungfrauen

Erste Buchveröffentlichung in *Novellen*, Erster Band, Kurt Wolff Verlag, Leipzig 1916. *Stürmische Morgen (Heldin – Der Unbekannte – Jungfrauen – Abdankung)*.

Mit Genehmigung des Claassen Verlags, Hamburg, aus: *Novellen* von Heinrich Mann, Band VII der Gesammelten Werke, 1963, Copyright beim Aufbau Verlag, Berlin.

Heinrich Mann wurde 1871 in Lübeck geboren, er starb 1950 in Santa Monica, Kalifornien. Buchhändlerische Lehre in Dresden. Studium in Berlin und München. Heinrich Mann ging 1893 nach Paris und lebte danach bis 1898 in Italien. Rückkehr nach München und 1925 Übersiedlung nach Berlin. 1930 Präsident der Preußischen Akademie der Künste, Sektion für Dichtung. 1933 Schriftenverbot und Emigration in die Tschechoslowakei, nach Frankreich und 1940 über Spanien nach den USA. Kurz vor dem Termin seiner geplanten Rückkehr nach Deutschland starb Heinrich Mann.

Wichtige Werke: *In einer Familie*, Roman (1893); *Im Schlaraffenland*, Roman (1900); *Die Göttinnen oder Die drei Romane der Herzogin von Assy*, Roman-Trilogie (1903); *Die Jagd nach Liebe*, Roman (1904); *Professor Unrat oder Das Ende eines Tyrannen*, Roman (1905); *Die kleine Stadt*, Roman (1909); *Der Untertan*, Roman (1918); *Geist und Tat*, Essays (1931); *Die Jugend des Kö-*

nigs Henri Quatre, Roman (1935); *Die Vollendung des Königs Henri Quatre*, Roman (1938); *Ein Zeitalter wird besichtigt*, Erinnerungen (1945); *Empfang bei der Welt*, Roman (1950); *Die traurige Geschichte von Friedrich dem Großen*, Roman-Fragment (1960).

HEIMITO VON DODERER: Sie verkauft sich

Entstanden: 1931
Mit Genehmigung des Biederstein Verlags aus: *Die Peinigung der Lederbeutelchen*, Erzählungen, München, 1959
Heimito von Doderer wurde 1896 in Weidlingen/Niederösterreich geboren. Er wuchs in Wien auf, nahm als Dragoneroffizier am Ersten Weltkrieg teil. 1916–1920 Kriegsgefangenschaft in Sibirien. 1921–1925 Geschichtsstudium in Wien und Promotion zum Dr. phil. Im Zweiten Weltkrieg Luftwaffenhauptmann. Er lebt als freier Schriftsteller in Wien.
Auswahl aus den Werken: *Ein Mord, den jeder begeht*, Roman (1938); *Ein Umweg, Roman aus dem österreichischen Barock* (1940); *Die erleuchteten Fenster oder Die Menschwerdung des Amtsrates Julius Zihal*, Roman (1950); *Die Strudlhofstiege oder Melzer und die Tiefe der Jahre*, Roman (1951); *Die Dämonen*, Roman (1956); *Die Peinigung der Lederbeutelchen*, Erzählungen (1959;) *Die Merowinger*, Roman (1962); *Die Wasserfälle von Slung*, Roman (1963); *Tangenten, Tagebuch eines Schriftstellers 1940 bis 1950* (1964).

JOSEPH ROTH: Die Legende vom heiligen Trinker

Entstanden 1939
Mit Genehmigung des Verlags Kiepenheuer & Witsch, Köln, aus: Joseph Roth, *Werke in drei Bänden*.
Joseph Roth wurde 1894 in Schwabendorf b. Brody/Ostgalizien geboren, er starb 1939 im Pariser Exil. Studium der Philosophie und deutschen Literatur in Lemberg und Wien. Am ersten Weltkrieg nahm er als österreichisch-ungarischer Offizier teil. Russische Kriegsgefangenschaft. Von 1918 an Journalist in Wien und von 1921 an in Berlin. 1923–1932 Korrespondent der *Frankfurter Zeitung*. 1933 Emigration nach Wien, Salzburg, Marseille und Paris; dort lebte er bis zu seinem Tod.

Wichtige Werke: *Hotel Savoy*, Roman (1924); *Die Flucht ohne Ende*, Roman (1927); *Zipper und sein Vater*, Roman (1928); *Hiob*, Roman (1930); *Radetzkymarsch*, Roman (1932); *Der Antichrist*, Essay (1934); *Die hundert Tage*, Roman (1936); *Die Geschichte der 1002. Nacht*, Roman (1938); *Die Kapuzinergruft*, Roman (1938); *Die Legende vom heiligen Trinker*, Erzählung (1939).

WOLFGANG HILDESHEIMER: Ich trage eine Eule nach Athen

Erstdruck: 1952 beim Suhrkamp Verlag
Abdruck mit Genehmigung des Suhrkamp Verlags, Frankfurt am Main, aus: Wolfgang Hildesheimer, *Lieblose Legenden*. 13.–17. Tsd., 1965
Wolfgang Hildesheimer wurde 1916 in Hamburg geboren. 1933 Emigration nach Palästina, dort Möbeltischler und Innenarchitekt. 1937 Bühnenbildner-Kursus in Salzburg. 1937–1939 Studium der Malerei und Graphik in London. 1939–1945 Englischer Informationsoffizier in Palästina. 1946–1949 Simultandolmetscher beim Nürnberger Prozeß. Lebte als Maler in Ambach/Starnberger See. Seit 1950 ist Hildesheimer als freier Schriftsteller und Maler in Poschiavo/Graubünden zuhause; neuer Wohnort ist Urbino, auf der Grenze zwischen der Toscana und Umbrien. Der Autor gehört zur *Gruppe 47*.
Wichtige Werke: *Lieblose Legenden*, Erzählungen (1952, Neufassung 1962); *Das Ende einer Welt*, Funkoper (1953 mit Henze); *Paradies der falschen Vögel*, Roman (1935); *Der Drachenthron*, Komödie (1955); *Spiele, in denen es dunkel wird*, Dramen (1958); *Herrn Walsers Raben*, Hörspiel (1960); *Die Verspätung*, Drama (1961); *Vergebliche Aufzeichnungen*, Erzählungen (1963); *Tynset*, Roman (1965).

WOLFDIETRICH SCHNURRE: Ohne Einsatz kein Spiel

Erstdruck: 1958 in einer Tageszeitung.
Abdruck mit Genehmigung des Walter-Verlages, Freiburg i. Brsg. und Olten, aus: Wolfdietrich Schnurre, *Ohne Einsatz kein Spiel. Heitere Erzählungen*, 1964

Wolfdietrich Schnurre wurde 1920 in Frankfurt am Main geboren. Nach dem Besuch des Gymnasiums in Berlin 1939–1945 Soldat. 1946 Rückkehr nach Berlin, Theater- und Filmkritiker. 1947 Mitbegründer der *Gruppe 47*. Seit 1950 freier Schriftsteller in Berlin. Wichtige Werke: *Sternstaub und Sänfte*, Satiren (1953, 1962 Neufassung unter dem Titel *Die Aufzeichnungen des Pudels Ali); Kassiber*, Gedichte (1956); *Abendländer*, Gedichte (1957); *Als Vaters Bart noch rot war*, Erzählungen (1953); *Eine Rechnung, die nicht aufgeht*, Erzählungen (1958); *Man sollte dagegen sein*, Geschichten (1960); *Funke und Reisig*, Erzählungen (1963); *Schreibtisch unter freiem Himmel*, Essays (1964).

HEINRICH BÖLL: Schicksal einer henkellosen Tasse

Mit Genehmigung des Verlags Kiepenheuer & Witsch, Köln, aus: Heinrich Böll, *Der Bahnhof von Zimpren* (1959), Copyright by Heinrich Böll
Heinrich Böll wurde 1917 in Köln geboren. Nach dem Abitur, 1937, buchhändlerische Lehre. 1938–1939 Arbeitsdienst. 1939 – 1945 Soldat und später Kriegsgefangener. Ab 1945 Studium der Germanistik, daneben Hilfsarbeiter in einer Schreinerei, später Behördenangestellter. Seit 1951 freier Schriftsteller und Übersetzer in Köln.
Auswahl aus den Werken: *Der Zug war pünktlich*, Erzählung (1949); *Wanderer, kommst du nach Spa ...*, Geschichten (1950); *Wo warst du Adam?*, Roman (1951); *Und sagte kein einziges Wort*, Roman (1953); *Das Brot der frühen Jahre*, Roman (1955); *Irisches Tagebuch*, Reisetagebuch (1957); *Doktor Murkes gesammeltes Schweigen*, Satire (1958); *Billard um halbzehn*, Roman (1959); *Ansichten eines Clowns*, Roman (1963); *Entfernung von der Truppe*, Erzählung (1964).

Satz und Druck: Poeschel & Schulz-Schomburgk, Eschwege (Werra)
Einband: Verlagsbuchbinderei Ladstetter GmbH., Hamburg-Wandsbek

Die Bücher der Neunzehn

Einmalige Sonderausgaben